John Le Carré Omnibus

JOHN
LE CARRÉ

Omnibus

SPION AAN DE MUUR

SPION VERSPEELD

NACHTMERRIE

MARIE-LOUISE

SCENARIO

SIJTHOFF / AMSTERDAM

Oorspronkelijke titels:
The spy who came in from the cold
Nightmare '66
The looking-glass war
The growth of Marie-Louise
George Smiley goes home

Vertaling: John M. Vermeys
B. Eenhoorn
J.F. Kliphuis
J.J.A. Pollmann
Han Visserman

Omslagontwerp: Heidi Franke

Het boek 'Spion verspeeld' is eerder verschenen onder de titel
'Speelgoed voor spionnen'

ISBN 90 218 3998 9

INHOUD

SPION AAN DE MUUR

1. Controlepost

De Amerikaan bracht Leamas nog een kop koffie en zei: 'Waarom gaat u niet naar huis en naar bed? We kunnen u bellen als hij komt.'

Leamas zei niets, hij bleef door het venster van de controlepost strak naar de lange, verlaten weg staren.

'U kunt hier niet eeuwig blijven wachten, meneer. Misschien komt hij een andere keer. We kunnen de Polizei het Bureau laten waarschuwen; u kunt hier binnen twintig minuten terug zijn.'

'Nee,' zei Leamas. 'Het is nu bijna donker.'

'Maar u kunt hier toch niet eeuwig blijven wachten, hij is nu al negen uur over tijd.'

'Als u wilt weggaan, ga dan. U bent heel goed voor me geweest,' voegde Leamas eraan toe. 'Ik zal Kramer zeggen dat u verdomd goed was.'

'Maar hoe lang wilt u wachten?'

'Totdat hij komt.' Leamas liep naar het uitkijkvenster en ging tussen de twee bewegingloze politiemannen staan. Hun kijkers waren op de oostelijke controlepost gericht.

'Hij wacht tot het donker is,' mompelde Leamas, 'daar ben ik zeker van.'

'Vanmorgen zei u dat hij zou doorkomen tegelijk met de werklui.'

Leamas draaide zich naar hem om.

'Geheime agenten zijn geen vliegtuigen. Ze hebben geen dienstregelingen. Hij is uitgeput, op de vlucht en bang. Mundt zit achter hem aan, nu, op dit ogenblik. Dit is zijn enige kans. Laat hem zijn eigen tijd kiezen.'

De jongste man aarzelde, hij wilde weg, maar wist het juiste ogenblik niet te vinden.

Er rinkelde een bel in de barak. Zij wachtten, plotseling op hun

9

hoede. Een politieman zei in het Duits: 'Een zwarte Opel Rekord, Bondsnummerplaat.'

'Hij kan zover niet zien in de schemer, hij raadt er maar wat naar,' fluisterde de Amerikaan, en voegde eraan toe: 'Hoe is Mundt erachter gekomen?'

'Kop dicht,' zei Leamas vanaf het venster. Een van de politiemannen verliet de barak en liep naar de schuilplaats van zandzakken op 60 cm van de witte streep die, als de basislijn van een tennisbaan, over de weg was getrokken. De ander wachtte totdat zijn collega achter de telescoop in de schuilplaats was gekropen, legde toen zijn kijker neer, nam zijn zwarte helm van de haak bij de deur en zette die zorgvuldig op. Ergens hoog boven de controlepost begonnen de booglampen te branden, waardoor de weg die voor hen lag, hel verlicht werd.

De politieman begon zijn verslag. Leamas kende het uit zijn hoofd.

'De wagen staat stil bij de eerste controle. Er is maar één inzittende, een vrouw. Ze wordt nu naar de Vopo*barak geleid voor paspoortcontrole.' Ze wachtten in stilte.

'Wat zegt hij?' vroeg de Amerikaan. Leamas antwoordde niet. Hij nam een reservekijker op en tuurde ononderbroken naar de Oostduitse controlepost.

'Paspoortcontrole afgelopen. Toegelaten tot de tweede controle.'

'Is dit uw man, meneer Leamas?' hield de Amerikaan aan. 'Ik moet het Bureau nu bellen.'

'Wacht.'

'Waar is de wagen nu? Wat doet hij?'

'Geldcontrole, douane,' snauwde Leamas.

Leamas hield de wagen in het oog. Er stonden twee Vopo's bij het portier aan de kant van de bestuurder, een die het woord deed en een die even verder wachtte. Een derde slenterde om de wagen heen. Hij bleef bij de bagageruimte staan en liep terug naar de bestuurder. Hij moest de sleutel hebben. Hij lichtte de klep van de bagageruimte op, keek erin, sloot de klep weer, gaf de sleutel terug en wandelde een dertig meter de weg op tot aan de plaats waar, halverwege tussen de twee tegenover elkaar gelegen controleposten, één enkele Oostduitse schildwacht stond, een gedrongen silhouet in laarzen en een slobberige broek. In het harde licht van de booglamp praatten ze even met

---

* Noot Afkorting van *Volkspolizei*. (Vert.)

10

elkaar, blijkbaar niet zeker van hun zaak. Met een onverschillig gebaar gaven de Vopo's het teken tot doorrijden. Bij de twee schildwachten midden op de weg aangekomen, stopte de auto opnieuw. Ze liepen om de wagen heen, en gingen toen een eindje verder staan praten. Eindelijk, bijna met tegenzin, lieten ze het voertuig doorrijden, over de scheidingslijn, de westerse sector in.

'Wacht u op een man, meneer Leamas?' vroeg de Amerikaan.

'Ja, op een man.'

Leamas zette de kraag van zijn jekker op en stapte naar buiten in de ijskoude oktoberwind. Hij herinnerde zich plotseling de menigte. Dat was iets dat je daarbinnen, in de barak, vergat, die groep verbaasde gezichten. De mensen wisselden, maar de gelaatsuitdrukkingen waren dezelfde. Ze leken op de machteloze menigte die zich bij een verkeersongeval verzamelt, niemand weet hoe het gebeurd is en of men het slachtoffer al of niet moet laten liggen. Rook of stof wolkte op in de lichtstralen van de booglampen, een voortdurende bewegende sluier binnen de lichtkegels.

Leamas liep naar de auto en zei tegen de vrouw: 'Waar is hij?'

'Ze kwamen hem halen en hij is gevlucht. Hij heeft de fiets genomen. Over mij kunnen ze niets geweten hebben.'

'Waar is hij heen gegaan?'

'We hadden een kamer in de buurt van Brandenburg, boven een café. Hij bewaarde daar verschillende dingen, geld, papieren. Ik denk wel dat hij daarheen is gegaan. Daarna komt hij hierheen.'

'Vannacht?'

'Hij zei dat hij vannacht zou komen. De anderen hebben ze allemaal te pakken – Paul, Vlereck, Landser, Salomon. Veel tijd heeft hij niet meer.'

Leamas keek haar een ogenblik zwijgend aan.

'Ländser ook?'

'Gisternacht.'

Een politieman stond opeens naast Leamas.

'U zult hier weg moeten,' zei hij. 'Het is verboden de doorgang te versperren.'

Leamas draaide zich half om.

'Loop naar de bliksem,' snauwde hij. De Duitser verstarde, maar de vrouw zei:

'Stap in. We rijden even naar de hoek.'

Hij ging naast haar zitten en langzaam reden ze de weg af naar een zijweg.

'Ik wist niet dat u een auto had,' zei hij.

'Die is van mijn man,' zei ze onverschillig. 'Karl heeft u nooit verteld dat ik getrouwd was, is het wel?' Leamas zweeg. 'Mijn man en ik werken voor een optiekfirma. Ze laten ons door om zaken te kunnen doen. Karl heeft u alleen mijn meisjesnaam genoemd. Hij wilde niet dat ik met... u te doen zou krijgen.'

Leamas haalde een sleutel uit zijn zak.

'U zult ergens moeten blijven,' zei hij. Zijn stem was zonder uitdrukking. 'Er is een flat in de Albrecht Dürerstrasse, vlak bij het museum. Nummer 28 A. U vindt daar alles wat u nodig heeft. Ik zal u bellen wanneer hij komt.'

'Ik blijf hier bij u.

'Ik blijf hier niet. Ga nu naar de flat. Ik zal u bellen. Het heeft totaal geen zin nu hier te wachten.'

'Maar hij komt via deze doorlaatpost.'

Leamas keek haar verrast aan.

'Heeft hij u dat verteld?'

'Ja. Hij kent een van de Vopo's hier, de zoon van zijn huisbaas. Misschien helpt dat. Daarom heeft hij deze weg gekozen.'

'En dat heeft hij *u* verteld?'

'Hij vertrouwt me. Hij heeft me alles verteld.'

'Allemachtig!'

Hij gaf haar de sleutel en ging terug naar de controlebarak, uit de kou. De beide politiemannen stonden met elkaar te fluisteren toen hij binnenkwam, de grootste van de twee draaide hem ostentatief de rug toe.

'Het spijt me,' zei Leamas. ''t Spijt me dat ik u afgesnauwd heb.' Hij opende een verfomfaaide aktentas en rommelde erin totdat hij gevonden had wat hij zocht: een halve fles whisky. Met een knik pakte de andere man die aan, schonk de koffiekoppen voor de helft vol en vulde ze aan met koffie.

'Waar is de Amerikaan heen?' vroeg Leamas.

'Wie?'

'Die knaap van de Amerikaanse Geheime Dienst die hier bij me was.'

'Bedtijd,' zei de oudste man en ze lachten.

Leamas zette zijn kop neer en zei:

'Wat zijn jullie voorschriften wat betreft schieten om een man te beschermen die hierheen komt? Een man op de vlucht?'

'We kunnen alleen maar dekkend vuur afgeven indien de Vopo's in onze sector schieten.'

12

'Dat betekent dat u niet schieten kunt alvorens de man over de scheidingslijn is?'

De oudste man zei: 'We kunnen geen dekkend vuur afgeven, meneer...'

'Thomas,' antwoorde Leamas, 'Thomas.' Ze wisselden handdrukken, waarbij de beide politiemannen hun namen noemden.

'We kunnen geen dekkend vuur afgeven. Dat is de waarheid. Men heeft ons verteld dat dit een oorlog ten gevolge zou kunnen hebben.'

'Het is onzin,' zei de jongste politieman, vrijer geworden door de whisky. 'Als de geallieerden er niet waren, dan was de Muur nou allang weg geweest.'

'En Berlijn ook,' mompelde de oudste.

'Er komt een man van me over vannacht,' zei Leamas plotseling.

'Hier? Op deze doorlaatpost?'

'Het is van veel belang hem eruit te krijgen. Mundts mannen zitten hem op de hielen.'

'Er zijn nog wel plaatsen waar overklimmen mogelijk is,' zei de jongste politieman.

'Hij is niet van dat soort. Hij is er zo een die zich erdoorheen bluft, hij heeft papieren. als die tenminste nog goed zijn. En hij heeft een fiets.'

Er was slechts één lamp in de controlepost, een leeslamp met een groene kap, maar het schijnsel van de booglampen vulde de barak als met kunstmatige maneschijn. Het was nu volkomen donker geworden en stil. Ze spraken alsof ze bang waren afgeluisterd te worden. Leamas ging naar het venster en wachtte: vóór hem lag de weg en aan weerskanten de Muur, een vuil, lelijk bouwsel van uit gruis geperste blokken en prikkeldraad, verlicht door wat gelig licht, als de achtergrond voor een concentratiekamp. Ten oosten en ten westen van de Muur lag het niet herbouwde gedeelte van Berlijn, een in twee dimensies getekende halve wereld van ruïnes, een uit de oorlog voortgekomen rotslandschap.

Die verdomde vrouw, dacht Leamas, en die stomme Karl die over haar gelogen had. Gelogen door feiten te verzwijgen, zoals ze allemaal doen, de geheime agenten over de hele wereld. Je leert hun te bedriegen, geen sporen na te laten, en dan bedriegen ze jou net zo goed. Hij was slechts eenmaal met haar verschenen, na dat diner in de Schürzstrasse verleden jaar. Karl had juist zijn grote slag geslagen en Control* had hem willen ontmoeten. Als er succes was ge-

---

* De naam waaronder 'De grote baas' van de Geheime Dienst in Londen bekend stond. *(Vert.)*

boekt, moest Control er altijd bij zijn. Ze hadden met elkaar gegeten – Leamas, Control en Karl. Karl was gek op zoiets. Hij had er bij die gelegenheid uitgezien als een jongen van de zondagsschool, opgepoetst en glimmend, hij nam netjes zijn hoed af en deed erg eerbiedig. Control had wel vijf minuten lang zijn hand geschud en gezegd: 'Ik wil dat je weet hoe blij we zijn, Karl, verdomd blij.' Leamas had toegekeken en gedacht: Dat kost weer een paar honderd per jaar extra. Na het diner had Control weer aan hun handen staan pompen, had betekenisvol geknikt alsof hij wilde laten doorschemeren dat hij nu weer ergens anders zijn leven moest gaan wagen, en stapte toen in zijn door een chauffeur bestuurde slee. Toen had Karl gelachen en Leamas had met hem mee gelachen en ze hadden de champagnefles leeggedronken, nog steeds lachende om Control. Daarna waren ze naar het 'Alter Fass' gegaan, daar had Karl op aangedrongen, en daar wachtte Elvira op hen, een veertigjarige blondine, zo hard als een bikkel.

'Dit is mijn best bewaarde geheim, Alec,' had Karl gezegd, en Leamas was woedend geweest. Naderhand hadden ze ruzie gehad.

'Hoeveel weet ze? Wie is ze? Hoe heb je haar ontmoet?' Karl was nijdig en weigerde te antwoorden. Daarna was alles veel moeilijker geworden. Leamas probeerde wijzigingen te brengen in de routine, de ontmoetingsplaatsen en wachtwoorden te veranderen, maar dat beviel Karl niet. Hij wist wat erachter stak en het stond hem niet aan.

'Als je haar niet vertrouwt, is het nu toch te laat,' had hij gezegd, en Leamas begreep de wenk en hield zijn mond. Maar daarna was hij heel voorzichtig, vertelde Karl veel minder en maakte meer gebruik van de hocus-pocus van de spionagetechniek. En daar was ze nu, daar buiten in haar auto, volkomen op de hoogte met alles, het hele net, het vluchthuis, alles; en Leamas zwoer, niet voor de eerste maal, nooit meer een agent te zullen vertrouwen.

Hij ging naar de telefoon en draaide het nummer van zijn flat. Frau Martha antwoordde.

'We hebben gasten in de Dürerstrasse,' zei Leamas, 'een man en een vrouw.'

'Getrouwd?' vroeg Martha.

'Als je 't zo noemen wilt,' zei Leamas, en ze lachte haar afgrijselijke lach.

Terwijl hij de hoorn op de haak legde, draaide een van de politiemannen zich naar hem om.

'Herr Thomas! Vlug!' Leamas ging naar het uitkijkvenster.

'Een man, Herr Thomas,' fluisterde de jongste politieman, 'met een fiets.' Leamas nam de kijker ter hand.

Het was inderdaad Karl, hij herkende hem ogenblikkelijk, zelfs op die afstand, zoals hij daar, gekleed in een oude militaire regenjas, zijn fiets voortduwde. Het is hem gelukt, dacht Leamas, het moet hem gelukt zijn, want hij is de paspoortcontrole al gepasseerd, zodat alleen de geld- en de douanecontrole overblijven. Leamas zag hoe Karl zijn fiets tegen het hek zette en nonchalant naar het douanehokje liep. Overdrijf nou niet, dacht hij bij zichzelf. Tenslotte kwam Karl naar buiten, wuifde vrolijk naar de man bij de versperring en de rood-en-witte boom ging langzaam naar boven. Hij was erdoor, hij kwam naar hen toe, het was hem gelukt. Nu alleen nog de Vopo midden op de weg, de witte lijn en hij was veilig.

Op dat ogenblik scheen Karl een of ander geluid te horen, een of ander gevaar te voelen, hij keek over zijn schouder en gooide zich met al zijn kracht op de pedalen, terwijl hij zich diep over zijn stuur boog. Hij moest nu nog langs de eenzame schildwacht op de brug tussen de twee posten en deze had zich omgedraaid en keek naar Karl. Toen, volkomen onverwacht, gingen de zoeklichten aan, wit en helder, die Karl vonden en hem in hun stralenbundels vasthielden als een konijn in de koplampen van een auto. Toen deed zich het af- en aanzwellende gehuil van een sirene horen en wild geschreeuwde bevelen. Vóór Leamas lieten beide politiemannen zich op de knie vallen en tuurden door de spleten tussen de zandzakken, terwijl ze handig hun automatische vuurwapenen op salvo vuur stelden.

De Oostduitse schildwacht vuurde, heel nauwkeurig, van hen vandaan, in zijn eigen sector. Het eerste schot scheen Karl voorwaarts te duwen, het tweede hem terug te halen. Op de een of andere manier was hij nog steeds in beweging, zat nog steeds op zijn fiets, passeerde de schildwacht, en de schildwacht schoot nog steeds op hem. Toen zakte hij in elkaar en viel op de grond en heel duidelijk hoorden zij het kletterend geluid van de vallende fiets. Leamas hoopte dat hij in godsnaam dood was.

2. Het Circus

Hij keek hoe de startbaan van het vliegveld Tempelhof onder hem wegzonk.

Leamas had geen bespiegelende geest en evenmin een uitgesproken filosofische inslag. Hij wist dat hij afgedaan had – dit was een van de feiten waarmede hij in het vervolg zou moeten leven, zoals een mens soms moet leven met kanker of gevangenschap. Hij wist dat hij niets had kunnen doen om de kloof tussen toen en nu te overbruggen. Hij aanvaardde de mislukking, zoals hij waarschijnlijk eens de dood tegemoet zou treden, met cynische wrevel en de moed van de eenzelvige. Hij had het langer uitgehouden dan de meesten, nu was hij verslagen. Men zegt dat een hond leeft zolang zijn tanden het uithouden; figuurlijk gesproken waren Leamas' tanden hem uitgetrokken, en Mundt was de man die dat gedaan had.

Tien jaar geleden was er nog een andere weg voor hem open geweest – er waren bureaubaantjes in dat anonieme regeringsgebouw in Cambridge Circus waarvan Leamas er een had kunnen bezetten tot hij de hemel weet hoe oud was; maar dat lag Leamas niet. Men had evengoed een jockey het voorstel kunnen doen klerk bij de totalisator te worden als te verwachten dat Leamas het vrije, operationele bestaan zou opgeven en verwisselen voor het tendentieuze geleuter en het stiekeme geïntrigeer van Whitehall. Hij was in Berlijn blijven hangen met de wetenschap dat de afdeling Personeel in zijn dossier genoteerd had dat dit van jaar tot jaar opnieuw beschouwd moest worden – koppig, eigenzinnig, met minachting voor instructies, zichzelf voorhoudende dat er zich best iets zou voordoen. Werken voor de Geheime Dienst kent één wet – het wordt door de resultaten gerechtvaardigd. Zelfs het sofisme van Whitehall boog zich voor deze wet, en Leamas boekte resultaten. Totdat Mundt verscheen.

Het was eigenaardig hoe snel Leamas zich gerealiseerd had dat Mundt het mene tekel was.

Hans-Dieter Mundt, tweeënveertig jaar geleden te Leipzig geboren. Leamas kende zijn dossier, kende de foto aan de binnenkant van het omslag, het ondoorgrondelijke, harde gezicht onder het vlaskleurige haar; de geschiedenis van Mundts opklimmen naar de tweede plaats in de Abteilung en efficiënt chef van operaties kende hij uit zijn hoofd. Mundt was gehaat, zelfs op zijn eigen afdeling. Dit was Leamas bekend uit verklaringen van overlopers en van Riemeck, die, als lid van het SED-Presidium, samen met Mundt in verschillende veiligheidscommissies had gezeten en hem vreesde. Terecht, zoals later bleek, want Mundt was aansprakelijk voor zijn dood.

Tot 1959 was Mundt een onbetekenende functionaris van de Abteilung geweest, die in Londen opereerde onder de dekmantel van de Oostduitse Staal Missie. Hij keerde hals over kop naar Duitsland terug, na twee van zijn eigen agenten te hebben vermoord om zijn huid te redden, en meer dan een jaar hoorde men niets meer van hem. Geheel onverwachts dook hij weer op in het hoofdkwartier van de Abteilung als hoofd van de financiële afdeling, die verantwoordelijk was voor de toewijzing van buitenlandse valuta, uitrusting en personeel voor de uitvoering van speciale opdrachten. Aan het eind van het jaar kwam de grote worsteling om de macht in de Abteilung. Het aantal en de invloed van de Sovjet-liaisonofficieren werden drastisch verminderd, verschillende leden van de oude garde werden op ideologische gronden ontslagen en drie mannen traden op de voorgrond: Fiedler als hoofd van de contraspionage, Jahn nam de functie over die Mundt tot dan toe bekleed had en Mundt zelf ging met de vetste hap strijken – adjunct-directeur van operaties – en dat op zijn eenenveertigste jaar. Toen begon de nieuwe manier van optreden. De eerste agent die Leamas verspeelde was een jonge vrouw. Ze was slechts een kleine schakel in het geheel, ze werd in hoofdzaak gebruikt voor koeriersdiensten. Ze schoten haar op straat dood toen ze uit een bioscoop in West-Berlijn kwam. De politie vond de dader niet en Leamas was eerst geneigd het hele incident af te schrijven als geen verband houdende met haar taak. Een maand later werd een kruier in Dresden, een afgedankte agent van Peter Guillams net, dood en verminkt langs de spoorbaan aangetroffen. Leamas wist nu dat dit niet langer als een toeval beschouwd kon worden. Spoedig daarna werden twee leden van een ander net dat door Leamas gecontroleerd werd gearresteerd, en zonder vorm van proces doodgeschoten. En zo ging het door, meedogenloos en zenuwslopend.

En nu hadden ze Karl, en Leamas verliet Berlijn zoals hij er gekomen was – zonder ook maar een enkele agent die een stuiver waard was. Mundt had gewonnen.

Leamas was een kleine man met dik, staalgrijs haar en het fysiek van een zwemmer. Hij was heel sterk. Die kracht was waarneembaar in zijn rug en schouders, in zijn nek en in de korte, dikke handen en vingers.

Kleren zag hij alleen als gebruiksvoorwerpen, evenals trouwens de meeste andere dingen: zelfs de bril die hij zo nu en dan droeg, had een stalen montuur. De meeste van zijn kostuums waren uit kunststoffen vervaardigd en bij geen ervan droeg hij een vest. Het liefste droeg hij Amerikaanse overhemden, met knoopjes aan de boord-punten, en suède schoenen met rubber zolen.

Hij had een aantrekkelijk gezicht, scherp, met een koppige trek om zijn dunne mond. Zijn ogen waren bruin en klein; Iers, zeiden sommigen. Het was moeilijk Leamas thuis te brengen. Als hij een Londense club binnenliep, zou de portier hem zeer beslist niet voor een lid aanzien; in een Berlijnse nachtclub echter gaf men hem meestal de beste tafel. Hij zag eruit als iemand die moeilijkheden zou kunnen veroorzaken, een man die op zijn geld paste; een man die net niet helemaal een heer was.

De stewardess vond hem wel interessant. Ze vermoedde dat hij uit het noorden kwam, wat het geval zou hebben kunnen zijn, en rijk was, waarin ze zich zeer beslist vergiste. Ze schatte zijn leeftijd op vijftig, wat ongeveer klopte. Ze vermoedde dat hij ongehuwd was, hetgeen maar half waar was. Ergens, lang geleden, was er een echt-scheiding geweest; ergens waren er kinderen, tieners nu, die hun zakgeld kregen door middel van een nogal eigenaardige privé-bank in de City.

'Als u nog een whisky wilt hebben,' zei de stewardess, 'mag u wel voortmaken. Over twintig minuten zijn we in Londen.'

'Niets meer.' Hij keek haar niet aan, hij keek uit het venster naar de grijsgroene velden van Kent.

Fawley haalde hem op het vliegveld af en reed hem naar Londen.

'Control is nogal nijdig over Karl,' zei hij, terwijl hij Leamas van terzijde aankeek. Leamas knikte.

'Hoe is het gebeurd?' vroeg Fawley.

'Hij werd neergeschoten. Mundt kreeg hem te grazen.'

'Dood?'

'Dat zou ik denken. Het is voor hem maar te hopen ook. Hij had het bijna gehaald. Hij had zich nooit zo plotseling moeten gaan haasten, ze konden niets zeker weten. De Abteilung kwam bij de controlepost aan net toen hij was doorgelaten. Ze zetten de sirene aan en een Vopo schoot hem neer op ongeveer twintig meter van de scheidingslijn. Hij bewoog zich nog even toen hij op de grond lag, toen bleef hij stil liggen.'

'Arme bliksem.'

'Zeg dat wel,' zei Leamas.

Fawley mocht Leamas niet, en als Leamas dit al wist kon het hem niet schelen. Fawley was een clubman, een man die zijn lidmaatschappen liet blijken uit de dassen die hij droeg, een man die orakelde over de prestaties van sportlieden en die zich in zijn bureaucorrespondentie een legerrang aanmat. Hij vond Leamas verdacht en Leamas vond hem een dwaas.

'In welke sectie werk je nu?' vroeg Leamas.

'Personeel.'

'Prettig?'

'Fascinerend.'

'Wat wordt mijn bestemming? De sloop?'

'Dat kan Control je beter vertellen, ouwe jongen.'

'Weet jij het?'

'Vanzelfsprekend.'

'Waarom vertel je het me dan verdomme niet?'

''t Spijt me, kerel,' antwoordde Fawley, en plotseling scheelde het een haar of Leamas had zijn geduld verloren. Toen bedacht hij zich dat Fawley vermoedelijk toch maar loog.

'Wel, vertel me dan één ding als het je hetzelfde is. Moet ik naar een flat in Londen omkijken?'

Fawley krabde zijn oor eens. 'Ik dacht van niet, ouwe jongen, nee.'

'Nee? Dat is dan in ieder geval een geluk.'

Ze parkeerden vlak bij Cambridge Circus, bij een parkeermeter, en liepen samen de vestibule in.

'Je hebt geen pasje, is het wel? Dan kun je beter even een formuliertje invullen, ouwe jongen.'

'Sinds wanneer hebben we hier pasjes? McCall kent me even goed als zijn eigen moeder.'

'Een nieuwe maatregel. Het Circus groeit, weet je.'

Leamas zei niets, knikte naar McCall en stapte zonder pasje in de lift.

Control schudde hem voorzichtig de hand, als een dokter die de beenderen betast.

'Je moet wel erg moe zijn,' zei hij verontschuldigend, 'ga zitten alsjeblieft.' Dezelfde saaie, vlakke stem, dezelfde schoolmeesterstoon.

Leamas ging in een stoel zitten die tegenover een olijfgroen electrisch kacheltje stond, waarop een pannetje met water stond te balanceren.

'Vind je het koud?' vroeg Control. Hij boog zich over het vuur en wreef zijn handen. Hij droeg een slobberig bruin wollen vest onder zijn zwarte colbert. Leamas herinnerde zich de vrouw van Control, een domme kleine vrouw die scheen te denken dat haar man bij de kolendistributie zat. Hij veronderstelde dat zij dat ding gebreid had.

'Het is zo droog, dat is de narigheid,' ging Control door. 'Verdrijf de kou en je droogt de atmosfeer uit. Het is allebei even gevaarlijk.'

Hij ging naar zijn lessenaar en drukte op een knop. 'We zullen proberen wat koffie te bestellen,' zei hij, 'Ginnie is met verlof, dat is zo jammer. Ze hebben me een nieuwe juffrouw gegeven, het is erg lastig.'

Hij was kleiner dan Leamas zich hem herinnerde, voor het overige onveranderd. Dezelfde zogenaamde onbevangenheid, dezelfde schoolmeesterachtige verwaandheid, dezelfde angst voor tocht; wellevend volgens een regel mijlen ver verwijderd van wat Leamas gewend was. Dezelfde flauwe glimlach, hetzelfde vertoon van bescheidenheid, hetzelfde verontschuldigend vasthouden aan een gedragscode die hij voorgaf belachelijk te vinden. Dezelfde banaliteit.

Hij nam een pakje sigaretten van zijn schrijftafel en bood Leamas er een aan.

'Je zult merken dat die ook al duurder zijn geworden,' zei hij, en Leamas knikte plichtmatig. Control stak de sigaretten in zijn zak en ging zitten. Er volgde een ogenblik van stilte, tenslotte zei Leamas:

'Riemeck is dood.'

'Tja, inderdaad,' antwoordde Control, alsof Leamas daar een juiste opmerking gemaakt had. 'Het is heel ongelukkig. Heel... ik veronderstel dat die vrouw hem heeft verraden – Elvira?'

'Dat kan wel.' Leamas was niet van plan hem te vragen hoe hij dat van Elvira te weten was gekomen.

'En Mundt liet hem neerschieten,' voegde Control eraan toe.

'Precies.'

Control stond op en scharrelde door de kamer op zoek naar een asbak. Hij vond er een en zette die onhandig tussen hun stoelen op de grond.

'Hoe voelde je je? Ik bedoel toen Riemeck neergeschoten werd? Je zag het gebeuren, is het niet?'

Leamas haalde zijn schouders op. 'Ik had behoorlijk de pest in,' zei hij.

Control hield zijn hoofd scheef en deed zijn ogen half dicht. 'Je

moet toch meer gevoeld hebben dan alleen maar dat? Je was toch ze-
ker wel overstuur? Dat zou tenminste begrijpelijk zijn.'
  'Natuurlijk was ik overstuur. Wie zou dat niet geweest zijn?'
  'Mocht je Riemeck wel, als mens?'
  'Ik geloof het wel,' zei Leamas onzeker. 'Het schijnt overigens
niet veel zin te hebben daar verder op in te gaan,' voegde hij eraan
toe.
  'Hoe bracht je de nacht door, of wat ervan over was, nadat Riemeck was neergeschoten?'
  'Hoor eens even, wat stelt dit voor?' vroeg Leamas woedend.
'Waar wil je naar toe?'
  'Riemeck was de laatste,' dacht Control hardop, 'de laatste van
een serie doden. Als mijn geheugen me niet in de steek laat was dat
meisje dat ze neerknalden in Wedding, voor die bioscoop, de eerste.
Dan was daar nog die man uit Dresden en de arrestaties in Jena. Het
lijkt wel de tien kleine negertjes.* En dan nu Paul, Viereck en Ländser – allemaal dood. En tenslotte Riemeck.' Hij glimlachte verontschuldigend. 'Dat is nogal een zware omzet in mensenlevens. Ik
vroeg me af of je er genoeg van had.'
  'Wat bedoel je – genoeg?'
  'Ik vroeg me af of je moe was. Opgebruikt.' Er heerste een lange
stilte.
  'Dat moet jij uitmaken,' zei Leamas tenslotte.
  'We moeten nu eenmaal leven zonder veel sympathie, is het niet?
Maar dat is natuurlijk onmogelijk. Al die hardheid is maar vertoon
tegenover elkaar, in werkelijkheid zijn we zo niet. Ik bedoel... je
kunt niet de hele tijd buiten in de kou staan; zo nu en dan moet je je
wel eens even terugtrekken uit de kou... snap je wat ik bedoel?'
  Leamas begreep het. Hij zag de lange weg buiten Rotterdam, de
lange, rechte weg die naar de duinen leidde, en de stroom van vluchtelingen die erover trok; hij zag het kleine vliegtuigje, mijlen ver weg
en de stroom die stopte en ernaar keek, hij zag weer hoe het vliegtuig
op hen afkwam, rakelings over de duinen en hij zag de chaos, de zinloze hel, toen de bommen op de weg terechtkwamen.
  'Ik kan op deze manier niet praten, Control,' zei Leamas tenslotte. 'Wat wil je dat ik doen zal?'
  'Ik zou willen dat je nog maar wat langer in de kou bleef.' Leamas
zei niets en dus ging Control verder: 'De ethiek van ons werk, zoals

---

* Een bekend en zeer spannend detectiveverhaal door Agatha Christie. *(Vert.)*

ik die opvat, is gebaseerd op een enkele onderstelling. Dat is dat we nooit aanvallers zullen zijn. Ben je het met dat standpunt eens?'

Leamas knikte. Als hij maar niet hoefde te spreken.

'Dus doen we onaangename dingen, maar we zijn in de *verdediging*. En dat, vind ik, is nog steeds juist. We doen onaangename dingen opdat de gewone burgers hier en elders 's nachts veilig in hun bed kunnen slapen. Is dat te romantisch? Natuurlijk doen we van tijd tot tijd wel eens heel ondeugende dingen.' Hij grinnikte als een schooljongen. 'En als we de moraliteiten tegenover elkaar gaan afwegen, hebben we nogal eens de neiging oneerlijke vergelijkingen te maken; je kunt tenslotte de idealen van de ene zijde moeilijk vergelijken met de methoden van de andere zijde, ben je dat niet met me eens?'

Leamas begreep er niets van. Hij had de man al vaker een hoop onzin horen uitslaan voor hij het mes erin zette, maar zoiets als dit had hij nog nooit meegemaakt.

'Ik bedoel dat je methode met methode moet vergelijken en ideaal met ideaal. Ik zou zeggen dat sedert de oorlog onze methoden – de onze en die van de tegenpartij – vrijwel dezelfde zijn geworden. Ik bedoel je kunt niet minder meedogenloos zijn dan de ander alleen maar omdat de *politiek* van je regering toevallig zachtzinnig is, vind je wel?'

Hij lachte zachtjes in zichzelf. 'Nee, dat zou *nooit* goed zijn,' zei hij.

Godnogtoe, dacht Leamas, het lijkt wel of ik voor een dominee werk. Wat *wil* de vent toch?

'En daarom,' vervolgde Control, 'geloof ik dat we moesten proberen van Mundt af te komen... Hé, dat is waar ook,' zei hij, zich geërgerd naar de deur begevende, 'waar blijft verdomme die koffie toch?'

Control liep naar de deur, opende die en sprak tegen het een of andere onzichtbare meisje in de voorkamer. Toen hij terugkwam zei hij: 'Ik geloof werkelijk dat we ons van hem *moeten* ontdoen als we daar de kans toe zien.'

'Waarom? We hebben niemand meer over in Oost-Duitsland, helemaal niemand. Je hebt het zojuist zelf nog gezegd – Riemeck was de laatste. We hebben daar niemand meer om te beschermen.'

Control ging zitten en keek enige tijd naar zijn handen.

'Dat is niet helemaal waar,' zei hij tenslotte, 'Maar ik geloof niet dat het nodig is je met de details te vermoeien.'

Leamas haalde zijn schouders op.

'Vertel me eens,' vervolgde Control, 'heb je genoeg van het spionagewerk? Neem me niet kwalijk als ik die vraag herhaal. Ik bedoel dat dit een verschijnsel is dat wij hier begrijpen, weet je. Zoals bij vliegtuigontwerpers – metaalmoeheid noemen ze dat, geloof ik. Zeg het dus maar gerust als het zo is.'

Leamas herinnerde zich de vlucht terug naar huis die ochtend en verbaasde zich.

'Als je er namelijk genoeg van had,' voegde Control eraan toe, 'zouden we een andere manier moeten vinden om met Mundt af te rekenen. Wat ik in gedachten heb is een beetje buiten het normale.'

De juffrouw kwam binnen met de koffie. Ze zette een blad op de schrijftafel en schonk twee kopjes in. Control wachtte tot ze de kamer weer verlaten had.

'Dat is toch zo'n slome meid,' zei hij, als tot zichzelf. 'Ik vind het toch wel merkwaardig dat ze tegenwoordig geen goeie krachten meer schijnen te kunnen vinden. Maar ik wou wel dat Ginnie niet in deze tijd met vacantie ging.' Hij roerde troosteloos even in zijn koffie.

'We moeten echt proberen Mundt in discrediet te brengen,' zei hij. 'Vertel me eens, drink je veel? Whisky en dat soort dingen?'

Leamas had gedacht dat hij nu toch wel een beetje gewend was aan Control.

'Ik drink inderdaad een beetje. Meer dan de meesten, veronderstel ik.'

Control knikte begrijpend. 'Wat weet je van Mundt?'

'Hij is een moordenaar. Een paar jaar geleden was hij hier met de Oostduitse Staal Missie. Wij hadden hier toen een adviseur, Maston.'

'Dat klopt, ja.'

'Mundt had toen een agent, de vrouw van een F.O.*man. Hij vermoordde haar.'

'Hij probeerde George Smiley te vermoorden. En natuurlijk knalde hij de echtgenoot van de vrouw neer. Hij was een heel onaangenaam mens. Ex-Hitlerjugend en zo. Helemaal niet het intellectuele soort communist. Meer een beoefenaar van de koude oorlog.'

'Zoals wij,' merkte Leamas droog op. Control glimlachte niet.

'George Smiley kende het geval goed. Hij werkt niet meer voor

* Foreign Office: ministerie van buitenlandse zaken.

ons, maar ik geloof dat het goed zou zijn als je hem opzocht. Hij werkt nu aan een boek over het zeventiende-eeuwse Duitsland. Hij woont in Chelsea, vlak achter Sloane Square. Bywater Street, weet je die?'

'Ja.'

'En Guillam was ook met die zaak bezig. Hij zit nu bij Satellites Four, op de eerste verdieping. Ik ben bang dat de zaak hier wel veranderd is sedert je hier was.'

'Ja.'

'Breng eens een paar dagen met hen door. Zij weten wat ik in mijn hoofd heb. En dan vroeg ik me nog af of je er wat voor zou voelen het weekeinde bij mij thuis te logeren.' Haastig voegde hij hieraan toe: 'Mijn vrouw is op het ogenblik naar huis om haar zieke moeder te verplegen, zodat we het helaas samen zullen moeten redden.'

'Dank je. Dat zou ik erg gezellig vinden.'

'Dan kunnen we de dingen eens op ons gemak bespreken. Dat zou erg prettig zijn. Ik geloof dat je er een hoop geld uit kunt slaan. En je kunt alles houden wat je eruit haalt.'

'Bedankt.'

'Dat wil zeggen natuurlijk, als je er *zeker van bent dat je dat wilt*... geen metaalmoeheid of zo?'

'Als het erom gaat Mundt te doden, ben ik van de partij.'

'Meen je dat werkelijk?' informeerde Control beleefd. En toen, na Leamas enige tijd peinzend aangekeken te hebben, merkte hij op: 'Ja, ik geloof werkelijk dat je het meent. Maar je moet het niet doen omdat je denkt dat je dit zeggen *moet*. Ik bedoel maar dat wij in ons wereldje zo gauw de grenzen tussen haat en liefde overschrijden, zoals een hond sommige geluiden niet kan horen. Alles wat er dan tenslotte van overblijft is een soort onpasselijkheid; je wilt nooit meer de oorzaak van lijden zijn. Neem me niet kwalijk, maar waren dat niet zo'n beetje je gevoelens toen Karl Riemeck werd neergeschoten? Geen haat voor Mundt, ook geen liefde voor Karl, maar een misselijk makende slag, als een stomp in een gevoelloos lichaam. . Ze hebben me verteld dat je de hele nacht rondgelopen hebt – alleen maar rondgelopen door de Berlijnse straten. Klopt dat?'

'Het is waar dat ik een wandeling heb gemaakt.'

'De hele nacht?'

'Ja.'

'Wat gebeurde er met Elvira?'

'Dat mag de hemel weten... Ik zou graag Mundt te grazen nemen,' zei hij.

'Goed... Goed. Tussen haakjes, mocht je in de tussentijd oude vrienden tegenkomen, dan geloof ik niet dat het zin heeft dit met hen te bespreken.' Na een ogenblik voegde Control hieraan toe: 'Ik geloof eigenlijk dat je het beste maar wat kortaangebonden met ze kunt zijn. Laat ze maar denken dat we je slecht behandeld hebben. Je kunt beter meteen maar beginnen zoals je denkt door te gaan, is het niet zo?'

3. Verval

Niemand was erg verbaasd toen Leamas aan de dijk gezet werd. Over het algemeen was Berlijn al sinds jaren een sof geweest en iemand moest tenslotte de schuld dragen. Bovendien was hij al wat oud voor het actieve werk, waarin je reacties vaak even snel moesten zijn als die van een beroepstennisspeler. Leamas had in de oorlog goed werk verricht, dat wist iedereen. In Noorwegen en Nederland was hij op de een of andere manier in het leven gebleven en na afloop had men hem een onderscheiding verleend en hem laten gaan. Later had men hem weer gevraagd terug te komen. Het was natuurlijk wel pech voor zijn pensioen, beslist pech. Dat was uitgelekt bij Financiën, bij monde van Elsie. Elsie had in de cantine verteld dat die arme Alec Leamas maar £400 per jaar zou hebben om van te leven vanwege zijn onderbroken diensttijd. Elsie vond dat dit een voorschrift was dat nodig veranderd moest worden: tenslotte had meneer Leamas zijn dienst dan toch maar *gedaan,* niet? Maar ze stonden onder het ministerie van financiën, dus wat konden ze eraan doen? Daar hadden ze vroeger niets mee te maken gehad. Zelfs in de slechte dagen van Maston hadden ze dit soort dingen beter behandeld.

De nieuwe krachten vertelde men dat Leamas de oude school vertegenwoordigde, bloed, lef en cricket en wat school-Frans. In het geval van Leamas was dit toevallig heel onbillijk, aangezien hij tweetalig was, Engels en Duits, en zijn Nederlands ook uitstekend was; bovendien had hij een hekel aan cricket. Maar het was waar dat hij geen academische graad bezat.

Het contract met Leamas liep nog enige maanden, en om die uit te dienen plaatsten ze hem zolang op de afdeling Bankzaken. Bankzaken was anders dan Financiën, het had te maken met overzeese betalingen, het financieren van agenten en operaties. De meeste baantjes in Bankzaken hadden wel door een jongste bediende kunnen worden verricht, ware het niet dat hieraan een grote mate van geheimhouding verbonden was, en dus behoorde Bankzaken tot de verschillende afdelingen in de Dienst die beschouwd werden als tijdelijke verblijfplaats voor die ambtenaren die binnenkort toch de vergetelheid zouden ingaan.

Leamas raakte aan lager wal.

Over het algemeen duurt het vrij lang voordat iemand werkelijk te gronde gaat, maar met Leamas was dit niet het geval. Voor de ogen van zijn collega's veranderde hij van een eervol terzijdegesteld man in een haatdragend, dronken wrak – en dit alles binnen een paar maanden. Er bestaat een soort wezenloosheid bij dronkaards, speciaal wanneer ze nuchter zijn, een soort afwezigheid, die niet heel opmerkzame lieden als zwakheid aanduiden en die Leamas zich met onnatuurlijke snelheid scheen eigen te maken. Hij bedreef kleine oneerlijkheden, leende onbeduidende bedragen van secretaressen en vergat die terug te betalen, en kwam te laat of ging te vroeg weg onder een of ander gemompeld voorwendsel. Eerst behandelden zijn collega's hem nog met toegeeflijkheid; misschien beangstigde zijn verval hen op dezelfde wijze als kreupelen, bedelaars en invaliden ons bang maken, omdat we vrezen dat wij zelf een van hen zouden kunnen worden; maar tenslotte waren toch zijn nalatigheid en zijn grove, onredelijke boosaardigheid oorzaak dat men hem links liet liggen.

Overigens scheen, tot ieders verrassing, Leamas het helemaal niet zo erg te vinden aan de dijk gezet te zijn. Zijn wilskracht scheen plotseling in elkaar gestort te zijn. De beginnelingen onder de secretaressen, onwillig te geloven dat Geheime Diensten door gewone stervelingen bezet worden, merkten met schrik dat Leamas een verlopen sujet was geworden. Hij besteedde minder zorg aan zijn uiterlijk en stoorde zich minder aan zijn omgeving, hij lunchte in de cantine, waar gewoonlijk alleen het jongere personeel at, en het gerucht ging dat hij dronk. Hij werd een eenzame, behorende tot die tragische categorie van actieve mensen wie men te vroeg hun activiteit ontnomen heeft; zwemmers wie het water ontzegd wordt of acteurs die niet meer op de planken mogen verschijnen.

Sommigen zeiden dat hij een blunder begaan had in Berlijn, dat dat de oorzaak was waardoor zijn spionagenet was opgerold door de tegenpartij; maar niemand wist iets met zekerheid. Iedereen was het ermee eens dat hij buitengewoon hardvochtig behandeld was, zelfs voor een personeelsafdeling die nu niet direct bekend stond om haar filantropie. Als hij langs kwam wees men hem steeds aan, zoals mannen dat wel doen met een atleet uit het verleden, en zei: 'Dat is Leamas. Die heeft het er in Berlijn bij laten liggen, tragisch zoals hij zichzelf nu laat gaan.'

En toen op een dag verdween hij. Hij zei niemand goedendag, blijkbaar zelfs Control niet. Dit was op zichzelf niet zoiets bijzonders. De aard van de Dienst sloot uitbundige afscheidsfuifjes en het aanbieden van gouden horloges nu eenmaal uit, maar zelfs naar deze regels afgemeten, scheen het vertrek van Leamas wel heel plotseling. Voor zover men kon nagaan vond zijn vertrek plaats vóór de wettelijke beëindiging van zijn contract. Elsie, van Financiën, verschafte een paar kruimels nieuws. Leamas had de rest van zijn salaris in baar opgenomen, hetgeen, daar wilde Elsie iets onder verwedden, betekende dat hij moeilijkheden met zijn bank had. Zijn gratificatie* werd betaalbaar aan het einde van de maand, ze kon niet zeggen hoeveel dat zou worden, maar in ieder geval geen bedrag in vier cijfers, arme stakker. Zijn nationale verzekeringskaart was opgezonden. De personeelsafdeling had een adres van hem, voegde Elsie er minachtend aan toe, maar natuurlijk lieten die niets los, moest je net bij Personeel komen. En dan was daar die geschiedenis met het geld. Het lekte uit – als gewoonlijk wist niemand waarvandaan – dat het plotselinge vertrek van Leamas verband hield met ongeregeldheden bij de afdeling Bankzaken. Een nogal grote som ontbrak (niet in drie cijfers, maar in vier, volgens een jongedame met blauw haar die op de telefooncentrale werkte), maar ze hadden het bijna allemaal teruggekregen en verder had men een retentierecht op zijn pensioen gelegd. Anderen zeiden dat ze dat niet geloofden – als Alec zijn slag had willen slaan, zeiden ze, wist hij wel betere wegen om dat te doen dan te knoeien met de HQ-kas. Niet dat hij er niet toe in staat was – alleen zou hij het beter gedaan hebben. Maar zij die minder overtuigd waren van het misdadige potentieel van Leamas, wezen op zijn groot alcoholverbruik, op de kosten van een gescheiden huishouding, op het fatale verschil tussen het salaris dat hij nu ontving en de onkostenvergoeding in het buitenland, en boven dit alles op de vele verleidingen waaraan een man blootstaat die grote sommen geheim geld door zijn handen zag gaan in een tijd dat hij wist dat zijn dagen

* Iedere Britse ambtenaar die met pensioen gaat, krijgt een eenmalige gratificatie uitgekeerd, waarvan het bedrag zeer hoog kan zijn. *(Vert.)*

in de Dienst geteld waren. Maar allemaal waren ze het erover eens dat, als Alec zijn hand in de honingpot had gestopt, als hij voor de verleiding bezweken was, het voor eens en voor al met hem was afgelopen – de mensen van Herscholing zouden hem niet aankijken en Personeel zou hem geen getuigschrift geven, of anders een dat zo koud gesteld was dat zelfs de meest enthousiaste werkgever zou huiveren als hij het las. Verduistering was de enige zonde die Personeel je nooit liet vergeten – en ze vergaten die zelf ook nooit. Als het waar was dat Alec het Circus bestolen had, nam hij de gramschap van Personeel mee in het graf – en Personeel zou aan die begrafenis nog niet het bedrag voor de lijkwade ten koste leggen.

Tot een paar weken na zijn vertrek vroegen een paar mensen zich nog af wat er van hem geworden was. Maar zijn vroegere vrienden hadden al geleerd hem te mijden. Hij was een wraakzuchtige zeurpiet, die voortdurend de Dienst en zijn administratie aanviel, alsmede de, wat hij noemde, 'cavaleriejongens' die naar zijn zeggen de zaken van de Dienst behandelden alsof het de een of andere regimentsmess of -club gold. Hij nam elke gelegenheid te baat om de draak te steken met de Amerikanen en hun Geheime Dienst. Hij scheen aan hen een nog grotere hekel te hebben dan aan de Abteilung, waarover hij overigens zelden of nooit sprak. Hij liet doorschemeren dat zij het waren die zijn net gecompromitteerd hadden, dit scheen een obsessie voor hem te zijn, en dat was maar een armzalige beloning voor gedane pogingen hem te troosten, het maakte hem tot slecht gezelschap, zodat zelfs zij die hem gekend en zelfs stilzwijgend gemogen hadden, hem afschreven.

Het vertrek van Leamas was slechts als een rimpeling op het water; met de verandering van windrichting en het verwisselen der seizoenen was hij spoedig vergeten.

Zijn flat was klein en vuil, bruin geschilderd en versierd met foto's van Clovelly. Hij keek rechtstreeks uit op de grijze achterkant van drie grote stenen pakhuizen, waarvan de ramen, om esthetische redenen, met creosoot bestreken waren. Boven het pakhuis woonde een Italiaanse familie, die 's nachts ruzie maakte en 's ochtends kleden klopte. Leamas had maar weinig eigendommen waarmede hij zijn omgeving wat kon opfleuren. Hij kocht een paar lampekapjes voor over de gloeilampen en twee stel lakens ter vervanging van de door de huisbaas verstrekte lappen grof linnen. De rest nam Leamas wel, de gordijnen met het bloemenpatroon, gevoerd noch gezoomd, de versleten, rafelende vloerbedekking en het plompe meubilair van donker hout, van het genre dat men in een zeemansonderkomen vindt. Uit een gele, aftandse geiser kon hij, voor de somma van 1 shilling, heet water tappen.

Hij moest een baan hebben. Hij had geen geld, helemaal niets. Misschien waren dus die verhalen over verduistering wel waar. De aanbiedingen die de Dienst hem gedaan had voor het verschaffen van een andere positie, hadden Leamas nogal lauw geschenen en bovendien hoogst ongeschikt. Eerst probeerde hij een baan te krijgen in de handel. Bij een lijmfabriek toonde men belangstelling voor zijn sollicitatie naar de functie van adjunct-manager en personeelschef. Onverschillig voor de onvoldoende getuigschriften die de Dienst hem verstrekt had, vroeg men niet naar verdere kwalificaties en bood hem zeshonderd pond per jaar. Hij bleef een week, na welk tijdsverloop de smerige stank van rottende visolie zijn kleren en zijn haar doordrenkt had en in zijn neusgaten bleef hangen als de reuk van de dood. Wassen bleef volkomen zonder effect, zodat Leamas eindigde met zijn haar te laten millimeteren en twee van zijn beste pakken weg te gooien. Hij bracht daarna nog weer een week door met te trachten encyclopedieën te verkopen aan huisvrouwen uit de buitenwijken, maar hij was geen man die de huisvrouwen begrepen of mochten. Ze moesten Leamas niet, laat staan zijn encyclopedieën.

Avond na avond keerde hij doodmoe naar zijn flat terug, met zijn belachelijke modelexemplaar onder zijn arm. Aan het einde van de week belde hij de maatschappij op en vertelde hun dat hij niets verkocht had. Zonder enige verbazing hierover te doen blijken herinnerde men hem aan zijn verplichting het modelexemplaar te retourneren als hij hen niet verder wilde vertegenwoordigen. Leamas verliet de telefooncel in grote woede, liet het boek in de cel achter, ging naar een kroeg en dronk zich een enorm stuk in zijn kraag voor de somma van vijfentwintig shilling, wat hij zich eigenlijk niet kon veroorloven. Hij werd eruit gegooid toen hij begon te schreeuwen tegen een vrouw die probeerde hem op te pikken. Ze vertelden hem ook dat hij nooit meer terug hoefde te komen, maar waren dat na een week alweer vergeten. Ze begonnen Leamas daar nu zo'n beetje te kennen.

Elders begon men hem ook te kennen, de grauwe, schuifelende figuur uit de Mansions. Geen overbodig woord kwam er over zijn lippen, hij had geen enkele vriend, hetzij man, vrouw of beest. Men

29

vermoedde dat hij in moeilijkheden zat, vermoedelijk was hij van zijn vrouw weggelopen. Hij wist nooit de prijs van iets, noch kon hij die onthouden wanneer men hem die vertelde. Als hij kleingeld zocht moest hij al zijn zakken bekloppen, hij dacht er nooit aan dat hij een mandje moest meebrengen en kocht dan altijd boodschappentassen. Ze mochten hem niet in hun straat, maar hadden toch zoiets als medelijden met hem. Ook vonden ze dat hij vuil was, omdat hij zich nooit schoor voor het weekeinde en zijn overhemden helemaal smoezelig waren. Een zekere mevrouw McCaird van Sudbury Avenue had een week lang zijn boeltje wat schoon gehouden, maar in die tijd geen fatsoenlijk woord van hem gekregen, zodat ze zich weer teruggetrokken had. Ze was een belangrijke inlichtingenbron in de straat, waar de kooplui het nieuws aan elkaar doorgaven voor het geval hij op de pof zou willen kopen. Mevrouw McCaird gaf hun de raad hem geen crediet te verstrekken. Ze zei dat Leamas nooit een brief kreeg, en men was het erover eens dat dat een veeg teken was. Hij had geen foto's en slechts een paar boeken; ze dacht dat een van de boeken schuin was, maar kon dat niet met zekerheid zeggen, daar het in een vreemde taal geschreven was. Zij was van mening dat hij nog iets had om van te leven, maar dat dat 'iets' sterk aan het verminderen was. Ze wist dat hij donderdags van de steun trok. Bayswater was nu gewaarschuwd en had geen tweede waarschuwing nodig. Ze hoorden ook van mevrouw McCaird dat hij dronk als een spons, hetgeen door de kroegbaas bevestigd werd. Kroegbazen en werksters hebben niet de gewoonte hun klanten crediet te geven, maar de informaties die ze kunnen verschaffen worden op hoge prijs gesteld door hen die dat wel doen.

4. Liz

Tenslotte accepteerde hij een baan in de bibliotheek. De Arbeidsbeurs had hem deze aangeboden elke donderdagmorgen dat men hem zijn werklozensteun uitbetaalde en hij had de baan steeds weer geweigerd. 'Het is wel niet helemaal in uw lijn,' zei meneer Pitt, 'maar het betaalt niet slecht en voor een ontwikkeld man is het werk gemakkelijk.'

'Wat voor een bibliotheek is het?' vroeg Leamas.

'Het is de Bayswater Bibliotheek voor Psychisch Onderzoek. Het is een schenking. Ze hebben duizenden boeken van alle soorten en er is hun nog veel meer nagelaten. Men vraagt nog een assistent.'

Hij nam zijn steun en het papiertje met het adres aan. 'Het is wel een raar stel,' voegde meneer Pitt eraan toe, 'maar u bent toch geen blijvertje, is het wel? Ik vind dat het tijd wordt dat u het eens probeert, vindt u ook niet?'

Er was iets geks met meneer Pitt. Leamas was er zeker van dat hij hem al eens eerder ergens gezien had. In het Circus, gedurende de oorlog.

De bibliotheek was als een kerk, en steenkoud. De zwarte oliekachels aan de beide einden van de zaal verspreidden een stank van petroleum. Midden in de zaal stond een open vierkant hokje, zoiets als een getuigenbank, en daarin zat juffrouw Crail, de bibliothecaresse. Het was nooit bij Leamas opgekomen dat hij nog eens voor een vrouw zou moeten werken. Daar had niemand op de Arbeidsbeurs over gesproken.

'Ik ben de nieuwe assistent,' zei hij, 'mijn naam is Leamas.'

Juffrouw Crail keek vinnig op van haar kartotheek, alsof ze een onbeschaafd woord had gehoord. 'Assistent? Wat bedoelt u met assistent?'

'Assistent. Van de Arbeidsbeurs. Meneer Pitt.' Hij schoof haar over de toonbank een gestencild formulier toe, waarop zijn gegevens in een fraaie lopende hand waren ingevuld. Ze nam het op en bestudeerde het.

'U bent meneer Leamas.' Dit was geen vraag, maar het eerste gedeelte van een moeilijk onderzoek naar feiten.

'En u bent van de Arbeidsbeurs.'

'Nee. Ik *kom* van de Arbeidsbeurs. Men vertelde mij dat u een assistent nodig had.'

'O, juist.' Een stijve glimlach.

Op dat ogenblik ging de telefoon, ze nam de hoorn van de haak en begon heftig met iemand te discussiëren. Leamas veronderstelde dat ze de hele tijd redetwistten, voorbereidende schermutselingen ontbraken geheel. Haar stem ging alleen een toon hoger en ze begon een verhaal over kaartjes voor een concert. Hij luisterde een paar minuten en liep toen in de richting van de boekenplanken. Hij merkte een meisje op dat in een van de afdelingen op een ladder grote boeken stond te sorteren.

'Ik ben de nieuwe man,' zei hij, 'ik heet Leamas.'

Ze kwam van de ladder af en gaf hem een beetje plechtstatig een hand.

'Ik ben Liz Gold. Hoe maakt u het? Heeft u juffrouw Crail al ontmoet?'

'Ja, maar ze telefoneert op het ogenblik.'

'Kibbelen met haar moeder, denk ik. Wat gaat u doen?'

'Dat weet ik niet. Werken.'

'We zijn op het ogenblik bezig met merken; juffrouw Crail is met een nieuw register begonnen.'

Ze was een lange, onbevallige jonge vrouw met een lage taille en lange benen. Ze droeg schoenen met platte hakken om niet zo lang te schijnen. Haar gezicht, evenals haar lichaam, was samengesteld uit grote componenten die schenen te aarzelen tussen eenvoud en schoonheid. Leamas dacht dat ze twee- of drieëntwintig jaar was en van joodse afkomst.

'Het is alleen maar een kwestie van controle op de aanwezigheid van alle boeken op de planken. Dit is het kaartje, ziet u. Als u het gecontroleerd heeft, schrijft u het nieuwe merk in met potlood en schrapt het af op het register.'

'Wat gebeurt er daarna?'

'Alleen juffrouw Crail mag met inkt inschrijven. Dat is de regel.'

'Van wie is die regel?'

'Van juffrouw Crail. Waarom begint u niet bij de oudheidkunde?'

Leamas knikte en samen wandelden zij naar de volgende afdeling, waar een schoenendoos vol kaarten op de grond stond.

'Heeft u dit soort werk al eerder gedaan?' vroeg ze.

'Nee.' Hij bukte en nam een handvol kaarten op en keek ze door. 'Meneer Pitt heeft me gestuurd. Van de Beurs.' Hij legde de kaarten weer neer.

'Is juffrouw Crail ook de enige persoon die de kaarten met inkt mag invullen?' vroeg Leamas.

'Ja.'

Ze liet hem daar achter en na een korte aarzeling nam hij een boek op en keek naar de blanco pagina tussen schutblad en tekst. Het boek heette *Oudheidkundige ontdekkingen in Klein-Azië,* Deel Vier. Ze schenen alleen maar deel vier te hebben.

Het was één uur en Leamas had honger, dus liep hij naar de plaats waar Liz Gold aan het uitzoeken was en zei:

'Hoe doen ze hier met de lunch?'

'O, ik breng sandwiches mee.' Ze keek wat verlegen. 'U kunt er een paar van mij krijgen als u daarmee geholpen bent. Er is hier mijlen in de buurt geen café te vinden.'

Leamas schudde het hoofd.

'Dan ga ik er maar even uit, dank u. Ik moet toch ook nog een paar boodschappen doen.' Ze keek hem na toen hij zich door de draaideuren heenzwaaide.

Het was half drie toen hij terugkwam. Hij rook naar whisky. Hij had een boodschappentas vol groenten en nog een met kruidenierswaren. Hij zette ze neer in de hoek van de afdeling waar hij aan het werk was en begon weer lusteloos aan de oudheidkundeboeken. Hij was ongeveer tien minuten bezig geweest toen hij merkte dat juffrouw Crail hem gadesloeg.

'*Meneer* Leamas.' Hij stond halverwege op de ladder en keek dus over zijn schouder naar beneden en zei:

'Ja?'

'Weet u ook waar die boodschappentassen vandaan komen?'

'Die zijn van mij.'

'Zo. Zijn die van u.' Leamas wachtte. 'Het spijt me,' vervolgde ze ten langen leste, 'dat we dat niet kunnen toestaan, het meenemen van boodschappen in de bibliotheek.'

'Waar moet ik ze anders zetten? Er is geen enkele andere plaats waar ik ze *kan* neerzetten.'

'Niet in de bibliotheek,' antwoordde ze. Leamas trok zich verder niets meer van haar aan en richtte zijn aandacht weer op de oudheidkundige sectie.

'Als u niet meer dan de normale tijd voor de lunch nam,' vervolgde juffrouw Crail, 'zou u geen tijd hebben om boodschappen te gaan doen. Geen van ons beiden doet het, juffrouw Gold noch ik, wij hebben geen tijd om te winkelen.'

'Waarom neemt u dan niet een half uurtje extra?' vroeg Leamas. 'Dan zou u wel tijd hebben. Als u het dan erg druk heeft, kunt u desnoods 's avonds nog een halfuurtje doorwerken. Als u erg veel haast hebt.'

Ze bleef nog enkele ogenblikken naar hem staan kijken, kennelijk wilde ze iets zeggen. Tenslotte annonceerde ze: 'Ik zal het met meneer Ironside bespreken,' en ging weg.

Om precies half zes trok juffrouw Crail haar mantel aan en vertrok met een nadrukkelijk: 'Goedenavond, juffrouw Gold.'

Leamas vermoedde dat ze de hele middag over die boodschappen had zitten piekeren. Hij ging naar de volgende afdeling, waar Liz

Gold op de onderste sport van haar ladder zat en iets las dat er uitzag als een pamflet. Toen ze Leamas zag stopte ze het schuldbewust weg in haar tas en stond op.

'Wie is meneer Ironside?' vroeg Leamas.

'Ik geloof niet dat die bestaat,' antwoordde ze. 'Hij is de grote baas met wie ze schermt als ze ergens geen oplossing meer voor weet. Ik heb haar eens gevraagd wie hij was. Ze deed erg verward en geheimzinnig en zei: "Dat doet er niet toe!" Ik geloof niet dat hij bestaat.'

'Ik ben er niet eens zeker van dat juffrouw Crail dat wel doet,' zei Leamas en Liz Gold glimlachte.

Om zes uur sloot ze en bracht de sleutels bij de curator, een heel oude man, die nog een shock had uit de eerste wereldoorlog en die, naar Liz vertelde, de hele nacht opbleef voor het geval de Duitsers een tegenaanval zouden beginnen. Het was bitter koud buiten.

'Moet u ver?' vroeg Leamas.

'Twintig minuten lopen. Ik loop altijd. En u?'

'Niet ver,' zei Leamas. 'Goedenavond.'

Hij wandelde langzaam terug naar de flat. Hij ging naar binnen en draaide de schakelaar om. Er gebeurde niets. Hij probeerde het licht in het kleine keukentje en tenslotte het electrische kacheltje dat hij bij zijn bed kon inschakelen. Op de deurmat lag een brief. Hij raapte hem op en nam hem mee naar het bleke, gele licht in het trappehuis. Hij was van de electriciteitsmaatschappij; het speet hun erg, maar de directeur van zijn district had geen andere keus gehad dan de stroom af te sluiten totdat het nog uitstaande bedrag van negen pond, vier shilling en sixpence voldaan was.

Hij was een vijand geworden van juffrouw Crail, en vijanden had juffrouw Crail graag. Òf ze keek hem dreigend aan òf ze deed of hij er niet was, en wanneer hij in haar buurt kwam begon ze te beven en keek naar links en naar rechts, hetzij naar iets waarmee ze zich kon verdedigen, hetzij naar een uitweg om te kunnen ontsnappen. Zo nu en dan ergerde ze zich onuitsprekelijk, zoals die keer toen hij zijn regenjas aan *haar* haak hing en ze er minstens vijf minuten, bevend, voor bleef staan, totdat Liz haar in de gaten kreeg en Leamas riep. Deze ging naar haar toe en vroeg:

'Heeft u moeilijkheden, juffrouw Crail?'

'Nee,' antwoordde ze afgebeten, terwijl ze hoorbaar ademhaalde, 'absoluut niet.'

'Is er iets niet in orde met mijn jas?'

'Helemaal niet.'

'Mooi zo,' antwoordde hij en ging terug naar zijn afdeling. Die hele dag liep ze te trillen en voerde gedurende de halve ochtend op een theatrale fluistertoon een telefoongesprek met haar moeder.

'Nu vertelt ze het aan haar moeder,' zei Liz. 'Ze vertelt altijd alles aan haar moeder. Over mij ook.'

Juffrouw Crail kreeg tenslotte zo'n intense afkeer van Leamas dat het haar onmogelijk was zich rechtstreeks tot hem te richten. Op de betaaldagen vond hij, als hij terugkwam na de lunch, op de derde sport van zijn ladder een envelop met zijn naam, verkeerd gespeld, erop. De eerste keer dat dit gebeurde ging hij met het geld en de envelop naar haar toe en zei: 'Het is L-E-A, juffrouw Crail, en maar één S,' waarop ze door een complete verlamming bevangen werd en met rollende ogen aan haar potlood bleef zitten frunniken totdat Leamas wegging. Urenlang zat ze daarna door de telefoon over het geval te discussiëren.

Toen Leamas ongeveer drie weken in de bibliotheek had gewerkt, vroeg Liz hem te eten. Ze deed het voorkomen alsof het een plotseling bij haar opgekomen inval was, zo om een uur of vijf in de namiddag; ze scheen te begrijpen dat hij, wanneer ze hem vroeg voor morgen of de dag daarop, het vermoedelijk zou vergeten of gewoonweg niet zou komen, en dus vroeg ze hem om vijf uur. Leamas scheen ongaarne te accepteren, maar tenslotte deed hij het toch.

Ze wandelden door de regen naar haar flat en ze hadden overal kunnen zijn – Berlijn, Londen, elke stad waar het plaveisel in de avondregen verandert in plassen licht en waar het verkeer mistroostig door de natte straten schuifelt.

Dit was de eerste van vele maaltijden die Leamas in haar flat had. Hij kwam wanneer ze hem uitnodigde, en dat deed ze vaak. Hij zei nooit veel. Toen ze ontdekte dat hij wel wilde komen, begon ze de tafel al te dekken voordat ze 's morgens naar de bibliotheek ging. Ze maakte zelfs van te voren de groente al klaar en zette de kaarsen op tafel, ze was dol op kaarslicht. Ze wist van het begin af aan dat er iets helemaal fout was met Leamas en dat de kans bestond dat hij op een goede dag, om de een of andere reden die zij niet kon begrijpen, plotseling zou verdwijnen en dat ze hem dan nooit meer zou terugzien. Ze probeerde hem te vertellen dat ze dat wist. Op een avond zei ze tegen hem:

'Je moet gaan als je zin hebt. Ik zal je nooit achternalopen, Alec.'

En zijn bruine ogen bleven een ogenblik op haar rusten; toen antwoordde hij: 'Ik zal het je zeggen wanneer het zover is.'

Haar flat was alleen maar een zit-slaapkamer met een keukentje. In de kamer stonden een paar leunstoelen, een divanbed en een boekenkast vol met ingenaaide boeken, z.g. 'paperbacks', hoofdzakelijk klassieke verhalen, die ze nooit gelezen had.

Na het diner praatte ze gewoonlijk met hem en dan lag hij op de divan te roken. Ze wist nooit hoeveel hij werkelijk hoorde, maar het kon haar ook niet schelen. Ze knielde dan naast de divan neer, hield zijn hand tegen haar gezicht en praatte.

Toen op een avond, zei ze tegen hem:

'Alec, waar geloof je in? Lach nou niet – vertel me dat eens.'

Ze wachtte en tenslotte zei hij:

'Ik geloof dat bus nummer elf me naar Hammersmith brengt en ik geloof niet dat de kerstman chauffeur daarop is.'

Ze scheen hierover na te denken en vroeg tenslotte weer:

'Maar waar geloof je in?'

Leamas haalde zijn schouders op.

'Je moet toch ergens in geloven,' hield ze vol, 'iets als God – dat weet ik zeker, Alec; zo nu en dan heb je die blik alsof je een speciale roeping hebt, zoals een priester. Glimlach nou niet, Alec, het is waar.'

Hij schudde zijn hoofd.

'Spijt me, Liz, maar je vergist je. Ik houd niet van Amerikanen en van universiteiten. Ik houd niet van militaire parades en van mensen die soldaatje spelen.' Zonder te glimlachen voegde hij eraan toe: 'En ik houd niet van gesprekken over het Leven.'

'Maar Alec, je zou net zo goed kunnen zeggen – '

'En ik had eraan toe moeten voegen,' onderbrak Leamas haar, 'dat ik niet houd van mensen die me vertellen wat ik zou moeten denken.' Ze wist dat hij kwaad werd, maar ze kon nu niet meer ophouden.

'Omdat je niet *wilt* denken, je durft niet! Er is het een of andere vergif in je geest, een of andere haat. Je bent een fanaticus, Alec, daar ben ik zeker van, ik weet alleen niet in welk verband. Je bent een fanaticus die er niet op uit is mensen te veranderen en dat is heel gevaarlijk. Je bent als een man die... wraak gezworen heeft of zoiets.' De bruine ogen bleven even op haar rusten. Toen hij sprak was ze bang voor de dreiging in zijn stem.

'Als ik jou was,' zei hij ruw, 'zou ik me met mijn eigen zaken bemoeien.'

En toen glimlachte hij, een snaakse Ierse glimlach. Zo had hij tot nu toe nog nooit geglimlacht en Liz wist dat hij nu zijn charme ten toon spreidde.

'En waar gelooft Liz in?' vroeg hij, en zij antwoordde:

'Zo gemakkelijk ben ik niet te vangen, Alec.'

Later die avond spraken ze er weer over. Leamas begon er nu mee – hij vroeg of ze gelovig was.

'Dan ken je me niet,' zei ze, 'absoluut niet. Ik geloof niet in God.'

'Waar geloof je dan wel in?'

'Geschiedenis.'

Een ogenblik keek hij haar vol verbazing aan, toen lachte hij. 'O, Liz... och, *nee*. Je bent toch niet zo'n verdomde communist?' Ze knikte, terwijl ze bloosde onder zijn lachen, boos maar opgelucht omdat het hem niet kon schelen.

Ze hield hem bij zich en die nacht werden ze gelieven. Hij vertrok 's morgens om vijf uur. Ze kon het niet begrijpen; zij was zo trots en hij zag eruit alsof hij zich schaamde.

Hij verliet haar flat en sloeg de lege straat in die naar het park voerde. Het was mistig. Een beetje verder de weg op – niet ver, twintig meter, misschien een beetje verder – stond de gestalte van een man in een regenjas, kort en nogal dik. Hij leunde tegen het hek van het park, een silhouet tegen de beweeglijke mist. Terwijl Leamas kwam aanlopen, scheen de mist dichter te worden, de gestalte tegen het hek geheel omhullend, en toen hij weer iets minder dicht werd was de man verdwenen.

5. Crediet

Op een dag, ongeveer een week later, kwam hij niet naar de bibliotheek. Juffrouw Crail was verrukt; om half twaalf had ze het haar moeder verteld en na de lunch ging ze voor de afdeling oudheidkunde staan, waar hij sedert zijn komst gewerkt had. Met overdreven aandacht staarde ze naar de rijen boeken, en Liz wist dat ze deed alsof ze stond te controleren of Leamas iets gestolen had.

Liz trok zich de rest van de dag niets van haar aan, antwoordde niet wanneer ze werd aangesproken en werkte met onverdroten toewijding. Toen de avond viel, wandelde ze naar huis en huilde zichzelf in slaap.

De volgende ochtend was ze reeds vroeg in de bibliotheek. Ze had het gevoel dat Leamas des te spoediger zou komen naarmate ze daar vroeger was; maar terwijl de morgen zich voortsleepte vervloog haar hoop en ze wist dat hij nooit meer zou komen. Ze had die dag vergeten sandwiches voor zichzelf te maken en dus besloot ze de bus te nemen naar Bayswater Road en naar de ABC te gaan. Ze voelde zich ziek en leeg, maar niet hongerig. Moest ze hem gaan opzoeken? Ze had beloofd hem nooit te zullen nalopen, maar hij had beloofd haar te zullen waarschuwen; moest ze hem gaan opzoeken? Ze riep een taxi en gaf zijn adres op.

Ze beklom de gore trap en drukte op de bel naast zijn deur. De bel scheen stuk te zijn, want ze hoorde niets. Er stonden drie flessen melk op de deurmat en er lag een brief van de electriciteitsmaatschappij. Ze aarzelde een ogenblik, bonsde daarna op de deur en... hoorde het flauwe kreunen van een man. Ze rende naar beneden, naar de onderliggende flat en belde en bonsde op de deur. Er kwam geen antwoord en ze rende nog een verdieping naar beneden, waar ze in de achterkamer van een kruidenierszaak bleek te zijn terechtgekomen. In een hoek zat een oude vrouw in een schommelstoel heen en weer te schommelen.

'De bovenste flat,' schreeuwde Liz bijna, 'iemand is daar erg ziek. Wie heeft er een sleutel?'

De oude vrouw keek haar een ogenblik aan en riep toen naar de voorkant van het huis, waar de winkel was.

'Arthur, kom hier, Arthur, er is een meisje hier!'

Een man met een bruine overal aan en een grijze slappe hoed op stak zijn hoofd om de deur en zei:

'Meisje?'

'Er is iemand ernstig ziek in de flat op de bovenste verdieping,' zei Liz, 'hij kan niet naar de voordeur komen om open te doen, heeft u een sleutel?'

'Nee,' antwoordde de kruidenier, 'maar ik heb een hamer,' en ze haastten zich samen de trap op, de kruidenier, nog steeds met zijn hoed op, met een zware schroevedraaier en een hamer in zijn handen. Hij gaf een forse tik op de deur en ademloos wachtten ze op enig antwoord. Alles bleef stil. 'Maar de eerste keer heb ik kreunen gehoord, eerlijk waar,' fluisterde Liz.

'Betaalt u het als ik die deur openbreek?'

'Ja.'

De hamer maakte een verschrikkelijk lawaai. Met drie slagen had hij een stuk uit de deurpost geslagen en de deur vloog open. Liz ging het eerst naar binnen en de kruidenier volgde. Het was bitter koud in de kamer en donker, maar op het bed in de hoek konden ze de gestalte van een man onderscheiden. O God, dacht Liz, als hij dood is, geloof ik niet dat ik hem zou kunnen aanraken. Maar ze ging naar hem toe en zag dat hij leefde. Ze trok de gordijnen open en knielde naast het bed neer.

'Als ik u nodig mocht hebben, zal ik u waarschuwen, dank u,' zei ze zonder om te zien, en de kruidenier knikte en ging naar beneden.

'Alec, wat is er, waardoor ben je zo ziek? Wat is er, Alec?'

Leamas bewoog zijn hoofd op het kussen. Zijn ingezonken ogen waren gesloten. De donkere baard stak sterk af tegen de bleekheid van zijn gezicht.

'Alec, je moet het me vertellen, alsjeblieft, Alec.' Zij hield een van zijn handen in de hare. De tranen stroomden haar langs het gelaat. Wanhopig vroeg ze zich af wat ze moest doen, toen stond ze op, rende naar het keukentje en zette een ketel water op. Ze wist nog niet helemaal zeker wat ze ging klaarmaken, maar het troostte haar dat ze tenminste iets deed.

Ze liet de ketel op het gas staan, nam haar tas, pakte de sleutel uit het nachttafeltje van Leamas, liep snel de drie verdiepingen naar beneden, en stak de straat over naar de comestibleswinkel van meneer Sleaman. Ze kocht wat kalfsvlees in gelei, een blikje kippefilets, wat bouillonextract en een flesje aspirientjes. Ze was al bij de deur toen ze terugging en nog een pak beschuit kocht. Alles bij elkaar kostte dat haar zestien shilling, waardoor ze nu nog beschikte over vier shilling in haar tas en elf pond op haar spaarbankboekje, maar daarvan kon ze niet eerder dan morgen iets afhalen. Toen ze in de flat terugkwam, kookte het water.

Ze maakte de bouillon klaar zoals haar moeder dat altijd deed, in een glas met een lepel erin om barsten door de hitte te voorkomen, en gedurende al die tijd keek ze in zijn richting, alsof ze bang was dat hij gestorven was.

Ze moest hem ondersteunen om hem zijn bouillon te laten drinken. Hij had maar één hoofdkussen en er waren geen andere kussens in de kamer, zodat ze zijn overjas van achter de deur haalde, er een rol van maakte en deze achter het hoofdkussen legde. Ze durfde hem haast niet aan te raken, hij was kletsnat van het transpireren, zodat zijn korte grijze haar nat en glibberig was. Ze zette het glas naast het bed neer, hield met haar ene hand zijn hoofd vast en voerde hem de bouillon met de andere. Nadat hij enkele lepels vol had genomen, vergruisde ze een paar aspirines en gaf hem die op de lepel. Ze sprak tegen hem alsof hij een kind was, terwijl ze op de rand van het bed zat en naar hem keek, waarbij ze soms haar vingers over zijn hoofd en gezicht liet glijden en steeds maar weer zijn naam fluisterde: 'Alec, Alec.'

Langzamerhand werd zijn ademhaling regelmatiger, ontspande zijn lichaam zich naarmate de pijn en de koortshitte plaatsmaakten voor de rust van de slaap; terwijl Liz naar hem keek, voelde ze dat het ergste voorbij was. Plotseling realiseerde ze zich dat het bijna donker was.

Toen voelde ze zich beschaamd, omdat ze vond dat ze had moeten schoonmaken en opruimen. Ze sprong op, haalde de rolschuier en een plumeau uit de keuken en ging met koortsachtige energie aan het werk. Ze vond een schone theedoek en spreidde deze over het nachttafeltje; daarna waste ze de verschillende koppen en schotels om die in de keuken stonden. Toen alles klaar was, keek ze op haar horloge en zag dat het half negen was. Ze zette de ketel op en keerde naar het bed terug. Leamas keek haar aan.

'Alec, wees niet boos, alsjeblieft niet,' zei ze. 'Ik ga weg, dat beloof ik je, maar laat me eerst een fatsoenlijk maal voor je klaarmaken. Je bent ziek, je kunt zo niet doorgaan, je bent… o, Alec,' ze bleef steken en snikte, met beide handen voor haar gezicht, terwijl de tranen tussen haar vingers door liepen als de tranen van een kind. Hij liet haar huilen, en zijn bruine ogen sloegen haar gade, terwijl zijn handen het laken vasthielden.

Ze hielp hem met wassen en scheren en vond wat schoon beddegoed. Ze gaf hem nog wat kalfsvlees in gelei en wat kippevlees uit het blikje dat ze bij meneer Sleaman had gekocht. Ze ging op het bed zitten en sloeg hem gade terwijl hij at, en ze meende dat ze nog nooit tevoren zo gelukkig was geweest.

Spoedig viel hij in slaap en ze trok de deken over zijn schouders en ging naar het venster. Ze schoof de versleten gordijnen uit elkaar, zette het raam open en keek naar buiten.

Nog twee vensters op de binnenplaats waren verlicht. Door het ene kon ze het flikkerende blauwe licht van een televisietoestel zien en gestalten die roerloos eromheen zaten, in de ban van de beeldbuis. Door het andere zag ze een nog zeer jonge vrouw, die bezig was papillotten in haar haar te zetten. Liz had zin te huilen om de bittere ontgoocheling van haar dromen.

Ze viel in slaap in de leunstoel en werd pas wakker toen het al bijna licht was; ze voelde zich stijf en koud. Ze ging naar het bed, Leamas bewoog toen ze naar hem keek en ze beroerde zijn lippen met de top van haar vinger. Hij opende zijn ogen niet, maar pakte zacht haar arm beet en trok haar omlaag, naar zich toe, en plotseling voelde ze zich onweerstaanbaar tot hem aangetrokken en niets kon haar meer schelen; ze kuste hem telkens en telkens weer, en toen ze naar hem keek, scheen hij te glimlachen.

Zes dagen lang kwam ze iedere dag. Nooit sprak hij veel met haar, en eens, toen ze hem vroeg of hij van haar hield, zei hij dat hij niet in sprookjes geloofde. Ze lag dan op het bed met haar hoofd tegen zijn borst en soms stak hij zijn dikke vingers in haar haar en hield dit stevig vast, waarop Liz lachte en zei dat dit pijn deed. Op vrijdagavond vond ze hem gekleed maar ongeschoren en ze vroeg zich af waarom hij zich niet geschoren had. Om onnaspeurlijke redenen voelde zij zich ongerust. Ze miste kleinigheden in zijn kamer – zijn klok en de goedkope draagbare radio die op de tafel gestaan had. Ze wilde vragen stellen, maar durfde niet. Ze had wat eieren en ham meegebracht en maakte die klaar voor hun avondmaal, terwijl Leamas op het bed zat en de ene sigaret na de andere rookte. Toen het maal klaar was, ging hij naar de keuken en kwam terug met een fles rode wijn.

Gedurende de maaltijd zei hij bijna geen woord, en ze sloeg hem gade, terwijl de vrees binnen in haar groeide, totdat ze het niet meer kon uithouden en plotseling uitriep: 'Alec, o Alec, wat is dit? Is het een afscheid?'

Hij stond van de tafel op, nam haar handen en kuste haar op een wijze zoals hij nooit tevoren gedaan had; hij sprak haar lange tijd zachtjes toe, vertelde haar dingen die ze maar gedeeltelijk begreep en slechts half verstond, omdat ze de hele tijd wist dat dit het einde was en niets anders kon haar meer schelen.

'Goeiendag, Liz,' zei hij. 'Goeiendag,' en toen: 'Volg me niet. Niet weer.'

Liz knikte en mompelde: 'Zoals we afspraken.' Ze was dankbaar voor de bijtende kou op straat en voor de duisternis die haar tranen verborg.

De volgende morgen, zaterdag, vroeg Leamas de kruidenier om crediet. Hij deed het nogal onhandig, op een manier die niet bepaald geschikt was om zijn poging met succes bekroond te zien. Hij bestelde een half dozijn artikelen – die samen nog geen pond kostten – en toen ze ingepakt en in de zak gedaan waren, zei hij: 'Stuurt u mij de rekening maar.'

De kruidenier glimlachte wrang en zei: 'Het spijt me, maar dat zal niet gaan.' 'Meneer' kon er niet af.

'En waarom niet, verdomme?' ·vroeg Leamas, en de rij achter hem kwam in zenuwachtige beroering.

'Ik ken u niet,' antwoordde de kruidenier.

'Stel je niet zo idioot aan,' zei Leamas, 'ik kom hier al vier maanden.' De kruidenier kreeg een kleur.

'We vragen altijd om een referentie van een bankier, voordat we crediet geven,' zei hij, en toen verloor Leamas zijn kalmte.

'Praat toch niet zo'n verdomde onzin,' schreeuwde hij. 'De helft van je klanten heeft nog nooit een bank van binnen gezien en dat zullen ze verdomme wel nooit ook.'

Deze belediging was meer dan men verdragen kon, aangezien het waar was.

'Ik ken u niet,' herhaalde de kruidenier halsstarrig, 'en u bevalt me niet. En verdwijn nu uit mijn winkel.' Tegelijkertijd probeerde hij het pakje terug te nemen dat Leamas ongelukkig genoeg al in handen had. Later liepen de meningen over wat er daarna gebeurde zeer uiteen. Sommigen zeiden dat de kruidenier, in zijn poging het pakje weer in handen te krijgen, Leamas een duw gaf; anderen zeiden dat dit niet zo was. Of dat nu wel of niet zo was, Leamas gaf hem een stomp, de meesten menen zelfs twee keer, zonder zelfs zijn rechterhand, waarmee hij het pakje vasthield, vrij te maken. Hij scheen zijn klap gegeven te hebben, niet met zijn vuist, maar met de zijkant van zijn linkerhand en daarna, als onderdeel van dezelfde fenomenaal snelle beweging, met zijn linkerelleboog. De kruidenier viel als een blok neer en bleef roerloos liggen. Voor de rechtbank werd later verklaard, en de verdediging sprak dit niet tegen, dat de kruidenier twee verwondingen had – een gebroken jukbeen als resultaat van de eerste klap en een ontwrichte kaak door de tweede slag. De pers behandelde het geval afdoend maar niet overdreven.

6. Contact

's Nachts lag hij op zijn brits te luisteren naar de geluiden van de gevangenen. Er was een jongen die snikte en een oude recidivist die een heel oud liedje zong en zichzelf daarbij begeleidde op zijn etensblik. Er was een cipier die na elk couplet riep: 'Hou je kop dicht, George, ouwe zuiplap', maar niemand trok er zich iets van aan. Dan was er een Ier die liedjes over de IRA* zong, hoewel de anderen zeiden dat hij zat voor aanranding.

Leamas deed zoveel mogelijk lichaamsoefeningen in de loop van de dag, in de hoop dat hij dan 's nachts goed zou kunnen slapen, maar het hielp allemaal niets. 's Nachts was je je ervan bewust in de gevangenis te zitten: 's nachts was er niets, geen trucjes van visioenen of zelfbedrog, die je konden redden van de misselijk makende omsluiting van de cel. Je kon de gevangenissfeer, de lucht van het gevangenispak, de stank van het zwaar gedesinfecteerde gevangenissanitair, de geluiden van opgesloten mensen, niet buitensluiten. In die ogenblikken, des nachts, werd de smaad van het gevangen-zijn acuut ondraaglijk, dan verlangde Leamas ernaar in de vriendelijke zonneschijn in een Londens park te kunnen wandelen. Dan haatte hij de groteske stalen kooi die hem gekluisterd hield, en moest hij vechten tegen de aandrang de stalen stangen met zijn blote vuisten aan te vallen, de schedels van zijn cipiers in te slaan en zich te storten in de vrije, vrije ruimte van Londen. Soms ook dacht hij aan Liz. Gedurende een kort ogenblik gingen zijn gedachten naar haar uit; als in een flits, zoals de sluiter van een camera, herinnerde hij zich haar zachte, stevige lichaam en zette haar toen uit zijn gedachten. Leamas was niet iemand die gewoon was op zijn dromen te teren. Hij verachtte zijn celgenoten en zij haatten hem. Zij haatten hem omdat hij erin slaagde datgene te zijn wat ieder van hen zo graag zijn wilde: een raadsel. Voor deze gemeenschap wist hij een onthullend beeld van zijn persoonlijkheid te verbergen, men kreeg hem er niet toe in sentimentele ogenblikken over zijn meisje, zijn familie of zijn kinderen te praten. Ze wisten niets van Leamas; ze wachtten, maar hij kwam niet tot hen. Over het algemeen genomen kan men stellen dat er twee soorten gevangenen zijn – degenen die uit schaamte, vrees of schok in gefascineerde angst afwachten tot ze worden inge-

---

* Irish Republican Army. Het vroegere (rebelse) bevrijdingsleger van wat nu Eire heet. Behalve Noord-Ierland, dat nog Engels is, vormt Eire thans een onafhankelijke republiek. (Vert.)

43

wijd in de tradities van het gevangenisleven, en zij die erop speculeren dat het onnozele feit dat zij pas aangekomen zijn hun het medeleven van de gemeenschap zal verschaffen. Leamas deed noch het een, noch het ander. Hij scheen er plezier in te hebben hen allemaal te verachten en zij haatten hem omdat hij, evenals de buitenwereld, hen niet nodig had. Na tien dagen hadden ze er genoeg van. De groten had hij geen eer betoond, de kleinen geen troost geschonken, en dus gingen ze tegen hem dringen in de etensrij. 'Dringen' is een gevangenisritueel, te vergelijken met de achttiende-eeuwse praktijk van het samenpersen. Het heeft het voordeel dat het op een ongelukje lijkt, waarbij het etensblik van de gevangene omgestoten wordt en de hele inhoud over zijn gevangenispak loopt. Van één kant botste er iemand tegen Leamas op, terwijl van de andere zijde een bereidwillige hand op zijn onderarm neerkwam en de zaak was gepiept. Leamas zei niets, keek peinzend naar de twee mannen aan weerszijden van hem en aanvaardde zwijgend de onbeschofte berisping van de bewaker, die heel goed wist wat er gebeurd was.

Vier dagen later, toen hij met een schoffel aan het werk was in het bloemperk van de gevangenis, leek hij te struikelen. Hij hield de schoffel met beide handen dwars voor zijn lichaam vast, waarbij de steel ongeveer vijftien centimeter buiten zijn rechtervuist uitstak. Terwijl hij probeerde zijn evenwicht terug te krijgen, sloeg de gevangene die zich rechts van hem bevond, dubbel van de pijn, zijn armen over zijn maag vouwend. Van dringen was nadien geen sprake meer.

Misschien was nog het vreemdste van alles in die gevangenisepisode het bruin papieren pakje toen hij wegging. Op een belachelijke manier herinnerde het hem aan de huwelijksplechtigheid – met deze ring trouw ik je, met dit papieren pakje stuur ik je terug in de maatschappij. Ze gaven het hem en lieten hem ervoor tekenen, en het bevatte al zijn wereldse bezittingen. Er was niets anders. Leamas vond dit het meest onterende moment van de hele drie maanden, en hij besloot het pakje weg te gooien zo gauw hij buiten kwam.

Hij scheen een rustige gevangene te zijn geweest. Er waren geen klachten over hem. De directeur, die toch wel wat geïnteresseerd was in zijn geval, schreef het voor zichzelf toe aan het Ierse bloed dat hij volhield te kunnen ontdekken in Leamas.

'Wat gaat u doen,' vroeg hij, 'wanneer u hier weggaat?'

Zonder een zweem van een glimlach antwoordde Leamas dat hij dacht dat hij een nieuw leven ging beginnen, en de directeur zei dat hij dat een prachtig idee vond.

'Hoe staat het met uw familie?' vroeg hij. 'Zou u het niet weer kunnen goedmaken met uw vrouw?'

'Ik wil het wel proberen,' antwoordde Leamas onverschillig, 'maar ze is hertrouwd.'

De reclasseringsambtenaar wilde dat Leamas oppasser werd in een tehuis voor zwakzinnigen in Buckinghamshire, en Leamas stemde erin toe te solliciteren. Hij schreef zelfs het adres op en noteerde de vertrektijden van de treinen van het Marylebone Station.

'Het is nu al electrisch tot Missenden toe,' zei de reclasseringsambtenaar, en Leamas zei weer dat dat een heel stuk scheelde. En zo gaven ze hem dan zijn pakje en hij vertrok. Hij nam een bus naar Marble Arch en ging toen lopen. Hij had wat geld in zijn zak en was van plan zichzelf op een fatsoenlijk maal te tracteren. Hij was van plan door Hyde Park naar Piccadilly te wandelen en daarna door Green Park en St. James's Park naar Parliament Square en tenslotte Whitehall door te lopen tot de Strand, waar hij naar dat grote restaurant vlak bij Charing Cross Station kon gaan waar je een fatsoenlijke biefstuk kon kopen voor zes shilling.

Londen was die dag prachtig. Het was een late lente en de parken stonden vol crocussen en narcissen. Een koele, zuiverende wind blies uit het zuiden, hij had de hele dag kunnen wandelen. Maar hij had nog steeds dat pak bij zich en hij moest het kwijt. De papiermanden waren te klein, hij zou voor gek staan als hij probeerde het pak daarin te persen. Hij veronderstelde dat hij een of twee dingen die erin zaten – die ongelukkige papieren van hem, verzekeringskaart, rijbewijs en zijn E 93 (wat dat dan ook zijn mocht) – in een beige dienstenvelop, beter eruit kon halen, maar plotseling interesseerde het hem niet meer. Hij ging op een bank zitten, legde het pak naast zich neer, niet te dichtbij, en schoof er een eindje vandaan. Na een paar minuten wandelde hij terug naar het voetpad en liet het pak liggen. Hij was juist bij het voetpad aangekomen, toen hij een schreeuw hoorde, hij draaide zich om, een beetje bruusk misschien, en zag dat een man in een militaire regenjas hem wenkte en het in bruin papier gewikkelde pak in zijn andere hand hield.

Leamas had zijn handen in zijn zakken en hield ze daar; hij bleef stilstaan en keek over zijn schouder naar de man in de regenjas. De man aarzelde, kennelijk verwachtende dat Leamas naar hem toe zou komen of althans enige belangstelling zou tonen, maar dat deed deze niet. In plaats daarvan haalde hij zijn schouders op en vervolgde zijn weg langs het voetpad. Hij hoorde weer een schreeuw en negeerde die, en hij wist dat de man achter hem aan kwam. Hij hoorde de voetstappen op het grind, hard lopende, snel naderen en toen een stem, een weinig hijgende, een weinig gekrenkt:

'Hé, u daar!', en toen had hij Leamas ingehaald, zodat deze stilstond, zich omdraaide en hem aankeek.

'Ja?'

'Dit pak is toch van u, niet waar? U heeft het op die bank laten liggen. Waarom stond u niet stil toen ik u riep?'

Hij was lang, met enigszins krullend bruin haar, een oranje das en een zachtgroen overhemd; een beetje kribbig, een beetje verwijfd, vond Leamas. Zou een onderwijzer kunnen zijn, ex-L.S.E.*, en is vermoedelijk voorzitter van de een of andere toneelclub in een buitengemeente. Zwakke ogen.

'U kunt het weer terugbrengen,' zei Leamas. 'Ik wil het niet hebben.'

De man werd rood.

'U kunt het daar niet zo maar achterlaten,' zei hij, 'het is rommel.'

'En òf ik dat kan,' antwoordde Leamas, 'iemand zal er nog wel iets van kunnen gebruiken.' Hij maakte aanstalten om door te lopen, maar de vreemde stond nog voor hem, het pak in beide armen houdend alsof het een baby was. 'Ga een beetje uit de weg,' zei Leamas. 'Vindt u het erg?'

'Luister eens even,' zei de vreemde en zijn stem werd scheller. 'Ik probeer u een dienst te bewijzen, waarom moet u nou zo verdomd onbeschoft zijn?'

'Als u mij dan zo verschrikkelijk graag een dienst wilt bewijzen,' antwoordde Leamas, 'waarom bent u me dan het afgelopen half uur gevolgd?'

Hij is helemaal niet slecht, dacht Leamas. Hij heeft geen spier vertrokken, maar hij moet zich wel lamgeschrokken zijn.

'Ik dacht dat u iemand was die ik eens in Berlijn heb gekend, als u het dan weten wilt.'

'En volgde u me daarom een half uur lang?'

De stem van Leamas was zwaar van sarcasme, zijn bruine ogen lieten geen ogenblik het gezicht van de ander los.

'Helemaal geen half uur. Ik kreeg u in de gaten bij Marble Arch

* London School of Economics. Een bekende Londense school in de economie. (Vert.)

46

en ik dacht dat u Alec Leamas was, iemand van wie ik wat geld geleend had. Ik werkte vroeger voor de BBC in Berlijn en daar was die man van wie ik dat geld leende. Dat heeft sindsdien altijd mijn geweten bezwaard en daarom volgde ik u. Ik wilde zekerheid hebben.'

Leamas bleef naar hem kijken, zonder een woord te zeggen, en dacht bij zichzelf dat hij dan misschien wel niet steengoed was, maar toch heus wel goed genoeg. Zijn verhaal was te doorzichtig, maar dat was niet belangrijk. Waar het om ging was dat hij een nieuwe uitvlucht bedacht had en daaraan nu vasthield, nadat Leamas de klassieke benadering die hij had willen toepassen onmogelijk had gemaakt.

'Ik bèn Leamas,' zei hij tenslotte, 'en wie ben jij dan, verdomme?'

Hij zei dat zijn naam Ashe was, 'met een 'E',' voegde hij er snel aan toe, en Leamas voelde dat hij loog. Hij deed het voorkomen alsof hij er niet helemaal zeker van was dat Leamas inderdaad Leamas was, en gedurende de lunch werd het pak opengemaakt en bekeken ze de Nationale Verzekeringskaart alsof ze twee kwajongens waren die een schuine prentbriefkaart bekeken, dacht Leamas.

Ashe bestelde een lunch met net een klein beetje te weinig belangstelling voor de kosten, en ze dronken wat Frankenwein als herinnering aan de tijd van toen. Leamas begon met vol te houden dat hij zich Ashe niet kon herinneren, en Ashe zei dat dat hem verbaasde. Hij zei het alsof hij zich gekwetst voelde. Ze hadden elkaar op een feestje ontmoet, zei hij, dat Derek Williams had gegeven in zijn flat vlak bij de Ku-damm* (wat juist was) en al de jongens van de Pers waren er geweest. Dat moest Alec zich toch herinneren? Nee, Leamas herinnerde het zich niet. Goed, maar hij herinnerde zich toch zeker Derek Williams van de *Observer* wel, die *fijne* vent die van die reuze pizza-fuiven gaf? Leamas had een rotgeheugen voor namen, tenslotte hadden ze het over ongeveer vierenvijftig en sindsdien was er heel wat water onder de brug doorgelopen... Ashe herinnerde het zich in ieder geval wel (en tussen haakjes, zijn voornaam was William, de meeste mensen noemden hem Bill). Ashe herinnerde het zich *levendig*. Ze hadden zware borrels gedronken, cognac en crème de menthe, en ze waren nogal aangeschoten en Derek had voor een stel prachtige meiden gezorgd, het halve cabaret uit de Malkasten, nou moest Alec het zich toch *zeker* herinneren? Leamas

* Afkorting voor de zeer bekende Berlijnse boulevard Kurfürstendamm. *(Vert.)*

dacht dat het nu waarschijnlijk wel weer zou terugkomen in zijn herinnering, als Bill nog wat meer wilde vertellen.

En Bill ging door, *ad libitum* ongetwijfeld, maar hij deed het
goed, legde een beetje nadruk op de sexuele kant van het geval en op
het feit dat ze tenslotte met drie van die meisjes in een nachtclub waren beland. Dat waren geweest: Alec, een vent van het bureau van de
politieke adviseur en Bill, en Bill was erg in verlegenheid geweest
omdat hij geen geld bij zich had, en toen had Alec betaald en Bill
had een van die grieten willen meenemen naar zijn flat en toen had
Alec hem nog tien pond geleend...

'Verdorie,' zei Leamas, 'nou herinner ik het me, natuurlijk!'

'Dat *wist* ik wel,' zei Ashe blij, Leamas over zijn glas toeknikken-
de, 'luister, laten we nou de rest ook nog eens bespreken, dit is *zo*
lollig.'

Ashe was kennelijk een van die lieden die hun verhouding tot anderen aanpassen aan de omstandigheden. Waar hij zwakheid voelde,
zette hij door, waar hij tegenstand ondervond trok hij terug. Hij
hield er voor zichzelf geen speciale meningen of smaken op na en
paste zich aan bij al wat overeenstemde met die van zijn metgezel.
Hij was evenzeer bereid thee te drinken bij 'Fortnum' als bier in de
'Prospect of Whitby'; hij kon luisteren naar militaire muziek in St.
James's Park of naar jazz in een kelder in Compton Street; zijn stem
trilde van medeleven wanneer hij over Sharpeville sprak, en van ver-
ontwaardiging over de groei van Engelands gekleurde bevolking.
Leamas vond deze uitgesproken passieve rol weerzinwekkend, het
riep de bullebak in hem op, zodat hij Ashe voorzichtig in een com-
promitterende positie lokte om zichzelf dan terug te trekken, waarbij Ashe zich voortdurend vastpraatte en dan maar moest zien zich
eruit te redden als Leamas hem schaakmat had gezet. Er waren die
middag ogenblikken dat Leamas zich zo onbeschaamd gemeen gedroeg dat het volkomen gerechtvaardigd zou zijn geweest als Ashe
hun gesprek had afgebroken – niet in de laatste plaats omdat hij
voor de kosten opdraaide. Maar dat deed hij niet. De kleine droef-
geestige man met de bril op, die alleen aan een naburig tafeltje diep
in een boek over kogellagers gedoken zat, zou, als hij geluisterd had,
hebben kunnen afleiden dat Leamas de vrije teugel liet aan een sa-
distisch karakter – of misschien (als hij een man van bijzondere
scherpzinnigheid was geweest) dat Leamas bezig was tot zijn eigen
genoegdoening te bewijzen dat slechts een man met een sterke bijbe-

doeling zich een dergelijke behandeling zou laten welgevallen. Het was bijna vier uur voor ze om de rekening vroegen, en Leamas probeerde erin te slagen de helft ervan te betalen. Ashe wilde daar niet van horen, betaalde de rekening en haalde zijn chequeboek te voorschijn om zijn schuld aan Leamas te voldoen.

'Twintig pond,' zei hij en vulde de datum op de cheque in.

Toen keek hij Leamas met een onschuldige blik en vol inschikkelijkheid aan.

'Zeg, je vindt een cheque op jouw bank toch wel goed, niet?'

Met een lichte blos zei Leamas:

'Ik heb op het ogenblik geen bank – ben net terug uit het buitenland, dat moet ik nog regelen. Geef me maar gewoon een cheque die ik bij jouw bank kan verzilveren.'

'Beste kerel, daar *pieker* ik niet over! Je zou helemaal naar Rotherhithe moeten gaan om die te verzilveren!' Leamas haalde zijn schouders op en Ashe lachte; ze kwamen overeen elkaar de volgende dag op dezelfde plaats te ontmoeten om 1 uur, dan zou Ashe het geld in contanten meebrengen.

Ashe nam een taxi op de hoek van Compton Street, en Leamas wuifde hem na tot hij uit het gezicht verdwenen was. Toen de taxi weg was, keek Leamas op zijn horloge. Het was vier uur. Hij vermoedde dat hij nog steeds gevolgd werd en liep dus naar Fleet Street, waar hij een kop koffie dronk in de 'Black and White'. Hij keek naar boekwinkels, las de avondbladen die in de etalages van de verschillende krantenbedrijven waren opgehangen en sprong toen plotseling, alsof de gedachte zojuist op datzelfde ogenblik bij hem was opgekomen, op een bus. De bus ging naar Ludgate Hill, waar ze in een verkeersopstopping bleef steken, vlak bij een station van de ondergrondse; hij stapte uit en ging het station binnen. Hij kocht een kaartje van dertig cent, stapte in de laatste wagon en stapte aan het volgende station weer uit. Hij nam vervolgens een trein naar Euston en ging weer terug naar Charing Cross Station. Het was negen uur toen hij hier aankwam en het was tamelijk koud geworden. Op het voorplein stond een bestelwagen te wachten, waarvan de bestuurder vast in slaap was. Leamas keek naar het nummer, ging erheen en riep door de portierruit: 'Bent u van Clements?'

Met een schok werd de chauffeur wakker en vroeg:

'Meneer Thomas?'

'Nee,' antwoordde Leamas. 'Thomas kon niet komen. Ik ben Amies uit Hounslow.'

'Spring d'r in, meneer Amies,' antwoordde de chauffeur en opende het portier. Ze reden in westelijke richting naar King's Road. De chauffeur wist de weg.

Control opende de deur.

'George Smiley is uit,' zei hij, 'ik heb zijn huis zolang geleend. Kom binnen.'

Pas nadat Leamas binnen en de voordeur gesloten was, draaide Control het licht aan.

'Ik ben tot lunchtijd gevolgd,' zei Leamas. Ze gingen de kleine zitkamer binnen. Overal waren boeken. Het was een aardige kamer, hoog, met achttiende-eeuws lofwerk, hoge ramen en een mooie open haard.

'Vanmorgen hebben ze me opgepikt. Een man met de naam Ashe.' Hij stak een sigaret op. 'Een verwijfd kereltje. We zien elkaar morgen weer.'

Control luisterde opmerkzaam naar het verhaal van Leamas, stap voor stap, van de dag dat hij Ford, de kruidenier, een opdoffer verkocht, tot zijn ontmoeting die ochtend met Ashe.

'Hoe beviel de gevangenis je?' vroeg Control. Hij deed dit op een toon alsof hij Leamas vroeg of deze een prettige vacantie had gehad. 'Het spijt me dat we je verblijf daar niet wat konden veraangenamen, je wat extra geriefelijkheden konden bezorgen, maar dat ging niet.'

'Nee, natuurlijk niet.'

'Men moet consequent zijn, altijd weer moet men consequent zijn. Bovendien zou het verkeerd geweest zijn de gang van zaken te verbreken. Ik hoorde dat je ziek geweest bent. Dat spijt me. Wat had je?'

'Alleen maar wat koorts.'

'Hoe lang heb je in bed gelegen?'

'Ongeveer tien dagen.'

'Wat beroerd, en natuurlijk niemand om voor je te zorgen.'

Er viel een langdurige stilte.

'Je weet dat ze tot de Partij behoort, niet?' vroeg Control rustig.

'Ja,' antwoordde Leamas. Opnieuw stilte. 'Ik wil niet dat zij hierin betrokken wordt.'

'Waarom zou ze?' vroeg Control op scherpe toon en een ogenblik, slechts één ogenblik, dacht Leamas dat hij het vernis van koele gereserveerdheid doorbroken had. 'Wie heeft er ook maar over gerept dat dat wèl zou gebeuren?'

'Niemand,' antwoordde Leamas, 'ik wilde dat alleen maar even vastgelegd hebben. Ik weet hoe dat gaat met die dingen – met alle offensieve operaties. Ze hebben consequenties, nemen vaak plotselinge wendingen in onverwachte richtingen. Je denkt dat je de ene vis gevangen hebt en je ontdekt dat het een andere is. Ik wil dat zij er helemaal buiten gehouden wordt.'

'O, zeker, zeker.'

'Wie is die vent aan de Arbeidsbeurs – Pitt? Was hij niet in het Circus gedurende de oorlog?'

'Ik ken niemand van die naam, Pitt zei je?'

'Ja.'

'Nee, die naam zegt me niets. Aan de Arbeidsbeurs?'

'O, in 's hemelsnaam,' mompelde Leamas hoorbaar.

'Neem me niet kwalijk,' zei Control, terwijl hij opstond, 'ik schiet te kort in mijn plichten als plaatsvervangend gastheer. Wil je wat drinken?'

'Nee, ik wil vannacht weg, Control. Ik wil naar buiten en wat lichaamsbeweging hebben. Is het Huis open?'

'Ik heb al een wagen besteld,' antwoordde eerstgenoemde.

'Hoe laat zie je Ashe morgen – om één uur?'

'Ja.'

'Ik zal Haldane bellen en hem zeggen dat hij een paar partijtjes squash met je speelt. En je kunt ook beter even naar een dokter gaan, vanwege die koorts.'

'Ik heb geen dokter nodig.'

'Zoals je wilt.'

Control schonk zichzelf een whisky in en begon werktuiglijk de boeken op Smileys planken te bekijken.

'Waarom is Smiley niet hier?' vroeg Leamas.

'De komende operatie bevalt hem niet,' antwoordde Control onverschillig. 'Hij vindt die onaangenaam. Hij ziet de noodzaak ervan wel in, maar hij wil er geen deel aan nemen. Zijn koorts,' voegde Control er met een eigenaardige glimlach aan toe, 'is periodiek.'

'Hij heeft me tenminste nou niet direct met open armen ontvangen.'

'Precies. Hij wil er niet bij betrokken zijn. Maar hij heeft je wel alles over Mundt verteld en je diens achtergrond geschilderd?'

'Ja.'

'Mundt is een erg *harde* man,' bepeinsde Control. 'Dat moeten we nooit vergeten. En een uitstekende kracht in de Geheime Dienst.'

51

'Kent Smiley de reden van de operatie? Het uitzonderlijke belang?'

Control knikte en nam een slok whisky.

'En toch bevalt het hem niet?'

'Het is geen kwestie van moraliteit. Hij is als een chirurg die genoeg heeft gekregen van bloed. Hij heeft er vrede mee dat anderen nu maar eens opereren.'

'Vertel me eens,' vervolgde Leamas, 'hoe weet je zo zeker dat we hiermee ons doel bereiken? Hoe weet je dat de Oostduitsers hierin zullen trappen en niet de Tsjechen of de Russen?'

'Je kunt ervan verzekerd zijn,' zei Control, een beetje gewichtig, 'dat daar heus wel voor gezorgd is.'

Toen ze bij de deur kwamen, legde Control licht zijn hand op de schouder van Leamas.

'Dit is je laatste opdracht,' zei hij. 'Dan heb je het erop zitten. En wat dat meisje betreft – wil je dat we daar iets voor doen, geld òf wat dan ook?'

'Als alles voorbij is. En dan zal ik het zelf wel in orde brengen.'

'Juist. Het zou inderdaad erg gevaarlijk zijn er nu iets aan te doen.'

'Ik wil alleen maar dat ze met rust gelaten wordt,' herhaalde Leamas met nadruk. 'Ik wil alleen maar dat ze er niet bij betrokken wordt. Ik wil dat er geen dossier of wat ook over haar wordt aangelegd. Ik wil dat ze vergeten wordt.'

Hij knikte tegen Control en glipte de koele nachtlucht in. De spion ging terug.

7. Kiever

De volgende dag was Leamas twintig minuten te laat voor zijn lunch met Ashe, en hij rook naar whisky. Maar Ashes vreugde bij het zien van Leamas was daarom niet minder groot. Hij beweerde dat ook hijzelf juist op dat ogenblik was aangekomen, omdat hij wat laat naar de bank was gegaan. Hij overhandigde Leamas een envelop.

'Briefjes van een pond,' zei Ashe. 'Ik hoop dat dat in orde is?'

'Dank je,' antwoordde Leamas, 'laten we er een nemen.' Hij had zich niet geschoren en zijn boord was vuil. Hij riep de ober en bestelde een grote whisky voor zichzelf en een 'lichte angst' voor Ashe. Toen de drankjes kwamen, beefde Leamas' hand zodanig bij het inschenken van het sodawater in zijn glas, dat hij het bijna over de rand morste.

Ze lunchten goed, met veel alcohol, en Ashe leidde in hoofdzaak het gesprek. Zoals Leamas verwacht had, sprak hij eerst over zichzelf, een oude truc, maar geen slechte.

'Om eerlijk te zijn, ik heb onlangs de lucht van iets goeds gekregen,' zei Ashe, 'free-lancen van Engelse artikelen in buitenlandse bladen. Na Berlijn had ik het er nogal lelijk bij laten liggen – de maatschappij wou het contract niet hernieuwen en ik aanvaardde de taak van redacteur van het een of andere sof-weekblad over hobbies voor bejaarden van boven de zestig. Kun je je iets ergers *voorstellen?* Dat blad legde het loodje bij de eerste drukkersstaking – ik kan je niet zeggen wat dat een opluchting voor me was. Toen ben ik een tijd bij mijn moeder in Cheltenham gaan inwonen, ze handelt in antiquiteiten en doet in feite heel goede zaken. Toen kreeg ik een brief van een ouwe vriend, zijn naam is Sam Kiever, die een nieuw agentschap opzette voor het leveren van kleine artikelen over het leven in Engeland, speciaal geschikt voor buitenlandse kranten. Je weet wel wat ik bedoel – zeshonderd woorden over morrisdansen bij voorbeeld. Sam had echter een nieuw foefje, hij verkocht zijn artikelen al in de juiste taal vertaald en, weet je, dat maakt een enorm verschil. Ze denken altijd wel een vertaler te kunnen vinden of het zelf wel te kunnen doen, maar als je op zoek bent naar een halve kolom vulling voor je buitenlandse artikelen, dan *wil* je geen tijd en geld verspillen aan vertalingen. Sam was zo slim rechtstreeks met de redacteuren in verbinding te treden – hij sjouwde door Europa als een zigeuner, de arme kerel, maar zijn moeite is *wel* beloond.'

Ashe pauzeerde even, wachtend of Leamas van de stilzwijgende uitnodiging om over zichzelf te spreken gebruik zou maken, maar Leamas deed alsof hij niets merkte. Hij knikte alleen maar en zei: 'Verdomd goed.' Ashe had wijn willen bestellen, maar Leamas zei dat hij het bij whisky hield, en tegen de tijd dat de koffie kwam, had hij al vier dubbele gehad. Hij scheen er niet al te best aan toe te zijn, hij had de gewoonte van vele dronkaards zijn mond naar de rand van zijn glas te brengen vlak voordat hij dronk, alsof zijn hand hem in de steek zou laten en de dronk hem zou ontgaan.

Ashe zweeg een ogenblik.

'Je kent Sam niet, is het wel?' vroeg hij.

'Sam?'

Er klonk een lichte ergernis in Ashes stem. 'Sam Kiever, mijn baas. De knaap over wie ik je verteld heb.'

'Is hij ook in Berlijn geweest?'

'Nee. Hij kent Duitsland goed, maar hij heeft nooit in Berlijn gewoond. Hij heeft in Bonn wat voor de pers gewerkt, meest freelance. Het had kunnen zijn dat je 'm ontmoet had. Hij is een fijne vent.'

'Ik geloof van niet.' Een pauze.

'Wat voer jij uit dezer dagen, ouwe jongen?' vroeg Ashe. Leamas haalde zijn schouders op.

'Ik ben aan de dijk gezet,' antwoordde hij en grinnikte een beetje stom.

'Ik ben vergeten wat je ook alweer deed in Berlijn. Was jij niet een van die geheimzinnige koude-oorlogvoerders?' Allemachtig, dacht Leamas, je zet er wel vaart achter.

Leamas aarzelde, kreeg toen een kleur en zei woedend:

'Loopjongen voor die verdomde Yanks, net als de rest van ons.'

'Weet je,' zei Ashe, alsof hij het idee al een tijdje overwogen had, 'je moest Sam eens ontmoeten. Hij zal je bevallen,' en toen, heel zorgelijk: 'Zeg, Alec – ik weet niet eens waar ik je bereiken kan!'

'Dat kun je niet,' zei Leamas lusteloos.

'Ik begrijp je niet, kerel. Waar woon je?'

'Ergens. Ik scharrel maar zo'n beetje rond. Ik heb geen baan. De schoften wilden me geen behoorlijk pensioen geven.'

Ashe keek ontzet.

'Maar Alec, dat is verschrikkelijk, waarom heb je me dat niet gezegd? Luister eens, waarom zou je dan niet naar mij toe komen en daar blijven? Het is weliswaar klein, maar er is plaats voor nog iemand als je genoegen wilt nemen met een veldbed. Je kunt toch tenslotte niet in een boom wonen, beste kerel!'

'Voorlopig rooi ik het nog wel,' antwoordde Leamas, terwijl hij op de zak klopte waarin hij de envelop gestoken had.

'Ik ga een baan zoeken,' knikte hij vastberaden, 'die vind ik wel in een week of zo. En dan zit ik goed.'

'Wat voor baan?'

'Och, dat weet ik niet. Alles.'

'Maar je kunt jezelf toch niet zo vergooien, Alec! Je spreekt Duits als een geboren Duitser, dat herinner ik me nog. Er moeten alle mogelijke dingen zijn die je doen kunt!'

'Ik heb van alles gedaan. Encyclopedieën verkocht voor de een of andere Amerikaanse rotfirma, boeken gesorteerd in een psychische bibliotheek, kaarten geponst in een stinkende lijmfabriek. Wat *kan* ik, verdomme, doen?' Hij keek niet naar Ashe, maar naar de tafel voor hem, terwijl zijn lippen zich opgewonden bewogen. Ashe reageerde op zijn opgewondenheid, vooroverleunende over de tafel; hij sprak met nadruk, ja zelfs met een zekere triomf in zijn stem.

'Maar, Alec, je hebt *contanten* nodig, begrijp je dat nou niet? Ik weet heus wel wat het is, ik heb ook in de rij gestaan bij de gaarkeuken. Dat is het ogenblik waarop het lonend is mensen te *kennen*. Ik weet niet wat je in Berlijn hebt uitgevoerd, ik wil het ook niet weten, maar het was niet het soort baan waar je invloedrijke mensen kon ontmoeten, niet waar? Als ik vijf jaar geleden Sam niet in Poznan ontmoet had, zou ik *nog* in de bedeling lopen. Luister nou eens, Alec, kom eens een weekje of zo bij mij wonen. Dan vragen we Sam eens aan te lopen en misschien een of twee van de ouwe persjongens uit Berlijn, als er een of meer van hen in de stad zijn.'

'Maar ik ben geen schrijver,' zei Leamas. 'Ik zou geen fluit kunnen schrijven.' Ashe had zijn hand op Leamas' arm gelegd. 'Maak je nou niet druk,' zei hij sussend, 'laten we de dingen nou eens stuk voor stuk bekijken. Waar zijn je spullen?'

'Mijn wat?'

'Je spullen: kleren, bagage en weet ik nog wat meer?'

'Die heb ik niet. Ik heb alles verkocht wat ik had, behalve dat pak.'

'Welk pak?'

'Dat bruin papieren pak dat je in het park hebt opgepikt. Dat ik probeerde weg te gooien.'

Ashe had een flat in Dolphin Square. Het was precies wat Leamas verwacht had – klein en anoniem, met wat inderhaast bijeengeraapte souvenirs uit Duitsland: bierpullen, een boerenpijp en een paar stukken inferieur Nymphenburg-porselein.

'Ik breng mijn weekeinden door bij mijn moeder in Cheltenham,' zei Ashe. 'Ik gebruik deze flat alleen midden in de week. Het is wel gemakkelijk,' voegde hij er verontschuldigend aan toe. Ze zetten het veldbed op in de kleine zitkamer. Het was ongeveer half vijf.

'Hoe lang woon je hier al?' vroeg Leamas.

'O, ongeveer een jaar, of iets langer.'

'Kon je er makkelijk aan komen?'

'Och, weet je, met die flats is het een komen en gaan. Je laat je naam op de lijst zetten en op een goeie dag bellen ze je op om te vertellen dat het gelukt is.'

55

Ashe zette thee en die dronken ze samen, Leamas stuurs, als iemand die niet aan comfort gewend is. Zelfs Ashe leek wat kalmer. Na de thee zei Ashe: 'Ik ga even uit om wat inkopen te doen voor de winkels sluiten, daarna zullen we beslissen over alles wat er gedaan moet worden. Later op de avond zou ik Sam eens kunnen bellen – hoe gauwer jullie tweeën elkaar ontmoeten, hoe beter, lijkt me. Waarom ga je niet wat slapen – je ziet er bekaf uit.'

Leamas knikte. 'Het is verdomd vriendelijk van je' – hij maakte een onbestemd handgebaar – 'dit allemaal.' Ashe klopte hem op de schouder, nam zijn militaire regenjas en vertrok.

Zo gauw Leamas dacht dat Ashe veilig het gebouw uit was, deed hij de voordeur van de flat zorgvuldig op slot en ging naar beneden, naar de hal, waar zich twee telefooncellen bevonden. Hij draaide een nummer in het district Maida Vale en vroeg naar de secretaresse van meneer Thomas. Onmiddellijk zei een meisjesstem: 'U spreekt met de secretaresse van meneer Thomas.'

'Ik bel namens de heer Sam Kiever,' zei Leamas, 'hij heeft de uitnodiging aangenomen en hoopt vanavond persoonlijk contact op te nemen met meneer Thomas.'

'Ik zal het aan meneer Thomas doorgeven. Weet hij waar hij u kan bereiken?'

'Dolphin Square,' antwoordde Leamas en gaf het adres.

'Goeiendag.'

Na nog enige informaties te hebben ingewonnen aan de receptie, keerde hij naar Ashes flat terug en ging op het veldbed naar zijn samengevouwen handen zitten kijken. Na een poos ging hij liggen. Hij besloot Ashes advies op te volgen en wat te rusten. Toen hij zijn ogen sloot herinnerde hij zich hoe Liz in de flat in Bayswater naast hem gelegen had, en hij vroeg zich luchtig af wat er van haar geworden was.

Hij werd gewekt door Ashe, vergezeld van een kleine, nogal gezette man met achterovergekamd lang, grijs haar en een dubbelrijig colbert. Hij sprak met een licht Middeneuropees accent, misschien Duits, maar het was moeilijk te zeggen. Hij zei dat zijn naam Kiever was – Sam Kiever.

Ze dronken een gin en tonic, terwijl Ashe het grootste aandeel in het gesprek had. Het was weer net als de goeie, ouwe tijd in Berlijn, zei hij, de jongens weer bij elkaar en de hele nacht nog voor de boeg. Kiever zei dat hij het niet te laat wilde maken, dat hij de volgende ochtend weer werken moest. Ze kwamen overeen te eten in een Chinees restaurant dat Ashe kende – het lag tegenover de politiepost van Limehouse en je bracht je eigen wijn mee. Eigenaardig genoeg bleek Ashe wat bourgogne in de keuken te hebben staan en die namen ze mee in de taxi.

De maaltijd was uitstekend en ze dronken twee flessen wijn. Bij de tweede begon Kiever een beetje te ontdooien: hij was net terug van een reis door West-Duitsland en Frankrijk. In Frankrijk was het een rotzooi, de Gaulle had vrijwel afgedaan en de hemel mocht weten wat er dan ging gebeuren. Met honderdduizend gedemoraliseerde *colons* die uit Algerije terugkwamen lag volgens hem fascisme voor de hand.

'En hoe staat het met Duitsland?' moedige Ashe hem aan.

'Dat hangt ervan af of de Yanks hen in bedwang kunnen houden.' Kiever keek uitnodigend naar Leamas.

'Wat bedoel je?' vroeg Leamas.

'Precies wat ik zeg. Dulles heeft hun met de ene hand een buitenlandse politiek gegeven die Kennedy met de andere weer wegneemt. Ze worden prikkelbaar.'

Leamas knikte kortaf en zei: 'Typisch Yank.'

'Alec schijnt onze Amerikaanse neven niet erg te mogen,' zei Ashe, tussenbeide komende, en Kiever mompelde, volkomen gedesinteresseerd: 'O, nee?' Kiever speelde een listig spelletje, bedacht Leamas, zeer listig. Zoals iemand die gewend is met paarden om te gaan, liet hij je naar hem toe komen. Hij speelde uitstekend een man die vermoedde dat men op het punt stond hem een gunst te vragen en niet van plan was gemakkelijk toe te geven.

Na het diner zei Ashe: 'Ik weet een tent in Wardour Street – daar ben jij ook geweest, Sam. Het is er niet kwaad. Waarom laten we niet een taxi komen en ons erheen brengen?'

'Een ogenblik,' zei Leamas, en er was iets in zijn stem dat Ashe snel naar hem deed opkijken, 'je moet me eerst één ding vertellen. Wie betaalt er voor dat geintje?'

'Ik,' zei Ashe vlug, 'Sam en ik.'

'Hebben jullie dat afgesproken?'

'Dat niet, nee.'

'Omdat ik toevallig geen cent bezit, dat weet je, niet waar? In elk geval niet om mee te smijten.'

'Natuurlijk, Alec. Maar tot nu toe heb ik behoorlijk voor je gezorgd, niet?'

'Ja,' antwoordde Leamas, 'ja, dat heb je zeker.'

Hij scheen van plan te zijn nog iets te zeggen en toen van idee te veranderen. Ashe keek bezorgd, niet beledigd, en Kiever keek even ondoorgrondelijk als tevoren.

Leamas weigerde te spreken in de taxi. Ashe probeerde de een of andere verzoenende opmerking en hij haalde alleen maar geërgerd zijn schouders op. Ze kwam aan in Wardour Street en stapten uit, waarbij Leamas noch Kiever een poging deden de taxi te betalen. Ashe loodste hen langs een etalage vol 'meisjes'-tijdschriften, door een nauwe steeg, aan het einde waarvan een opzichtige neon-reclame scheen: 'Pussy-willow Club. Uitsluitend voor leden.' Aan weerszijden van de deur bevonden zich foto's van meisjes, en dwars over alle foto's was een smalle, bedrukte strook papier geplakt, waarop stond: 'Natuurstudie. Uitsluitend voor leden.'

Ashe drukte op de bel. Terstond werd de deur geopend door een grote, zware kerel met een wit overhemd en een zwarte pantalon aan.

'Ik ben lid,' zei Ashe. 'Deze twee heren zijn mijn gasten.'

'Mag ik even uw kaart zien?'

Ashe nam een beigekleurige kaart uit zijn portefeuille en overhandigde die.

'Uw gasten betalen een pond per stuk voor tijdelijke lidmaatschap. En op uw aanbeveling, accoord?' Hij reikte de kaart weer over, en terwijl hij dit deed stak Leamas langs Ashe heen zijn hand uit en nam haar aan. Hij keek er een ogenblik naar en gaf haar toen door aan Ashe.

Leamas viste twee biljetten van een pond uit zijn heupzak en legde deze in de uitgestrekte hand van de man aan de deur.

'Twee pond,' zei Leamas, 'voor de gasten,' en zonder zich te storen aan de verbaasde protesten van Ashe, leidde hij hen door de met gordijnen afgesloten deur naar de duistere hal van de club. Hij richtte zich tot de portier.

'Zoek een tafel voor ons,' zei Leamas, 'en breng een fles Schotse whisky. En zorg dat we niet worden lastig gevallen.' De portier aarzelde een ogenblik, besloot niet te redetwisten en begeleidde hen naar beneden. Terwijl ze afdaalden hoorden ze het gedempte gejammer van niet te herkennen muziek. Ze kregen een aparte tafel achter in het lokaal. Er speelde een tweepersoonsorkestje en overal in het rond zaten meisjes in groepjes van twee of drie. Twee van hen stonden op toen ze binnenkwamen, maar de grote portier schudde het hoofd.

Ashe keek Leamas van terzijde ongerust aan terwijl ze op de whisky wachtten. Kiever scheen ietwat verveeld te zijn. De ober bracht een fles en drie tumblers en ze keken in stilte toe hoe hij in elk glas wat whisky schonk. Leamas nam de fles van de ober over en schonk in elk glas nogmaals dezelfde hoeveelheid bij. Toen hij daarmee klaar was, leunde hij over de tafel en zei tegen Ashe: 'En dan wil je me misschien nu wel vertellen wat er verdomme aan de hand is?'

'Wat bedoel je?' Er lag een onzekere klank in Ashes stem.

'Waar heb je het over, Alec?'

'Je volgde me vanaf de gevangenis de dag dat ik vrijgelaten werd,' begon hij rustig, 'met het een of andere krankzinnige verhaal dat je me in Berlijn ontmoet zou hebben. Je gaf me geld dat je me niet schuldig was. Je betaalde dure maaltijden voor me en nam me op in je flat.'

Ashe kreeg een kleur en zei: 'Als dat de...'

'Val me niet in de rede,' zei Leamas fel. 'Je zult rustig moeten wachten tot ik klaar ben, verdomme, of je 't leuk vindt of niet. Op je lidmaatschapskaart voor deze tent staat de naam Murphy. Heet jij zo?'

'Nee.'

'Ik veronderstel dat een vriend die Murphy heet je zijn lidmaatschapskaart geleend heeft?'

'Nee, zo is het niet. Als je het dan beslist moet weten, ik kom hier zo nu en dan voor een meisje. Ik heb een valse naam opgegeven om lid te worden van de club.'

'Waarom,' hield Leamas meedogenloos aan, 'staat de flat geregistreerd op de naam Murphy?'

Het was Kiever die tenslotte sprak.

'Ga jij nou maar naar huis,' zei hij tegen Ashe. 'Ik zal dit wel behandelen.'

Het meisje deed een stripteasenummer, een jong, kleurloos meisje met een blauwe plek op een van haar dijen. Ze had die zielige, spichtige naaktheid, die pijnlijk is omdat ze niets te maken heeft met erotiek; omdat ze niets artistieks of begeerlijks heeft. Ze draaide langzaam rond, af en toe met haar armen of benen zwaaiend alsof ze slechts flarden muziek opving, terwijl ze hen de hele tijd aankeek met de vroegwijze belangstelling van een kind in het gezelschap van ouderen. Plotseling versnelde het ritme van de muziek en het meisje reageerde als een hond op een fluitsignaal, alsmaar heen en weer dravende. Bij de laatste noot verwijderde ze haar b.h., hield deze boven haar hoofd en vertoonde haar magere lichaam, behangen met drie blikkerige schaamplaatjes als ouderwetse kerstboomversieringen. Ze keken zwijgend toe, Leamas en Kiever.

'Ik veronderstel dat je me nou gaat vertellen dat we dat in Berlijn beter hebben gezien,' opperde Leamas tenslotte en Kiever zag dat hij nog erg nijdig was.

'Ik veronderstel dat dat met *jou* het geval is,' zei Kiever vriendelijk. 'Ik ben wel vaak in Berlijn geweest, maar die nachtkroegen liggen mij niet zo.'

Leamas zei niets.

'Begrijp me goed, ik ben niet preuts, alleen maar verstandig. Als ik behoefte heb aan een vrouw, weet ik heel wat goedkopere manieren om er een te vinden; als ik wil dansen weet ik betere plaatsen om dat te doen.' Hij wist niet of Leamas geluisterd had.

'Misschien kun je me vertellen waarom dat verwijfde knulletje met me aanpapte,' stelde Leamas voor. Kiever knikte.

'O, maar natuurlijk. Omdat ik hem daartoe opdracht had gegeven.'

'Waarom?'

'Ik stel belang in je. Ik wil je een voorstel doen, een journalistiek voorstel.'

Er was een ogenblik van stilte.

'Journalistiek,' herhaalde Leamas, 'o, juist.'

'Ik heb een agentschap, een internationale dienst van bijzondere kranteartikelen. Het betaalt goed – heel goed – voor interessant materiaal.'

'Wie publiceert dat materiaal?'

'Het betaalt werkelijk zo goed dat een man met jouw ervaring van de... internationale toestanden, een man met jouw achtergrond, begrijp je, die feitelijk en overtuigend materiaal zou kunnen verschaffen, zichzelf in betrekkelijk korte tijd van alle financiële zorgen zou kunnen bevrijden.'

'Wie publiceert dat materiaal, Kiever?' Er lag een dreigende klank in de stem van Leamas, en een ogenblik, een enkel ogenblik maar, scheen er een vleug van vrees over Kievers gladde gelaat te trekken.

'Internationale klanten. Ik heb een correspondent in Parijs die veel van mijn materiaal verkoopt. Ik moet toegeven dat ik vaak zelf niet weet *wie* het publiceert,' voegde hij er met een ontwapenende glimlach aan toe, 'en ik kan niet zeggen dat het me erg interesseert. Ze betalen en vragen om meer. Zij zijn het soort mensen, zie je, Leamas, die zich niet druk maken over netelige details; ze betalen prompt en ze zijn bij voorbeeld volkomen bereid bij buitenlandse banken te storten, waar niemand zich bekommert om kleinigheden als belastingen.'

Leamas zei niets. Hij hield zijn glas met beide handen vast en staarde erin.

Grote genade, ze gaan wel onstuimig te werk, dacht hij; het is gewoon onfatsoenlijk. Hij herinnerde zich de een of andere dwaze mop uit een musical – 'Dat is een aanbieding die geen fatsoenlijk meisje kan accepteren – en bovendien weet ik niet eens hoeveel het betaalt.' – Tactisch gesproken hebben ze gelijk dat ze er zo'n haast achter zetten, bedacht hij. Ik loop op mijn tandvlees, de herinnering aan de gevangenis is nog vers en mijn wrok tegen de maatschappij nog hevig. Ik ben een oudgediende en behoef niet meer getraind te worden; ik hoef ook niet voor te wenden dat ze mijn eergevoel als Engels gentleman hebben gekwetst. Maar aan de andere kant zouden ze practische tegenwerpingen moeten verwachten. Ze moesten verwachten dat hij bang zou zijn, want zijn Dienst vervolgde verraders zoals het oog Gods Kaïn had vervolgd door de woestijn.

En tenslotte wisten ze natuurlijk dat het een gok was. Ze zouden heus wel weten dat één inconsequente, menselijke beslissing het best georganiseerde spionageplan kan te niet doen; dat oplichters, leugenaars en misdadigers soms elke verlokking weerstaan terwijl achtenswaardige heren zich tot het schandelijkste verraad hebben laten verleiden voor zo goed als niets.

'Ze zouden in ieder geval een verdomde hoop geld moeten betalen,' mompelde Leamas tenslotte. Kiever schonk hem nog wat whisky in.

'Ze bieden vijftienduizend pond contant. Het geld is al gedeponeerd bij de Cantonale Bank in Bern. Op vertoning van een identiteitsbewijs, dat je door mijn cliënten verstrekt wordt, kun je erover beschikken. Bovendien behouden mijn cliënten zich het recht voor je gedurende een periode van een jaar daarna vragen te stellen tegen betaling van nogmaals vijfduizend pond. En tenslotte zullen ze je helpen bij… eventuele emigratie en huisvesting elders.'

'Wanneer verwacht je mijn antwoord?'

'Nu. Er wordt niet van je verwacht dat je al je ervaringen zult opschrijven. De bedoeling is dat je mijn cliënt ontmoet en hij zal ervoor zorgen dat het materiaal... voor je geschreven wordt.'

'Waar zal ik hem ontmoeten?'

'We hadden gedacht dat het in ieders belang beter zou zijn als de ontmoeting buiten het Verenigd Koninkrijk plaatsvindt. Mijn cliënt stelt Nederland voor.'

'Ik heb mijn paspoort niet,' zei Leamas somber.

'Ik ben zo vrij geweest daarvoor te zorgen,' zei Kiever minzaam; niets in zijn stem wees erop dat hij iets anders gedaan had dan een normale zakelijke relatie tot stand brengen.

'Morgenochtend om negen uur vijfenveertig vliegen we naar Den Haag. Zullen we nu teruggaan naar mijn flat en eventuele verdere details bespreken?'

Kiever betaalde en ze namen een taxi naar een tamelijk goed adres niet ver van het St. James's Park.

Kievers flat was luxueus en duur, maar de inrichting ervan maakte de indruk min of meer haastig bij elkaar geraapt te zijn. Er wordt gezegd dat er in Londen winkels zijn waar men boeken per meter kan kopen, en die binnenhuisarchitecten in dienst hebben die de kleuren van de wanden in overeenstemming brengen met die van een schilderij. Leamas, die niet zo bijzonder ontvankelijk was voor dergelijke subtiliteiten, had er enige moeite mee te bedenken dat hij zich in een privé-flat bevond en niet in een hotel. Toen Kiever hem zijn kamer wees (die uitzag op een armetierige binnenplaats en niet op de straat), vroeg Leamas hem:

'Hoe lang zit je hier al?'

'O, niet zo gek lang,' antwoordde Kiever luchtig, 'een paar maanden, langer niet.'

'Moet handen vol geld kosten. Maar ja, ik veronderstel dat je dat waard bent.'

'Dank je.'

Er stonden een fles Scotch en een sifon sodawater op een zilveren blad in zijn kamer. Een met een gordijn afgesloten doorgang leidde naar de badkamer en het toilet.

'Een heel aardig nestje voor verliefden. Wordt dat allemaal betaald door de grote Arbeiders Staat?'

'Hou je kop dicht,' snauwde Kiever en voegde eraan toe:

'Als je me nodig hebt kun je de huistelefoon gebruiken. Ik ben wel wakker.'

'Ik geloof dat ik mezelf nou wel redden kan,' antwoordde Leamas.

'Goeienacht dan,' zei Kiever kortaf, en verliet het vertrek. Hij is ook geprikkeld, zei Leamas bij zichzelf.

Leamas werd gewekt door de telefoon naast zijn bed. Het was Kiever. 'Het is zes uur,' zei hij, 'ontbijt om half zeven.'
'Goed,' antwoordde Leamas en belde af. Hij had hoofdpijn.

Kiever moest een taxi besteld hebben, want om zeven uur werd er aan de voordeur gebeld en Kiever vroeg: 'Heb je alles?'
'Ik heb geen bagage,' antwoordde Leamas. 'Behalve een tandenborstel en een scheerapparaat.'
'Daar is voor gezorgd. Maar ben je voor de rest klaar?'
Leamas haalde zijn schouders op. 'Ik meen van wel, heb je sigaretten?'
'Nee,' antwoordde Kiever, 'maar die kun je in het vliegtuig krijgen. Kijk dit maar even door,' voegde hij eraan toe en gaf Leamas een Brits paspoort. Het was uitgeschreven op zijn naam, met zijn eigen foto en met in de hoek het wapen van het ministerie van buitenlandse zaken in diepdruk. Het was niet nieuw, maar ook niet oud; het omschreef Leamas als kantoorbediende en vermeldde dat hij ongetrouwd was. Nu hij het voor de eerste maal in de hand hield was Leamas een beetje zenuwachtig. Het was net als wanneer men ging trouwen; wat er ook gebeurde, niets zou ooit meer helemaal hetzelfde zijn.
'Hoe staat het met het geld?' vroeg Leamas.
'Dat heb je niet nodig. Dit is voor rekening van de firma.'

8. De luchtspiegeling

Het was koud die ochtend, de lichte nevel was nat en grijs en prikte op de huid. De luchthaven deed Leamas aan de oorlog denken: machines die, half verscholen achter de mist, geduldig op hun bazen wachtten; luide stemmen en hun echo's, een plotselinge uitroep, en het uit de toon vallende getik van vrouwenhakken op de stenen vloer; het onverwachte brullen van een motor die misschien vlak bij je gestaan had. Overal die sfeer van samenspanning die ontstaat tussen mensen die al sinds het aanbreken van de dag op zijn geweest – bijna een gevoel van superioriteit, berustend op de gemeenschappelijke belevenis de nacht te hebben zien verdwijnen en de dag te hebben zien aanbreken. Het personeel had die blik die het geheimenis van de dageraad in zich sluit en bovendien door de kou wordt beïnvloed, en ze behandelden de passagiers en hun bagage met de afgetrokkenheid van mannen die net van het front zijn teruggekeerd – doodgewone stervelingen betekenden niets voor hen deze morgen.

Kiever had Leamas van bagage voorzien. Hij moest toegeven dat het een aardig detail was. Reizigers zonder bagage trekken de aandacht en het was zeer zeker niet Kievers voornemen de aandacht te trekken. Ze meldden zich bij de receptie van de luchtlijn en volgden de richtingsborden naar de paspoortcontrole. Een komisch ogenblik was er toen ze de weg kwijtraakten en Kiever onhebbelijk was tegen een witkiel. Leamas veronderstelde dat Kiever bezorgd was over het paspoort – dat was niet nodig, dacht Leamas, er was niets mee aan de hand.

De paspoortbeambte was een tamelijk jonge, kleine man met een das van de Inlichtingendienst en het een of andere geheimzinnige speldje op zijn revers. Hij had een rossige snor en een noordelijk accent, dat hem veel last scheen te bezorgen.

'Gaat u voor lange tijd weg, meneer?' vroeg hij Leamas.

'Een paar weken,' antwoordde deze.

'U mag wel oppassen, meneer. Op de 31ste moet uw paspoort vernieuwd worden.'

'Ja, dat weet ik,' zei Leamas.

Naast elkaar gingen ze de wachtkamer binnen. Onderweg zei Leamas: 'Jij bent wel een achterdochtige mieter, niet, Kiever?' en de ander lachte zachtjes.

'We kunnen je niet zo maar los laten lopen, is het wel? Dat staat niet in de overeenkomst.'

Ze moesten nog twintig minuten wachten. Ze gingen aan een tafeltje zitten en bestelden koffie. 'En neem die dingen hier weg,' voegde Kiever er tot de ober aan toe, wijzende op de vuile kopjes, schotels en asbakken op de tafel. 'Zo dadelijk komt het wagentje voor de vuile vaat langs,' antwoordde de ober.

'Neem ze mee,' herhaalde Kiever, nu weer kwaad. 'Het is smerig al die rommel daar maar te laten staan.'

De ober draaide zich rustig om en ging weg. Hij ging ook niet naar het buffet en bestelde hun koffie niet. Kiever was wit en ziek van woede. 'In vredesnaam,' mompelde Leamas, 'beheers je, het leven is te kort.'

'Een onbeschofte hond is het,' zei Kiever.

'Goed dan, goed, geef maar een nummertje weg, je hebt er een goed ogenblik voor gekozen. Ze vergeten ons hier nooit meer.'

De formaliteiten op het kleine vliegveld bij Den Haag leverden geen moeilijkheden op. Kiever scheen zijn ongerustheid weer te boven te zijn. Hij werd weer monter en spraakzaam terwijl ze de korte afstand aflegden tussen het vliegtuig en de douanegebouwen. De jonge Nederlandse ambtenaar wierp een oppervlakkige blik op hun bagage en paspoorten en zei in een wat moeilijk, gutturaal Engels: 'Ik hoop dat u een prettig verblijf in Nederland zult hebben.'

'Dank u,' zei Kiever, bijna te dankbaar, 'dank u zeer.'

Van de douaneloods wandelden ze door de gang naar de ontvangsthal aan de andere kant van de vliegveldgebouwen. Kiever wees de weg naar de hoofduitgang, tussen de kleine groepjes reizigers door die ongeïnteresseerd stonden te kijken naar de in een kiosk tentoongestelde parfums, camera's en fruit. Terwijl zij verder liepen en de draaideuren passeerden, keek Leamas achter zich. Bij de krantenkiosk, verdiept in een nummer van de *Continental Daily Mail,* stond een kleine, wonderlijke gestalte, met een bril op, een ernstige, bezorgde kleine man. Hij zag eruit als de een of andere ambtenaar. Zoiets in elk geval.

Op het parkeerterrein stond een wagen op hen te wachten, een Volkswagen met een Nederlands nummer, bestuurd door een vrouw die geen notitie van hen nam. Ze reed langzaam, telkens weer stoppend wanneer de verkeerslichten op geel sprongen, en Leamas veronderstelde dat ze instructies had ontvangen zo te rijden en dat ze gevolgd werden door een andere wagen. Hij hield de linker spatschermspiegel in de gaten en probeerde de wagen te herkennen, doch tevergeefs. Eén keer zag hij een zwarte Peugeot met een CD-nummer, maar toen ze de hoek omgingen werden ze slechts gevolgd door een verhuiswagen. Hij kende Den Haag tamelijk goed uit de oorlogstijd en probeerde te bepalen in welke richting ze gingen. Hij vermoedde dat ze in noordwestelijke richting reden, naar Scheveningen. Weldra kwamen ze aan de rand van de stad en naderden een groep villa's die aan de duinrand langs de zee waren gelegen.

Hier stopten ze. De vrouw stapte uit en liet hen in de wagen achter, waarna ze aan de voordeur van een kleine crème-kleurige villa belde, die zich dicht bij het einde van de rij bevond. Boven het portiek hing een smeedijzeren uithangbord waarop in lichtblauwe gothische letters de woorden 'Le Mirage' waren geschilderd. Er stond een kaart voor het raam vermeldende dat alle kamers bezet waren.

De deur werd geopend door een vriendelijke, mollige vrouw, die langs de chauffeuse heen naar de auto keek. Nog steeds naar de wagen kijkend, kwam ze langs het tuinpad naar hen toe met een glimlach op het gezicht. Ze herinnerde Leamas aan een tante die hij eens gehad had, die hem een pak slaag gegeven had omdat hij touw had verknoeid.

'Hoe fijn dat u gekomen bent,' zei zij, 'we zijn zo *blij* dat u gekomen bent!'

Ze volgden haar de bungalow binnen, met Kiever aan het hoofd. De chauffeuse klom weer in de wagen.

Leamas keek de weg langs die ze juist gekomen waren; driehonderd meter verder was een zwarte wagen geparkeerd, een Fiat misschien of een Peugeot. Een man in een regenjas stapte juist uit.

Toen ze de vestibule betraden, gaf de vrouw Leamas een warme handdruk. 'Welkom, welkom in "Le Mirage". Heeft u een goede reis gehad?'

'Prima,' antwoordde Leamas.

'Bent u per vliegtuig of met de boot gekomen?'

'We hebben gevlogen,' zei Kiever, 'een heel rustige reis.' Hij zei dit alsof hij de eigenaar van de luchtlijn was.

'Ik zal de lunch voor u gaan klaarmaken,' verklaarde zij, 'een speciale lunch. Ik zal iets heel lekkers voor u maken. Wat zou u graag willen hebben?'

'O, in 's hemelsnaam,' zei Leamas binnensmonds en toen ging de deurbel. De vrouw verdween vlug naar de keuken en Kiever opende de voordeur.

Hij droeg een regenjas met leren knopen. Hij was ongeveer even groot als Leamas, maar ouder. Leamas schatte hem op ongeveer vijfenvijftig. Hij had een hard gezicht, grauw en met scherpe vouwen, hij had een militair kunnen zijn. Hij stak zijn hand uit.

'Mijn naam is Peters,' zei hij. Zijn vingers waren slank en verzorgd.

'Goede reis gehad?'

'Ja,' zei Kiever snel, 'volkomen rustig.'

'Meneer Leamas en ik hebben veel te bespreken; ik geloof niet dat we je langer hoeven op te houden, Sam. Neem jij de Volkswagen maar mee terug naar de stad.'

Kiever glimlachte. Leamas zag de opluchting in zijn lach.

'Goeiendag, Leamas,' zei Kiever schertsend, 'veel geluk, ouwe jongen.'

Leamas knikte, maar deed of hij de uitgestoken hand van Kiever niet zag.

'Goeiendag,' herhaalde Kiever en verdween kalm door de voordeur.

Leamas volgde Peters naar een achterkamer. Zware kanten gordijnen, versierd met zware franje en in plooien vallend, hingen voor de ramen. De vensterbank stond vol met planten in potten: grote cacteeën, een tabaksplant en een eigenaardig soort plant met brede, rubberachtige bladen. Het meubilair was zwaar en namaak-antiek. In het midden van de kamer stond een tafel met twee zware, gebeeldhouwde stoelen. Op de tafel lag een dik, roestkleurig kleed, dat meer van een vloerkleed had, en daarop, voor iedere stoel, lag een bloknoot en een potlood. Op een dressoir stonden whisky en soda. Peters ging erheen en maakte voor hen beiden een drankje klaar.

'Luister,' zei Leamas plotseling, 'van nu af aan kan ik het zonder al die vriendelijkheden stellen, begrijp je me? We weten alle twee wat er aan de hand is, we zijn allebei profs. Je hebt nou een betaalde overloper – geluk ermee. Maar doe in 's hemelsnaam niet alsof je verliefd op me geworden bent.' Er was een gespannen, onzekere klank in zijn stem.

Peters knikte. 'Kiever vertelde me al dat je een trotse kerel bent,' merkte hij onverschillig op. Toen voegde hij zonder een glimlach eraan toe: 'Waarom zou iemand anders een leverancier aanvallen?'

Leamas vermoedde dat hij een Rus was, maar hij was er niet zeker van. Zijn Engels was bijna foutloos en zijn gedragingen en manieren waren die van een man die reeds lange tijd aan alle moderne gemakken gewend is.

Ze gingen aan de tafel zitten.

'Heeft Kiever je gezegd wat ik je zal betalen?' vroeg Peters.

'Ja. Vijftienduizend pond, gedeponeerd bij een bank in Bern.'

'Juist.'

'Hij zei ook dat je in de loop van het volgend jaar misschien nog meer vragen zou hebben,' zei Leamas, 'en dat je me nog eens vijfduizend zou betalen als ik me beschikbaar hield.'

Peters knikte.

'Die voorwaarde accepteer ik niet,' vervolgde Leamas. 'Je weet net zo goed als ik dat het geen nut heeft. Ik wil die vijftienduizend hebben en verdwijnen. Jouw mensen behandelen hun overlopers ruw, de mijne ook. Ik ben niet van plan in St. Moritz op mijn achterste te gaan zitten terwijl jij elk net dat ik je opgeef gaat oprollen. Ze zijn niet helemaal gek, ze zouden heus wel weten wie ze moesten hebben. Je kunt er donder op zeggen dat ze ons nu al op het spoor zijn.'

Peters knikte. 'Je zou natuurlijk ergens kunnen komen... waar het veiliger was, is het niet?'

'Achter het Gordijn?'

'Ja.'

Leamas schudde het hoofd en vervolgde: 'Ik vermoed dat je ongeveer drie dagen nodig zult hebben voor een voorlopige ondervraging. En dan wil je natuurlijk meer in details terugkomen op verschillende punten.'

'Dat is nog niet gezegd,' antwoordde Peters.

Leamas keek hem met belangstelling aan.

'Zo,' zei hij, 'ze hebben een expert gezonden. Of heeft de Moskouse Centrale hier niets mee te maken?'

Peters zweeg; hij keek alleen Leamas maar aan, nam hem in zich op. Tenslotte nam hij het potlood op dat voor hem lag en zei: 'Zullen we dan maar beginnen met je staat van dienst gedurende de oorlog?'

Leamas haalde zijn schouders op: 'Dat is jouw zaak.'

'Inderdaad. Dan beginnen we dus met je dienst gedurende de oorlog. Vertel maar op.'

'Ik nam dienst bij de Genie in 1939. Ik was juist aan het einde van mijn training gekomen toen er een rondschrijven kwam waarbij lui die talen spraken werden uitgenodigd een aanvraag in te dienen voor speciale diensten in het buitenland. Ik sprak Nederlands en Duits en aardig wat Frans en ik had genoeg van het soldaatje spelen, dus diende ik een aanvraag in. Nederland kende ik goed, mijn vader heeft een zaak in gereedschappen in Leiden gehad, ik heb daar negen jaar gewoond. Ik onderging de gewone ondervragingen en werd toen naar een school in Oxford gestuurd, waar ze me de gebruikelijke trucjes bijbrachten.'

'Wie was daar de baas?'

'Dat ben ik pas later aan de weet gekomen. Toen ontmoette ik Steed-Asprey en een leraar uit Oxford, Fielding genaamd. Zij vormden samen de directie. In eenenveertig werd ik in Nederland gedropt en ik bleef daar bijna twee jaar. We verloren onze geheime agenten daar sneller dan we ze in die dagen vinden konden – het was je reinste moord. Nederland is een afgrijselijk land voor dat soort werk – werkelijk woeste gebieden vindt men er niet, nergens kun je veilig verscholen een hoofdkwartier of een radiopost vestigen. Je moet telkens verhuizen, telkens vluchten. Dat maakte het tot een heel gemeen spelletje. In drieënveertig kwam ik terug en bleef een paar maanden in Engeland, waarna ik het eens in Noorwegen ging proberen – dat was een picknick met Nederland vergeleken. In vijfenveertig werd ik ontslagen en ik kwam hier weer naar Nederland terug om te trachten de oude zaak van mijn vader voort te zetten. Dat lukte niet en daarom werd ik de compagnon van een ouwe vrind die een reisbureau exploiteerde in Bristol. Dat duurde achttien maanden en toen gingen we failliet. Toen, als een donderslag bij heldere hemel, kreeg ik een brief van het departement: zou ik er wat voor voelen terug te komen? Maar ik had er genoeg van gezien, dacht ik, en dus vertelde ik hun dat ik er eens over zou denken, en huurde een huisje op het eiland Lundy. Ik bracht daar een jaar door met duimen draaien, kreeg daar ook genoeg van en schreef hun een brief. Eind negenenveertig stond ik weer op de loonlijst. Onderbroken dienstverband natuurlijk – korting op mijn pensioen en het gebruikelijk gechicaneer. Gaat het te gauw?'

'Voorlopig niet,' antwoordde Peters, die hem nog wat whisky inschonk. 'We zullen het natuurlijk later nog eens doornemen, met namen en data.'

Er werd op de deur geklopt en het vrouwtje bracht de lunch binnen, een enorme maaltijd van koud vlees, brood en soep. Peters schoof zijn bloknoot terzijde en ze aten zwijgend. De ondervraging was begonnen.

De lunch was weggeruimd. 'Dus toen ging je terug naar het Circus,' zei Peters.

'Ja. Gedurende enige tijd gaven ze me een baantje op kantoor, het bewerken van rapporten, het schatten van militaire strijdkrachten in landen achter het IJzeren Gordijn, het opsporen van eenheden en dat soort werk.'

'In welke afdeling was dat?'

'Satellites Four. Ik was daar van februari negentienvijftig tot mei negentien eenenvijftig.'

'Wie waren je collega's?'

'Peter Guillam, Brian de Grey en George Smiley. Begin negentien eenenvijftig verliet Smiley ons en ging over naar de contra-spionage.

In mei negentien eenenvijftig werd ik naar Berlijn overgeplaatst als D.C.A. – Deputy Controller of Area. Dat betekende dus al het operationele werk.'

'Wie had je daar onder je?' Peters schreef snel. Leamas veronderstelde dat hij een zelfbedacht systeem van stenografie gebruikte.

'Hackett, Sarrow en De Jong. De Jong werd in negenenvijftig gedood bij een verkeersongeluk. Wij vermoedden dat hij vermoord was, maar konden het nooit bewijzen. Ze hadden allen hun eigen net en stonden onder mijn bevelen. Wil je soms details weten?' vroeg hij droog.

'Natuurlijk, maar later. Ga door.'

'Het was eind vierenvijftig dat we onze eerste grote vangst deden in Berlijn: Fritz Feger, tweede man in het Oostduitse ministerie van oorlog. Tot zover was het erg moeilijk geweest – maar in november vierenvijftig vingen we Fritz. Hij hield het bijna twee jaar uit en toen op een goeie dag hoorden we niets meer van hem. Ik heb later gehoord dat hij in de gevangenis is gestorven. Er gingen nog drie jaar voorbij voordat we iemand vonden die hem kon evenaren. Toen, in 1959, verscheen Karl Riemeck op het toneel. Karl zat in het Presidium van de Oostduitse Communistische Partij. Hij was de beste agent die ik ooit gekend heb.'

'Hij is nu dood,' merkte Peters op.

Een blik van iets dat op schaamte leek gleed over Leamas' gelaat.

'Ik was erbij toen hij neergeschoten werd,' mompelde hij. 'Hij had een vriendin die naar het Westen kwam even voor hij stierf. Hij had haar alles verteld – ze kende verdomme de hele opzet. Geen wonder dat hij verraden werd.'

'We komen later nog op Berlijn terug. Vertel me eerst dit. Toen Karl gestorven was vloog je terug naar Londen. Ben je de rest van je diensttijd in Londen gebleven?'

'Wat daar nog van over was, ja.'

'Wat voor baan had je in Londen?'

'Afdeling Bankzaken; toezicht op de salarissen van de agenten en op de bedragen voor geheime doeleinden overzee. Een kind had het kunnen doen. We kregen onze orders en tekenden de wissels. Zo nu en dan was er eens een veiligheidsprobleem.'

'Had je ook rechtstreeks met agenten te maken?'

'Hoe kon dat? De chef in een speciaal land diende een aanvraag in. De autoriteiten zetten daar hun poot onder en dan kregen wij hem om te betalen. In de meeste gevallen schreven we het geld over naar een geschikte buitenlandse bank waar de chef het zelf kon opnemen en aan de betrokken agent overhandigen.'

'Hoe werden de agenten aangeduid? Met schuilnamen?'

'Met getallen. Het Circus noemt ze combinaties. Ieder net kreeg een combinatie. Karls combinatie was acht A/1.'

Leamas transpireerde. Peters observeerde hem onbewogen, hem van over de tafel schattende als een beroepsgokker. Wat was Leamas waard? Wat zou hem breken, aantrekken of vrees aanjagen? Wat haatte hij en, in de eerste plaats, wat wist hij? Zou hij zijn beste troef voor het slot bewaren en duur verkopen? Peters dacht van niet, Leamas was te veel uit het lood geslagen om veel geintjes uit te halen. Hij was iemand die in tweestrijd was met zichzelf, een man die maar één leven, één geloof kende en die beide verraden had. Peters had dit al eerder meegemaakt. Hij had het meegemaakt met mannen die een complete ideologische ommekeer hadden ondergaan, die in de geheime uren van de nacht een nieuw geloof hadden ontdekt en die, alleen gedreven door de innerlijke kracht van hun overtuiging, hun roeping, hun families, hun land verraden hadden. Zelfs zij, hoe vervuld ze ook waren van nieuwe ijver en nieuwe hoop, hadden moeten vechten tegen het brandmerk van verrader, zelfs zij streden tegen de bijna fysieke zielsangst datgene te vertellen wat men hun geleerd had nooit, maar dan ook nooit, te onthullen. Als afvalligen die vrezen het Kruis te verbranden, aarzelden zij tussen wat hun instinct hun ingaf en de werkelijkheid, en Peters, gevangen in hetzelfde dilemma, moest hen bemoedigen en hun trots vernietigen. Het was een toestand waarvan beiden zich bewust waren; dus had Leamas elke vriendschappelijke verhouding met Peters heftig van de hand gewezen, omdat zijn trots dat verbood. Peters wist, dat, om deze zelfde reden, Leamas zou liegen, misschien alleen maar liegen door het verzwijgen van feiten, maar toch liegen, uit trots, uit verzet of louter uit de perversiteit van zijn beroep. En hij, Peters, moest deze leugens constateren. Hij wist ook dat het feit alleen dat Leamas een beroepsspion was zijn belangen kon schaden, want Leamas zou willen selecteren waar Peters geen selectie wenste, Leamas zou van tevoren aanvoelen welk soort van informatie Peters wenste – en zou met deze wetenschap een toevallig feit kunnen verzwijgen dat van vitaal belang zou kunnen zijn voor hen die de feiten moesten beoordelen. Aan dit alles voegde Peters nog toe de grillige ijdelheid van een dronken wrak. 'Ik denk,' zei hij, 'dat we nu je Berlijnse tijd eens wat meer in details zullen behandelen. Dat zou dus zijn van mei 1951 tot maart 1961. Neem er nog een.'

Leamas observeerde hem terwijl hij uit de doos die op tafel stond een sigaret nam en hem aanstak. Hij merkte twee dingen op: dat Peters links was, en dat hij weer de sigaret in zijn mond stak met het fabrieksmerk naar voren, zodat dit het eerst verbrandde. Dat was een handeling die Leamas beviel, het bewees dat Peters, evenals hijzelf, al eens op de vlucht was geweest.

Peters had een eigenaardig gezicht, zonder uitdrukking en grauw. De kleur moest al lang geleden uit zijn gezicht verdwenen zijn – misschien in de een of andere gevangenis in de eerste dagen van de Revolutie –, en nu waren zijn gelaatstrekken gevormd en zo zou Peters er voortaan uitzien tot zijn dood toe. Alleen zijn harde grijze haar zou misschien nog eens wit worden, maar zijn gezicht zou niet veranderen. Leamas vroeg zich vluchtig af wat Peters' werkelijke naam zou zijn en of hij getrouwd was. Hij maakte een zeer solide indruk, wat Leamas beviel. Het was de soliditeit van kracht, van vertrouwen. Als Peters loog zou daar een reden voor zijn. Die leugen zou een berekende, noodzakelijke leugen zijn, totaal verschillend van de stuntelige oneerlijkheid van Ashe.

Ashe, Kiever, Peters; dat was een opklimming in kwaliteit, in gezag, die voor Leamas de grondslag vormde van de rangorde in een spionagenet. Het was ook, naar hij vermoedde, een opklimming in ideologie. Ashe, de huurling; Kiever, de meeloper, en nu Peters, voor wie doel en middelen gelijk waren.

Leamas begon over Berlijn te praten. Peters viel hem slechts zelden in de rede, zelden stelde hij een vraag of gaf hij commentaar, maar wanneer hij dit deed, spreidde hij een weetgierigheid en deskundigheid omtrent de techniek ten toon die geheel in overeenstemming waren met Leamas' eigen temperament. Leamas scheen zelfs te reageren op de kennelijke deskundigheid van zijn ondervrager – het was iets dat ze gemeen hadden.

Het had een hele tijd geduurd om een fatsoenlijk Oostzonenet op te bouwen vanuit Berlijn, verklaarde Leamas. In den beginne was de stad vol geweest van middelmatige agenten; de Inlichtingendienst was in discrediet en maakte zodanig deel uit van het dagelijkse leven in Berlijn, dat men een man kon werven op een cocktailparty, hem zijn instructies kon geven gedurende het diner, om bij het ontbijt te vernemen dat hij alweer gepakt was. Voor een beroepsspion was het een nachtmerrie: dozijnen geheime bureaus, waarvan de helft geïnfiltreerd was door de tegenpartij, duizenden onafgedane zaken; te veel tips, te weinig bronnen en te weinig ruimte om in te kunnen opereren. Zij hadden in 1954 inderdaad geboft met Feger. Maar in 1956, toen elk departement zat te gillen om prima informatie, hadden ze weer stil gelegen. Feger had hen zo verwend dat ze geen belangstelling konden opbrengen voor tweedehands informatie die maar één stap voor was op het krantenieuws. Ze hadden behoefte aan weer iemand die heel goed was – en op hem hadden ze nog drie jaar moeten wachten. Toen ging De Jong op een dag picknicken in de bossen aan de rand van Oost-Berlijn. Hij had een Britse militaire nummerplaat op zijn wagen die hij, afgesloten, op een onverharde weg langs het kanaal parkeerde. Na de picknick renden zijn kinderen met de mand vooruit. Toen ze bij de wagen kwamen, bleven ze stilstaan, aarzelden, lieten de mand vallen en renden terug. Iemand had het portier geforceerd – de kruk was afgebroken en het portier stond op een kier. De Jong vloekte, omdat hij zich herinnerde dat hij zijn fototoestel in het handschoenenkastje had laten liggen. Hij ging naar de wagen toe en onderzocht hem. Het portier was inderdaad geforceerd. De Jong vermoedde dat het gedaan was met een stuk ijzeren buis, iets dat men gemakkelijk in zijn mouw kan meedragen. Maar zijn fototoestel was er nog, evenals zijn jas en nog wat pakjes die aan zijn vrouw toebehoorden. Op de bestuurdersstoel lag een tabaksblikje en daarin bevond zich een kleine nikkelen huls. De Jong wist precies wat erin zat; het was de filmhuls van een miniatuurcamera, waarschijnlijk een Minox.

De Jong reed naar huis en ontwikkelde de film. Hij bevatte de notulen van de laatste vergadering van het Presidium van de Oostduitse Communistische Partij, de SED. Door een eigenaardige samenloop van omstandigheden werd dit bevestigd door een andere bron; de foto's waren echt.

Leamas nam toen de zaak over. Hij had een succesje hard nodig. Sinds zijn komst in Berlijn had hij nog zo goed als niets gepresteerd, en hij begon zo langzamerhand ook de leeftijdsgrens te naderen waarop men nog met zuiver operationeel werk werd belast. Precies een week later reed hij met De Jongs wagen naar dezelfde plaats en ging een wandeling maken.

Het was een afgelegen plek die De Jong had uitgezocht voor zijn picknick; een stuk kanaal met een paar aan flarden geschoten bunkers, wat verdroogde, zanderige velden en aan de oostkant een dun dennenbos op ongeveer tweehonderd meter van de grindweg die langs het kanaal liep. Maar het had het voordeel dat het er eenzaam was – iets dat in Berlijn moeilijk te vinden was – en bewaking was onmogelijk. Leamas wandelde het bos in. Hij probeerde niet de wagen te observeren, omdat hij niet wist vanuit welke richting men zou trachten de wagen te bereiken. Als men ontdekte dat hij vanuit het bos de wagen stond te bespieden zou dat zijn kansen om het vertrouwen van degene die de informatie verstrekte te behouden volkomen te niet doen. Hij had zich geen zorgen hoeven maken.

Toen hij terugkwam was er niets in de wagen, en dus reed hij terug naar West-Berlijn, zichzelf intussen minder vleiende namen gevende; het Presidium vergaderde immers om de veertien dagen. Drie weken later leende hij De Jongs wagen weer en nam tevens duizend dollar in briefjes van twintig mee in een picknickdoos. Twee uur lang liet hij de wagen onafgesloten staan, en toen hij terugkwam lag er een tabaksdoos in het handschoenenkastje en was de picknickdoos verdwenen. De films stonden vol met documentatie van de hoogste waarde. In de daaropvolgende zes weken deed hij dit nog twee keer, met hetzelfde resultaat.

Leamas wist dat hij een goudmijn ontdekt had. Hij gaf zijn bron de naam 'Mayfair' en stuurde een pessimistisch rapport naar Londen. Leamas wist dat als hij Londen ook maar de geringste opening van zaken gaf ze de zaak direct zelf zouden willen behandelen, hetgeen hij tot elke prijs trachtte te voorkomen. Vermoedelijk was dit de enige soort operatie die hem van pensionering kon redden en dit was nu juist de soort zaak, groot genoeg dat Londen die zelf rechtstreeks zou willen behandelen. Zelfs als hij ze van zijn lijf wist te houden, bestond nog het gevaar dat het Circus theorieën zou opbouwen, voorstellen zou doen, tot voorzichtigheid zou manen en tenslotte meer actie zou eisen. Ze zouden van hem verlangen dat hij uitsluitend in nieuwe dollarbiljetten zou betalen in de hoop dat ze deze zouden kunnen opsporen, ze zouden willen dat hij de filmhulzen zou opsturen om nader bekeken te worden, en tenslotte zouden ze lompe speuroperaties op touw zetten en alle departementen waarschuwen. Dat vooral zouden ze willen, alles aan de departementen doorgeven, en daarmee zouden ze dan meteen de hele zaak in de soep werken. Drie weken lang werkte hij als een bezetene. Hij bestudeerde nauwkeurig de personalia van elk lid van het Presidium. Hij maakte een lijst van alle personeelsleden die mogelijkerwijs de notulen in handen hadden kunnen krijgen. Uit de lijst van hen die volgens de filmgegevens een copie ontvingen, kwam hij tot de conclusie dat er eventueel eenendertig man in de termen vielen om de informatie te kunnen verstrekken, klerken en personeel van het secretariaat meegerekend.

Geconfronteerd met de bijna onmogelijke taak de verklikker te identificeren aan de hand van de allesbehalve complete gegevens over eenendertig candidaten, keerde Leamas weer terug naar het oorspronkelijke materiaal, iets dat hij, zoals hij nu zei, al veel vroeger had moeten doen. Het verbaasde hem dat in geen van de gefotografeerde notulen die hij tot nu toe ontvangen had, de bladzijden genummerd waren, dat er nergens een graad van geheimhouding op voorkwam en dat in de tweede en vierde film woorden waren doorgekrast met potlood of tekenkrijt. Tenslotte kwam hij tot een belangrijke slotsom, nl. dat de fotocopieën geen betrekking hadden op de notulen zelf, maar op de concept-notulen. Dan moest de bron in het secretariaat liggen, en dat was heel klein. De concept-notulen waren goed en zorgvuldig gefotografeerd; hieruit mocht geconcludeerd worden dat de fotograaf alle tijd had gehad en over een eigen kamer beschikte.

Leamas keerde nu weer terug tot de personeelslijst. Er was een man in het secretariaat, Karl Riemeck geheten, een vroegere korporaal van de geneeskundige dienst, die drie jaar als krijgsgevangene in Engeland had vertoefd. Zijn zuster woonde in Pommeren toen de Russen daar binnenvielen en hij had sindsdien nooit meer iets van haar gehoord. Hij was getrouwd en had een dochter die Carla heette.

Leamas besloot een kans te wagen. Van Londen kreeg hij het krijgsgevangenennummer van Riemeck 29012, alsmede de datum van zijn vrijlating, 10 november 1945. Hij kocht een Oostduits kinderboek over ruimtevaart en schreef op de eerste pagina in het Duits met een kinderlijk handschrift: 'Dit boek is het eigendom van Carla Riemeck, geboren 10 december 1945 te Bideford, North Devon. Getekend ruimtevaarster 29012,' en daaronder schreef hij: 'Liefhebbers voor het maken van ruimtevluchten dienen zich voor het ontvangen van instructie te wenden tot C. Riemeck persoonlijk. Een aanvraagformulier is hierbij ingesloten. Lange leve de Volksrepubliek voor Democratische Ruimte!'

Hij trok wat lijntjes op een vel schrijfpapier, maakte kolommen voor naam, adres en leeftijd, en schreef onder aan het vel:

'Iedere candidaat zal persoonlijk geïnterviewd worden. Schrijf naar het bekende adres met de mededeling waar en wanneer u de ontmoeting wenst. Aanvragen zullen binnen zeven dagen in overweging worden genomen. C.R.'

Hij legde dit vel papier in het boek, reed naar de gebruikelijke plaats, nog steeds in De Jongs wagen, en liet het boek op de passagiersplaats achter, met vijf gebruikte 100-dollarbiljetten binnen in het omslag. Toen Leamas terugkwam, was het boek verdwenen en in de plaats daarvan lag er een tabaksdoos op de zitting. Deze bevatte drie filmrollen. Leamas ontwikkelde ze dezelfde avond; één film bevatte naar gewoonte de notulen van de laatste vergadering van het Presidium; de tweede toonde een herzien ontwerp voor de verhoudingen tussen Oost-Duitsland en de COMECON*, en de derde gaf een specificatie van de Oostduitse Geheime Dienst, compleet met de functies van de verschillende departementen en persoonsbeschrijvingen.

Peters onderbrak hem. 'Een ogenblikje,' zei hij. 'Wou je zeggen dat al die informatie van Riemeck afkomstig was?'

'Waarom niet? Je weet zelf hoeveel hij te zien kreeg.'

'Het is haast niet mogelijk,' merkte Peters op, bijna tot zichzelf sprekende, 'hij moet hulp gehad hebben.'

'Die had hij later ook; daar kom ik nog op.'

'Ik weet wat je me gaat vertellen. Maar had je nooit het gevoel dat hij hulp kreeg van *hogerhand* zowel als van de agenten die hij later toegevoegd kreeg?'

'Nee. Nee, dat had ik niet. Dat is nooit bij me opgekomen.'

'Maar als je er nu op terugziet, lijkt het je dan erg waarschijnlijk?'

'Niet bijzonder, nee.'

'En toen je al dit materiaal naar het Circus stuurde, hebben ze toen nooit eens het denkbeeld geuit dat, zelfs voor een man in de positie van Riemeck, deze inlichtingen wel uitzonderlijk compleet waren?'

'Nee.'

'Hebben ze ooit gevraagd waar Riemeck zijn fototoestel vandaan had en wie hem geleerd had documenten te fotograferen?'

Leamas aarzelde.

'Nee... ik weet wel zeker dat ze dat nooit gevraagd hebben.'

'Merkwaardig,' zei Peters droog. ''t Spijt me, ga door. Ik wilde niet op je verhaal vooruitlopen.'

Precies een week later, vervolgde Leamas, reed hij weer naar het

---

* Communistische Economische Organisatie. (De 'EEG van het Oosten.')

kanaal en ditmaal voelde hij zich zenuwachtig. Toen hij de niet-bestrate weg inreed zag hij drie rijwielen in het gras liggen en tweehonderd meter verderop drie mannen die zaten te vissen. Hij stapte als gewoonlijk uit zijn wagen en liep in de richting van de rij bomen aan de andere zijde van het veld. Hij had ongeveer twintig meter afgelegd toen hij een schreeuw hoorde. Hij keek om en zag dat een van de mannen hem wenkte. De andere twee hadden zich omgedraaid en keken ook naar hem. Leamas had een oude regenjas aan, hij had zijn handen in zijn zakken en het was te laat om ze eruit te halen. Hij wist dat de mannen aan weerskanten de man in het midden dekten en dat ze hem zouden neerschieten als hij zijn handen uit zijn zakken haalde; ze dachten natuurlijk dat hij een revolver in zijn zak had. Leamas bleef staan tien meter voor de man in het midden.

'Wat wilt u?' vroeg Leamas.

'Bent u Leamas?' Het was een kleine, dikke man, heel kalm. Hij sprak Engels.

'Ja.'

'Wat is uw Brits nationaal identiteitsnummer?'

'PRT schuine streep L 58003 schuine streep 1.'

'Waar heeft u VJ-nacht doorgebracht?'

'In Leiden in Nederland in de werkplaats van mijn vader, met een paar Nederlandse vrienden.'

'Laten we een wandelingetje maken, meneer Leamas. Uw regenjas hebt u niet nodig. Trek die maar uit en laat hem op de grond vallen waar u nu staat. Mijn vrienden zullen er wel op passen.'

Leamas aarzelde, haalde zijn schouders op en trok zijn regenjas uit. Daarna wandelden ze samen in een stevig tempo naar het bos.

'Je weet net zo goed als ik wie hij was,' zei Leamas lusteloos, 'derde man in het ministerie van binnenlandse zaken, secretaris van het SED-Presidium, hoofd van de Coördinatie Commissie voor de Bescherming van het Volk. Ik veronderstel dat hij daarom van De Jong en mij afwist: hij had onze contraspionagemappen in de Abteilung gezien. Hij had drie pijlen op zijn boog: het Presidium, gewone binnenlandse politieke en economische verslaggeving en toegang tot de gegevens van de Oostduitse Geheime Dienst.'

'Maar slechts *binnen zekere grenzen*. Ze zouden een buitenstaander nooit toegang geven tot de dossiers,' hield Peters vol.

Leamas haalde zijn schouders op.

'Ze deden het toch maar,' zei hij.

77

'Wat deed hij met zijn geld?'

'Na die middag gaf ik hem niets meer. Het Circus nam meteen over. Het werd gestort op een Westduitse bank. Hij gaf me zelfs terug wat ik hem gegeven had en Londen zette het voor hem op een bank.'

'Hoeveel vertelde je Londen?'

'Nadien alles. Ik moest wel; daarna schakelde het Circus de departementen in. En toen,' voegde Leamas er venijnig aan toe, 'was het nog maar een kwestie van tijd voor de zaak scheefliep. Met de departementen achter zich, werd Londen gulzig. Ze begonnen druk op ons uit te oefenen om meer, ze wilden hem meer geld geven. Tenslotte moesten we Karl voorstellen dat hij ook andere bronnen zou aanboren en we namen hem in dienst om een eigen net op te bouwen. Het was verdomd stom, het zette Karl onder druk, bracht hem in gevaar en ondermijnde zijn vertrouwen in ons. Het was het begin van het einde.'

'Hoeveel hebben jullie van hem losgekregen?'

Leamas aarzelde. 'Hoeveel? Allemachtig, ik zou het niet weten. Het duurde onnatuurlijk lang. Ik denk dat ze hem al verdachten lang voor ze hem pakten. Het gehalte ging hard achteruit de laatste maanden; ik denk dat ze hem toen begonnen te verdenken en hem bij de waardevolle gegevens weghielden.'

'Wat gaf hij jullie alles bij elkaar?' hield Peters aan.

Stuk voor stuk, beetje bij beetje, vertelde Leamas wat Karl Riemeck allemaal gedaan had. Zijn geheugen was, naar Peters met genoegen constateerde, opmerkelijk nauwkeurig, in aanmerking nemende hoeveel hij dronk. Hij kon data en namen geven, hij kon zich de reactie van Londen herinneren en de bevestigende feiten wanneer die er waren. Hij kon zich de geldsommen herinneren die gevraagd en betaald werden en de data waarop andere agenten voor het net werden aangenomen. 'Het spijt me wel,' zei Peters tenslotte, 'maar ik kan niet geloven dat één man, hoe goed geplaatst, hoe voorzichtig en hoe hardwerkend ook, een dergelijke hoeveelheid gedetailleerde kennis zou kunnen verzamelen. Wat dat betreft, zelfs als hij dat wel gekund had zou hij het nooit hebben kunnen fotograferen.'

'Dat kon hij *wel*,' hield Leamas vol, nu plotseling kwaad, 'dat kon hij verdomme wel en hij deed het ook, meer kan ik er ook niet van zeggen.'

'En heeft het Circus je nooit gezegd daar eens met hem in te duiken, hoe en wanneer hij dat allemaal gezien had?'

'Nee,' blafte Leamas, 'Riemeck was erg gevoelig op dat punt, en Londen had er vrede mee het daarbij te laten.'

'Wel, wel,' peinsde Peters.

Na een poosje zei Peters: 'Heb je tussen haakjes van die vrouw gehoord?'

'Welke vrouw?' vroeg Leamas scherp.

'Die vriendin van Riemeck, dezelfde die naar West-Berlijn kwam die nacht dat Riemeck werd doodgeschoten.'

'En?'

'Verleden week is ze dood aangetroffen. Vermoord. Neergeschoten vanuit een auto toen ze uit haar flat kwam.'

'Dat was vroeger mijn flat,' zei Leamas mechanisch.

'Misschien,' zei Peters, 'wist ze wel meer van Riemecks net dan jij.'

'Wat bedoel je daar verdomme mee?' wilde Leamas weten. Peters haalde zijn schouders op.

'Het is allemaal erg vreemd,' zei hij. 'Ik vraag me af wie haar gedood heeft.'

Toen ze de zaak Karl Riemeck tot in finesses behandeld hadden, ging Leamas door met andere, minder spectaculaire agenten, daarna met de werkwijze van zijn bureau te Berlijn, contacten en de staf, de geheime vertakkingen – flats, opnamen en fotografische uitrusting. Ze praatten tot diep in de nacht en de hele volgende dag, en toen Leamas eindelijk de daaropvolgende nacht in zijn bed tuimelde wist hij dat hij alles verraden had wat hem bekend was over de geallieerde geheime diensten in Berlijn, en dat hij in twee dagen tijd twee flessen whisky had gedronken.

'Eén ding was hem een raadsel: Peters' volhouden dat Karl Riemeck hulp gehad moest hebben – dat hij op zeer hoog niveau een medewerker gehad moest hebben. Control had hem dezelfde vraag gesteld – dat herinnerde hij zich nu –, Control had ook gevraagd hoe Riemeck aan al deze gegevens kwam. Hoe konden ze er beiden zo zeker van zijn dat Karl het niet alleen klaargespeeld had? Natuurlijk had hij helpers gehad, zoals de bewakers de dag dat Leamas hem bij het kanaal ontmoet had. Maar dat waren onbelangrijke lui geweest – Karl had ze wel genoemd. Maar Peters – en tenslotte moest Peters precies weten op hoeveel Karl de hand had kunnen leggen –, Peters had geweigerd te geloven dat Karl het alleen had klaargespeeld. Over dit punt waren Control en Peters het kennelijk eens.

Misschien was het waar. Misschien was er iemand anders. Misschien was dit het 'Speciale Belang' dat Control zo angstvallig tegen Mundt wilde beschermen. Dat zou betekenen dat Karl Riemeck met deze persoon had samengewerkt en doorgaf wat ze samen vergaard hadden. Misschien had Control daarover met Karl gesproken, die avond toen ze alleen waren in Leamas' flat in Berlijn.

In ieder geval zou hij dat morgen wel zien. Morgen zou hij zijn troefkaart spelen.

Hij vroeg zich af wie Elvira gedood had. En hij vroeg zich ook af waarom ze haar gedood hadden. Maar natuurlijk – dit was een belangrijk punt, een mogelijke verklaring: Elvira, bekend met de identiteit van Riemecks speciale medewerker, was vermoord door die medewerker... Nee, dat was te ver gezocht. Daarbij werd de moeilijkheid om van Oost naar West te komen over het hoofd gezien, en tenslotte was Elvira in West-Berlijn vermoord.

Hij vroeg zich af waarom Control hem nooit verteld had dat Elvira vermoord was. Opdat hij op de juiste manier zou reageren wanneer Peters het hem vertelde? Hij zou zich daarin maar niet verdiepen. Control had zijn redenen, en die waren over het algemeen zo verdomd slinks dat je een week nodig had om ze uit te kienen.

Terwijl hij in slaap viel mompelde hij: 'Karl was een stomme idioot. Die vrouw heeft hem de das omgedaan, daar ben ik zeker van.' Elvira was nu dood en dat was haar verdiende loon. Hij dacht aan Liz.

9. De tweede dag

Peters kwam de volgende ochtend om acht uur terug, en zonder verdere plichtplegingen gingen ze weer om de tafel zitten en begonnen. 'Je kwam dus terug naar Londen. Wat deed je daar?'

'Ik werd aan de dijk gezet. Ik wist dat het met me gebeurd was toen die sufferd van Personeel me op het vliegveld afhaalde. Ik moest rechtstreeks naar Control gaan en rapport uitbrengen over Karl. Die was dood – wat viel daar verder nog over te praten?'

'Wat deden ze met je?'

'Eerst zeiden ze dat ik in Londen kon blijven rondhangen totdat ik in aanmerking kwam voor een behoorlijk pensioen. Ze waren er zo verschrikkelijk vriendelijk over dat ik nijdig werd – ik vroeg hun waarom ze, als ze er dan zo op gebrand waren geld aan me te spanderen, dan niet deden wat voor de hand lag en al mijn tijd voor pensioen lieten gelden in plaats van te mekkeren over onderbroken diensttijd? Toen ik hun dat vertelde werden zij kwaad. Ze stopten me in Bankwezen met een stelletje vrouwen. Ik kan me over dat gedeelte niet zoveel meer herinneren – want toen sloeg ik aan het drinken. Dat was wel een beroerde periode.'

Hij stak een sigaret op. Peters knikte.

'Daarom hebben ze me toen eigenlijk de bons gegeven. Ze hadden er een hekel aan dat ik dronk.'

'Vertel me eens wat je je *wel* herinnert over de afdeling Bankwezen,' stelde Peters voor.

'Het was een sombere organisatie. Ik wist wel dat ik geen aanleg had voor bureauwerk. Dat is de reden waarom ik in Berlijn bleef hangen. Ik wist dat ik, als ze me terugriepen, aan de dijk gezet zou worden, maar, verdomme...!'

'Waaruit bestond je taak?'

Leamas haalde zijn schouders op.

'Uit op mijn achterste zitten in hetzelfde vertrek als een paar vrouwen, Thursby en Larret. Ik noemde ze Thursday en Friday.' Hij grinnikte nogal onnozel. Peters keek niet-begrijpend.

'We behandelden alleen maar papier. Van de afdeling Financiën kwam een brief dat "de betaling van zevenhonderd dollar aan die en die is toegestaan met ingang van dan en dan. Schiet er alsjeblieft een beetje mee op" – daar kwam het op neer. Dan speelden Thursday en Friday er een beetje mee, borgen het op en stempelden het af en dan tekende ik een cheque of droeg de bank op het bedrag over te maken.'

'Welke bank?'

'Blatt and Rodney, een deftige kleine bank in de City. Er heerst een soort theorie in het Circus dat zakenlieden die in Eton hebben gestudeerd, discreet zijn.'

'Je kende dus in feite de namen van alle agenten in de hele wereld?'

'Dat volgt daar helemaal niet uit. Want dat was juist het slimme. Ik tekende die cheque, zie je, of die opdracht tot overmaking aan de bank, maar de ruimte voor de naam van de begunstigde vulden we niet in. De begeleidende brief werd getikt en getekend en dan ging het dossier weer *terug* naar de afdeling Speciale Verzending.'

'En wie waren dat?'

'Zij zijn de mensen die alle gegevens over de agenten hebben. Zij vulden dan de namen in en verzonden het stuk. Verdomd slim, ik kan niet anders zeggen.'

Peters keek teleurgesteld.

'Je bedoelt dat je geen kans kreeg de naam van de begunstigden te weten te komen?'

'Gewoonlijk niet, nee.'

'Maar zo nu en dan?'

'Zo nu en dan kwamen we er wel heel dicht bij. Al dat gescharrel tussen Bankwezen, Financiën en Speciale Verzending veroorzaakte natuurlijk verwarring zo nu en dan. Het was allemaal te ingewikkeld, zodat we van tijd tot tijd eens konden meehelpen aan de ontwarring van iets speciaals en dat vrolijkte dan het leven weer eens op voor een keer.'

Leamas stond op. 'Ik heb een lijst gemaakt,' zei hij, 'van alle betalingen die ik me herinneren kan. Ik heb hem in mijn kamer. Ik zal 'm even halen.'

Hij liep de kamer uit met de enigszins schuifelende pas die hij zich sinds zijn komst in Nederland had aangewend. Toen hij terugkwam had hij een paar vellen gelinieerd papier in de hand die van een goedkope bloknoot waren gescheurd.

'Die heb ik gisteravond zitten opschrijven,' zei hij. 'Ik dacht dat we daar wat tijd mee konden besparen.'

Peters nam de aantekeningen en las ze langzaam en aandachtig door. Hij scheen onder de indruk.

'Goed,' zei hij, 'heel goed.'

'En dan herinner ik me het beste een operatie die we 'Rolling Stone' noemden. Daaraan heb ik tenminste nog een paar reisjes te danken gehad. Een naar Kopenhagen en een naar Helsinki. Alleen maar om geld te storten op banken.'

'Hoeveel?'

'Tienduizend dollar in Kopenhagen, veertigduizend D.marken in Helsinki.'

Peters legde zijn potlood neer.

'Voor wie?' vroeg hij.

'Dat mag de hemel weten. Wij werkten bij ''Rolling Stone'' volgens een systeem van deposito-rekeningen. De Dienst gaf me een vals Brits paspoort; ik ging naar de Royal Scandinavian Bank in Kopenhagen en de National Bank of Finland in Helsinki, deponeerde het geld daar en nam een rekening-courantboekje op een gezamenlijke rekening – voor mezelf onder mijn alias en voor iemand anders, de agent neem ik aan, onder zijn alias. Ik gaf de banken een voorbeeld van de handtekening van de mederekeninghouder, dat had ik van het hoofdkantoor meegekregen. Later werd dit rekening-courantboekje aan de agent gegeven, tezamen met een vals paspoort, dat hij dan in de bank liet zien als hij het geld kwam opnemen. Alles wat ik wist was zijn alias.' Hij hoorde zichzelf spreken en het klonk hem allemaal zo belachelijk onwaarschijnlijk in de oren.

'Was dit de gebruikelijke procedure?'

'Nee. Dit was een speciale betaling, met een circulatielijst.'

'Wat is dat?'

'Die had een codenaam die slechts aan zeer weinigen bekend was.'

'Wat was die codenaam?'

'Dat heb ik je gezegd – ''Rolling Stone''. Die operatie omvatte ongeregelde betalingen van tienduizend dollars in verschillende valuta en in verschillende hoofdsteden.'

'Altijd in hoofdsteden?'

'Voor zover ik weet wel, ja. Ik herinner me in het dossier gelezen te hebben dat er nog andere ''Rolling Stone''-betalingen hadden plaatsgevonden voordat ik op de afdeling kwam, maar in die gevallen gaf Bankwezen de plaatselijke chef opdracht het nodige te verrichten.'

'Die andere betalingen die gedaan werden voor jij kwam, waar werden die gedaan?'

'Eén in Oslo. Ik kan me niet herinneren waar de andere gedaan werd.'

'Was de alias van de agent altijd dezelfde?'

'Nee. Dat was een extra veiligheidsmaatregel. Ik heb later gehoord dat we die hele techniek van de Russen gegapt hadden. Het was het meest ingewikkelde betalingsschema dat ik ooit gezien heb. En op dezelfde manier gebruikte ik een andere alias en natuurlijk een ander paspoort voor iedere reis.'

Dat zou hij fijn vinden, kon hij tenminste weer wat lacunes opvullen.

'Die valse paspoorten die de agent verstrekt werden om hem in staat te stellen het geld op te nemen, wist je daar iets van, hoe ze uitgeschreven en verzonden werden?'

'Nee. O, behalve dan dat ze visa moesten hebben voor het land waar het geld gedeponeerd was. En een stempel van binnenkomst in het betrokken land.'

'Stempel van binnenkomst?'

'Ja. Ik heb begrepen dat die paspoorten nooit aan de grens gebruikt werden – dat ze alleen aan de bank werden getoond als identificatiemiddel. De agent moet op zijn eigen paspoort gereisd hebben en volkomen legaal het land waar zich de bank bevond zijn binnengekomen, en daarna bij de bank het gefingeerde paspoort gebruikt hebben. Dat veronderstel ik tenminste.'

'Weet je ook de reden waarom vroegere betalingen door de chefs gedaan werden en latere stortingen gedaan door iemand die van Londen kwam?'

'Die reden ken ik inderdaad. Ik heb het de vrouwen in Bankwezen gevraagd, Thursday en Friday. Control was bezorgd dat –'

'*Control?* Wou je zeggen dat Control zelf zich hiermee bezighield?'

'Jazeker. Hij was bang dat de chef bij de bank herkend zou worden. En dus gebruikte hij een tussenpersoon – mij.'

'Wanneer maakte je je reizen?'

'Naar Kopenhagen op de vijftiende juni. Ik vloog dezelfde avond terug. Naar Helsinki eind september. Daar bleef ik twee nachten over en vloog terug op ongeveer de achtentwintigste. In Helsinki heb ik eerst nog wat plezier gemaakt.' Hij grinnikte, maar Peters nam er geen notitie van.

'En de andere betalingen – wanneer werden die gedaan?'

'Dat kan ik me niet meer herinneren. 't Spijt me.'

'Maar een ervan was definitief in Oslo?'

'Ja, in Oslo.'

'Hoeveel tijd lag er tussen de eerste twee betalingen, de betalingen door de chefs?'

'Dat weet ik niet. Niet veel, denk ik. Misschien een maand. Misschien een beetje meer.'

'Had je de indruk dat de agent al enige tijd geopereerd had voor de eerste betaling werd gedaan? Wees het dossier dat uit?'

'Geen idee. Het dossier bevatte gewoon de werkelijke betalingen. Eerste betaling begin '59. Er bestonden geen andere gegevens over. Dat is de wijze waarop gewerkt wordt wanneer men slechts een beperkte circulatielijst heeft. Verschillende dossiers behandelen verschillende onderdelen van een enkele zaak. Alleen iemand met het hoofddossier zou het allemaal aan elkaar kunnen breien.'

Peters schreef nu achter elkaar door. Leamas veronderstelde dat er wel ergens een bandrecorder verdekt was opgesteld in de kamer, maar van de band overtikken zou te veel tijd in beslag nemen. Wat Peters nu opschreef werd de basis voor het telegram dat vanavond naar Moskou zou gaan, terwijl in de Russische ambassade te Den Haag de meisjes de gehele nacht zouden opzitten om de woordelijke inhoud van de band volgens een van uur tot uur vastgesteld schema naar Moskou door te telegraferen.

'Vertel me eens,' zei Peters, 'het gaat om grote sommen gelds. De getroffen regelingen om ze uit te betalen waren ingewikkeld en behoorlijk kostbaar. Wat dacht je eigenlijk zelf daarvan?'

Leamas haalde zijn schouders op.

'Wat kon ik ervan denken? Ik dacht dat Control wel een verdomd goeie bron moest hebben aangeboord, maar ik heb het materiaal nooit gezien en ik weet het dus niet. De manier waarop het gedaan werd beviel me niet – het was te drastisch, te gecompliceerd, te slim. Waarom konden ze hem niet gewoon ontmoeten en hem het geld geven? Lieten ze hem werkelijk grenzen overschrijden op zijn eigen paspoort met een vervalste pas in zijn zak? Ik betwijfel het,' zei Leamas. Het werd tijd dat hij de zaak wat vertroebelde, dan had Peters wat te piekeren.

'Wat bedoel je?'

'Ik bedoel dat volgens mij dat geld misschien nooit bij de bank is opgenomen. Veronderstel dat hij een hooggeplaatst agent van achter het Gordijn was – dan was het geld daar dus voor hem gedeponeerd, wanneer hij kans zag het te halen. Zo redeneerde ik in ieder geval. Zo ontzettend veel heb ik er nu ook weer niet over nagedacht. Waarom zou ik? Het ligt nu eenmaal in ons werk besloten dat we slechts delen van het geheel kennen. Dat weet je zelf ook. Als je nieuwsgierig wordt, sta de Heer je bij.'

'Als het geld dan niet werd opgenomen, zoals jij nu veronderstelt, waarom dan al die moeite met die paspoorten?'

'Toen ik in Berlijn was, maakten we een regeling voor Karl Riemeck voor het geval hij zou moeten vluchten en ons niet zou kunnen bereiken. We deponeerden een vals Westduits paspoort voor hem op een adres in Düsseldorf. Hij kon het daar te allen tijde afhalen door het volgen van een tevoren vastgestelde procedure. Het verliep nooit – de afdeling Speciale Reizen vernieuwde paspoort en visum naar gelang ze verliepen. Misschien heeft Control met deze man nu dezelfde weg gevolgd. Ik weet het niet – het is alleen maar een veronderstelling.'

'Hoe weet je zo zeker dat er paspoorten werden verstrekt?'

'Omdat er in het dossier memorandums waren tussen Bankwezen en Speciale Reizen. Speciale Reizen is de afdeling die de valse identi-

85

teitspapieren en de visa verzorgt.'

'Juist.' Peters dacht een ogenblik na, en vroeg toen: 'Welke namen gebruikte je in Kopenhagen en Helsinki?'

'Robert Lang, electrotechnisch ingenieur uit Derby. Dat was in Kopenhagen.'

'Wanneer, precies, was je in Kopenhagen?' vroeg Peters.

'Dat heb ik al gezegd, 15 juni. Ik kwam daar aan 's morgens om ongeveer half twaalf.'

'Welke bank gebruikten jullie daar?'

'Wel verdomme, Peters,' zei Leamas, nu plotseling woedend, 'de Royal Scandinavian. Dat heb je al opgeschreven.'

'Ik wou alleen maar zekerheid hebben,' antwoordde de ander kalm en ging door met schrijven. 'En in Helsinki, welke naam gebruikte je daar?'

'Stephen Bennett, scheepsbouwkundig ingenieur uit Plymouth. Ik was daar,' voegde hij er sarcastisch aan toe, 'eind september.'

'Je bezocht de bank daar op de dag dat je aankwam?'

'Ja. Het was de 24ste of de 25ste, zoals ik je al zei, helemaal zeker weet ik dat niet meer.'

'Nam je het geld mee uit Engeland?'

'Natuurlijk niet. In elk van die gevallen schreven we het geld gewoon over op de rekening van de chef. Deze haalde het weer van zijn rekening af en ik bracht het naar de bank.'

'Wie is de chef in Kopenhagen?'

'Peter Jensen, verkoper in de boekwinkel van de Universiteit.'

'En hoe luidden de namen die door de agent gebruikt moesten worden?'

'Horst Karlsdorf in Kopenhagen. Ik geloof dat het zo was, ja inderdaad, ik herinner het me nu. Karlsdorf. Ik wou altijd zeggen Karlshorst.'

'Beschrijving?'

'Directeur van Klagenfurt in Oostenrijk.'

'En de andere? De Helsinkinaam?'

'Fechtmann, Adolf Fechtmann uit St. Gallen in Zwitserland. Hij had een titel – ja, dat klopt: Doctor Fechtmann, archivaris.'

'Juist. Ik merk dat ze allebei Duits spraken.'

'Ja, dat was mij ook opgevallen. Maar toch kan het geen Duitser geweest zijn.'

'Waarom niet?'

'Ik was toch het hoofd van de Berlijnse organisatie, niet? Dan had ik het geweten. Een agent op hoog niveau in Oost-Duitsland had vanuit Berlijn geleid moeten worden en dus zou ik ervan op de hoogte hebben moeten zijn.' Leamas stond op, ging naar het dressoir en schonk zichzelf een whiskey in. Van Peters trok hij zich niets aan.

'Je zei zelf dat er speciale voorzorgsmaatregelen en procedures gevolgd werden in dit geval. Misschien dachten ze dat het niet nodig was dat je er iets van wist.'

'Wees niet zo'n verdomde idioot,' antwoordde Leamas kortaf. 'Natuurlijk zou ik het geweten hebben.' Dit was een punt waaraan hij door dik en dun zou vasthouden, het gaf hun het gevoel dat ze het beter wisten en zou meer geloofwaardigheid geven aan de rest van zijn inlichtingen. 'Ze zullen hun eigen afleidingen willen maken, *trots jou*,' had Control gezegd. 'We moeten hun het materiaal geven en sceptisch blijven ten opzichte van hun gevolgtrekkingen. We moeten vertrouwen op hun intelligentie en eigendunk, op hun verdenking van elkaar – zo moeten we werken.'

Peters knikte alsof hij hiermee een droevige waarheid bevestigde.

'Je bent een zeer trots man, Leamas,' merkte hij nogmaals op

Kort daarop vertrok Peters. Hij zei Leamas goedendag en liep de weg langs de kust af. Het was lunchtijd.

10. De derde dag

Die middag verscheen Peters niet, evenmin als de volgende ochtend. Leamas bleef thuis, met groeiende ergernis wachtende op de een of andere boodschap, die echter niet kwam. Hij vroeg de huishoudster ernaar, maar die glimlachte alleen maar en haalde haar zware schouders op. Om ongeveer elf uur de volgende morgen besloot hij een wandeling langs de boulevard te gaan maken, kocht wat sigaretten en staarde loom naar de zee.

Er stond een meisje aan het strand dat brood wierp naar de zeemeeuwen. Haar rug was naar hem toegekeerd. De zeewind speelde met haar lange zwarte haar en trok aan haar mantel, waardoor haar lichaam een boog leek die naar de zee gericht was. Hij wist toen wat het was dat Liz hem geschonken had, en waarvoor hij terug moest om het te zoeken, als hij tenminste nog ooit in Engeland terugkwam; het was de vreugde om de kleine dingen – het vertrouwen in het gewone leven; die eenvoud die je ertoe bracht wat stukjes brood in een papieren zak te doen en naar het strand te wandelen om de meeuwen ermee te voeden. Het was deze eerbied voor nietigheden die het hem nooit gegeven was geweest te bezitten; of het nu ging om brood voor de zeemeeuwen of om liefde, wat het ook zijn mocht, hij zou teruggaan en het zoeken; hij zou zorgen dat Liz het voor hem vond. Een, misschien twee weken en hij was weer thuis. Control had gezegd dat hij mocht houden wàt ze ook mochten betalen – en dat zou meer dan genoeg zijn. Met vijftienduizend pond, een gratificatie en een pensioen van het Circus, kon een man – zoals Control zou zeggen – zich terugtrekken.

Hij maakte een omweg en kwam in de bungalow terug om kwart voor twaalf. De vrouw liet hem binnen zonder een woord te zeggen, maar toen hij de achterkamer was binnengegaan hoorde hij haar de telefoon van de haak nemen en een nummer draaien. Ze sprak slechts een paar seconden. Om half een bracht ze hem zijn lunch en, tot zijn grote vreugde, een paar Engelse kranten, die hij tevreden las tot drie uur. Leamas, die in de regel niet las, las kranten langzaam en met aandacht. Hij onthield details, zoals de namen en adressen van personen die het onderwerp waren van kleine nieuwsberichten. Hij deed het bijna zonder zich ervan bewust te zijn, als in een soort privé-pelmanisme, en het nam hem geheel in beslag. Om drie uur kwam Peters, en zodra Leamas hem zag, wist hij dat er wat aan de hand was. Ze gingen niet aan de tafel zitten, Peters deed zijn regenjas niet uit.

'Ik heb slecht nieuws voor je,' zei hij, 'ze zoeken je in Engeland. Ik hoorde het vanochtend. Ze bewaken de havens.'

Leamas antwoordde onbewogen: 'Wat is de beschuldiging?'

'Zogenaamd dat je niet op de voorgeschreven tijden je bent gaan melden bij de politie, na je ontslag uit de gevangenis.'

'En in werkelijkheid?'

'Er wordt gemompeld dat je gezocht wordt wegens overtreding van de wet op de staatsgeheimen. Je foto staat in alle Londense avondbladen, het onderschrift is erg vaag.'

Leamas stond doodstil.

Dus Control had het gedaan. Control was die opschudding begonnen. Een andere uitleg was er niet. Als Ashe of Kiever gepakt waren, als ze doorgeslagen hadden – dan nog lag de verantwoordelijkheid voor deze opschudding bij Control. 'Een paar weken,' had hij gezegd. 'Ik veronderstel dat ze je wel ergens heen zullen brengen voor de ondervraging – misschien zelfs wel naar het buitenland. Maar met een paar weken zou je toch wel klaar moeten zijn. Daarna loopt het hele zaakje vanzelf. Je zult je hier wat rustig moeten houden totdat de zaak wat afgekoeld is, maar ik ben ervan overtuigd dat dat je niet schelen kan. Ik ben ermee accoord gegaan je op de operationele salariëring te houden totdat vriend Mundt uit de weg geruimd is, dat leek me de eerlijkste oplossing.'

En nou dit.

Dit was geen deel van de afspraak meer, dit was heel wat anders. Wat moest hij nou verdomme weer doen? Door nu op te geven, door te weigeren met Peters mee te gaan, zou hij de hele operatie doen mislukken. Het was nog mogelijk dat Peters loog, dat dit de proef was – zoveel temeer reden dat hij dan mee zou gaan. Maar als hij ging, als hij ermee instemde naar het Oosten te gaan, naar Polen, Tsjechoslovakije of God wist waar, dan was er geen enkele reden voor hen om hem ooit nog weer te laten gaan – was er ook geen enkele goede reden waarom hij (aangezien hij nu een in het Westen gezocht persoon was) ooit terug zou *willen* gaan.

Control had dit gedaan – daarvan was hij zeker. De voorwaarden waren ook veel te gunstig geweest, dat had hij de hele tijd al geweten. Ze smeten heus niet voor niets zo met geld – tenzij ze dachten dat je je hachje erbij zou kunnen inschieten. Zulk geld was een *douceurtje* voor ongemakken en gevaren die Control niet openlijk wilde toegeven. Zulk geld was een waarschuwing; Leamas had op deze waarschuwing geen acht geslagen.

'Hoe voor de duivel,' vroeg hij rustig, 'zouden ze erachter hebben kunnen komen?' Een plotselinge gedachte scheen bij hem op te komen, en hij zei: 'Je vriend Ashe kan het hun natuurlijk verteld hebben, of Kiever...'

'Het is mogelijk,' antwoordde Peters. 'Je weet even goed als ik dat zulke dingen altijd tot de mogelijkheden behoren. In onze baan is geen zekerheid. In feite,' voegde hij er met iets als ongeduld aan toe, 'komt het erop neer dat ze vanaf dit ogenblik in elk land van West-Europa naar je uitkijken.'

Leamas liet niet blijken of hij gehoord had wat Peters zei.

'Je hebt me nou aan de sim, is het niet, Peters?' zei hij. 'Je mensen moeten zich op het ogenblik rotlachen. Of hebben ze die tip misschien zelf gegeven?'

'Je overschat je eigen belangrijkheid,' zei Peters zuur.

'Waarom laat je me dan schaduwen, vertel me dat eens? Ik ben vanmorgen een wandeling gaan maken. Twee kleine mannetjes in bruine costuums hebben me de hele tijd gevolgd langs de boulevard, de een twintig meter achter de ander. En toen ik terugkwam belde de huishoudster je op.'

'Laten we nou even vasthouden aan wat we weten,' stelde Peters voor. 'Hoe je eigen autoriteiten alles van je aan de weet gekomen zijn, is voor het ogenblik voor ons niet zo belangrijk. Het feit ligt er dat het zo is.'

'Heb je de Londense avondkranten meegebracht?'

'Natuurlijk niet. Die zijn hier niet verkrijgbaar. We hebben een telegram uit Londen ontvangen.'

'Dat is een leugen. Je weet verduiveld goed dat je organisatie alleen maar in verbinding mag treden met Centraal.'

'In dit geval was een rechtstreeks contact tussen twee tussenstations toegestaan,' antwoordde Peters geërgerd.

'Tjonge, tjonge,' zei Leamas met een wrange glimlach, 'je moet wel een hele piet zijn. Of' – er scheen hem plotseling een gedachte te binnen te schieten – 'staat Centraal hier geheel buiten?'

Peters negeerde de vraag.

'Je kent het alternatief. Je laat ons voor je zorgen, laat ons je veilige overtocht garanderen of je gaat je eigen gang maar – met de zekerheid eventueel gepakt te worden. Je hebt geen valse papieren, geen geld, niets. Je Britse paspoort is over tien dagen verlopen.'

'Er is een derde mogelijkheid. Geef me een Zwitsers paspoort en wat geld en laat me er vandoor gaan. Ik kan wel voor mezelf zorgen.'

'Ik ben bang dat dat niet wenselijk geacht wordt.'

'Je bedoelt dat je nog niet klaar bent met het verhoor. Totdat dat het geval is mag er niets met me gebeuren?'

'Dat is in grove trekken wel zo'n beetje de situatie, ja.'

'Als je klaar bent met de ondervraging, wat ga je dan met me doen?'

Peters haalde zijn schouders op. 'Doe eens een voorstel.'

'Een nieuwe identiteit. Misschien een Scandinavisch paspoort. Geld.'

'Het is zuiver theoretisch,' antwoordde Peters, 'maar ik zal het aan mijn chefs voorleggen. Kom je met me mee?' Leamas aarzelde, glimlachte daarna een beetje onzeker en vroeg:

'Wat zou je doen als ik het niet deed? Ik heb tenslotte een aardig verhaal te vertellen, is het niet?'

'Dergelijke verhalen zijn moeilijk te bewijzen. Vannacht ben ik er niet. Ashe en Kiever...' hij haalde zijn schouders op, 'wat maken die nu helemaal uit?'

Leamas ging naar het venster. Boven de grijze Noordzee hing dreigend een storm. Hij keek toe hoe de meeuwen tegen de donkere wolken door het zwerk scheerden. Het meisje was weg.

'Goed,' zei hij tenslotte, 'maak het maar in orde.'

'Er gaat geen vliegtuig naar het Oosten voor morgen. Maar over een uur is er een toestel voor Berlijn. Dan zullen we dat maar nemen. Het wordt wel een dubbeltje op zijn kant.'

De passieve rol die Leamas ook deze avond weer speelde stelde hem nog eens weer in staat de eenvoudige efficiency van de door Peters getroffen maatregelen te bewonderen. Het paspoort was al lang geleden klaargemaakt – daar moest Centraal aan gedacht hebben. Het was uitgeschreven ten name van Alexander Thwaite, vertegenwoordiger van een reisbureau, voorzien van visa en grensstempels – het oude, beduimelde paspoort van de geroutineerde reiziger. De Nederlandse marechaussee op het vliegveld knikte en stempelde het af als een zuivere formaliteit – Peters liep drie of vier plaatsen achter hem en had absoluut geen belangstelling voor wat er gebeurde.

Terwijl ze de ruimte 'Uitsluitend voor passagiers' binnengingen, zag Leamas een boekenkiosk. Er hing een internationale collectie kranten: *Figaro, Monde, Neue Zürcher Zeitung, Die Welt* en een half dozijn Britse dag- en weekbladen. Terwijl hij keek kwam de juffrouw naar de voorkant van de kiosk en zette een *Evening Standard* in het rek. Leamas haastte zich naar de kiosk en nam de krant uit het rek.

'Hoeveel?' vroeg hij. Toen hij zijn hand in zijn broekzak stak realiseerde hij zich plotseling dat hij geen Nederlands geld had.

'Dertig cent,' antwoordde de verkoopster. Ze was nogal knap, donker en vrolijk.

'Ik heb alleen twee Engelse shillings. Dat is een gulden. Wilt u die accepteren?'

'Zeker, alstublieft,' antwoordde ze, en Leamas gaf haar het twee-shillingstuk. Achterom kijkende zag hij dat Peters nog bij de paspoortcontrole stond, met zijn rug naar hem toe. Zonder aarzelen liep hij rechtstreeks naar het herentoilet. Daar liet hij snel maar zorgvuldig zijn oog over de bladzijden dwalen, propte de krant toen in de afvalmand en kwam weer naar buiten. Het was waar; zijn foto stond erin met het vage onderschrift. Hij vroeg zich af of Liz het gezien had. Nadenkend zocht hij zijn weg naar de lounge voor passagiers. Tien minuten later stapten ze aan boord van het vliegtuig voor Hamburg en Berlijn. Voor het eerst sinds dit alles begonnen was, was Leamas bang.

11. Vrienden van Alec

Diezelfde avond bezochten de mannen Liz.

Liz Golds kamer bevond zich aan de noordzijde van Bayswater. Er stonden twee eenpersoonsbedden in en een gashaard, een mooie, antracietgrijs, die een modern gesuis liet horen in plaats van het gebruikelijke gepruttel. Ze had de gewoonte er soms in te staren als Leamas bij haar was en de gashaard de enige verlichting in de kamer was. Hij lag dan op bed, het hare, dat het verste van de deur stond, en zij zat naast hem en kuste hem of keek naar het vuur in de gashaard met haar gezicht tegen het zijne. Ze was nu bang te veel aan hem te denken, omdat ze dan vergat hoe hij eruitzag, en dus liet ze haar gedachten slechts korte ogenblikken bij hem verwijlen, alsof ze haar ogen langs een vage horizon liet dwalen, en dan herinnerde zij zich kleinigheden die hij gedaan of gezegd had, een speciale manier waarop hij haar aankeek, of, nog vaker, zich niet met haar bemoeide. Dat was het verschrikkelijke wanneer ze haar gedachten daarbij bepaalde, ze had niets om haar aan hem te herinneren – geen foto, geen souvenir, niets. Zelfs geen gemeenschappelijke vriend, alleen juffrouw Crail in de bibliotheek, wier haat voor hem gerechtvaardigd was door de spectaculaire manier waarop hij vertrokken was. Liz was eenmaal naar zijn kamer geweest en had met de huisbaas gesproken. De huisbaas was erg vriendelijk ten opzichte van Alec, meneer Leamas had zijn huur tot het einde toe als een heer betaald, daarna waren er een of twee weken schuld geweest en toen was er een vriend van meneer Leamas langs gekomen en had keurig betaald, geen vragen of wat ook. Hij had het altijd wel gezegd van meneer Leamas, en hij zou het altijd blijven zeggen, hij was een heer. Geen dure scholing gehad, dat was zo, niets deftigs of zo, maar een echte heer. Hij kon wel eens een kwaad gezicht zetten zo nu en dan en hij dronk natuurlijk wel een spatje meer dan goed voor hem was, maar hij gedroeg zich nooit dronken wanneer hij thuiskwam. Maar dat kleine mannetje dat langs gekomen was, een grappig klein, verlegen kereltje met een bril, *hij* zei dat meneer Leamas speciaal gevraagd had, heel speciaal, dat de huur die nog verschuldigd was, betaald zou worden. En als dat niet het gedrag van een heer was, verdomd als de huisbaas dan wist wat dat dan wel was. Waar hij het geld vandaan haalde mocht de hemel weten, maar die meneer Leamas was een gewiekste, daar moest men zich maar niet in vergissen. En wat hij met Ford de kruidenier gedaan had was alleen maar wat een massa anderen ook graag met hem hadden willen doen sinds de oorlog. De kamer? Ja, de kamer was weer verhuurd – een heer uit Korea, twee dagen nadat ze meneer Leamas meegenomen hadden.

Dat was het waarschijnlijk, waarom ze voortging met werken in de bibliotheek – dat hij daar tenminste nog bestond: de ladders, de boekenplanken, de boeken, de kaartenbakken waren dingen die hij gekend en aangeraakt had, en misschien zou hij op een dag naar hen terugkeren. Hij had gezegd dat hij nooit meer zou terugkomen, maar dat geloofde ze niet. Dat te geloven was hetzelfde als beweren dat je nooit meer beter zou worden. Juffrouw Crail dacht ook dat hij terug zou komen, ze had ontdekt dat ze hem wat geld schuldig was – te weinig loon uitbetaald – en het maakte haar woedend dat haar kwelgeest zo zijn aard verloochend had en het niet was komen halen

Nadat Leamas was weggegaan, had Liz zichzelf steeds weer dezelfde vraag gesteld: waarom had hij meneer Ford geslagen? Ze wist dat hij verschrikkelijk driftig was, maar dat was wat anders. Hij was vanaf het begin van plan geweest het te doen, zodra hij zonder koorts was. Waarom had hij anders de avond tevoren al afscheid van haar genomen? Hij wist dat hij meneer Ford de volgende dag ging slaan. Ze weigerde de enige andere mogelijke verklaring te aanvaarden: dat hij genoeg had gekregen van haar en afscheid genomen had, en dat hij de volgende dag, nog onder de emotionele spanning van hun scheiding, zijn geduld had verloren met meneer Ford en deze geslagen had. Ze wist, ze had altijd geweten dat er iets was dat Alec moest doen. Dat had hij haar trouwens zelf verteld. Maar wat het was, daarnaar kon ze slechts raden.

Eerst had ze gedacht dat hij ruzie had met meneer Ford, de een of andere diep gewortelde haat van jaren terug. Iets over een meisje of misschien Alecs familie. Maar je hoefde maar naar meneer Ford te kijken, dan leek dat al belachelijk. Hij was het oertype van de *petit bourgeois,* voorzichtig, zelfgenoegzaam en alledaags. En hoe dan ook, stel dat Alec een 'vendetta' had met meneer Ford, waarom zou hij hem dan aanvallen in zijn winkel, net precies op een zaterdag, midden in de koopdrukte van het weekend, wanneer iedereen getuige was?

Ze hadden erover gesproken in de vergadering van haar afdeling van de Partij. George Hanby, de penningmeester van de afdeling, was langs de zaak van Ford gekomen op het ogenblik dat dit alles gebeurde; vanwege de menigte had hij niet veel kunnen zien, maar hij had gesproken met een knul die het allemaal wel gezien had. Hanby was zo onder de indruk gekomen dat hij de redactie van de *Worker* had opgebeld, die een verslaggever naar de rechtszitting had gestuurd – dat was de reden waarom de *Worker* er in feite een hele middenpagina aan had gewijd. Het was gewoon een kwestie van protest geweest – van plotseling sociaal bewustzijn en van haat tegen de heersende klasse, zoals de *Worker* zei. Die knul met wie Hanby gesproken had (hij was maar een doodgewoon manneke met een bril op, zo'n witte-boordentype) zei dat het zo plotseling geweest was – wat hij bedoelde was spontaan –, en voor Hanby was dit eens temeer een bewijs hoe opruiend de structuur van het kapitalistische systeem was. Liz had zich heel stil gehouden terwijl Hanby sprak, geen van hen wist natuurlijk iets over haar en Leamas. Ze kwam nu tot de ontdekking dat ze George Hanby haatte, hij was een opschepperig mannetje met een vuile geest, die altijd naar haar lonkte en probeerde haar aan te raken.

Toen kwamen de mannen op bezoek.

Ze vond dat ze er iets te netjes uitzagen voor politieagenten, ze kwamen in een kleine zwarte auto met een antenne erop. De een was kort en tamelijk dik. Hij droeg een bril en had nogal eigenaardige, maar wel dure kleren aan; hij was een bezorgde, vriendelijke kleine man en Liz vertrouwde hem op de een of andere manier, zonder te weten waarom. De ander was wat vlotter, maar niet glad – een ietwat jongensachtige figuur, hoewel ze hem op minstens veertig schatte. Ze zeiden dat ze van de Speciale Afdeling kwamen en ze hadden gedrukte kaarten met hun foto's erop in cellofaan etuis. De dikkerd deed het woord.

'Ik geloof dat u vriendschappelijk met Alec Leamas omging,' begon hij. Ze stond op het punt kwaad te worden, maar de dikkerd was zo ernstig dat dat dwaas scheen.

'Jazeker,' zei Liz, 'hoe weet u dat?'

'Dat hebben we een tijdje geleden toevallig ontdekt. Wanneer je naar de... gevangenis gaat, moet je je naaste bloedverwanten opgeven. Leamas zei dat hij die niet had. In feite was dat een leugen. Toen werd hem gevraagd wie er gewaarschuwd moest worden in geval hem in de gevangenis iets overkwam. Hij gaf u op.'

'Juist.'

'Weet iemand anders dat jullie met elkaar bevriend waren?'

'Nee.'

'Bent u naar de rechtszaak geweest?'

'Nee.'

'Zijn er ook geen mensen van de pers bij u geweest, schuldeisers, helemaal niemand?'

'Nee, dat heb ik u toch gezegd. Niemand anders wist ervan. Zelfs mijn ouders niet, niemand. We werkten natuurlijk samen in de bibliotheek – de Bibliotheek voor Psychisch Onderzoek –, maar dat weet alleen juffrouw Crail, de bibliothecaresse. Ik geloof niet dat het ooit bij haar is opgekomen dat er iets tussen ons beiden bestond. Ze is nogal eigenaardig,' voegde Liz er eenvoudig aan toe.

De kleine man keek een ogenblik zeer ernstig naar haar en vroeg toen:

'Was u verbaasd toen Leamas meneer Ford een pak slaag verkocht?'

'Ja, natuurlijk.'

'Waarom dacht u dat hij het deed?'

'Ik weet het niet. Omdat Ford hem geen crediet wou verstrekken, veronderstel ik. Maar ik heb zo'n gevoel dat hij het altijd al van plan was.' Ze vroeg zich af of ze te veel zei, maar ze verlangde er zo naar met iemand hierover te kunnen spreken, ze was zo alleen en het scheen geen kwaad te kunnen.

'Maar die avond, de avond voor het gebeurde, praatten we na men. We hadden gegeten, een min of meer speciale maaltijd; Alec zei dat we dat maar moesten doen en ik wist dat het onze laatste avond was. Hij had ergens een fles rode wijn vandaan gehaald, ik hield er niet zo erg van, Alec dronk wel het meeste. En toen vroeg ik hem: "Is dit het afscheid?" – of alles voorbij was.'

'Wat zei hij?'

'Hij zei dat hem een taak wachtte. Ik begreep het allemaal niet goed, niet precies.'

Er heerste een zeer lange stilte, en de kleine man zag er bezorgder uit dan ooit. Tenslotte vroeg hij haar:

'Gelooft u dat?'

'Ik weet het niet.' Plotseling was ze bevreesd voor Alec en ze wist niet waarom.

Toen vroeg de man: 'Leamas had uit zijn huwelijk twee kinderen, heeft hij u dat verteld?' Liz zei niets. 'Toch gaf hij uw naam op als

naaste bloedverwant. Waarom denkt u dat hij dat gedaan heeft?'
De kleine man leek verlegen met zijn eigen vraag. Hij keek naar zijn
handen, die mollig waren en gevouwen in zijn schoot rustten. Liz
bloosde.

'Ik was verliefd op hem,' antwoordde ze.

'Was hij verliefd op u?'

'Misschien. Ik weet het niet.'

'Bent u nog verliefd op hem?'

'Ja.'

'Heeft hij ooit gezegd dat hij zou terugkomen?' vroeg de jongste
man.

'Nee.'

'Maar nam hij afscheid van u?' vroeg de ander snel.

'Nam hij afscheid van u?' De kleine man herhaalde de vraag,
langzaam en vriendelijk. 'Er kan niets meer met hem gebeuren, dat
beloof ik u. Maar we willen hem helpen, en als u enig idee heeft
waarom hij Ford een pak slaag gaf, als u de geringste notie heeft van
iets dat hij zei, misschien langs zijn neus weg, of iets dat hij deed,
vertel het ons dan terwille van Alec.'

Liz schudde haar hoofd.

'Gaat u alstublieft weg,' zei ze, 'stel me alstublieft geen vragen
meer. Gaat u alstublieft weg.'

Terwijl hij naar de deur liep, aarzelde de oudste man, nam daarna
een kaartje uit zijn portefeuille en legde het op tafel, voorzichtig,
alsof het lawaai zou kunnen maken. Liz vond hem een erg schuw
mannetje.

'Als u ooit hulp nodig heeft – als er ooit iets gebeurt in verband
met Leamas of... bel me dan op,' zei hij. 'Begrijpt u?'

'Wie bent u?'

'Ik ben een vriend van Alec Leamas.' Hij aarzelde. 'Nog één
ding,' voegde hij eraan toe, 'een laatste vraag. Wist Alec dat u...
wist Alec dat van de Partij?'

'Ja,' antwoordde ze, wanhopig, 'dat had ik hem verteld.'

'En weet de Partij van u en Alec?'

'Ik heb u al gezegd dat niemand er iets van weet.' Toen, met een
bleek gezicht, riep ze plotseling uit: 'Waar is hij, zeg me waar hij is.
Waarom wilt u me niet zeggen waar hij is? Ik kan hem helpen, ziet u
dat dan niet, ik zal hem verzorgen... zelfs als hij gek geworden is,
het kan me niet schelen, ik zweer het... ik heb aan hem geschreven
toen hij in de gevangenis zat, ik weet dat ik dat niet had moeten

doen. Ik schreef alleen maar dat hij altijd kon terugkomen. Dat ik altijd op hem zou wachten...' Ze kon niets meer zeggen, ze snikte en snikte maar, terwijl ze daar in het midden van de kamer stond, haar vertrokken gezicht verborgen in haar handen, en de kleine man haar gadesloeg.

'Hij is naar het buitenland gegaan,' zei hij vriendelijk. 'We weten niet precies waar hij is. Hij is niet gek, maar hij had dat niet allemaal tegen u moeten zeggen, dat was jammer.'

De jongste man zei:

'We zullen erop toezien dat er voor u gezorgd wordt. Voor geld en zo.'

'Wie bent u?' vroeg Liz weer.

'Vrienden van Alec,' herhaalde de jonge man, 'goede vrienden.'

Ze hoorde hoe ze rustig de trappen afgingen naar de straat. Door het venster zag ze hen in de kleine zwarte auto stappen en wegrijden in de richting van het park.

Toen herinnerde zij zich het kaartje. Ze ging naar de tafel, nam het op en hield het naar het licht. Het was een dure uitvoering, meer dan een politieman zich zou kunnen veroorloven, dacht ze. Gegraveerd. Geen rang voor de naam, geen politiebureau of niets. Alleen maar de naam met 'de heer' – en wie had ooit gehoord van een politieagent die in Chelsea woonde?

'De heer George Smiley. Bywater Street 9, Chelsea.' En dan onderaan het telefoonnummer.

Het was allemaal erg vreemd.

12. Oost

Leamas maakte zijn riem los.

Men zegt dat mensen die ter dood veroordeeld zijn, ogenblikken van plotselinge verrukking kunnen doormaken, alsof, zoals bij motten in het vuur, hun vernietiging zou samenvallen met een vervulling. Vlak na zijn besluit onderging Leamas een soortgelijke sensatie; opluchting, van korte duur maar troostrijk, hield hem voor een tijd op de been. Dit alles werd gevolgd door vrees en honger.

Hij werd langzamer. Control had gelijk.

Hij had het voor de eerste maal gemerkt gedurende het geval Riemeck, in het begin van het vorige jaar. Karl had bericht gestuurd: hij had iets speciaals voor hem en zou een van zijn zeldzame bezoeken aan West-Duitsland brengen voor de een of andere conferentie in Karlsruhe. Leamas was erin geslaagd vliegpassage naar Keulen te krijgen en nam daar aan het vliegveld een auto. Het was nog heel vroeg in de morgen en hij hoopte het grootste deel van het autoverkeer naar Karlsruhe te vermijden, maar de zware vrachtwagens waren al op pad. Hij reed zeventig kilometer in een half uur en schoot tussen het verkeer door, risico's nemend om op tijd te zijn, toen een kleine wagen, waarschijnlijk een Fiat, veertig meter voor hem uit zijn neus naar buiten stak om op de snelverkeersbaan te komen. Leamas ging bovenop zijn rem staan, knipperde met zijn koplampen en loeide met zijn hoorn, en bij Gods gratie miste hij de wagen, miste hem een fractie van een seconde. Toen hij de wagen passeerde, zag hij van opzij vier kinderen achterin zitten, wuivende en lachende, en het stomme, dodelijk verschrikte gezicht van hun vader aan het stuurwiel. Vloekend reed hij verder, en plotseling gebeurde het toen, plotseling beefden zijn handen koortsachtig, zijn gezicht werd gloeiend, zijn hart bonsde wild. Hij slaagde erin van de weg af naar een zijweg te rijden, klom uit de wagen en stond daar, zwaar ademend, naar de voorbij racende stroom enorme vrachtwagens te kijken. Hij had een visioen van de kleine wagen die daartussen werd gekraakt, verbrijzeld tot er niets meer van over was, niets dan een frenetiek gehuil van hoorns, het geflikker van de blauwe lampen en de lichaampjes van de kleine kinderen, verscheurd zoals de vermoorde vluchtelingen destijds op die weg naar de duinen.

De rest van de weg reed hij heel langzaam en liep zijn afspraak met Karl mis.

Hij reed nadien nooit meer zonder dat op de achtergrond van zijn herinnering het beeld opkwam van de uitgelaten kinderen die door de achterruit van die wagen naar hem wuifden, en van hun vader die het stuurwiel in zijn handen klemde als een boer de handvatten van zijn ploeg.

Control zou het koorts noemen.

Hij zat loom in zijn stoel boven de vleugel. Naast hem zat een Amerikaanse met schoenen met naaldhakken aan, in plastic gewikkeld. Een ogenblik had hij de impuls haar een briefje voor de lui in Berlijn in de handen te drukken, maar die liet hij direct weer varen. Misschien zou ze denken dat hij probeerde met haar aan te pappen, Peters zou het kunnen zien. Bovendien, wat voor zin had het? Control wist wat er gebeurd was, Control had het zelf in gang gezet. Er viel verder niets te zeggen.

Hij vroeg zich af wat er van hem worden zou. Daar had Control niet over gesproken, alleen over de toe te passen techniek:

'Geef het ze niet allemaal opeens, laat ze er maar voor werken. Verwar ze met details, vergeet dingen, keer terug op oude punten. Wees humeurig, wees koppig, wees moeilijk. Drink als een spons; maar doe niet alsof je voor hun ideologie bezwijkt, dat zouden ze niet vertrouwen. Ze willen te maken hebben met een vent die ze gekocht hebben; ze willen een botsing tussen tegenstellingen, Alec, niet de een of andere halfgare bekeerling. En boven alles, ze willen *nagaan*. De grond is voorbereid; dat hebben we lang geleden al gedaan, kleinigheden maar ook moeilijke aanwijzingen. Jij bent de laatste etappe van de jacht op een schat.'

Hij had wel moeten toestemmen, je kunt je uit het grote gevecht niet terugtrekken als al de voorbereidende schermutselingen al voor je uitgevochten zijn.

'Een ding kan ik je verzekeren: het is het waard. Het is het waard voor ons speciale belang, Alec. Zorg dat je in leven blijft en we zullen een grote overwinning hebben behaald.'

Hij geloofde niet dat hij tegen marteling bestand zou zijn. Hij herinnerde zich een boek van Koestler waarin de oude revolutionair zich tegen marteling gehard had door brandende lucifers tegen zijn vingers te houden. Veel had hij niet gelezen, maar dit wel en hij herinnerde het zich nog steeds.

Het was bijna donker toen ze op Tempelhof landden. Leamas keek hoe de lichten van Berlijn naar boven schenen te komen om hen te ontvangen, voelde de bons toen de machine de grond raakte en zag de douane- en immigratiebeambten uit het halfdonker naar voren komen.

Een ogenblik was Leamas bevreesd dat de een of andere vroegere kennis hem op de luchthaven zou herkennen. Terwijl ze naast elkaar liepen, Peters en hij, door de eindeloze gangen, langs de oppervlakkige douane- en paspoortcontroles, en er nog steeds geen enkel gezicht in herkenning in zijn richting werd gedraaid, realiseerde hij zich dat die vrees in werkelijkheid hoop was geweest, hoop dat op de een of andere manier zijn stilzwijgend besluit om door te zetten door de omstandigheden zou worden verhinderd.

Het viel hem op dat Peters nu niet langer deed alsof hij hem niet kende, het was alsof Peters West-Berlijn als veilige grond beschouwde, waar oplettendheid en waakzaamheid wel wat verslappen mochten, als niet meer dan een technisch tussenstation naar het Oosten.

Ze liepen door de grote ontvangsthal naar de hoofduitgang, toen Peters plotseling van idee scheen te veranderen, ineens een andere richting insloeg en Leamas door een kleinere zijuitgang voerde die uitkwam op een parkeer- en taxistandplaats. Daar scheen Peters een ogenblik te aarzelen, hij bleef staan onder de lamp boven de deur, toen zette hij zijn handkoffer naast zich neer op de grond, nam bedaard de krant van onder zijn arm, vouwde deze op, stopte haar in de linker zijzak van zijn regenjas en nam zijn handkoffer weer op. Onmiddellijk werden er vanuit de richting van de autoparkeerplaats twee koplampen aangestoken, toen gedimd en weer uitgeschakeld.

'Kom mee,' zei Peters en begon vlug het plein over te steken, terwijl Leamas wat langzamer volgde. Toen ze de eerste rij wagens naderden werd het achterportier van een zwarte Mercedes van binnen uit geopend en het instaplicht ging aan. Peters, die een meter of tien op Leamas vooruit was, ging snel naar de wagen, sprak zachtjes tegen de chauffeur en riep toen tegen Leamas: 'Hier is de wagen. Schiet een beetje op.'

Het was een oude Mercedes 180 en hij stapte in zonder een woord te zeggen. Peters ging naast hem achterin zitten. Terwijl ze wegreden haalden ze een kleine DKW in waarin twee mannen voorin zaten. Twintig meter verder de weg op was een telefooncel. Er stond een man in de cel te spreken en hij ging ermee door terwijl hij naar hen keek toen ze voorbijreden. Leamas keek door de achterruit en zag dat de DKW hen volgde. Een hele ontvangst, zei hij bij zichzelf.

Ze reden zeer kalm. Leamas zat met zijn handen op zijn knieën recht voor zich uit te kijken. Hij wilde Berlijn die avond niet zien. Dit was zijn laatste kans, dat wist hij. Zoals hij nu zat kon hij de rand van zijn rechterhand gebruiken om het uitsteeksel van Peters' strottehoofd te verbrijzelen. Hij kon uit de wagen springen en zigzaggend wegrennen om de kogels uit de volgwagen te ontgaan. Hij zou vrij zijn – er waren mensen in Berlijn die voor hem zouden zorgen – hij kon ontsnappen. Hij deed niets.

Het was heel gemakkelijk over de sectorgrens te komen. Leamas had nooit gedacht dat het zo gemakkelijk zou zijn. Gedurende ongeveer tien minuten reden ze zo'n beetje rond en Leamas veronderstelde dat ze de grens moesten passeren op een van te voren vastgestelde tijd. Terwijl ze het Westduitse controlepunt naderden, verliet de DKW zijn plaats, reed hen voorbij met het opvallend gebrul van een over zijn toeren gejaagde motor en stopte bij het politiehokje. De Mercedes wachtte dertig meter daarachter. Twee minuten later ging de roodwitte paal omhoog om de DKW door te laten, en terwijl dit gebeurde gingen beide wagens er samen vandoor, de motor van de Mercedes gierende in de tweede versnelling, terwijl de bestuurder zich tegen zijn rugleuning drukte en zijn stuurwiel met gestrekte armen vasthield.

Terwijl ze de vijftig meter aflegden die de beide controlepunten scheidden, gaf Leamas zich flauw rekenschap van de nieuwe versterkingen aan de oostelijke kant van de muur, betonblokken als destijds in de tankvallen, uitzichttorens en dubbele rijen prikkeldraad. De touwtjes werden strakker aangehaald. De Mercedes stopte niet bij de tweede controlepost: de bomen waren reeds omhoog en ze reden meteen door, terwijl de Vopo's hen slechts door kijkers bespiedden. De DKW was verdwenen, en toen Leamas hem weer zag na ongeveer tien minuten, reed hij weer achter hen. Ze reden nu snel – Leamas had gedacht dat ze in Oost-Berlijn zouden stoppen, misschien van wagen zouden verwisselen en elkaar met de geslaagde operatie zouden feliciteren, maar ze reden door in oostelijke richting, dwars door de stad.

'Waar gaan we heen?' vroeg hij Peters.

'We zijn er al. In de Duitse Democratische Republiek. Ze hebben voor onderkomen voor je gezorgd.'

'Ik dacht dat we nog verder naar het oosten zouden gaan.'

'Dat doen we ook. Maar eerst blijven we hier een paar dagen. We vonden dat de Duitsers eerst maar eens met je moesten praten.'

'Juist.'

'Tenslotte is het grootste deel van je werk in Duitsland geweest. Ik heb hun al details doorgestuurd van je verklaringen.'

'En hebben zij gevraagd me te mogen spreken?'

'Ze hebben nog nooit iemand gehad zoals jij, zo heel dicht bij de bron. En mijn mensen kwamen overeen dat ze een kans zouden krijgen je te ontmoeten.'

'En van hier? Waar gaan we heen vanuit Duitsland?'

'Weer naar het oosten.'

'Wie zal ik van de Duitse kant te zien krijgen?'

'Doet dat er wat toe?'

'Eigenlijk niet, nee. Maar ik ken de meeste lui van de Abteilung bij naam, dat is alles. Ik vroeg het me alleen maar af.'

'Wie zou je verwachten te ontmoeten?'

'Fiedler,' antwoordde Leamas prompt, 'adjunct-hoofd van de veiligheidsdienst. Een mannetje van Mundt. Hij behandelt alle grote

101

ondervragingen. Hij is een schoft.'

'Waarom?'

'Een wrede kleine schoft. Ik heb over hem gehoord. Hij kreeg een agent van Peter Guillam te pakken en had hem op een haar na vermoord.'

'Spionage is nu eenmaal geen spelletje cricket,' merkte Peters zuur op, waarna ze niet meer spraken. Het is Fiedler dus, dacht Leamas.

Leamas kende Fiedler wel. Hij kende hem van de foto's in het dossier en uit de verslagen van zijn vroegere ondergeschikten. Een slanke, keurige man, nog jong en met een glad gezicht. Donker haar, levendige bruine ogen, intelligent en, zoals Leamas gezegd had, wreed. Een soepel, beweeglijk lichaam, dat een geduldige en vasthoudende geest bevatte; een man die ogenschijnlijk geen enkele persoonlijke ambitie nastreefde, maar meedogenloos was in de vernietiging van anderen. Fiedler was een unicum in de Abteilung – hij nam geen deel aan het geïntrigeer en scheen tevreden in Mundts schaduw te leven zonder enig vooruitzicht op bevordering. Hij kon niet gebrandmerkt worden als lid van deze of gene kliek; zelfs zij die in de Abteilung zeer nauw met hem samenwerkten, konden niet zeggen waar zijn plaats in de machtsverhoudingen precies was. Fiedler was een eenzame; gevreesd, onbemind en gewantrouwd. Wat zijn motieven ook mochten zijn, ze werden steeds verborgen onder een mantel van vernietigend sarcasme.

'Fiedler is onze beste gok,' had Control verklaard. Ze hadden samen zitten eten – Leamas, Control en Peter Guillam – in het sombere kleine 'huisje van de zeven dwergen' in Surrey, waar Control woonde met zijn vrouw met de kraaloogjes, omringd door gebeeldhouwde Indiase tafels met koperen bladen. 'Fiedler is de misdienaar die op een goeie dag de hogepriester een dolk in de rug zal steken. Hij is de enige man die tegen Mundt is opgewassen' – hier had Guillam beamend geknikt – 'en hij kan diens bloed wel drinken. Fiedler is natuurlijk een jood, en Mundt is precies het tegenovergestelde. Geen al te beste combinatie dus. Het is onze taak geweest,' verklaarde hij, op Guillam en zichzelf wijzend, 'Fiedler het wapen te verstrekken om Mundt te vernietigen. En het zal jouw taak worden, beste Leamas, hem aan te moedigen het te gebruiken. Indirect natuurlijk, want je zult hem nooit ontmoeten. Tenminste, dat hoop ik van ganser harte.'

Ze hadden toen allemaal gelachen, Guillam ook. Op dat ogenblik had het een goeie mop geleken, tenminste van Controls standpunt gerekend.

Het moet na middernacht geweest zijn.

Gedurende enige tijd hadden ze op een onverharde weg gereden, gedeeltelijk door bos en gedeeltelijk door een vlak landschap. Nu stopten ze en een ogenblik later kwam de DKW naast hen staan. Terwijl hij en Peters uitstapten merkte Leamas op dat er nu drie mannen in de tweede wagen zaten. Twee stapten al uit. De derde bleef op de achterbank zitten en keek enige papieren door bij het licht van de plafonnier, een tengere gestalte, half in de schaduw.

Ze hadden geparkeerd naast ongebruikte stallen, het gebouw zelf lag ongeveer dertig meter meer naar achter. In de koplampen van de auto had Leamas een lage boerderij gezien waarvan de wanden waren opgetrokken in hout en witgekalkte steen. Ze stapten uit. De volle maan scheen zo helder dat de beboste heuvels op de achtergrond scherp tegen de hemel waren afgetekend. Ze liepen naar het huis, Peters en Leamas aan het hoofd en de twee mannen in de achterhoede. De andere man in de tweede auto had nog steeds geen aanstalten gemaakt om uit te stappen, hij bleef daar zitten lezen.

Toen ze de deur bereikten stond Peters stil, om de twee anderen gelegenheid te geven hen in te halen. Een van hen droeg een bos sleutels in zijn linkerhand, en terwijl hij daarmee stond te peuteren bleef de ander op een afstand staan met zijn handen in zijn zakken en dekte hem.

'Ze nemen geen risico's,' merkte Leamas op tegen Peters, 'wie denken ze dat ik ben?'

'Ze worden niet betaald om te denken,' antwoordde Peters, en zich tot een van hen wendende vroeg hij in het Duits: 'Komt hij?'

De Duitser haalde zijn schouders op en keek naar de auto. 'Hij komt wel,' zei hij, 'hij houdt ervan alleen te komen.' Ze gingen het huis binnen, waarbij de man de weg wees. Het was ingericht als een soort jachthut, gedeeltelijk oud, gedeeltelijk nieuw. Het was slecht verlicht met zwakke bovenlichten. Het hele geval maakte een verwaarloosde indruk en de vochtig-muffe lucht droeg bij tot het vermoeden dat het voor deze gelegenheid geopend was. Hier en daar vond men tekenen van ambtenarij – een affiche met aanwijzingen van wat te doen in geval van brand, de gebruikelijke groene verf op de deuren en zware springsloten; voorts in de zitkamer, comfortabel ingericht met donkere, zware en sterk gekraste meubelen, de onvermijdelijke foto's van de Sovjet-leiders. Voor Leamas betekende deze prijsgeving van de anonimiteit een onvrijwillige identificatie van de Abteilung met de bureaucratie. Dat was iets dat hij ook had leren kennen bij het Circus. Peters ging zitten en Leamas volgde zijn voorbeeld. Gedurende tien minuten, misschien nog langer, wachtten ze, waarna Peters iets zei tegen een van de twee mannen die, niet erg op hun gemak, aan het andere einde van het vertrek rondhingen.

'Ga hem zeggen dat we op hem wachten. En haal wat te eten voor ons, we hebben honger.' Toen de man zich in de richting van de deur begaf, riep Peters: 'En whisky – zeg dat ze whisky brengen en een paar glazen.' De man haalde onwillig zijn schouders op en ging naar buiten, maar liet de deur achter zich open staan.

'Ben je hier al eerder geweest?' vroeg Leamas.

'Ja,' antwoordde Peters, 'meermalen.'

'Met welk doel?'

'Hetzelfde waarvoor we nu hier zijn. Niet precies hetzelfde, maar toch wel ons soort werk.'

'Met Fiedler?'

'Ja.'

'Is hij goed?'

Peters haalde zijn schouders op. 'Voor een jood is hij niet slecht,' antwoordde hij, en Leamas, die aan het andere einde van het vertrek een geluid hoorde, draaide zich om en zag Fiedler in de deuropening staan. In zijn ene hand hield hij een fles whisky, in de andere glazen en een fles mineraalwater. Hij kon niet veel langer zijn dan een meter vijfenzestig. Hij droeg een donkerblauw een-rijig costuum, waarvan het colbert te lang gesneden was. Hij was slank en had iets dierlijks over zich; zijn ogen waren bruin en helder. Hij keek niet naar hen maar naar de bewaker naast de deur.

'Ga weg,' zei hij. Hij had een licht Saksisch accent. 'Ga weg en zeg tegen de ander dat hij wat te eten moet brengen.'

'Dat heb ik hem al gezegd,' riep Peters, 'dat weten ze al. Maar er is nog niets gebracht.'

'De heren hebben nogal wat verbeelding,' merkte Fiedler droog op in het Engels. 'Ze zijn van mening dat we voor het bereiden van voedsel en zo maar bedienden moeten meenemen.'

Fiedler had de oorlog in Canada doorgebracht. Leamas herinnerde het zich, nu het accent hem weer opviel. Zijn ouders waren Duitse joodse vluchtelingen geweest, Marxisten, en pas in 1946 was de familie weer naar huis teruggekeerd, verlangend om, wat het hun persoonlijk ook kosten mocht, deel te hebben aan de opbouw van Stalins Duitsland.

'Hallo,' voegde hij er tegenover Leamas en als terloops aan toe, 'blij je te zien.'

'Hallo, Fiedler.'

'Je reis is ten einde.'

'Wat voor de duivel bedoel je daarmee?' vroeg Leamas snel.

'Ik bedoel dat, wat Peters je ook verteld mag hebben, je niet verder oostwaarts gaat. 't Spijt me.' Het klonk alsof hij het grappig vond.

Leamas wendde zich tot Peters.

'Is dat waar?' Zijn stem beefde van woede. 'Is het waar? Antwoord me!'

Peters knikte: 'Ja. Ik ben de tussenpersoon. We moesten het op deze manier doen. Het spijt me,' voegde hij eraan toe.

'Waarom?'

'*Force majeure*,' kwam Fiedler tussenbeide. 'Je eerste ondervraging vond plaats in het Westen, waar alleen een ambassade de soort schakel kon vormen die we nodig hadden. De Duitse Democratische Republiek heeft geen ambassades in het Westen. Nog niet. Onze liaison-afdeling zorgde er daarom voor dat we toch gebruik konden maken van de faciliteiten en verbindingen die ons voor het ogenblik onthouden worden.'

'Jij schoft,' siste Leamas, 'jij gemene schoft! Je wist dat ik mezelf niet aan jullie rottige Geheime Dienst zou toevertrouwen, dat was de reden, is het niet? Dat was de reden waarom je een Rus gebruikte.'

'We hebben de Sovjet-ambassade in Den Haag ingeschakeld. Wat konden we anders doen? Tot op dat ogenblik was het onze operatie. Dat is volkomen redelijk. Noch wij, noch iemand anders kon geweten hebben dat je eigen mensen in Engeland je zo gauw achterhaald zouden hebben.'

'Nee? Zelfs niet als jullie hen zelf op mijn spoor gezet hebben? Is het zo niet gegaan, Fiedler? Nou, zeg op, was het zo niet?'

'Denk er steeds aan dat ze moeten merken dat je een hekel aan ze hebt,' had Control gezegd. 'Dan zullen ze datgene wat ze uit je krijgen zoveel temeer waarderen.'

'Dat is een belachelijke veronderstelling,' antwoordde Fiedler kortaf. Hij keek Peters aan en voegde er iets in het Russisch aan toe. Peters knikte en stond op.

'Saluut,' zei hij tegen Leamas. 'Veel geluk.'

Hij lachte vermoeid, knikte naar Fiedler, en begaf zich naar de deur. Hij legde zijn hand op de deurknop, draaide zich om en riep

Leamas weer toe: 'Veel geluk.' Hij scheen te hopen dat Leamas wat zou zeggen, maar Leamas deed alsof hij niets gehoord had. Hij was doodsbleek geworden, hield zijn handen losjes voor zijn lichaam met de duimen naar boven, alsof hij ging vechten. Peters bleef bij de deur staan.

'Ik had het moeten weten,' zei Leamas, en hij sprak op de eigenaardige, ingehouden toon van een man die razend is. 'Ik had moeten begrijpen dat jij het lef niet zou hebben je eigen vuile werk op te knappen, Fiedler. Het is net iets voor dat ongelukkige tweedehands landje van je en voor je zielige kleine Geheime Dienst om je grote broer erbij te halen om je zaakjes op te knappen. Jullie zijn helemaal geen land, geen regering, jullie zijn een vijfderangs dictatuur van politieke neurotici.' Zijn vinger wees in de richting van Fiedler, en hij schreeuwde:

'Ik ken jou, jij sadistische schoft, dat is weer echt iets voor jou. Jij was in Canada gedurende de oorlog, hè? Ik wed dat je die dikke kop van je in mammies schort verborg telkens wanneer er een vliegtuig over kwam. Wat ben je nou? Een kruipende kleine acoliet van Mundt, met twintig Russische divisies op mammies stoep. Wel, ik heb medelijden met je, Fiedler, wanneer de dag komt dat je wakker wordt en ontdekt dat ze verdwenen zijn. Dan komt bijltjesdag en noch mammie noch de grote broer zullen dan kunnen verhinderen dat je krijgt wat je toekomt...'

Fiedler haalde zijn schouders op.

'Beschouw het maar als een bezoek aan de tandarts, Leamas. Hoe gauwer het gebeurd is, des te gauwer kun je naar huis. Eet wat en ga naar bed.'

'Je weet heel goed dat ik niet terug kàn gaan,' antwoordde Leamas. 'Daar heb jij wel voor gezorgd. Je hebt me volkomen onmogelijk gemaakt in Engeland, dat moesten jullie wel, allebei. Je wist verdomd goed dat ik nooit hier naar toe zou komen als ik niet gedwongen werd.'

Fiedler keek neer op zijn dunne, sterke vingers.

'Dit is eigenlijk de tijd niet om te filosoferen,' zei hij, 'maar je mag toch werkelijk niet klagen, weet je. Al ons werk – zowel het jouwe als het mijne – is geworteld in het principe dat het geheel belangrijker is dan de individu. Dat is de reden waarom de communist zijn Geheime Dienst ziet als een verlengstuk van zijn arm en dat is ook de reden waarom in je eigen land de Geheime Dienst in een soort *pudeur anglaise* is gehuld. De exploitatie van enkelingen kan alleen maar gerechtvaardigd worden door de gemeenschappelijke noodzakelijkheid, is het niet zo? Ik vind het lichtelijk belachelijk dat je zo verontwaardigd bent. We zijn hier niet om de ethische wetten van het Engelse plattelandsleven in acht te nemen. Tenslotte,' zei hij poeslief, 'is je eigen gedrag nu ook niet direct onberispelijk geweest, van een puriteins standpunt bekeken.'

Leamas keek Fiedler aan met walging in zijn blik.

'Ik ken jullie organisatie. Jij bent Mundts knechtje, hè? Men zegt dat jij zijn baan wilt hebben. Ik veronderstel dat je die nu wel krijgen zult. Het wordt tijd dat er een einde komt aan de Mundtdynastie; dit is het dan misschien.'

'Dat snap ik niet,' zei Fiedler.

'Ik ben je grote succes, is het niet?' spotte Leamas. Fiedler scheen een ogenblik na te denken, haalde daarna zijn schouders op en zei: 'De operatie was geslaagd. Of je het waard was is nog de vraag. Dat zullen we wel zien. Maar het was een goeie operatie. Ze voldeed aan de enige eis van ons beroep: ze werkte.'

'En ik veronderstel dat jij met de eer gaat strijken?' hield Leamas aan, met een blik in de richting van Peters.

'Er is geen sprake van eer,' zei Fiedler beslist, 'in geen enkel opzicht.' Hij ging op de leuning van de sofa zitten, keek Leamas een ogenblik nadenkend aan en zei toen:

'Toch heb je gelijk met over één ding kwaad te zijn. Wie heeft aan jouw mensen verteld dat wij je opgepikt hadden? Wij niet. Je zult me misschien niet geloven, maar het is toevallig waar. Wij hebben het hun niet gezegd. We wilden niet eens dat ze erachter zouden komen. We hadden toen nog plannen je ook later nog voor ons te laten werken – plannen waarvan ik nu wel zie dat ze belachelijk waren. Wie stelde ze dus op de hoogte? Je had verloren, zwalkte maar zo'n beetje rond, je had geen adres, geen connecties, geen vrienden. Hoe wisten ze dan voor de duivel dat je weg was? Iemand moet het ze verteld hebben – en zeker niet Ashe of Kiever, aangezien die nu alle twee onder arrest staan.'

'Onder arrest?'

'Dat schijnt zo. Niet speciaal vanwege hun werk in verband met jou, maar er waren andere dingen...'

'Zo, zo.'

'Het is waar wat ik zojuist zei. We zouden tevreden zijn geweest met Peters' rapport uit Nederland. Je had je geld kunnen krijgen en verdwijnen. Maar je had ons nog niet alles verteld, en ik wil alles weten. Tenslotte schept jouw aanwezigheid hier voor ons ook problemen, weet je.'

'Wel, je hebt een bok geschoten. Ik weet geen barst meer – en dat mag je graag hebben.'

Gedurende de hierop volgende stilte verliet Peters, na een korte en verre van vriendelijke knik in de richting van Fiedler, het vertrek.

Fiedler nam de fles whisky en schonk een kleine hoeveelheid in beide glazen.

'We hebben helaas geen sodawater,' zei hij. 'Wil je water? Ik heb wel sodawater besteld, maar ze hebben de een of andere rotlimonade gebracht.'

'Och, loop naar de bliksem,' zei Leamas. Plotseling voelde hij zich doodmoe.

Fiedler schudde zijn hoofd.

'Je bent een heel trotse kerel,' merkte hij op, 'maar dat doet er niet toe. Eet nu maar en ga dan naar bed.'

Een van de bewakers kwam binnen met een maaltijd op een blad – zwart brood, worst en koude, groene sla.

'Het is een beetje primitief,' zei Fiedler, 'maar toch wel voedzaam. Geen aardappels tot mijn spijt. Er is een tijdelijk tekort aan aardappelen.'

Ze begonnen in stilte te eten, Fiedler erg zorgvuldig, als een man die zijn calorieën telt.

De bewakers wezen Leamas zijn slaapkamer. Ze lieten hem zijn eigen bagage dragen – dezelfde bagage die Kiever hem gegeven had voordat hij Engeland verliet – en hij liep tussen hen in door de brede hoofdgang, die vanaf de voordeur door het gehele huis liep. Ze kwamen voor een brede, dubbele deur, donkergroen geschilderd, en een van de bewakers ontsloot die; ze gaven Leamas een teken dat hij moest voorgaan. Hij duwde de deur open en zag dat hij zich in een kleine kale kamer bevond, met twee kooien, een stoel en een primitieve schrijftafel. Het was zoiets als in een gevangenkamp. Er hingen plaatjes van meisjes aan de muur en voor alle vensters waren luiken aangebracht. Aan het andere einde van de kamer was weer een deur. Ze beduidden hem weer voor te gaan. Hij zette zijn bagage neer en opende de deur. De tweede kamer was gelijk aan de eerste, maar er stond slechts één bed en er hing niets aan de muur.

'Brengen jullie die valiezen maar naar binnen,' zei hij, 'ik ben moe.' Hij ging volledig gekleed op het bed liggen en was binnen een paar minuten in diepe slaap verzonken.

Een schildwacht wekte hem met zijn ontbijt, zwart brood en *ersatz*-koffie. Hij kwam zijn bed uit en ging naar het venster. Het huis stond op een hoge heuvel. Vanaf zijn venster liep de grond steil naar beneden, de toppen van dennen staken boven de grond voor zijn venster uit. En verderop, groots in hun symmetrie, golfden eindeloos de heuvels, zwaar bebost, reikend tot aan de einder. Hier en daar vormden een ravijn in het woud of een brandgang een dunne bruine scheiding tussen de dennen, de schijn wekkende alsof ze, gelijk Aärons staf, op wonderbaarlijke wijze de aanstormende golven van het opdringende woud van elkaar gescheiden hielden. Er was niets dat duidde op de aanwezigheid van mensen, geen huis of geen kerk, zelfs niet de ruïne van een vroegere woning – er was alleen maar de weg, de gele, onverharde weg, als een potloodstreep over de bodem van de vallei. Er was geen enkel geluid. Het leek ongelooflijk dat een dergelijke uitgestrektheid zo stil kon zijn. Het was een koude maar heldere dag. Het moest gedurende de nacht geregend hebben, de grond was vochtig en het hele landschap stak zo scherp af tegen de lichte hemel dat Leamas zelfs alleenstaande bomen op de verst afgelegen heuvels kon onderscheiden.

Hij kleedde zich langzaam aan, onderwijl de zuur smakende koffie drinkend. Hij was bijna klaar met aankleden en stond op het punt aan het brood te beginnen, toen Fiedler de kamer binnenkwam.

'Goeiemorgen,' zei hij vrolijk. 'Laat me je niet van je ontbijt afhouden.' Hij ging op het bed zitten. Eén ding moest Leamas Fiedler nageven, hij had lef. Niet dat er ook maar iets dappers stak in het feit dat hij hem kwam opzoeken – de schildwachten waren, naar Leamas veronderstelde, nog wel in de kamer ernaast –, maar er was een volharding en een welomlijnd streven in zijn handelwijze die Leamas kon aanvoelen en bewonderen.

'Je hebt ons voor een boeiend probleem geplaatst,' merkte Fiedler op.

'Ik heb alles verteld wat ik weet.'

'O nee.' Hij glimlachte. 'O jé, nee, dat lijkt er niet op. Je hebt ons verteld wat je *bewust* weet.'

'Verdomd slim,' mompelde Leamas, terwijl hij zijn brood opzij schoof en een sigaret opstak, zijn laatste.

'Laat mij *jou* nou eens een vraag stellen,' opperde Fiedler met de

109

overdreven gemoedelijkheid van iemand die een gezelschapsspelletje voorstelt. 'Wat zou *jij*, als ervaren agent van de Geheime Dienst, nou doen met de inlichtingen die je ons verstrekt hebt?'

'Welke inlichtingen?'

'Beste Leamas, je hebt ons slechts één bruikbare inlichting verstrekt. Je hebt ons verteld over Riemeck, maar we wisten alles van Riemeck. Je hebt ons verteld over je Berlijnse organisatie, over haar personeel en agenten. Dat, als ik het zo maar eens zeggen mag, is zo oud als de weg naar Kralingen. Accuraat – ja. Goede achtergrond, hoogst interessant om te lezen, hier en daar goed vergelijkend materiaal, hier en daar een klein visje dat we uit de plas zullen scheppen. Maar niet – als ik grof mag zijn – niet voor vijftienduizend pond aan informatie. Niet,' en hij glimlachte weer, 'tegen de huidige koers.'

'Nu moet je eens goed luisteren,' zei Leamas, 'ik heb dat voorstel niet gedaan – dat deed jij. Jij, Kiever en Peters. Ik ben niet op mijn knieën naar die verwijfde vriendjes van je gekropen om ze wat oudbakken nieuws te verkopen. Het initiatief ging helemaal van jouw mensen uit, Fiedler; jullie noemden je prijs en namen het risico. En bovendien, ik heb nog geen rooie duit gezien. Geef mij dus de schuld niet wanneer de hele operatie een sof is.' Ik moet ze naar mij toe laten komen, dacht Leamas.

'Een sof is het niet,' antwoordde Fiedler, 'maar het is niet af. Dat kan niet. Je hebt ons niet verteld wat je *weet*. Ik zei dat je ons één goed stuk informatie verstrekt had. Ik bedoel ''Rolling Stone''. Laat ik het je nu nog eens vragen – wat zou *jij* doen als ik, of Peters of iemand anders zoals wij, *jou* een soortgelijk verhaal had gedaan?'

Leamas haalde zijn schouders op.

'Ik zou me niet op mijn gemak voelen,' zei hij, 'dat is al eerder gebeurd. Je krijgt een aanduiding of misschien wel meer dan een, dat er in een zekere afdeling of op een zeker niveau een spion zit. En wat dan? Je kunt niet de hele regeringsdienst arresteren. Je kunt geen val zetten voor een heel departement. Je houdt je dus voorlopig gedekt en hoopt op verdere ontwikkeling. Je houdt het in gedachten. Bij ''Rolling Stone'' kun je niet eens zeggen in welk land hij werkt.'

'Jij bent een man van de praktijk, Leamas,' merkte Fiedler lachend op, 'niet de man die de gevolgtrekkingen moet maken. Dat zie ik wel. Laat ik eens een paar eenvoudige vragen stellen.'

Leamas zei niets.

'Het dossier – het werkelijke dossier dat betrekking had op ''Rol-

110

ling Stone". Wat voor kleur had dat?'

'Grijs, met een rood kruis erop – dat betekende beperkte circulatie.'

'Was er buitenop nog iets aan bevestigd?'

'Ja, de Caveat. Dat is de circulatielijst. Met een verhaal erop dat enig onbevoegd persoon, wiens naam niet op de lijst voorkomt en die onverhoopt in het bezit van het dossier mocht raken, dit ongeopend moet retourneren aan de afdeling Bankzaken.'

'Wie stonden er op die circulatielijst?'

'Voor "Rolling Stone"?'

'Ja.'

'Controls P.A.*, Control, Controls secretaris, de afdeling Bankzaken, juffrouw Bream van Speciale Registratie en Satellites Four. Dat was alles, geloof ik. En Speciale Verzending neem ik aan – maar dat weet ik niet zeker.'

'Satellites Four? Wat doen die?'

'Landen achter het IJzeren Gordijn behalve de Sovjet-Unie en China. De Zone.'

'Bedoel je de Duitse Volks Republiek?'

'Ik bedoel de Zone.'

'Is het niet ongewoon dat een hele sectie op de circulatielijst geplaatst wordt?'

'Ja, dat is het waarschijnlijk wel. Ik zou het niet weten – ik heb nog nooit eerder dingen behandeld die slechts beperkt mochten circuleren. Behalve dan in Berlijn natuurlijk; maar daar was alles anders.'

'Wie waren er toentertijd in Satellites Four?'

'O, mijn god. Guillam, Haverlake en De Jong, dacht ik. De Jong was net terug uit Berlijn.'

'Waren ze allemaal gerechtigd dat dossier te zien?'

'Ik weet het niet, Fiedler,' antwoordde Leamas geïrriteerd, 'en als ik jou was...'

'Maar is het dan niet gek dat één hele sectie op die circulatielijst voorkwam terwijl al de anderen afzonderlijke personen waren?'

'Ik zeg je toch dat ik het niet weet – hoe kon ik het weten? Ik was alleen maar een klerk in dit hele gedoe.'

'Wie bracht het dossier van de ene bevoegde naar de andere?'

'Secretarissen, veronderstel ik – ik kan het me niet herinneren.

* Personal attendant. Iemand die speciaal is toegevoegd. (Vert.)

111

Het is alweer zoveel maanden terug...'

'Waarom stonden die secretarissen dan niet op de lijst? Die van Control stond er wel op.' Er heerste een ogenblik stilte.

'Nee, je hebt gelijk, ik herinner het me nu,' zei Leamas met een zweem van verwondering in zijn stem, 'we gaven de lijst persoonlijk door.'

'En wie hadden er van Bankzaken nog meer inzage in dat dossier?'

'Niemand. Dat was mijn taak toen ik bij die sectie kwam. Voordien was het een van de dames geweest, maar toen ik er kwam nam ik het over en werden zij van de lijst afgevoerd.'

'Dus toen gaf jij alleen het dossier door naar de volgende lezer?'

'Ja...ja, ik veronderstel van wel.'

'Aan wie gaf je het door?'

'Ik... ik kan het me niet meer herinneren.'

'*Denk na!*' Fiedler verhief zijn stem niet, maar deze hield een plotselinge aandrang in die Leamas verraste.

'Ik denk aan de P.A. van Control, om te laten zien welke actie we gevolgd of aanbevolen hadden.'

'Wie bracht het dossier?'

'Wat bedoel je?' Leamas' stem klonk alsof hij uit zijn evenwicht was geraakt.

'Wie bracht jou het dossier om te lezen? Iemand die op de lijst stond moet het je gebracht hebben.'

Leamas raakte een ogenblik zijn wang met zijn vingers aan in een onvrijwillige zenuwachtige beweging.

'Ja, dat moet wel. Zie je, Fiedler, het is nogal moeilijk; in die dagen dronk ik nogal zwaar,' zijn stem klonk eigenaardig bezwerend. 'Jij kunt je niet voorstellen hoe moeilijk het is...'

'Ik vraag je opnieuw: denk na. Wie bracht jou dat dossier?'

Leamas ging aan de tafel zitten en schudde zijn hoofd.

'Ik kan het me niet herinneren. Misschien schiet het me nog wel te binnen. Op het ogenblik kan ik het me stomweg niet herinneren, werkelijk niet. Het heeft geen zin er achteraan te jagen.'

'Het kan niet die juffrouw van Control geweest zijn, is het wel? Je gaf het dossier altijd *terug* aan de P.A. van Control. Dat heb je gezegd. Dus wie op die lijst stond moet het gelezen hebben voordat Control het kreeg.'

'Ja, ik veronderstel dat het zo is.'

'Zij was alleen degene die verantwoordelijk was voor de kluis

112

waarin de dossiers met beperkte circulatie werden bewaard. En daar werd ook dit dossier bewaard wanneer het niet in gebruik was.'

'Dan moet het dus,' zei Fiedler zachtjes, 'Satellites Four geweest zijn die het bij jou bracht, is het niet?'

'Tja, ik veronderstel van wel,' zei Leamas verslagen, alsof hij zich niet kon meten met het briljante intellect van Fiedler.

'Op welke verdieping werkte Satellites Four?'

'Op de tweede.'

'En Bankzaken?'

'Op de vierde. Naast Speciale Registratie.'

'Kun je je herinneren *wie* het naar boven bracht? Of kun je je herinneren dat je ooit naar beneden ging om het daar te halen?'

Leamas schudde zijn hoofd in wanhoop; toen wendde hij zich plotseling tot Fiedler en riep:

'Ja, ja, ik weet het! Natuurlijk herinner ik het me nu! Ik kreeg het van Peter!' Leamas scheen wakker te zijn geworden, zijn gezicht was verhit, opgewonden. 'Zo was het; ik heb eens het dossier bij Peter gehaald in zijn kamer. We hebben samen over Noorwegen gepraat. We hadden daar allebei gediend, zie je.'

'Peter Guillam?'

'Ja, Peter – ik was hem helemaal vergeten. Hij was een paar maanden tevoren uit Ankara teruggekomen. Hij stond op de lijst! Natuurlijk stond Peter daarop! Zo was het. Het was Satellites Four en PG tussen haakjes, Peters initialen. Iemand anders had het voordien gedaan en Speciale Registratie had een stukje wit papier over de oude naam geplakt en Peters initialen erop geschreven.'

'Wat was het door Guillam te bewerken gebied?'

'De Zone. Oost-Duitsland. Economische gegevens, hij had een kleine selectie, zo'n beetje een achterafgevalletje. Hij was de man. Hij heeft het dossier ook een keer bij me boven gebracht, ik herinner het me nu weer. Maar hij had geen agenten, ik weet eigenlijk niet goed hoe hij erbij betrokken raakte – Peter en nog een paar anderen waren bezig met een onderzoek naar voedseltekorten. Eigenlijk meer een schatting.'

'Sprak je er niet over met hem?'

'Nee, dat is taboe. Dat doet men niet met dossiers van dit soort. Daar had ik indertijd nog een preek over gekregen van die juffrouw in Speciale Registratie – Bream – geen discussies, geen vragen.'

'Maar als je de uitvoerige geheimhoudingsvoorzorgen rondom Rolling Stone in aanmerking neemt, dan is het toch ook mogelijk, niet waar, dat die zogenaamde researchbaan van Guillam bestond uit het leiden van die agent van Rolling Stone?'

'Ik heb tegen Peters gezegd,' schreeuwde Leamas bijna, terwijl hij met zijn vuist op tafel sloeg, 'dat het idioot is te veronderstellen dat er ook maar sprake zou hebben kunnen zijn van enige operatie tegen Oost-Duitsland zonder mijn voorkennis – zonder de voorkennis van de Berlijnse organisatie. Dat zou ik geweten hebben, begrijp je? Hoe vaak moet ik dat nog zeggen? Ik zou het geweten hebben!'

'Natuurlijk,' zei Fiedler zacht, 'natuurlijk zou jij dat geweten hebben.' Hij stond op en liep naar het venster.

'Je zou dit moeten zien in de herfst,' zei hij, naar buiten kijkend, 'het is prachtig wanneer de beuken van kleur veranderen.'

13. Spelden of paperclips

Fiedler vond het heerlijk om vragen te stellen. Soms, omdat hij advocaat was, stelde hij ze louter voor zijn eigen genoegen, om de wanverhouding aan te tonen tussen bewijs en volmaakte waarheid. Hij bezat echter die vasthoudende nieuwsgierigheid die voor verslaggevers en advocaten een doel in zichzelf is. Ze maakten die middag een wandeling, waarbij ze de grindweg volgden die naar de vallei voerde, en daarna het bos insloegen langs een brede landweg vol met kuilen en omzoomd met gevelde bomen. En al die tijd stelde Fiedler vragen, zonder zelf iets los te laten. Over het gebouw in Cambridge Circus en de mensen die daar werkten. Uit welke maatschappelijke klasse ze kwamen, in welke delen van Londen ze woonden, en of er echtparen werkten in dezelfde departementen? Hij vroeg naar de salarissen, de vacanties, het moreel, de cantine; hij vroeg naar hun liefdeleven, hun geroddel, hun levensbeschouwing. Vooral die levensbeschouwing had zijn grote belangstelling.

Voor Leamas was dit de moeilijkste vraag van allemaal.

'Wat bedoel je met levensbeschouwing?' antwoordde hij. 'We zijn geen Marxisten, we zijn niks. Gewoon mensen.'

'Zijn jullie dan christenen?'

'Niet veel van ons, dacht ik. Ik ken er niet veel.'

'Wat drijft hen dan tot dit werk?' hield Fiedler aan. 'Ze *moeten* een levensbeschouwing hebben.'

'Waarom? Misschien weten ze niet eens wat dat is, kan het ze zelfs niets schelen. Niet iedereen heeft een levensbeschouwing,' zei Lea-

114

mas een beetje hulpeloos.

'Vertel me dan eens wat jouw levensbeschouwing is?'

'O, in vredesnaam,' snauwde Leamas, en gedurende enige tijd liepen ze zwijgend voort. Maar Fiedler liet zich niet afschepen.

'Als ze dan niet weten wat ze willen, hoe kunnen ze er dan zo zeker van zijn dat ze gelijk hebben?'

'Wie voor de donder heeft dan gezegd dat ze daar zeker van zijn?' antwoordde Leamas geërgerd.

'Maar wat is dan de rechtvaardiging? Wat? Voor ons is het gemakkelijk, dat heb ik je gisteravond al verteld. De Abteilung en dergelijke organisaties zijn een verlengstuk van de machtige arm van de Partij. Zij vechten in de voorhoede van de strijd voor Vrede en Vooruitgang. Zij zijn voor de Partij wat de Partij is voor het socialisme: zij *zijn* de voorhoede. Stalin heeft het zelf gezegd' – hij liet een kort lachje horen – 'het is niet meer zo in de mode om Stalin aan te halen – maar hij heeft eens gezegd: "het liquideren van een half miljoen mensen is een statistisch gegeven, maar een enkele man die in een verkeersongeluk omkomt is een nationale ramp." Hij maakte zich vrolijk, zie je, over de burgerlijke gevoeligheden van de massa. Hij was een groot cynicus. Maar wat hij bedoelde is nog steeds waar: een beweging die zichzelf beschermt tegen contrarevolutie kan zich niet veroorloven terug te deinzen voor de exploitatie – of de eliminatie, Leamas – van een paar enkelingen. Het is allemaal hetzelfde, we hebben nooit de pretentie gehad dat we het helemaal bij het rechte eind hadden in het rationalisatieproces van de maatschappij. Heeft niet de een of andere Romein gezegd in de Christelijke Bijbel – "het is gepast dat een mens zal sterven wanneer vele anderen daarmee gebaat zijn"?'

'Dat zal wel,' zei Leamas vermoeid.

'Wat denk jij dan? Wat is jouw levensbeschouwing?'

'Ik denk dat jullie hele troep uit verdomde schooiers bestaat,' zei Leamas woest.

Fiedler knikte. 'Dat is een standpunt dat ik begrijp. Het is primitief, negatief en verbazend stom – maar het is een gezichtspunt, het bestaat. Maar hoe staat het nou met de rest van het Circus?'

'Dat weet ik niet. Hoe zou ik het weten?'

'Heb je dan nooit met hen over hun levensbeschouwing gesproken?'

'Nee. We zijn geen Duitsers.' Hij aarzelde en voegde er toen terloops aan toe: 'Ik neem aan dat ze de communisten niet mogen.'

115

'En dat rechtvaardigt dan bij voorbeeld het vernietigen van mensenlevens? Dat rechtvaardigt een bom in een vol restaurant, dat rechtvaardigt de snelheid waarmee jullie agenten afschrijven – al dat soort dingen?'

Leamas haalde zijn schouders op. 'Ik veronderstel van wel.'

'Want, zie je,' ging Fiedler verder, 'voor ons geldt dat, en ikzelf zou niet geaarzeld hebben een bom in een restaurant te leggen als dat ons weer iets verder op weg geholpen zou hebben. Daarna zou ik tegen elkaar afwegen: zoveel vrouwen, zoveel kinderen – en weer zo'n stuk verder op de af te leggen weg. Maar christenen – en jullie maatschappij is christelijk –, christenen mogen die niet tegen elkaar afwegen.'

'Waarom niet? Ze moeten zich toch zeker verdedigen?'

'Maar zij geloven in de heiligheid van het menselijk leven. Zij geloven dat iedere mens een ziel heeft die gered kan worden. Zij geloven in zelfopoffering.'

'Ik weet het niet. Het kan me ook niet schelen,' voegde Leamas eraan toe. 'Stalin kon het ook niet schelen, is het wel?'

Fiedler glimlachte. 'Ik mag de Engelsen wel,' zei hij, bijna tot zichzelf. 'Dat was met mijn vader ook al het geval. Hij mocht de Engelsen bijzonder graag.'

'Wat geeft dàt me een lekker warm gevoel van binnen,' zei Leamas, en verviel weer in stilte.

Ze stonden even stil terwijl Fiedler Leamas een sigaret gaf en die voor hem aanstak.

Ze klommen nu zeer steil. Leamas hield van deze lichaamsoefening en liep met grote stappen voorop, de schouders naar voren. Fiedler volgde hem, licht en vlug, als een terriër zijn meester. Ze moesten zo minstens een uur gelopen hebben, misschien langer, toen plotseling de bomen boven hen ophielden en de hemel zichtbaar werd. Ze hadden de top van een kleine heuvel bereikt en konden nu neerkijken op de dichte massa dennebomen, slechts hier en daar verbroken door grote, grijze groepen beuken. Aan de overkant van de vallei kon Leamas juist de jachthut zien, hangende tegen de zijwand, net onder de top van de heuvel tegenover hem. In het midden van het ontgonnen open stuk waar ze zich bevonden stond een ruwe bank naast een stapel stammen en de vochtige overblijfselen van een houtskoolvuur.

'We zullen een poosje gaan zitten,' zei Fiedler, 'en dan moeten we terug.' Hij wachtte een ogenblik. 'Vertel me eens, dat geld, die grote sommen in buitenlandse banken – waar dacht je dat die voor waren?'

'Wat bedoel je? Dat heb ik je gezegd, het waren betalingen aan een agent.'

'Een agent van achter het IJzeren Gordijn?'

'Ja, dat dacht ik tenminste,' antwoordde Leamas vermoeid.

'Waarom dacht je dat?'

'Ten eerste omdat het een verdomde hoop geld was. En dan al dat ingewikkelde gedoe om hem te betalen, de speciale veiligheidsmaatregelen. En dan natuurlijk het feit dat Control ermee te maken had.'

'Wat dacht je dat de agent deed met het geld?'

'Luister, ik heb je al gezegd – ik weet het niet. Ik weet niet eens of hij het ooit heeft opgenomen. Ik wist niets – ik was gewoon de loopjongen van het Bureau.'

'Wat deed je met de rekening-courantboekjes?'

'Die leverde ik in zo gauw als ik in Londen terugkwam – samen met mijn valse paspoort.'

'Hebben de banken in Kopenhagen of Helsinki je ooit in Londen geschreven – naar je alias, bedoel ik?'

'Dat weet ik niet. Ik veronderstel dat alle eventuele brieven toch direct naar Control werden doorgestuurd.'

'De valse handtekeningen die je gebruikte om rekeningen te openen – had Control daar een voorbeeld van?'

'Ja. Ik oefende daar intensief op en zij hadden voorbeelden.'

'Meer dan een?'

'Ja, bladzijden vol.'

'Juist. Dan konden er dus brieven naar de banken gestuurd worden nadat jij er een rekening geopend had. Dat hoefde je niet te weten. Ze konden de handtekeningen vervalsen en de brieven konden worden verstuurd zonder dat jij het wist.'

'Ja. Dat is waar. Ik veronderstel dat het ook wel eens gebeurde. Ik tekende ook een hele voorraad blanco vellen. Ik heb altijd aangenomen dat iemand anders de correspondentie voerde.'

'Maar je hebt nooit werkelijk iets van een dergelijke correspondentie *geweten*?'

Leamas schudde zijn hoofd. 'Je ziet het helemaal verkeerd,' zei hij, 'je ziet het buiten alle proporties. Natuurlijk circuleerde er een hoop papier – dat behoorde nu eenmaal tot de dagelijkse werkzaamheden. Het was niet iets waarbij ik lang stilstond. Waarom zou ik? Het was geheim, maar ik ben mijn hele leven betrokken geweest bij

117

zaken waarvan je slechts een gedeelte wist en iemand anders de rest. Bovendien verveelde al dat papier me gruwelijk. Ik heb er echt geen uur minder om geslapen. Ik vond die reisjes fijn natuurlijk – ik kreeg een reistoelage tot een bedrag gelijk aan operationeel salaris, dat kwam erbij. Maar ik zat heus niet de hele dag aan mijn bureau over "Rolling Stone" te piekeren. Bovendien,' voegde hij er met een ietwat beschaamd gezicht aan toe, 'zat ik nogal behoorlijk achter de fles aan.'

'Dat heb je al gezegd,' was Fiedlers commentaar, 'en ik wil je natuurlijk graag geloven.'

'Het kan me wat verdommen of je me al of niet gelooft,' antwoordde Leamas driftig.

Fiedler glimlachte.

'Daar ben ik blij om. Dat is jouw verdienste,' zei hij, 'dat is jouw grote verdienste. Het is de verdienste van de onverschilligheid. Soms een beetje haatdragend, soms een beetje trots, maar dat doet er niet toe, zij zijn als de vervormingen van een bandrecorder. Je bent objectief. Ik heb bedacht,' vervolgde Fiedler na een korte pauze, 'dat je ons nog zou kunnen helpen vaststellen of er ooit iets van dat geld was opgenomen. Er is niets dat je hoeft te weerhouden naar die banken te schrijven en om een opgave van de tegenwoordige stand van de rekening te vragen. We zouden kunnen zeggen dat je op het ogenblik in Zwitserland verblijft; gebruik het een of andere correspondentieadres. Heb je daar enig bezwaar tegen?'

'Misschien lukt het. Het hangt ervan af of Control zelf met de bank heeft gecorrespondeerd, over mijn gefingeerde handtekening. Dan zou het wel eens niet kunnen kloppen.'

'Ik geloof niet dat we veel te verliezen hebben.'

'Wat kun je ermee winnen?'

'Als dat geld is opgenomen, en ik geef toe dat dat twijfelachtig is, dan weten we waar de agent op een gegeven dag was. Het lijkt me wel nuttig om dat te weten.'

'Je droomt, man. Je zult hem met behulp van dat soort informatie nooit vinden, Fiedler. Wanneer hij eenmaal in het Westen is, kan hij naar elk consulaat gaan, zelfs in een kleine stad, en daar kan hij dan een visum voor een ander land krijgen. Wat word je daar wijzer van? Je weet niet eens of de man een Oostduitser is. Wat denk je toch te bereiken?'

Fiedler antwoordde niet direct. Hij staarde afgetrokken over de vallei heen.

'Je zei dat je eraan gewend bent maar een gedeelte te weten, en ik kan je vraag niet beantwoorden zonder je dingen te vertellen die je eigenlijk niet mag weten,' hij aarzelde, 'maar "Rolling Stone" was een operatie tegen ons, dat kan ik je verzekeren.'

'Ons?'

'De DDR.' Hij glimlachte. 'De Zone, als je dat liever hebt. Ik ben heus niet zo gevoelig.'

Leamas sloeg Fiedler nu gade, terwijl zijn bruine ogen nadenkend op hem gericht waren.

'Maar hoe staat het nou met mij?' vroeg hij. 'Veronderstel dat ik die brieven niet schrijf?' Hij sprak luider. 'Wordt het geen tijd eens over mij te praten, Fiedler?'

Fiedler knikte.

'Waarom niet?' zei hij inschikkelijk. Een ogenblik heerste er stilte, toen zei Leamas:

'Ik heb mijn deel bijgedragen, Fiedler. Jij en Peters samen weten alles wat ik weet. Ik heb nooit ingestemd met het schrijven naar banken – zoiets zou verdomd gevaarlijk kunnen zijn. Dat kan jou niet schelen, dat weet ik wel. Wat jou betreft kan ik verder verrekken.'

'Laat ik eens even openhartig mogen zijn,' antwoordde Fiedler. 'Zoals je weet, zijn er twee stadia in de ondervraging van een overloper. In jouw geval is het eerste stadium nu bijna afgelopen; je hebt ons alles verteld wat we genoegzaam kunnen vastleggen. Je hebt ons niet verteld of je Dienst spelden of paperclips prefereert, omdat we je dat niet gevraagd hebben en omdat jij het niet belangrijk genoeg achtte het ons uit jezelf te vertellen. Aan beide kanten is het een kwestie van onbewuste selectie. Nu is het altijd mogelijk – en dat is het moeilijke van het geval, Leamas –, het is altijd nog heel goed mogelijk dat we over een paar maanden ineens verschrikkelijk graag alles zouden willen weten van die spelden en die paperclips. Dat is wat normaliter verwerkt wordt in het tweede stadium, dat gedeelte van de overeenkomst dat je in Nederland geweigerd hebt.'

'Je bedoelt dat je me zo lang in reserve gaat houden?'

'Het beroep van overloper,' merkte Fiedler met een glimlach op, 'vraagt groot geduld. Zeer weinigen kunnen dit opbrengen.'

'Hoe lang?' hield Leamas aan.

Fiedler zweeg.

'Nou?'

Fiedler begon plotseling met klem te spreken. 'Ik geef je mijn erewoord dat ik je zo gauw mogelijk het antwoord op je vraag zal geven. Luister – ik zou je rustig wat kunnen voorliegen, is het niet? Ik zou kunnen zeggen een maand, of minder, alleen maar om je kalm te houden. Maar ik zeg je dat ik het niet weet omdat dat de waarheid is. Je hebt ons een paar aanwijzingen gegeven; totdat we de juistheid ervan onderzocht hebben kan er geen sprake van zijn je te laten gaan. Maar wanneer later de zaken er voor blijken te staan zoals ik denk dat het geval is, zul je een vriend nodig hebben, en die vriend zal ik zijn. Ik geef je mijn erewoord als Duitser.'

Leamas was zo verbaasd dat hij een ogenblik bleef zwijgen.

Tenslotte zei hij: 'Goed, ik zal het spelletje meespelen, Fiedler, maar als je me aan het lijntje houdt zal ik je op de een of andere manier je nek breken.'

'Misschien is dat niet nodig,' antwoordde Fiedler kalm.

Een man die een rol speelt, niet tegenover anderen, maar voortdurend, is blootgesteld aan grote psychologische gevaren. Op zichzelf is bedriegen niet zo moeilijk, het is een kwestie van gewoonte, van vakbekwaamheid, het is een vaardigheid die de meesten onder ons zich wel eigen kunnen maken. Maar terwijl de oplichter, de bedrieger of de gokker na zijn prestaties zich weer kan scharen onder de rijen van zijn bewonderaars, is een dergelijke verademing voor een geheim agent niet weggelegd. Voor hem is bedrog in eerste instantie een kwestie van zelfverdediging. Hij moet zichzelf beschermen niet alleen naar buiten toe, maar ook naar binnen en wel tegen de meest natuurlijke opwellingen: al verdient hij een fortuin, zijn rol kan hem verbieden zelfs maar een scheermes te kopen; hoe geleerd hij ook is, hij moet zich misschien bepalen tot het mompelen van algemeenheden; hoewel hij zeer wel een liefhebbend echtgenoot en vader kan zijn, moet hij er onder alle omstandigheden voor waken dat hij het stilzwijgen bewaart tegenover hen die hij van nature geneigd is het eerst in vertrouwen te nemen.

Leamas, die zich bewust was van de overstelpende verzoekingen waardoor een mens bestormd wordt die voortdurend alleen is met zijn bedrog, nam zijn toevlucht tot de gedragslijn die hem daartegen het beste wapende: zelfs wanneer hij alleen was, dwong hij zich te leven als de persoonlijkheid die hij had aangenomen. Men beweert dat Balzac op zijn sterfbed bezorgd informeerde naar de gezondheid en de welstand van de figuren die hij geschapen had. Op gelijke wijze vereenzelvigde Leamas, die er slag van had bepaalde eigenschappen aan te nemen, zich met de man die hij wilde voorstellen. De eigenschappen die hij voor Fiedler tentoonstelde: de rusteloze onze-

120

kerheid, de beschermende arrogantie die schaamte verborg, waren ook niet louter aanwensels, maar uitbreidingen van hoedanigheden die hij in werkelijkheid bezat; vandaar ook het lichte sloffen, zijn slordig uiterlijk, de onverschilligheid voor voedsel en steeds sterker terugvallen op alcohol en tabak. Wanneer hij alleen was hield hij trouw vast aan deze gewoonten. Hij overdreef ze zelfs een beetje en mopperde in zichzelf over de onrechtvaardigheden van de Dienst.

Slechts zeer zelden, zoals nu, toen hij die avond naar bed ging, veroorloofde hij zich de gevaarlijke luxe de grote leugen te erkennen waarin hij leefde.

Control had het volkomen bij het rechte eind gehad. Fiedler liep, als een slaapwandelaar, in het net dat Control voor hem gespannen had. Het was angstwekkend de groeiende gelijkgezindheid te observeren tussen Fiedler en Control; het leek wel alsof ze het eens geworden waren over een plan en Leamas gestuurd was om het uit te voeren.

Misschien was dat het antwoord. Misschien was Fiedler het Speciale Belang voor het behoud waarvan Control zo wanhopig vocht. Leamas bleef bij deze mogelijkheid niet stilstaan. Hij wilde het niet weten. In dat soort zaken was hij volkomen zonder enige nieuwsgierigheid, hij wist dat er niets goeds kon voortkomen uit zijn deducties. Ondanks dat hoopte hij dat het in godsnaam waar was. In dat geval was het mogelijk, maar ook niet meer dan mogelijk, dat hij nog eens een keer naar huis kon.

14. Brief aan een cliënt

Leamas lag nog in bed toen Fiedler hem de volgende morgen de brieven bracht om te tekenen. De ene was op het dunne, blauwe schrijfpapier van het Seiler Hotel Alpenblick, Spiezmeer, Zwitserland, de andere van het Palace Hotel te Gstaad. Leamas las de eerste brief:

'Aan de Directeur van de Royal Scandinavian Bank Ltd.,
Kopenhagen.

Mijnheer,
Ik ben gedurende enige weken op reis geweest en heb gedurende die tijd geen correspondentie uit Engeland ontvangen. Dientenge-

volge mocht ik uw antwoord nog niet vernemen op mijn brief van 3 maart, waarin ik u verzocht mij de laatste stand op te geven van de gezamenlijke depositorekening van de heer Karlsdorf en mij. Ter voorkoming van verdere vertraging zou ik het ten zeerste op prijs stellen indien u mij een duplicaat van genoemde opgave wilde doen toekomen aan onderstaand adres, waar ik vanaf 21 april gedurende twee weken zal verblijven.

c/a Madame Y. de Sanglot,
13 Avenue des Colombes,
Paris XII,
France.

Onder aanbieding van mijn excuses voor de hierdoor veroorzaakte moeite, verblijf ik hoogachtend, (Robert Lang)'

'Wat betekent dat allemaal over een brief van 3 maart?' vroeg hij. 'Ik heb ze helemaal geen brief geschreven.'

'Nee, dat heb je ook niet. En voor zover wij weten niemand. Daar zal de bank dan wel over tobben. Als er enige tegenstrijdigheid bestaat tussen de brief die we hun nu sturen en brieven die ze mogelijk van Control gehad hebben, dan zullen ze aannemen dat de oplossing hiervoor gezocht moet worden in de *zoekgeraakte* brief van 3 maart. Hun reactie zal dan zijn dat ze jou de gevraagde gegevens sturen, met een begeleidend briefje dat ze tot hun spijt je brief van de derde niet ontvangen hebben.'

De tweede brief was gelijk aan de eerste, alleen de namen waren verschillend. Het adres in Parijs was hetzelfde. Leamas nam een blanco vel papier en zijn vulpen en schreef een half dozijn keren met een lopende hand 'Robert Lang', waarna hij de eerste brief tekende. Daarna hield hij zijn pen schuin naar achter en oefende op de tweede handtekening totdat hij tevreden was, en zette toen 'Stephen Bennett' onder de tweede brief.

'Bewonderenswaardig,' merkte Fiedler op, 'werkelijk bewonderenswaardig.'

'Wat doen we nou?'

'Ze worden morgen in Zwitserland gepost, in Interlaken en Gstaad. Onze mensen in Parijs zullen mij de antwoorden telegraferen zo gauw ze komen. Binnen een week zullen we het antwoord hebben.'

'En tot zolang?'

'Zullen we voortdurend in elkaars gezelschap zijn. Ik weet dat je dat onaangenaam is en ik bied je mijn excuses aan. Ik had zo gedacht dat we wandelingen of ritten zouden kunnen maken, de heuvels in, om de tijd te doden. Ik wil dat je je wat ontspant en wat praat; praat over Londen, over Cambridge Circus en het werk in het departement; vertel me eens iets over het geroddel, over de salarissen, de verloven, de kamers, het papierwerk en de mensen. De spelden en de paperclips. Ik wil al die kleinigheden weten die er eigenlijk niets toe doen. Tussen haakjes...' Plotseling sprak hij op een andere toon.

'Ja?'

'We hebben hier ook mogelijkheden voor mensen die..., voor mensen die gedurende enige tijd bij ons zijn. Mogelijkheden voor wat afleiding en zo.'

'Bied je me een vrouw aan?'

'Ja.'

'Nee, dank je. In tegenstelling met jou ben ik nog niet zover dat ik een koppelaar nodig heb.'

Fiedler scheen zich van dit antwoord niets aan te trekken. Snel ging hij verder.

'Maar je had toch een vrouw in Engeland, is het niet - dat meisje in de bibliotheek?'

Leamas wendde zich naar hem toe, zijn beide handen open langs zijn zijden.

'Eén ding!' schreeuwde hij. 'Alleen dit éne ding - spreek hierover nooit meer, niet als een grap, niet als een dreigement, zelfs niet om de duimschroeven aan te draaien, Fiedler, want dat lukt je toch niet, nooit; ik zou vanaf dat ogenblik mijn mond dichthouden, zie je, je zou geen stom woord meer uit me krijgen zolang ik leefde. Vertel ze dat maar, Fiedler, aan Mundt en Stammberger of aan welke rat dan ook die je opdroeg dit te zeggen - vertel ze maar wat ik gezegd heb.'

'Ik zal het ze zeggen,' antwoordde Fiedler, 'ik zal het ze zeggen. Maar het is misschien al te laat.'

's Middags gingen ze weer wandelen. De hemel was donker en dreigend, de lucht was warm.

'Ik ben maar één keer in Engeland geweest,' merkte Fiedler terloops op, 'dat was op mijn reis naar Canada, met mijn ouders, vóór de oorlog. Ik was toen natuurlijk nog een kind. We zijn er twee dagen geweest.'

Leamas knikte.

'Ik kan je dit nu vertellen,' ging Fiedler verder, 'bijna was ik er een paar jaar geleden heen gegaan. Ik zou Mundt gaan vervangen bij de Staal Missie – wist je dat hij één keer in Londen geweest is?'

'Dat wist ik,' antwoordde Leamas geheimzinnig.

'Ik heb me altijd afgevraagd wat dat voor een baan zou zijn.'

'Het gebruikelijke spelletje van contact houden met de andere Missies van het Blok, veronderstel ik. Ook nog iets van contact met het Britse zakenleven – maar niet te veel.' Leamas sprak op verveelde toon.

'Maar Mundt heeft het heel aardig gedaan, hij vond het erg gemakkelijk.'

'Dat heb ik gehoord,' zei Leamas, 'hij zag zelfs kans nog een paar mensen te vermoorden.'

'Dus dat had je ook gehoord?'

'Van Peter Guillam. Hij werkte aan dit geval samen met George Smiley. Het scheelde een haar of Mundt had George ook vermoord.'

'De zaak Fennan,' peinsde Fiedler. 'Eigenlijk was het verbazingwekkend dat Mundt erin slaagde te ontsnappen, vind je niet?'

'Ik veronderstel van wel, ja.'

'Wie zou nou gedacht hebben dat een vent wiens foto en gegevens bij het ministerie van buitenlandse zaken berustten als lid van een buitenlandse Missie, een schijn van kans zou hebben tegen de gehele Britse Geheime Dienst!'

'Ik heb gehoord,' zei Leamas, 'dat ze er helemaal niet zo op gebrand waren hem te pakken te krijgen.'

Plotseling stopte Fiedler.

'Wat zei je daar?'

'Peter Guillam vertelde me dat hij vermoedde dat ze Mundt helemaal niet wilden hebben, dat zei ik. Toentertijd hadden we een andere organisatie – een adviseur in plaats van operationele controle –, een man die Maston heette. Maston had van het begin af aan al een knappe rotzooi gemaakt van die Fennan-zaak, beweerde Guillam. Peter nam aan dat er, als ze Mundt gepakt hadden, een enorme rel van gekomen zou zijn – hij zou dan voor de rechter gebracht zijn en vermoedelijk was hij dan veroordeeld en opgehangen. Maar al de vuiligheid die er gedurende het proces te voorschijn gekomen zou zijn, had zonder twijfel het einde betekend van Mastons carrière. Peter heeft nooit geweten wat er precies gebeurde, maar hij was er verdomd zeker van dat er geen jacht op grote schaal ontketend werd om Mundt te vinden.'

'Weet je dat zeker, weet je zeker dat Guillam je dat met zoveel woorden gezegd heeft? Geen jacht op grote schaal?'

'Natuurlijk weet ik dat zeker.'

'Heeft Guillam nooit een andere reden geopperd waarom men Mundt misschien heeft laten gaan?'

'Wat bedoel je?'

Fiedler schudde zijn hoofd en ze liepen voort langs het pad.

'De Staal Missie werd naar huis gestuurd na de zaak Fennan,' merkte Fiedler een ogenblik later op, 'dat was de reden waarom ik niet gegaan ben.'

'Mundt moet gek geweest zijn. Misschien dat je met succes moorden kunt plegen in de Balkan – of hier –, maar niet in Londen.'

'Maar het is hem dan toch maar gelukt, is het niet?' viel Fiedler in. 'En hij heeft goed werk gedaan.'

'Zoals het aanstellen van Kiever en Ashe? De Heer sta hem bij.'

'Maar die Fennan-vrouw hebben ze toch lang genoeg gebruikt.'

Leamas haalde de schouders op.

'Vertel me nog eens wat anders over Karl Riemeck,' begon Fiedler weer. 'Hij heeft Control een keer ontmoet, is het niet?'

'Ja, in Berlijn, ongeveer een jaar geleden, misschien iets langer.'

'Waar vond die ontmoeting plaats?'

'We ontmoetten elkaar in mijn flat.'

'Waarom?'

'Control vond het fijn erbij te zijn als er succes geboekt was. We hadden een verdomde hoop goed werk van Karl gehad – ik veronderstel dat dat Londen goed bevallen was. Hij maakte een korte reis naar Berlijn en vroeg me een ontmoeting te arrangeren.'

'Vond je dat goed?'

'Waarom zou ik niet?'

'Hij was jouw agent. Je zou er best op tegen hebben kunnen zijn hem in kennis te brengen met andere hoofden van operaties.'

'Dat was Control niet, hij is hoofd van het departement. Dat wist Karl en het streelde zijn ijdelheid.'

'Waren jullie de hele tijd met je drieën?'

'Ja. Of, nee, niet de hele tijd. Ik liet ze een kwartier of zo alleen – niet langer. Control wou dat – hij wou een paar minuten alleen zijn met Karl, de hemel mag weten waarom, en dus ging ik even de flat uit met het een of andere excuus, ik weet niet meer welk. O – ik weet het al, ik deed alsof we geen Scotch meer hadden. Maar ik ging alleen even een fles halen bij De Jong.'

'Weet je wat er tussen hen heeft plaatsgevonden terwijl je weg was?'

'Hoe kon dat? Bovendien interesseerde het me geen steek.'

'Heeft Karl het je dan niet verteld later?'

'Ik heb het hem niet gevraagd. In sommige dingen was Karl een brutale vlegel, die het altijd deed voorkomen alsof hij iets over me wist waarmee hij me in zijn macht had. De manier waarop hij over Control ginnegapte beviel me niet. Hij had natuurlijk het volste recht om over Control te grinniken – het was een tamelijk idiote vertoning. In feite lachten we er samen nog wat om. Er was geen enkele aanleiding om Karls verwaandheid nog verder te prikkelen; de hele ontmoeting was bedoeld om hem een extra injectie te geven.'

'Was Karl dan gedeprimeerd?'

'Nee, integendeel. Hij was al bedorven. Hij werd te zwaar betaald, hij hield te veel van de vrouwtjes en hij werd te veel vertrouwd. Het was gedeeltelijk mijn schuld en gedeeltelijk die van Londen. Als wij hem niet zo verwend hadden, zou hij die verdomde griet van hem niet over zijn net verteld hebben.'

'Elvira?'

'Ja.' Een poosje wandelden ze in stilte verder, totdat Fiedler zijn eigen dromerij onderbrak met de opmerking:

'Ik begin me tot je aangetrokken te voelen. Maar er is één ding dat me bevreemdt. Het is gek. Voor ik je ontmoette had ik me daar nooit zorgen over gemaakt.'

'Wat is dat?'

'Waarom je in vredesnaam hier bent gekomen. Waarom je een verrader werd.' Leamas wilde wat gaan zeggen, toen Fiedler lachte. 'Ik vrees dat dat niet erg tactvol was, hè?' zei hij.

Ze brachten die week door met in de heuvels te wandelen. 's Avonds keerden ze naar de jachthut terug, kregen een slechte maaltijd voorgezet die ze met een fles ordinaire witte wijn naar binnen spoelden en zaten daarna eindeloos voor het open vuur met hun Steinhäger. Dat vuur scheen een idee van Fiedler te zijn – in het begin hadden ze dat niet, totdat Leamas hem op een dag aan een bewaker opdracht hoorde geven wat houtblokken te brengen. Daarna vond Leamas de avonden niet meer zo erg; na de gehele dag in de open lucht, bij het houtvuur en de sterke alcohol, praatte hij zonder daartoe te hoeven worden aangespoord, kletste maar raak over de tijd die hij bij de

Dienst was. Leamas vermoedde dat het opgenomen werd. Het liet hem koud.

Terwijl iedere dag op dezelfde wijze voorbijging, bemerkte Leamas een stijgende spanning bij zijn metgezel. Eens gingen ze uit in de DKW – het was laat in de avond – en stopten bij een telefooncel. Fiedler liet hem in de wagen achter met de sleutels en had een lang telefoongesprek. Toen hij terugkwam zei Leamas: 'Waarom heb je niet vanuit het huis gebeld?', maar Fiedler schudde slechts het hoofd.

'We moeten oppassen,' antwoordde hij, 'jij moet ook oppassen.'

'Waarom? Wat is er aan de hand?'

'Dat geld dat je op die Kopenhaagse Bank gestort hebt – daar hebben we over geschreven, herinner je je?'

'Natuurlijk herinner ik me dat.'

Meer wou Fiedler niet zeggen, zwijgend reed hij de heuvels in. Daar stopten ze. Beneden hen, half verscholen achter een spookachtig decor van hoge pijnbomen, lag het punt waar twee grote valleien bij elkaar kwamen. De steile, beboste heuvels aan beide kanten stonden geleidelijk hun kleuren af aan de toenemende duisternis, totdat ze daar grauw en levenloos in de schemer stonden.

'Wat er ook gebeuren mag,' zei Fiedler, 'wees niet bezorgd. Het komt allemaal in orde, begrijp je?' Zijn stem was zeer nadrukkelijk, zijn slanke hand rustte op Leamas' arm. 'Misschien moet je voor een korte tijd op jezelf passen, maar lang zal dat niet duren, begrijp je?' vroeg hij weer.

'Nee, en daar je niet van plan schijnt te zijn me iets te vertellen, zal ik maar afwachten en zien wat ervan komt. Maar maak je niet al te druk over mijn huid, Fiedler.' Hij bewoog zijn arm, maar Fiedlers hand hield hem nog steeds vast. Leamas had er een hekel aan aangeraakt te worden.

'Ken je Mundt?' vroeg Fiedler. 'Heb je van hem gehoord?'

'We hebben over Mundt gesproken, niet?'

'Ja,' herhaalde Fiedler, 'we hebben over hem gesproken. Hij schiet eerst en stelt dan pas vragen. Het afschrikkende principe. Het is een eigenaardig systeem bij een beroep waarin vragen altijd belangrijker geacht worden dan schieten.' Leamas wist wat Fiedler hem vertellen wilde. 'Het is een eigenaardig systeem, tenzij je bang bent voor de antwoorden,' vervolgde Fiedler fluisterend.

Leamas wachtte. Na een ogenblik zei Fiedler:

'Hij heeft nog nooit eerder zelf aan de ondervragingen deelgenomen. Voordien heeft hij dat altijd aan mij overgelaten. Hij placht tegen me te zeggen: "Ondervraag jij ze maar, Jens, dat kan niemand zo goed als jij. Ik zal ze wel vangen en laat jij ze maar zingen." Hij placht te zeggen dat mensen die zich met de contraspionage bezighouden, vergeleken kunnen worden met schilders – ze hebben een man met een hamer nodig die achter hen staat om toe te slaan wanneer ze hun werk beëindigd hebben, anders vergeten ze wat ze eigenlijk wilden bereiken. "Ik zal je hamer wel zijn," zei hij dan. Eerst was het een grap tussen ons beiden, maar daarna werd het belangrijk; toen hij begon ze te doden, ze te doden nog voor ze gezongen hadden, net zoals je zei, één hier, één daar, neergeschoten of vermoord. Ik vroeg hem, ik smeekte hem: "Waarom arresteer je ze niet? Waarom geef je ze mij niet een maand of twee? Wat heb je aan ze als ze dood zijn?" Hij schudde alleen maar zijn hoofd en zei dat er een wet was die eiste dat distels werden neergemaaid voor ze konden bloeien. Ik had het gevoel dat hij dat antwoord al had voorbereid voor ik ooit de vraag gesteld had. Hij is een goed operateur, heel goed. Hij heeft bij de Abteilung wonderen verricht, dat weet je. Hij heeft er theorieën over; ik heb vaak tot laat in de nacht met hem zitten praten. Hij drinkt koffie – niets anders –, alleen maar koffie, de hele tijd door. Hij zegt dat Duitsers te veel aan zelfbeschouwing doen om goede agenten te zijn en dat het allemaal uitkomt in de contraspionage. Hij zegt dat de mensen van die dienst zijn als wolven die aan kale botten knagen – die moet je van ze afnemen en ze naar een nieuwe prooi laten zoeken – en dat zie ik ook allemaal wel in, ik weet wat hij bedoelt. Maar hij is te ver gegaan. Waarom heeft hij Viereck gedood? Waarom heeft hij hem mij afgenomen? Viereck was een verse prooi, we hadden nog niet eens het vlees van de botten gehaald, zie je. Dus waarom nam hij mij die af? Waarom, Leamas, waarom?' De hand die op Leamas' arm lag hield deze thans in een vaste greep: in het volslagen donker van de wagen was Leamas zich bewust van de ontstellende heftigheid van Fiedlers gemoedsbeweging.

'Nacht en dag heb ik erover nagedacht. Vanaf het ogenblik dat Viereck werd neergeschoten heb ik naar een reden gezocht. Eerst scheen het ongelooflijk. Ik zei tegen mezelf dat ik jaloers was, dat het werk me naar mijn hoofd steeg, dat ik achter iedere boom verraad zag; zo worden we, de mensen van onze wereld. Maar ik kon het niet laten, Leamas, ik moest het antwoord weten. Voordien waren er ook al zulke dingen gebeurd. Hij was bang – hij was bang dat we er een zouden vangen die te veel zou kunnen zeggen!'

'Wat zeg je nou toch? Je bent niet goed bij je hoofd,' zei Leamas met een spoor van angst in zijn stem.

'Het klopte allemaal te goed, zie je. Mundt ontsnapte te gemakkelijk uit Engeland, dat heb je me zelf verteld. En wat zei Guillam tegen je? Hij zei dat ze hem niet wilden pakken! Waarom niet? Ik zal het je zeggen – hij werkte voor hen; ze hadden hem te pakken gekregen en naar hun hand gezet en dat was de prijs voor zijn vrijheid – dat en het geld dat ze hem betaalden.'

'Ik zeg je dat je niet goed bij je hoofd bent!' siste Leamas. 'Hij zal je vermoorden als hij ooit zelfs maar denkt dat je dit soort dingen verzint. Het zit allemaal wel goed, Fiedler. Hou nou je kop dicht en laten we naar huis gaan.' Eindelijk verslapte de krampachtige greep op Leamas' arm.

'En daarin vergis jij je nou precies. Je hebt me zelf het antwoord verschaft, Leamas. En daarom hebben we elkaar nodig.'

'Het is niet waar!' schreeuwde Leamas. 'Hoe vaak heb ik je nu al gezegd dat ze het niet gedaan kunnen hebben! Het bestaat niet dat het Circus hem gebruikt zou hebben tegen de Zone buiten mijn medeweten! Het was stomweg een administratieve onmogelijkheid. Je probeert mij wijs te maken dat Control persoonlijk het plaatsvervangend hoofd van de Abteilung dirigeerde zonder dat het Bureau in Berlijn daar iets van afwist. Je bent gek, Fiedler, je bent verdomme hartstikke gek!' Plotseling begon hij zachtjes te lachen. 'Je wilt zijn baan hebben, arme bliksem; dat is niets nieuws, weet je. Maar wat je nou probeert hebben ze honderd jaar geleden al opgegeven.' Gedurende een ogenblik sprak geen van beiden.

'Dat geld,' zei Fiedler, 'in Kopenhagen. De bank heeft je brief beantwoord. De directie is zeer bezorgd dat er een fout gemaakt zou zijn. Je mede-ondertekenaar heeft het geld opgenomen precies een week nadat jij het gestort had. De datum waarop dat gebeurde valt samen met een tweedaags bezoek dat Mundt in februari aan Denemarken bracht. Hij ging daar heen onder een alias om een Amerikaanse agent van ons te ontmoeten die deelnam aan een wetenschappelijke wereldconferentie.' Fiedler aarzelde en voegde er toen aan toe: 'Nu moet je de Bank zeker berichten dat alles volkomen in orde is?'

15. Uitnodiging voor het bal

Liz keek naar de brief van de Partij Centrale en vroeg zich af wat het allemaal te betekenen had. Ze vond het wel wat vreemd. Ze moest toegeven dat ze het prettig vond, maar waarom had men haar niet eerst geraadpleegd? Had het Districtscomité haar voorgesteld of was het de keuze van de Centrale zelf? Maar daar kende niemand haar voor zover zij wist. Ze had natuurlijk wel eens deze en gene spreker ontmoet en op het Districtscongres had ze een handdruk gewisseld met de organisator. Misschien had die man van de culturele relaties zich haar herinnerd – die blonde, nogal verwijfde man, die zo beminnelijk was. Ashe, zo heette hij. Hij had zich nogal voor haar geïnteresseerd, en ze veronderstelde dat hij misschien haar naam had doorgegeven, of aan haar gedacht had toen de studiebeurs ter sprake kwam. Een eigenaardige man was dat; hij had haar na de meeting meegenomen naar de 'Black and White' voor een kopje koffie en had naar haar vrienden gevraagd. Hij had niet verliefd gedaan of zo – eigenlijk vond ze hem wel een beetje een rare –, maar hij vroeg haar honderduit over haarzelf. Hoe lang was ze al in de Partij, kreeg ze geen heimwee zo ver van haar ouders? Had ze veel vrienden of had ze één speciale vlam? Ze had niet veel om hem gegeven, maar zijn lezing had toch wel indruk op haar gemaakt – de arbeidersstaat in de Duitse Democratische Republiek, het concept van de arbeiderdichter en al dat fraais meer. Hij was zeer zeker uitstekend op de hoogte met Oost-Europa, hij moest wel veel gereisd hebben. Zij had verondersteld dat hij onderwijzer was, hij had nogal onderhoudende, gemakkelijke manieren. Naderhand was er een collecte geweest voor het Strijdfonds, en Ashe had er een pond ingestopt; ze was totaal verbluft geweest. Zo was het, ze was er nu zeker van: het was Ashe die aan haar gedacht had. Hij had het aan iemand in het District Londen verteld en daar had men het weer doorgegeven naar het hoofdkwartier of zoiets. Het scheen nog steeds een eigenaardige manier om dit soort dingen te behandelen, maar de Partij deed nu eenmaal altijd geheimzinnig – ze veronderstelde dat dit behoorde bij een revolutionaire partij. Die geheimzinnigheid beviel Liz niet erg, ze vond het oneerlijk. Maar ze veronderstelde dat het noodzakelijk was, en de hemel wist dat er genoeg waren die er gek op waren.

Ze las de brief nog eens over. Die was geschreven op het briefpapier van de Centrale, met de vetgedrukte rode tekst aan het hoofd, en begon met 'Beste Kameraad', dat klonk voor Liz zo militair en ze had er een hekel aan; ze had nooit helemaal kunnen wennen aan dat 'kameraad'.

'Beste Kameraad,

'Onlangs hebben we besprekingen gevoerd met onze Kameraden van de Socialistische Eenheids Partij van de Duitse Democratische Republiek over de mogelijkheid een uitwisseling tot stand te brengen tussen partijleden van hier en onze kameraden in democratisch Duitsland. De bedoeling is een basis te vormen voor de uitwisseling tussen de leden van beide partijen op algemeen niveau. De S.E.P. realiseert zich dat, door de discriminerende maatregelen van het Britse ministerie van buitenlandse zaken, voor hun eigen afgevaardigden voorlopig de kansen op een bezoek aan het Verenigd Koninkrijk wel zeer gering zijn, maar tevens voelen ze dat juist om deze reden een uitwisseling van ervaringen des te belangrijker is. Zij hebben ons nu zeer edelmoedig uitgenodigd vijf afdelingssecretarissen of -secretaressen te selecteren die over een ruime ervaring beschikken omtrent het organiseren van massademonstraties op de openbare weg en zich daarin onderscheiden hebben. Iedere gekozen kameraad zal er drie weken doorbrengen om Afdelingsdiscussies bij te wonen, de vooruitgang in de industrie en de sociale verzorging te bestuderen en zal uit de eerste hand de bewijzen te zien krijgen van fascistische provocatie door het Westen. Dit is een prachtige gelegenheid voor onze kameraden om profijt te trekken van de ervaring van een jong socialistisch systeem.

Wij hebben daarom het districtsbestuur verzocht ons namen op te geven van jonge kaderleden uit uw buurt die het grootste profijt zouden kunnen trekken van een dergelijke reis en uw naam werd ons opgegeven. Wij willen graag dat u gaat als het u enigszins mogelijk is en dat u dan ook uw medewerking verleent aan het tweede gedeelte van de opzet – namelijk in contact treden in de DDR met een afdeling van de Partij waarvan de leden dezelfde scholing hebben en met dezelfde problemen worstelen als u. De afdeling Bayswater South zal samengaan met de afdeling Neuenhagen, een voorstadje van Leipzig. Freda Lüman, de secretaresse van de afdeling Neuenhagen, bereidt op het ogenblik een hartelijk welkom voor. We zijn ervan overtuigd dat u de juiste kameraad bent voor deze taak en dat het een reusachtig succes zal worden. Alle onkosten worden gedragen door het Cultureel Bureau van de DDR.

We zijn er zeker van dat u beseft welk een grote eer dit is en vertrouwen dat persoonlijke overwegingen u niet zullen weerhouden de uitnodiging te aanvaarden. De bezoeken zullen aan het einde van de volgende maand plaatsvinden, ongeveer de 23ste, maar de uitgekozen kameraden zullen afzonderlijk reizen, aangezien hun uitnodigingen niet alle op dezelfde datum gelden. Wilt u ons alstublieft zo spoedig mogelijk laten weten of u de uitnodiging aanneemt, dan zullen wij u de verdere details mededelen.'

Hoe vaker ze het las, hoe vreemder het haar scheen. Zo'n korte tijd van voorbereiding bij voorbeeld – hoe konden ze weten dat ze vrij kon krijgen bij de Bibliotheek? Toen herinnerde ze zich plotseling dat Ashe haar gevraagd had wat ze deed met haar vacantie, of ze dit jaar haar verlof al had opgenomen en of ze een lange opzegtermijn in acht moest nemen voor het geval ze vrij wilde hebben. Waarom hadden ze haar niet verteld wie de andere uitverkorenen waren? Misschien was er wel geen speciale reden om dat te doen, maar in haar hart vond ze het toch vreemd dat ze het niet gedaan hadden. En dan, het was zo'n *lange* brief. Ze hadden zo'n nijpend gebrek aan personeel op het secretariaat van de Centrale dat de correspondentie over het algemeen zo kort mogelijk gehouden werd, of de kameraden verzocht werd op te bellen. Deze brief was zo efficiënt en zo goed getikt, dat hij misschien helemaal niet van het Centrale Bureau afkomstig was. Maar hij *was* getekend door de Culturele Organisator, het was zijn handtekening, daaraan bestond geen twijfel. Die had ze vele malen onder gestencilde stukken en mededelingen zien staan. En de brief had die onhandige, semi-bureaucratische, semi-Messiaanse stijl waaraan ze gewend was geraakt zonder dat hij haar kon bekoren. Het was idioot om te zeggen dat ze zo goed stond aangeschreven om het stimuleren van massademonstraties op de openbare weg. Dat was helemaal niet waar en in feite verfoeide ze dat gedeelte van het werk van de Partij – de luidsprekers bij de hekken van de fabrieken, het verkopen van de *Daily Worker* op de hoeken van de straten, de huis-aan-huis bezoeken gedurende de verkiezingen. Vredeswerk kon haar niet zoveel schelen, dat betekende iets voor haar, dat had tenminste zin. Als je naar de kleuters op straat keek als je langs kwam, naar de moeders die kinderwagens voor zich uit duwden, naar ouden van dagen die in de deuropening stonden, dan kon je zeggen: 'Ik doe het voor hen.' Dat *was* werkelijk vechten voor de vrede.

Maar ze kon het vechten om stemmen en het vechten om te verkopen toch nooit helemaal op dezelfde manier bezien. Misschien, dacht ze, was dat omdat iedereen dan tot zijn ware proporties werd teruggebracht. Als ze zo met een man of twaalf bijeen waren op een Afdelingsvergadering, was het heel gemakkelijk de wereld opnieuw op te bouwen, in de voorhoede van het socialisme te marcheren en te spreken van de onvermijdelijkheid van de historie. Maar naderhand moest ze dan de straat op met een armvol *Daily Workers,* en dan duurde het vaak een uur, twee uren eer ze een nummer verkocht. Soms pleegde ze bedrog, zoals ook de anderen wel deden, en betaalde zelf een dozijn nummers, alleen maar om eraf te zijn en naar huis te kunnen. Op de volgende vergadering schepten ze erover op – zonder er meer aan te denken dat ze er zelf voor betaald hadden – 'Kameraad Gold heeft zaterdagavond achttien nummers verkocht – achttien!' Dat kwam dan in de notulen en ook in het afdelingsblaadje. Het districtsbestuur wreef zich dan in de handen en misschien werd dan haar naam genoemd in dat kleine vierkantje op de voorpagina over het Strijdfonds. Het was maar zo'n kleine wereld en ze wenste dat ze eerlijker konden zijn. Maar tegen zichzelf loog ze er ook over. Dat deden ze misschien allemaal wel. Of misschien begrepen de anderen beter *waarom* je zoveel liegen moest.

Het kwam haar zo wonderlijk voor dat ze haar afdelingssecretaresse gemaakt hadden. Het was Mulligan die het had voorgesteld – 'Onze jonge, energieke *en* aantrekkelijke kameraad...' Hij had gedacht dat ze wel met hem naar bed zou gaan als hij ervoor zorgde dat ze secretaresse werd. De anderen hadden voor haar gestemd omdat ze haar mochten – en omdat ze typen kon. Omdat ze het werk deed en er niet op aandrong dat ze huis aan huis gingen colporteren gedurende de weekends. In ieder geval niet te vaak. Ze hadden voor haar gestemd omdat ze een fatsoenlijk klein clubje wilden hebben, aardig en revolutionair, maar zonder gezanik. Het was allemaal zo'n bedrog. Alec scheen dit begrepen te hebben, hij had het niet serieus genomen. Eens had hij gezegd: 'Sommige mensen houden kanaries en anderen worden lid van de Partij', en dat was waar. In Bayswater South was het dat in ieder geval en dat wist het districtsbestuur heel goed. Daarom vond ze het zo gek dat zij nu juist aangewezen was; daarom ook was ze onwillig te geloven dat het bestuur er zelfs maar de hand in gehad had. De verklaring, daarvan was ze zeker, lag bij Ashe. Misschien was hij verliefd op haar, misschien was hij niet zo dwaas als hij eruitzag.

Liz haalde met een ruk haar schouders op, een overdreven beweging die mensen soms maken die opgewonden en alleen zijn. In ieder geval betekende het een reisje naar het buitenland, het kostte niets en het leek interessant. Ze was nog nooit in het buitenland geweest en ze kon de reiskosten beslist niet zelf betalen. Het zou wel leuk zijn. Ze had wel iets tegen Duitsers, dat was waar. Ze wist, men had haar verteld, dat West-Duitsland militaristisch en wraakzuchtig was, en Oost-Duitsland democratisch en vredelievend. Maar toch betwijfelde ze dat alle goede Duitsers aan de ene kant stonden en de slechte allemaal aan de andere kant. En de slechte hadden haar vader vermoord. Misschien had de Partij haar daarom gekozen – als een edelmoedige daad van verzoening. Misschien had Ashe hieraan gedacht toen hij haar al die vragen stelde. Natuurlijk – dat was de verklaring. En plotseling was ze vervuld van een gevoel van warmte en dankbaarheid tegenover de Partij. Het waren fatsoenlijke mensen en ze was trots en erkentelijk tot hen te behoren. Ze ging naar haar schrijftafel en opende de lade waarin ze, in een oude schooltas, het papier van de afdeling en de contributiezegels bewaarde. Ze zette een vel papier in haar oude Underwood schrijfmachine – die hadden ze van het Bureau gestuurd toen ze hoorden dat ze kon typen; ze versprong een beetje maar was overigens prima – en tikte een keurige, dankbare brief waarin ze de uitnodiging aanvaardde. Centraal was toch wel iets wonderbaarlijks – streng, vriendelijk, onpersoonlijk, standvastig. Het waren goeie, goeie mensen. Mensen die vochten voor de vrede. Terwijl ze de lade sloot viel haar oog op het kaartje van Smiley.

Ze herinnerde zich die kleine man met dat ernstige, gerimpelde gezicht, zoals hij daar in de deuropening van haar kamer had gestaan en zei: 'Wist de Partij van u en Alec?' Wat was ze toch dom. In ieder geval, dit zou haar gedachten wel in andere banen leiden.

16. Arrest

Fiedler en Leamas legden de rest van de weg terug zwijgend af. In de schemer waren de heuvels zwart en spelonkachtig, terwijl de hier en daar verspreide speldeknopachtige lichtjes worstelden met de steeds dieper wordende duisternis als de lichten van verre schepen op zee.

Fiedler parkeerde zijn wagen in een schuur aan de zijkant van het huis en ze wandelden samen naar de voordeur. Ze stonden op het punt het huis binnen te gaan, toen ze een schreeuw hoorden uit de richting van de bomen, waarna iemand Fiedlers naam noemde. Ze draaiden zich om en Leamas onderscheidde in het duister, twintig meter van hen af, drie mannen die kennelijk stonden te wachten tot Fiedler bij hen zou komen.

'Wat willen jullie?' riep Fiedler.

'We willen met je praten. We zijn uit Berlijn.'

Fiedler aarzelde. 'Waar is die verdomde wacht?' vroeg hij aan Leamas. 'Er behoort een wacht bij de voordeur te staan.'

Leamas haalde zijn schouders op.

'Waarom zijn de lichten in de gang niet aan?' vroeg hij weer, waarna hij, nog niet overtuigd, langzaam in de richting van de mannen liep.

Leamas wachtte een ogenblik, maar ging, toen hij niets bijzonders hoorde, door het onverlichte huis naar het bijgebouw erachter. Dit was een verwaarloosde barak, tegen de achterkant van het huis aangebouwd en van alle kanten verborgen voor het gezicht door een dichte beplanting met jonge pijnbomen. De barak was verdeeld in drie aaneensluitende slaapkamers, een gang was er niet. De middelste kamer had Leamas gekregen en de kamer die het dichtst bij het hoofdgebouw lag was bezet door de twee bewakers. Leamas wist absoluut niet wie de derde kamer bewoonde. Eens had hij geprobeerd de verbindingsdeur die hem van zijn kamer scheidde, te openen, maar de deur was op slot. Hij had alleen ontdekt dat het een slaapkamer was door op een vroege morgen door een kier in de gordijnen naar binnen te gluren. De twee bewakers, die hem overal op een afstand van vijftig meter volgden, waren nog niet om de hoek van de hut verschenen en hij had even naar binnen gekeken. De kamer bevatte een enkel, opgemaakt bed en een kleine schrijftafel met papieren erop. Hij veronderstelde dat iemand hem, met wat men noemt Duitse 'Gründlichkeit', vanuit die slaapkamer bespiedde. Maar Leamas was een te slimme vos om zich druk te maken over bewaking. In Berlijn was het een deel van het leven daar geweest – als je het niet in de gaten had, had je pech gehad; het betekende dan alleen dat zij voorzichtiger werden of dat je zelf aan het verslappen was. Doorgaans, omdat hij goed was in dat soort dingen, omdat hij oplettend was en een uitstekend geheugen had – kortom, omdat hij goed was voor zijn werk – had hij ze toch wel gauw genoeg in de gaten. Hij wist welke formatie een schaduwend team graag aannam, hij kende de trucjes, de zwakheden, de tijdelijke vergissingen waardoor ze zich konden verraden. Het betekende voor Leamas niets bespied te worden, maar toen hij door de geïmproviseerde deur van het huis naar het bijgebouwtje liep en in de slaapkamer van de bewakers stond, had hij het onmiskenbare gevoel dat er iets mis was.

De lichten in het bijgebouw werden vanuit een centraal punt bediend. Ze werden door een onzichtbare hand aan- en uitgedaan. Vaak werd hij 's morgens gewekt door het plotseling ontstoken felle licht van de ene lamp die aan het plafond van zijn kamer hing. 's Avonds daarentegen moest hij wel naar bed gaan omdat het licht plotseling uitgedraaid werd. Het was pas negen uur toen hij het bijgebouw binnentrad, maar de lichten waren al uit. Gewoonlijk bleven ze aan tot elf uur, maar nu waren ze uit en de luiken waren neergelaten. Hij had de verbindingsdeur met het huis opengelaten, zodat het schaarse schemerlicht de gang tot aan de kamer van de bewakers verlichtte, maar niet tot de kamer doordrong, en met behulp daarvan kon hij nog maar net constateren dat de bedden leeg waren. Terwijl hij daar de donkere kamer stond binnen te turen, verbaasd deze leeg te vinden, viel de deur achter hem dicht. Misschien uit zichzelf, maar Leamas probeerde niet hem weer te openen. Het was aardedonker. Geen enkel geluid begeleidde het sluiten van de deur, geen klik van het slot, geen voetstap. Voor Leamas, wiens instinct plotseling verscherpt was, leek het alsof een klankstrook plotseling was stopgezet. Toen bemerkte hij de sigarerook. Die had daar waarschijnlijk al eerder gehangen, maar hij merkte het nu eerst. Als bij een blinde man werden zijn gevoels- en zijn reukzintuig door het donker verscherpt.

Hij had lucifers in zijn zak, maar hij gebruikte ze niet. Hij deed een stap terzijde, drukte zijn rug tegen de muur en hield zich doodstil. Voor Leamas bestond er maar één verklaring – ze wachtten tot hij van de bewakerskamer naar zijn eigen kamer zou gaan en daarom besloot hij dan ook te blijven waar hij was. Toen hoorde hij duidelijk voetstappen uit de richting van het hoofdgebouw waaruit hij gekomen was. De deur die juist was dichtgegaan werd geprobeerd en daarna op slot gedaan. Nog steeds bewoog Leamas niet. Nog niet. Hier was geen sprake van doen alsof, hij was een gevangene in het bijgebouw. Heel langzaam nam Leamas een bukkende houding aan, terwijl hij tegelijkertijd een hand in een van de zijzakken van zijn colbert stak. Hij was heel kalm, bijna opgelucht bij de gedachte aan actie, maar herinneringen flitsten door zijn brein. 'Je hebt bijna altijd wel een wapen: een asbak, een paar munten, een vulpen – alles waar je maar mee steken of snijden kunt.' Het was een geliefkoosd gezegde van de zachtmoedige kleine sergeant uit Wales in dat huis dicht bij Oxford, gedurende de oorlog. 'Gebruik nooit je beide handen tegelijk, niet met een mes, een stok of een pistool; houd je linkerarm vrij en houd haar voor je buik. Als je niets kunt vinden om als wapen te gebruiken, houd dan je handen open en de duimen stijf.' Hij haalde het doosje lucifers uit zijn zak en hield het in de lengterichting in zijn rechterhand, verbrijzelde het opzettelijk en liet de splinters tussen zijn vingers uitsteken. Toen hij dit gedaan had, sloop hij langs de muur totdat hij bij een stoel kwam, die, naar hij wist, in de hoek van de kamer stond. Onverschillig nu voor het geluid dat hij maakte, schoof hij de stoel naar het midden van de vloer. Hij telde de passen terwijl hij van de stoel terugliep, en stelde zich op in de hoek gevormd door de twee muren. Terwijl hij dit deed, hoorde hij hoe de deur naar zijn eigen kamer werd opengegooid. Tevergeefs trachtte hij de gestalte te onderscheiden die in zijn deuropening moest staan, maar uit zijn eigen kamer kwam ook geen licht. De duisternis was ondoordringbaar. Hij durfde geen beweging naar voren te maken om aan te vallen, want de stoel stond nu midden in de kamer; dit was zijn tactisch voordeel, hij wist waar die stond, de anderen niet. Ze moesten dus naar hem toekomen, ze moesten, hij kon ze niet laten wachten totdat hun helper buiten de hoofdschakelaar had bereikt en het licht had aangestoken.

'Kom op, stelletje bange schooiers,' siste hij in het Duits, 'ik ben hier, in de hoek. Kom me maar halen, of kun je niet?' Geen beweging, geen geluid.

'Ik ben hier, kunnen jullie me niet zien? Wat is er dan aan de hand? Wat is er aan de hand, kinderen, kom dan, durf je niet?' En toen hoorde hij er een naar voren komen en een andere volgen; en toen de vloek van de man die tegen de stoel aanliep, en dat was het sein waarop Leamas gewacht had. Hij gooide het doosje lucifers weg, kroop voorzichtig naar voren, stap voor stap, zijn linkerarm gestrekt in de houding van een man die twijgen van zich afhoudt in een bos, totdat hij, heel luchtigjes, een arm had aangeraakt en de warme, ruwe stof had gevoeld van een militaire uniform. Nog steeds met zijn linkerhand, tikte hij weloverwogen twee keer op de arm – twee duidelijke tikken – en hoorde een verschrikte stem dicht bij zijn oor in het Duits fluisteren: 'Ben jij dat, Hans?' 'Houd je bek, sufferd,' fluisterde Leamas terug, en op datzelfde ogenblik stak hij zijn hand uit en greep 's mans haar, trok diens hoofd naar zich toe en

omlaag en gaf hem met de scherpe kant van zijn hand een verschrikkelijke slag in de nek, trok hem weer op zijn arm, gaf hem een opwaartse slag tegen het strottehoofd met de open vuist en liet hem
toen los om neer te vallen waar de zwaartekracht hem zou deponeren. Terwijl het lichaam van de man de vloer raakte, gingen de lichten aan.

In de deuropening stond een jonge kapitein van de Volkspolitie
met een brandende sigaar in zijn mond en achter hem twee mannen.
De een droeg burgerkleren en was nog heel jong. Hij had een pistool
in zijn hand. Leamas meende te zien dat het een Tsjechisch merk
was met de veiligheidspal op de kolf. Ze keken allemaal naar de man
op de vloer. Iemand opende de buitendeur en Leamas draaide zich
om om te zien wie het was. Terwijl hij dit deed schreeuwde iemand –
Leamas dacht dat het de kapitein was – dat hij stil moest staan.
Langzaam draaide hij zich weer om en keek de drie mannen aan.

Zijn handen hingen nog langs zijn zijden toen de slag kwam. Die
scheen zijn schedel te verbrijzelen. Terwijl hij viel, met een warm gevoel overgaande in bewusteloosheid, vroeg hij zich af of hij een klap
gekregen had van een revolver, het oude type met een draaiend oog
aan het einde van de kolf, waardoor het draagkoord bevestigd was.

Hij werd wakker door het zingen van de ouwe gevangenisboef en het
roepen van de cipier dat hij zijn bek moest houden. Hij opende zijn
ogen en de pijn schoot door zijn hersens als een schel licht. Hij bleef
stil liggen, maar wilde zijn ogen niet sluiten, en keek naar de scherpe
gekleurde figuren die aan zijn blik voorbijflitsten. Hij probeerde te
ontdekken hoe hij er voor stond: zijn voeten waren ijskoud en hij
was zich bewust van de zure stank van gevangeniskleren. Het zingen
had opgehouden en plotseling snakte Leamas ernaar dat het weer
zou beginnen, hoewel hij wist dat dat nooit meer zou gebeuren. Hij
probeerde zijn hand op te lichten en het op zijn wang geronnen bloed
aan te raken, maar zijn handen waren achter zijn rug samengebonden. Zijn voeten moesten ook samengebonden zijn, het bloed was
eruit weggelopen, daardoor waren ze zo koud. Moeizaam keek hij
om zich heen, trachtend zijn hoofd een centimeter of wat van de
vloer te lichten. Tot zijn verrassing zag hij zijn eigen knieën vlak
voor zich. Instinctief probeerde hij zijn benen te strekken, en toen
hij dit deed schoot er door zijn hele lichaam een zo plotselinge en
verschrikkelijke pijn dat hij snikkend een hartverscheurende kreet
van zelfbeklag uitstootte, zoals de laatste gil van een man op de pijn-

bank. Hij lag daar te hijgen, pogende de pijn meester te worden, waarna hij, met zijn gewone koppigheid, nog eens probeerde, maar nu heel langzaam, zijn benen te strekken. Terstond keerde de folterende pijn terug, maar Leamas had de oorzaak ontdekt: zijn handen en voeten waren achter zijn rug aan elkaar gebonden. Zo gauw hij probeerde zijn benen te strekken trok de ketting aan, waardoor zijn schouders omlaag en zijn gewonde hoofd op de grond gedrukt werden. Ze moesten hem afgeranseld hebben terwijl hij bewusteloos was, zijn hele lichaam was stijf en gekneusd en hij had pijn in zijn lies. Hij vroeg zich af of hij die bewaker gedood had. Hij hoopte maar van wel.

Boven hem scheen het licht, groot, klinisch en schel. Geen meubels, alleen maar gewitte muren, gesloten helemaal in het rond, en de grote stalen deur, stemmig antracietgrijs, de kleur die men ziet op mooie huizen in Londen. Iets anders was er niet. Helemaal niets. Niets om over te denken. Alleen die verschrikkelijke pijn.

Hij moest daar uren gelegen hebben voor ze kwamen. Het werd heet door het licht, hij had dorst, maar weigerde te roepen. Tenslotte ging de deur open en daar stond Mundt. Hij wist dat het Mundt was door de ogen. Daar had Smiley hem over verteld.

17. Mundt

Ze maakten hem los en lieten hem proberen rechtop te staan. Een ogenblik scheen hij daar bijna in te slagen, toen, terwijl de bloedcirculatie in zijn handen en voeten terugkeerde en de geledingen van zijn lichaam bevrijd werden uit de gedwongen houding waarin ze geforceerd waren geweest, viel hij neer. Ze lieten hem daar liggen en stonden naar hem te kijken met de aandacht van kinderen die naar een insect kijken. Een van de bewakers liep langs Mundt en schreeuwde tegen Leamas op te staan. Leamas kroop naar de muur en legde de palmen van zijn trillende handen tegen de witte stenen. Hij was halverwege overeind toen de bewaker hem een schop gaf, en hij viel weer. Hij probeerde het nog eens en ditmaal liet de bewaker hem rechtop staan met zijn rug tegen de muur. Hij zag hoe de bewaker zijn gewicht overbracht naar zijn linkerbeen en wist dat hij hem weer een schop ging geven. Met al de kracht die hem nog restte wierp Leamas zich naar voren, en stootte zijn gebogen hoofd midden in het gezicht van de bewaker. Zij vielen allebei, Leamas bovenop. De bewaker stond op en Leamas lag te wachten op de afstraffing. Maar Mundt zei nu iets tegen de bewaker en Leamas voelde hoe hij bij voeten en schouders werd opgepakt en hoorde de deur van zijn cel dichtslaan, terwijl ze hem de gang doordroegen. Hij was verschrikkelijk dorstig.

Ze brachten hem naar een kleine, comfortabele kamer, behoorlijk gemeubeld met een bureau en fauteuils. Jaloezieën bedekten halverwege de getraliede vensters. Mundt ging aan de schrijftafel zitten en Leamas in een fauteuil, met de ogen half gesloten. De bewakers stonden bij de deur.

'Geef me wat te drinken,' zei Leamas.

'Whisky?'

'Water.'

Mundt vulde een karaf aan een fonteintje in de hoek en zette die op de tafel naast hem met een glas.

'Breng hem iets te eten,' beval hij, en een van de bewakers verliet de kamer, om terug te keren met een kop soep en wat plakjes worst. Hij dronk en at en ze keken zwijgend naar hem.

'Waar is Fiedler?' vroeg Leamas tenslotte.

'Onder arrest,' antwoordde Mundt kortaf.

'Waarom?'

'Samenzwering om de veiligheid van het Volk te saboteren.'

Leamas knikte langzaam. 'Je hebt dus gewonnen,' zei hij.

'Wanneer heb je hem gearresteerd?'

'Gisteravond.'

Leamas wachtte een ogenblik, en trachtte Mundt weer aan te zien.

'En wat gebeurt er met mij?' vroeg hij.

'Je bent een belangrijke getuige. Later moet je natuurlijk zelf ook terechtstaan.'

'Dus ik maak deel uit van een doorgestoken-kaartspelletje van Londen om Mundt erbij te lappen, is dat het?'

Mundt knikte, stak een sigaret op en gaf die aan een van de schildwachten om aan Leamas te geven. 'Dat klopt,' zei hij.

De schildwacht kwam naar Leamas toe, en met een gebaar van onwillige zorg stak hij hem de sigaret tussen de lippen.

'Een nogal omslachtige operatie,' merkte Leamas op, en voegde er dwaas aan toe: 'Slimme jongens, die Chinezen.'

Mundt zei niets. Leamas raakte gewend aan zijn zwijgende periodes naarmate het interview voortging. Mundt had een tamelijk prettige stem, iets wat Leamas niet verwacht had, maar hij sprak zelden.

Het was misschien een onderdeel van Mundts buitengewoon zelfvertrouwen dat hij niet sprak tenzij hij het beslist nodig vond, dat hij eerder bereid was lange gesprekspauzes tussenbeide te laten komen dan nutteloze woorden te verspillen. Op dit punt verschilde hij van beroepsondervragers, die er veel waarde aan hechtten zelf het interview in te leiden, een bepaalde sfeer te scheppen en de psychologische afhankelijkheid van een gevangene van zijn ondervrager uit te buiten. Mundt verachtte techniek, hij was een man van feiten en actie. Daaraan gaf ook Leamas de voorkeur.

Mundts verschijning was geheel in overeenstemming met zijn temperament. Hij zag eruit als een atleet. Zijn blonde haar was kortgeknipt. Het was dik en glanzend. Zijn jonge gelaat had harde, scherpe lijnen en een schrikaanjagende strengheid; het was volkomen gespeend van humor en fantasie. Hij zag er jong uit, maar niet jeugdig, oudere mensen zouden hem heus wel serieus nemen. Hij was goedgebouwd. Zijn kleren zaten hem uitstekend omdat hij een gemakkelijk figuur had. Leamas vond het in het geheel niet moeilijk zich te herinneren dat Mundt een doder was. Hij had een zekere koudheid over zich, een rigoureuze zelfgenoegzaamheid, die hem bij uitstek geschikt deden zijn voor moord. Mundt was een keiharde kerel.

'De andere beschuldiging waarvoor je, indien nodig, zult terechtstaan,' voegde Mundt er kalm aan toe, 'is moord.'

'Dus die schildwacht stierf, hè?' antwoordde Leamas.

Een scheut van snerpende pijn ging door zijn hoofd.

Mundt knikte. 'En daarom,' zei hij, 'is je vervolging wegens spionage letwat theoretisch. Ik stel voor dat de zaak tegen Fiedler in het openbaar behandeld wordt. Dat is ook de wens van het Presidium.'

'En je wilt dus dat ik beken?'

'Ja.'

'Met andere woorden, je hebt geen enkel bewijs.'

'Dat bewijs komt er wel. We zullen jouw bekentenis hebben.'

Er was geen dreiging in Mundts stem. Er was ook geen speciale stijl, geen theatrale wending.

'Aan de andere kant zouden er in jouw geval natuurlijk verzachtende omstandigheden in het geding gebracht kunnen worden. Je werd gechanteerd door de Britse Geheime Dienst; ze beschuldigden je van het stelen van geld en hebben je toen gedwongen een val voor mij op te zetten. Voor zulk een pleidooi zou het Hof misschien sympathie kunnen opbrengen.'

Leamas scheen overrompeld te zijn.

'Hoe wist je dat ze mij beschuldigden geld gestolen te hebben?' Maar Mundt antwoordde niet.

'Fiedler is erg stom geweest,' merkte Mundt op. 'Zodra ik dat rapport van onze vriend Peters gelezen had, wist ik waarom je gezonden was en ik wist dat Fiedler in de val zou lopen. Fiedler haat me zo ontzettend.' Mundt knikte als om de waarheid van die opmerking te doen uitkomen. 'Jouw mensen wisten dat natuurlijk. Het was een bijzonder knappe operatie. Wie heeft die voorbereid, vertel me dat eens? Was het Smiley? Deed hij het?'

Leamas zei niets.

'Ik wou Fiedlers rapport over zijn eigen ondervraging van jou zien, weet je. Ik gaf hem opdracht het mij toe te zenden. Hij talmde, en ik wist dat ik gelijk had. Toen liet hij het gisteren in het Presidium circuleren, zonder mij een afschrift te zenden. Iemand in Londen is erg slim geweest.'

Leamas zei niets.

'Wanneer heb je Smiley voor het laatst gezien?' vroeg Mundt langs zijn neus weg. Leamas aarzelde, onzeker van zichzelf. Zijn hoofd deed verschrikkelijk pijn.

'Wanneer heb je hem voor het laatst gezien?' herhaalde Mundt.

'Ik kan het me niet herinneren,' zei Leamas tenslotte, 'hij was eigenlijk niet meer bij ons. Hij liep alleen maar van tijd tot tijd even binnen.'

'Hij is een groot vriend van Peter Guillam, is het niet?'

'Ik geloof het wel, ja.'

'Jij dacht dat Guillam de economische toestand in de DDR bestudeerde. De een of andere kleine sectie in jullie Dienst, je wist niet heel zeker wat daar behandeld werd.'

'Ja.' Geluid en gezicht begonnen verward te raken in zijn heftig bonzend hoofd. Zijn ogen gloeiden pijnlijk. Hij voelde zich ziek.

'Nou, wanneer heb je Smiley voor het laatst gezien?'

'Ik herinner het me niet... ik herinner het me niet.'

Mundt schudde zijn hoofd.

'Je hebt een heel goed geheugen – voor alles wat belastend is voor mij. We kunnen ons allemaal herinneren wanneer we iemand voor het *laatst* gezien hebben. Heb je hem bij voorbeeld gezien nadat je uit Berlijn terug was?'

'Ja, ik geloof het wel. Ik liep een keer tegen hem op... eens in het Circus, in Londen.' Leamas sloot zijn ogen en transpireerde. 'Ik kan niet doorgaan, Mundt... niet veel langer, Mundt, ik ben ziek,' zei hij.

'Nadat Ashe je opgepikt had, nadat hij in die val gelopen was die men voor hem gezet had, hebben jullie samen geluncht, is het niet?'

'Ja, samen geluncht.'

'Die lunch was om ongeveer vier uur afgelopen. Waar ging je toen heen?'

'Ik geloof dat ik toen naar de City ben gegaan. Zeker weet ik het niet... in godsnaam, Mundt,' zei hij, zijn hoofd met zijn hand ondersteunende, 'ik kan niet meer. Dat verdomde hoofd van me is...'

'En waar ben je toen heen gegaan? Waarom heb je je achtervolgers afgeschud, waarom wou je die zo graag kwijt?'

Leamas zei niets, hij ademde in felle stoten, zijn hoofd in zijn handen verborgen.

'Antwoord nog op deze ene vraag, dan kun je gaan. Je krijgt een bed en als je wilt kun je slapen. Anders moet je terug naar je cel, heb je dat begrepen? Dan word je weer vastgebonden en word je op de grond gevoerd als een beest, begrijp je dat? Vertel me waar je heen gegaan bent.'

Het wilde kloppen in zijn hersenen nam plotseling toe, de kamer draaide om hem heen; hij hoorde stemmen om zich heen en het geluid van voetstappen; spookachtige vormen zweefden heen en weer, los van geluid en zwaartekracht; iemand schreeuwde, maar niet tegen hem; de deur was open, hij was er zeker van dat iemand de deur geopend had. De kamer was vol mensen, die nu allemaal schreeuwden, en toen gingen ze weg, sommigen van hen waren reeds weggegaan, hij hoorde ze wegmarcheren, het stampen van hun voeten was als het bonzen in zijn hoofd; de echo stierf weg en er volgde stilte. Toen, als een aanraking van de barmhartigheid zelf, werd er een koude doek over zijn voorhoofd gelegd en vriendelijke handen droegen hem weg.

Hij werd wakker in een hospitaalbed en aan het voeteneind ervan stond Fiedler en rookte een sigaret.

18. Fiedler

Leamas maakte inventaris op. Een bed met lakens. Een eenpersoonskamer zonder tralies voor de vensters, alleen gordijnen en matglas. Zachtgroene wanden, donkergroen linoleum, en Fiedler die hem stond aan te kijken, met een sigaret in zijn mond.

Een verpleegster bracht hem voedsel: een ei, wat dunne soep en fruit. Hij voelde zich doodziek, maar hij veronderstelde dat hij het maar beter kon opeten. Dat deed hij dus en Fiedler keek toe. 'Hoe voel je je nu?' vroeg hij.

'Verdomd beroerd,' antwoordde Leamas.

'Maar wel beter?'

'Ik veronderstel van wel.' Hij aarzelde. 'Die rotzakken hebben me een zwaar pak op mijn donder gegeven.'

'Je hebt een schildwacht gedood, weet je dat?'

'Dat vermoedde ik al... Wat verwachtten ze dan eigenlijk wanneer ze zo'n dwaze toestand in elkaar zetten? Waarom rekenden ze ons niet doodeenvoudig direct in? Waarom moesten alle lichten uitgedraaid worden? Als er ooit iets overgeorganiseerd werd, dan dit wel.'

'Ik vrees dat we als natie geneigd zijn tot overorganisatie. In het buitenland noemen ze dat efficiency.'

Weer was er een pauze.

'Wat is er met jou gebeurd?' vroeg Leamas.

'O, ik werd ook eerst murw gemaakt voor de ondervraging.'

'Door Mundts mannetjes?'

'Door Mundts mannetjes *en* door Mundt zelf. Het was een heel bijzondere sensatie!'

'Zo zou je het ook kunnen noemen.'

'Nee, nee, niet fysiek. Fysiek was het een nachtmerrie, maar zie je, Mundt had er speciaal belang bij mij af te ranselen. Nog daargelaten de bekentenis.'

'Omdat je dat verhaal verzonnen had over –'

'Omdat ik een Jood ben.'

'Godnogtoe,' zei Leamas fluisterend.

'Daarom kreeg ik een speciale behandeling. De hele tijd fluisterde hij tegen me. Het was erg vreemd.'

'Wat zei hij?'

Fiedler antwoordde niet. Tenslotte mompelde hij:

'Dat is allemaal voorbij.'

'Waarom? Wat is er gebeurd?'

'De dag dat wij gearresteerd werden, had ik bij het Presidium een verzoek ingediend voor een burgerlijk bevel tot inhechtenisneming van Mundt als vijand van het volk.'

'Maar je bent gek – ik heb je al eerder gezegd dat je stapelgek

144

bent, Fiedler! Hij zal nooit –'

'Er waren ook nog andere bewijzen tegen hem, behalve de jouwe. Bewijzen die ik de laatste drie jaar verzameld heb, stuk voor stuk. Jouw bewijzen leverden de proef die we nodig hadden, dat is alles. Zo gauw dat duidelijk was maakte ik een rapport op en stuurde een afschrift aan elk lid van het Presidium, behalve Mundt. Ze ontvingen het op dezelfde dag dat ik het arrestatiebevel aanvroeg.'

'De dag dat wij gearresteerd werden.'

'Ja. Ik wist dat Mundt zou vechten. Ik wist dat hij vrindjes had bij het Presidium, of tenminste jabroers, lieden die bang genoeg waren om naar hem toe te lopen zo gauw ze mijn rapport gekregen hadden. En ik wist ook dat hij tenslotte verliezen moest. Het Presidium had nu het wapen in handen dat nodig was om hem te vernietigen; ze hadden het rapport, en gedurende de paar dagen dat jij en ik ondervraagd werden, lazen en herlazen ze het totdat ze wisten dat het waar was, en iedereen wist dat de anderen het ook wisten. Tenslotte reageerden ze. Verenigd in hun gemeenschappelijke angst, hun gemeenschappelijke zwakheid en hun gemeenschappelijke kennis van de feiten hebben ze zich tegen hem gekeerd en hem voor een tribunaal gedaagd.'

'Een tribunaal?'

'Een geheim tribunaal natuurlijk. Het zit morgen. Mundt is onder arrest.'

'Wat zijn die andere bewijzen? De bewijzen die jij verzameld hebt?'

'Wacht maar af,' antwoordde Fiedler glimlachend. 'Morgen zul je het wel zien.'

Gedurende enige tijd zweeg Fiedler, terwijl hij toekeek hoe Leamas at.

'Dat tribunaal,' vroeg Leamas, 'hoe werkt dat eigenlijk?'

'Dat hangt af van de president. Het is geen Volksrechtbank – dat moet je goed begrijpen. Het is meer zoiets als een onderzoek – een commissie van onderzoek, dat is het, benoemd door het Presidium om een zeker... onderwerp na te gaan en rapport erover uit te brengen. Dit rapport bevat een advies. In een geval als het onderhavige staat het advies gelijk met een vonnis, maar het blijft geheim, als deel van de handelingen van het Presidium.'

'Hoe werkt het? Zijn er raadslieden en rechters?'

'Er zijn drie rechters,' zei Fiedler, 'in feite zijn er ook raadslieden. Morgen zal ik zelf de aanklacht tegen Mundt uitspreken. Karden zal hem verdedigen.'

'Wie is Karden?'

Fiedler aarzelde.

'Een keiharde kerel,' zei hij. 'Ziet eruit als een plattelandsdokter, klein en welwillend. Hij is in Buchenwald geweest.'

'Waarom kan Mundt zichzelf niet verdedigen?'

'Het was Mundts eigen wens. Men zegt dat Karden een getuige zal oproepen.'

Leamas haalde zijn schouders op.

'Dat is jouw zaak,' zei hij. Weer heerste er stilte. Tenslotte zei Fiedler nadenkend:

'Het zou me niet hebben kunnen schelen – ik geloof niet dat het me zou hebben kunnen schelen, niet zoveel in elk geval – als hij me pijn gedaan had om mezelf, uit haat of afgunst. Kun je dat begrijpen? Die lange, lange pijn en al die tijd zeg je tegen jezelf: "Ik zal òf flauwvallen òf aan de pijn gewend raken, daar zorgt de natuur wel voor", en de pijn wordt steeds erger, zoals de toon die een violist voortbrengt die naar de hoge E toespeelt. Je denkt dat die toon niet hoger kan en toch kan het – zo is ook de pijn, die verergert en verergert, en al wat de natuur voor je doet is je helpen de pijn van stap tot stap te verduren, zoals men probeert een doof kind het horen weer bij te brengen door het noot voor noot te laten horen. En al die tijd fluisterde hij: "Jood... Jood." Ik zou kunnen begrijpen, ik ben er zeker van dat ik dat zou kunnen als hij het gedaan had ter wille van de idee, van de Partij als je wilt, of omdat hij *mij* haatte. Maar dat was het niet; hij haatte –'

'Goed,' zei Leamas kortaf, 'dat had je moeten weten. Hij is nu eenmaal een schoft.'

'Ja,' zei Fiedler, 'hij is een schoft.' Hij scheen opgewonden. Hij wil tegen iemand opscheppen, dacht Leamas.

'Ik heb veel aan je gedacht,' voegde Fiedler eraan toe. 'Ik dacht aan dat gesprek dat we samen hadden – herinner je je – over de motor.'

'Wat voor motor?'

Fiedler glimlachte. 'Neem me niet kwalijk, het was een letterlijke vertaling. Ik bedoel *Motor*; de drijfkracht, de geest, de aandrang, of hoe de christenen het dan ook noemen.'

'Ik ben geen christen.'

Fiedler haalde zijn schouders op. 'Je weet wat ik bedoel.' Hij glimlachte weer. 'Dat wat je hindert... ik zal het anders stellen. Veronderstel dat Mundt gelijk heeft. Hij vroeg mij te bekennen, weet je; ik moest bekennen dat ik onder één hoedje speelde met Britse spionnen die een komplot beraamden om hem te vermoorden. Je kunt de redenering wel volgen – dat de hele operatie was opgezet door de Britse Geheime Dienst teneinde ons te verleiden – *mij* als je wilt – de beste man in de Abteilung te liquideren. En ons eigen wapen tegen ons te keren.'

'Dat heeft hij met mij ook al geprobeerd,' zei Leamas onverschillig.

En hij voegde eraan toe: 'Alsof ik die hele verdomde geschiedenis in elkaar gedraaid heb.'

'Maar wat ik bedoel is dit: veronderstel dàt je dat gedaan had, veronderstel dat het waar was – ik neem nou maar een voorbeeld, begrijp je, een hypothese – zou jij een man doden, een onschuldig man –'

'Mundt is zelf een moordenaar.'

'Veronderstel dat hij dat niet was. Veronderstel dat ik het was die ze wilden vermoorden, zou Londen dat doen?'

'Dat hangt ervan af... dàt hangt af van de noodzaak...'

'Aha,' zei Fiedler tevreden, 'het hangt af van de noodzaak. Zoals Stalin, in feite. Het verkeersongeluk en de statistieken. Dat is een hele verademing.'

'Waarom?'

'Je moet nu gaan slapen,' zei Fiedler. 'Bestel al het eten dat je wilt. Ze zullen je brengen wat je wenst. Morgen kun je praten.' Toen hij bij de deur was, keek hij achterom en zei: 'We zijn allemaal hetzelfde, weet je, dat is de mop.'

Spoedig was Leamas in slaap, tevreden in de wetenschap dat Fiedler zijn bondgenoot was en dat ze binnenkort Mundt de dood in zouden zenden. Dat was iets waarnaar hij heel lang had uitgekeken.

19. Afdelingsvergadering

Liz voelde zich gelukkig in Leipzig. Ze hield van soberheid – het gaf haar een gevoel van opoffering. Het kleine huis waar ze verbleef was donker en armoedig, het voedsel was slecht en het meeste ging naar de kinderen. Bij elke maaltijd spraken ze over politiek, zij en mevrouw Ebert, secretaresse van de districtsafdeling van Leipzig-Hohengrün, een kleine, grijze vrouw, wier echtgenoot bedrijfsleider

147

was in een steengroeve aan de buitenkant van de stad. Het was alsof je in een religieuze gemeenschap leefde, dacht Liz, een klooster of een kibboets of zoiets. Je voelde dat je lege maag de wereld beter maakte. Liz kende wat Duits, dat had ze van een tante geleerd, en het verbaasde haar hoe gauw ze in staat was het te gebruiken. Ze probeerde het eerst met de kinderen, en die grinnikten en hielpen haar. In het begin gedroegen de kinderen zich vreemd tegenover haar, alsof ze een heel belangrijke of buitengewone persoonlijkheid was, en op de derde dag raapte een van hen al zijn moed bij elkaar en vroeg haar of ze ook chocolade had meegebracht van 'drüben' – van 'ginder'. Daar had ze zelfs nooit aan gedacht, en ze voelde zich beschaamd. Daarna schenen ze haar aanwezigheid te vergeten. In de avonduren was er werk voor de Partij. Ze verspreidden literatuur, bezochten leden van de afdeling die hun contributie niet betaald hadden of nalatig waren in het bezoeken van de vergaderingen, liepen binnen in het districtsgebouw voor een discussie over 'Problemen, verband houdende met de centrale distributie voor landbouwproducten', waarbij alle secretarissen van de plaatselijke afdelingen aanwezig waren, en woonden een vergadering bij van de Adviserende Arbeidersraad van een gereedschapfabriek aan de buitenkant van de stad.

Eindelijk, op de vierde dag, een donderdag, kwam hun eigen afdelingsvergadering. Dit moest, tenminste voor Liz, de meest opwekkende ervaring van alles worden; het zou een voorbeeld worden voor alles wat haar eigen afdeling in Bayswater eens zou kunnen zijn. Ze hadden een prachtige titel gekozen voor de avondbijeenkomst – 'Co-existentie na twee oorlogen' – en ze verwachtten een record aantal bezoekers. De hele afdeling was per circulaire op de hoogte gesteld, ze hadden ervoor gezorgd dat er die avond geen concurrerende vergadering in de buurt gehouden werd; het was evenmin een avond waarop de winkels laat open waren.

Er kwamen zeven mensen.

Zeven mensen en Liz en de afdelingssecretaresse en de man van het districtsbestuur. Liz hield zich goed, maar was verschrikkelijk overstuur. Ze kon zich nauwelijks op de spreker concentreren, en toen ze dat probeerde gebruikte hij zulke lange Duitse samengestelde zinnen dat ze er toch niets van begreep. Het was net als op de bijeenkomsten in Bayswater, het was net als bij de wekelijkse zangavond in de kerk in de tijd dat ze daar nog heenging – dezelfde plichtsgetrouwe, kleine groep van bezielde gezichten, dezelfde drukdoende zelfbewustheid, hetzelfde gevoel van een groot idee in de handen van zo weinig mensen. Zij voelde altijd hetzelfde – het was werkelijk heel erg, maar het was waar –, ze wou dat er niemand kwam, want dat was tenminste positief en het suggereerde tevens achtervolging, vernedering – het was iets waartegen je tenminste reageren kon.

Maar zeven mensen was niets; het was erger dan niets, omdat zij het bewijs waren van de traagheid van de ongrijpbare massa. Ze braken je hart.

Het vertrek was beter dan het schoollokaal in Bayswater, maar zelfs dat was geen troost. In Bayswater was het leuk geweest alleen al te *proberen* een kamer te vinden. In de allereerste dagen hadden ze voorgewend iets anders te zijn, helemaal niet de Partij. Ze hadden achterkamers gehuurd in kroegen, een vergaderzaaltje in het 'Ardena-café', of hadden elkaar in het geheim ontmoet in elkaars huizen. Toen was Bill Hazel van de Lagere School lid geworden en ze hadden zijn klaslokaal gebruikt. Zelfs dat was riskant – de hoofdonderwijzer dacht dat Bill een toneelgroepje leidde, zodat ze, tenminste in theorie, er nog steeds uitgesmeten konden worden. Op de een of andere manier deed dit beter aan dan deze Vredeshal van gietbeton met scheuren in de hoeken en de foto van Lenin. Waarom hadden ze dat dwaze ding om die foto heen? Bundels orgelpijpen die uit de hoeken van de lijst uitstaken en die stoffige vlag. Het leek wel op iets uit een fascistische begrafenis. Soms dacht ze dat Alec gelijk had – je geloofde in dingen omdat je er behoefte aan had; de ideeën waarin je geloofde hadden op zichzelf geen waarde, geen functie. Wat had hij ook weer gezegd? 'Een hond krabt zich daar waar hij jeuk heeft. Verschillende honden hebben jeuk op verschillende plaatsen.'

Nee, dat was verkeerd, Alec had ongelijk – het was slecht zoiets te zeggen. Vrede, vrijheid en gelijkheid – dat waren feiten, natuurlijk waren ze dat. En hoe stond het met de geschiedenis – al die wetten die de Partij herzien had? Nee, Alec had ongelijk, waarheid bestond buiten de mensen, de geschiedenis had dat gedemonstreerd en individuen moesten daarvoor buigen of desnoods erdoor verpletterd worden. De Partij was de voorhoede van de geschiedenis, de speerpunt in het gevecht om de Vrede... een beetje onzeker ging ze het ritueel nog eens na. Ze wou dat er meer mensen gekomen waren. Zeven was zo weinig. Ze zagen er zo nijdig uit, nijdig en hongerig.

Nadat de vergadering afgelopen was, wachtte Liz totdat mevrouw Ebert de onverkochte literatuur die op de zware tafel bij de deur lag, bijeengegaard had, haar presentielijst had ingevuld en haar mantel had aangetrokken, want het was koud die avond. De spreker was – nogal onbeleefd, vond Liz – vertrokken vóór de algemene discussie. Mevrouw Ebert stond bij de deur met haar hand op de lichtschakelaar, toen een man uit het donker van de deuropening naar voren kwam. Een ondeelbaar ogenblik dacht Liz dat het Ashe was. Hij was lang en blond en droeg zo'n zelfde regenjas met leren knopen.

'Kameraad Ebert?' vroeg hij.

'Ja?'

'Ik ben op zoek naar een Engelse kameraad, Gold. Is die bij u?'

'Ik ben Elizabeth Gold,' zei Liz, en de man kwam de gang in en sloot de deur achter zich, zodat het licht vol op hem scheen.

'Ik ben Holten van het districtsbestuur.' Hij toonde mevrouw Ebert, die nog steeds bij de deur stond, een papier en zij knikte en keek ietwat bezorgd naar Liz.

'Mij is door het Presidium verzocht kameraad Gold een boodschap over te brengen,' zei hij. 'Het betreft een verandering in uw programma; een uitnodiging om een speciale bijeenkomst bij te wonen.'

'O,' zei Liz, nogal onthutst. Het leek fantastisch dat het Presidium zelfs maar van haar gehoord zou hebben.

'Het is een gebaar,' zei Holten. 'Een gebaar van goodwill.'

'Maar ik – maar mevrouw Ebert...' begon Liz hulpeloos.

'Ik ben ervan overtuigd dat onder de gegeven omstandigheden kameraad Ebert u graag zal excuseren.'

'Natuurlijk,' zei mevrouw Ebert haastig.

'Waar wordt die bijeenkomst gehouden?'

'U zult vanavond nog moeten vertrekken,' antwoordde Holten. 'We moeten nog een heel eind reizen. Bijna naar Görlitz.'

'Naar Görlitz... Waar is dat?'

'Naar het oosten,' zei mevrouw Ebert vlug. 'Op de Poolse grens.'

'We kunnen u nu naar huis rijden. U kunt dan uw spullen ophalen en dan vervolgen we onze reis meteen.'

'Vanavond? Nu?'

'Ja.' Holten scheen niet te denken dat Liz veel keuze was overgebleven.

Een grote zwarte wagen wachtte op hen. Er zat een chauffeur in het voorgedeelte en er stond een vlaggestok op de motorkap. De wagen zag er nogal militair uit.

20. Het tribunaal

De rechtszaal was niet groter dan een schoollokaal. Aan de ene zijde, op de slechts vijf of zes banken die beschikbaar waren, zaten bewakers en cipiers en tussen hen de toeschouwers – leden van het Presidium en bepaalde ambtenaren. Aan het andere einde zaten de drie leden van het tribunaal op stoelen met hoge ruggen aan een ongepolijste eiken tafel. Boven hen, aan drie lussen van ijzerdraad, hing een grote rode, van multiplex gemaakte ster. De wanden van de rechtszaal waren wit, net zoals de wanden van Leamas' cel.

Aan weerszijden van de tafel, op stoelen die iets naar voren geschoven en naar elkaar toe gedraaid waren, zodat ze elkaar aankeken, zaten twee mannen; de een was van middelbare leeftijd, misschien zestig, en droeg een zwart costuum en een grijze das, het soort costuum dat men in de landelijke districten in Duitsland in de kerk draagt. De andere man was Fiedler.

Leamas zat achterin, met een bewaker aan iedere zijde. Tussen de hoofden van de toeschouwers door kon hij Mundt zien, ook omringd door politie, zijn blonde haar zeer kort geknipt, zijn brede schouders bekleed met het bekende grijs van een gevangenispak. Het scheen Leamas een duidelijke aanwijzing van de gevoelens van het Hof – of de grote invloed van Fiedler – dat deze laatste zijn eigen kleren kon dragen, terwijl Mundt gevangeniskleding droeg.

Leamas had nog niet lang op zijn plaats gezeten, toen de voorzitter van het tribunaal, in het midden achter de tafel gezeten, een bel luidde. Het geluid vestigde zijn aandacht erop en met een huivering realiseerde hij zich dat de voorzitter een vrouw was. Het kon hem nauwelijks verweten worden dat hij dat niet eerder had bemerkt. Ze was in de vijftig, met kleine ogen en een donker uiterlijk. Haar haar was kortgeknipt, zoals bij een man, en ze droeg het practische donkere jasje dat de vrouwen in de Sovjet zo gaarne dragen. Ze keek scherp de kamer rond, gaf een schildwacht een teken de deur te sluiten, en begon meteen zonder enig ceremonieel het Hof toe te spreken.

'U weet allen waarom we hier zijn. Het proces is geheim, denkt daaraan. Dit tribunaal is speciaal door het Presidium bijeengeroepen. Aan het Presidium alleen zijn wij verantwoording schuldig. We zullen getuigen horen naar gelang ons dat goed en nodig dunkt.' Ze wees nonchalant naar Fiedler. 'Kameraad Fiedler, begint u maar.'

Fiedler stond op. Met een kort knikje naar de tafel, haalde hij uit de aktentas die naast hem stond een stapel papieren die in een hoek waren samengebonden met een stuk zwart koord.

Hij sprak rustig en gemakkelijk, met een bescheidenheid die Leamas nog nooit tevoren bij hem had opgemerkt. Leamas vond het een goede voorstelling, volledig aangepast aan de rol van een man die tot zijn spijt zijn chef de das moet omdoen.

'U moet ten eerste weten, als u het al niet wist,' begon Fiedler, 'dat ik, op de dag dat het Presidium mijn rapport over de handelingen van kameraad Mundt ontving, gearresteerd werd tezamen met de overloper Leamas. Wij werden beiden gevangen gezet en werden beiden... uitgenodigd, onder de uiterste dwang, te bekennen dat deze héle verschrikkelijke beschuldiging een fascistisch komplot was tegen een trouwe kameraad.

Uit het rapport dat ik u reeds gegeven heb kunt u zien hoe het kwam dat we op Leamas attent werden: wij hebben hem zelf uitgezocht, wij hebben hem overgehaald naar ons over te lopen en hem tenslotte naar Democratisch Duitsland gevoerd. Niets kan de onpartijdigheid van Leamas duidelijker demonstreren dan dit: hij weigert nog steeds, om redenen die ik later verklaren zal, te geloven dat Mundt een Brits agent was. Het is daarom belachelijk het voor te stellen alsof Leamas in een komplot betrokken was: het initiatief was geheel aan ons, en het onvolledige maar wel zeer belangrijke getuigenis van Leamas verschaft ons alleen het uiteindelijke bewijs in een lange keten van aanwijzingen die zich uitstrekken over de laatste drie jaren.

U heeft vóór u het geschreven rapport van de zaak. Ik behoef niet anders te doen dan feiten voor u te interpreteren die u reeds bekend zijn.

De tenlastelegging tegen kameraad Mundt is dat hij de agent is van een imperialistische mogendheid. Ik zou andere beschuldigingen hebben kunnen uiten: dat hij de Britse Geheime Dienst inlichtingen heeft verschaft, dat hij zijn departement, zonder dat dit het zich bewust was, gemaakt heeft tot een slaafse volgeling van een bourgeois-staat, dat hij willens en wetens wraakzuchtige anti-Partij-groepen heeft beschermd en hiervoor bedragen in buitenlandse valuta als beloning heeft aangenomen. Deze verdere beschuldigingen echter volgen uit de voorgaande, nl. dat Hans-Dieter Mundt de agent is van een imperialistische mogendheid. De straf voor deze misdaad is de dood. Er is in ons wetboek van strafrecht geen ernstiger misdrijf te vinden, geen dat ons land aan groter gevaar blootstelt, noch groter waakzaamheid vergt van onze Partijorganen.' Hij legde zijn papieren neer.

'Kameraad Mundt is tweeënveertig jaar oud. Hij is adjuncthoofd van het Departement voor de Bescherming van het Volk. Hij is ongehuwd. Men heeft hem altijd beschouwd als een man van uitzonderlijke bekwaamheden, onvermoeid in het dienen van de belangen van de Partij, meedogenloos in de bescherming daarvan.

Laat ik u enige details uit zijn loopbaan mogen vertellen. Hij begon zijn werkzaamheden bij het departement op zijn achtentwintigste jaar en volgde de gebruikelijke opleiding. Toen zijn proeftijd om was, werd hij belast met speciale taken in de Scandinavische landen – in hoofdzaak Noorwegen, Zweden en Finland –, waar hij erin slaagde een inlichtingendienst op te bouwen die het gevecht tegen de fascistische opruiers overbracht naar het kamp van de vijand. Hij volbracht deze taak goed, en er is geen enkele reden te veronderstellen dat hij in die tijd iets anders was dan een ijverig lid van zijn departement. Maar, kameraden, deze vroege connectie met Scandinavië moogt u vooral niet vergeten. Deze dienst, die kameraad Mundt had opgebouwd, kort na de oorlog, verschafte hem vele jaren later het excuus om naar Finland en Noorwegen te reizen, waar zijn verbintenissen een dekmantel werden voor het gaan innen van duizenden dollars in buitenlandse banken in ruil voor zijn verraderlijk gedrag. Vergist u zich niet. Kameraad Mundt is niet het slachtoffer geworden van hen die proberen de klok terug te draaien. Eerst lafheid, daarna zwakheid en tenslotte hebzucht waren zijn drijfveren; het verwerven van grote rijkdommen was zijn droom. Ironisch genoeg bracht juist het ingewikkelde systeem waardoor zijn geldzucht werd bevredigd, de rechterlijke macht op zijn spoor.' Fiedler wachtte even, keek de kamer rond, zijn ogen schitterden plotseling van een heilig vuur. Leamas keek er geboeid naar.

'Laat dit een les zijn,' riep Fiedler, 'voor die andere vijanden van de Staat wier misdaden zo gemeen zijn dat ze moeten samenspannen in de duistere uren van de nacht.' Een plichtmatig gemompel steeg op uit het kleine groepje toeschouwers achter in het vertrek.

'Zij zullen niet ontsnappen aan de waakzaamheid van het volk welks bloed ze trachten te verkopen!' Het was alsof Fiedler een grote menigte toesprak in plaats van een handvol ambtenaren en bewakers, verzameld in een klein vertrek met witgekalkte wanden.

Leamas realiseerde zich op dat ogenblik dat Fiedler geen risico nam: het gedrag van het tribunaal, de aanklagers en de getuigen moest politiek onkreukbaar zijn. Fiedler, die ongetwijfeld bekend was met het feit dat het gevaar van een te volgen tegenaanval onafscheidelijk verbonden was aan zulke zaken, was bezig zich in de rug te dekken: de polemiek zou in de notulen worden opgenomen en het moest een werkelijk moedig man zijn die haar durfde weerleggen.

Fiedler opende nu het dossier dat voor hem op de lessenaar lag.

'Aan het einde van 1956 werd Mundt naar Londen gezonden als lid van de Oostduitse Staal Missie. Hij had bovendien de speciale taak tegenmaatregelen te nemen tegen de revolutionaire actie van groepen geëmigreerden. In de loop van zijn werk stelde hij zichzelf aan grote gevaren bloot – hieraan bestaat geen twijfel –, en hij bereikte waardevolle resultaten.'

De aandacht van Leamas werd wederom getrokken naar de drie figuren aan de tafel in het midden. Aan de linkerhand van de voorzitster zat een tamelijk jonge, donkere man. Zijn ogen schenen half gesloten te zijn. Hij had sluik, verward haar en het grijze magere voorkomen van een asceet. Zijn handen waren slank en speelden rusteloos met de hoek van een bundel papieren die voor hem lag. Leamas veronderstelde dat hij op de hand van Mundt was, hoewel hij moeilijk kon zeggen waarom. Aan de andere kant van de tafel zat een iets oudere man, al wat kaal, met een open, prettig gezicht. Leamas vond dat hij er nogal dom uitzag. Hij dacht dat, wanneer er over Mundts lot beslist moest worden, de jonge man hem zou verdedigen en de vrouw hem zou veroordelen. Hij verwachtte dat de derde man, verward door het verschil van mening, zich aan de zijde van de voorzitster zou scharen.

Fiedler sprak weer.

'Tegen het einde van zijn diensttijd in Londen liep Mundt naar hen over. Ik heb al gezegd dat hij zich blootstelde aan grote gevaren; hierdoor kwam hij in conflict met de Britse geheime politie en er werd een bevel tot inhechtenisneming tegen hem uitgevaardigd. Mundt, die geen diplomatieke immuniteit genoot (NAVO-Engeland erkent onze souvereiniteit niet), moest onderduiken. Alle havens werden bewaakt, zijn foto en signalement werden over het gehele Verenigd Koninkrijk verspreid. En toch, na slechts twee dagen verborgen te zijn geweest, nam kameraad Mundt een taxi naar London Airport en vloog naar Berlijn. "Schitterend", zult u zeggen, en dat was het ook. Terwijl de gehele Britse politiemacht gealarmeerd was, alle wegen, spoorwegen, scheepvaart- en luchtvaartlijnen onder voortdurende bewaking stonden, neemt kameraad Mundt een vliegtuig van London Airport. Dat was inderdaad schitterend. Of misschien denkt u nu, kameraden, nu u dit van een afstand kunt beschouwen, dat Mundts ontsnapping uit Engeland net iets *te* prachtig was, een beetje *te* gemakkelijk, dat ze, zonder dat de Britse autoriteiten het oogluikend toelieten, in het geheel niet mogelijk zou zijn geweest!'

Opnieuw rees achter in het vertrek gemompel, ditmaal iets spontaner dan de eerste maal.

'Dit is de waarheid: Mundt *werd* door de Engelsen gevangen genomen; in een kort, belangrijk gesprek bood men hem het klassieke alternatief aan. Wat zou hij kiezen, jaren in een imperialistische gevangenis, het einde van een schitterende loopbaan, of zou Mundt een dramatische terugkeer naar zijn vaderland maken, tegen alle verwachtingen in, en de rijke beloften vervullen die men van hem gekoesterd had? De Britten stelden natuurlijk als voorwaarde voor zijn terugkeer dat hij hun van inlichtingen zou voorzien en zij zouden hem in dat geval grote sommen gelds betalen. Met deze wortel als lokaas voor zich en de stok achter zich, trad Mundt in hun dienst. Het was nu in het belang der Britten Mundt promotie te zien maken. We kunnen nog niet bewijzen dat Mundts succes in het liquideren van onbelangrijke westerse spionnen het werk was van zijn imperialistische meesters die hun eigen medewerkers verrieden – diegenen onder hen die vervangbaar waren – opdat het prestige van Mundt zou toenemen. We kunnen dat niet bewijzen, maar het is een veronderstelling die door de getuigenverklaringen gerechtvaardigd wordt. Vanaf 1960 – het jaar dat kameraad Mundt Hoofd van de Contraspionagesectie van de Abteilung werd – hebben ons van over de gehele wereld waarschuwingen bereikt dat er een hooggeplaatste spion in onze rijen moest zijn. Gij weet allen dat Karl Riemeck een spion was; wij dachten dat het kwaad zou zijn verdreven, toen hij geëlimineerd was. Maar de geruchten duurden voort.

Eind 1960 zocht een vroegere collaborateur van ons contact met een Engelsman in de Libanon van wie bekend was, dat hij in verbinding stond met de Geheime Dienst van zijn land. Hij bood hem – zoals we spoedig daarna ontdekten – een complete beschrijving aan van de beide secties van de Abteilung waarvoor hij vroeger gewerkt had. Zijn aanbod werd, nadat het was doorgegeven naar Engeland, van de hand gewezen. Dat was heel eigenaardig. Het kon alleen maar betekenen dat de Britten reeds over de aangeboden gegevens beschikten *en dat deze geheel bij waren.*

Vanaf midden 1960 verloren we in het buitenland medewerkers in een ontstellend groot aantal. Vaak werden ze gearresteerd binnen een paar weken na hun uitzending. Soms probeerde de vijand onze eigen agenten tegen ons te gebruiken, maar niet vaak. Het leek wel of het hun nauwelijks iets kon schelen.

En toen – het was in het begin van 1961 als ik me goed herinner – hadden we een buitenkansje. We verkregen, op een wijze die ik hier niet nader zal beschrijven, een opgave van de gegevens omtrent de Abteilung, waarover de Britse Geheime Dienst beschikte. Ze waren compleet, nauwkeurig en opvallend bij. Ik liet ze natuurlijk aan Mundt zien – hij was tenslotte mijn chef. Hij vertelde me dat dit voor hem helemaal geen verrassing was: hij was op het ogenblik met een onderzoek bezig, en ik moest voorlopig niets doen omdat hierdoor zijn plannen doorkruist zouden worden. En ik beken dat op dat ogenblik de gedachte bij me opkwam, al was het vaag en ongelooflijk, dat Mundt zelf die gegevens verstrekt zou kunnen hebben. Er waren ook andere aanduidingen...

Ik behoef u nauwelijks te vertellen dat de laatste, de allerlaatste persoon die men zal verdenken van spionage, het hoofd van de contraspionagedienst is. Het idee is zo verschrikkelijk, zo melodramatisch, dat slechts weinigen het zouden durven koesteren, laat staan het uitspreken! Ik moet toegeven dat ikzelf heel lang geaarzeld heb alvorens tot zulk een schijnbaar fantastische gevolgtrekking te komen. Dat was fout.

Maar, kameraden, het uiteindelijk bewijs is ons in handen gevallen. Ik zal de getuige thans oproepen.' Hij draaide zich om en keek naar het andere eind in het vertrek. 'Breng Leamas hier.' De bewakers aan weerszijden van hem stonden op en Leamas baande zich een weg langs de rij waarin hij zat om in de doorgang te komen die niet breder dan zestig centimeter was en midden door de kamer liep. Een bewaker beduidde hem dat hij met zijn gezicht naar de tafel moest gaan staan. Fiedler stond een meter van hem vandaan. Eerst richtte de voorzitster zich tot hem.

'Wat is uw naam, getuige?' vroeg ze.

'Alec Leamas.'

'Hoe oud bent u?'

'Vijftig.'

'Bent u getrouwd?'

'Nee.'

'Maar u bent het wel geweest.'

'Ik ben nu niet getrouwd.'

'Wat is uw beroep?'

'Assistent-bibliothecaris.'

Nijdig kwam Fiedler tussenbeide. 'Vroeger stond u in dienst van de Britse Geheime Dienst, niet waar?' snauwde hij.

'Dat is juist. Tot een jaar geleden.'

'De leden van het tribunaal hebben de rapporten van uw ondervragingen gelezen,' vervolgde Fiedler. 'Ik wil dat u hun nogmaals vertelt over de conversatie die u verleden jaar mei met Peter Guillam gehad hebt.'

'U bedoelt toen we over Mundt spraken?'

'Ja.'

'Ik heb het u al een keer verteld. Ik was in het Circus, ons bureau in Londen, ons hoofdkwartier in Cambridge Circus. In de gang liep ik tegen Peter aan. Ik wist dat hij te maken had gehad met de Fennan-zaak en ik vroeg hem wat er van George Smiley geworden was. Toen kregen we het over Dieter Frey, die gestorven was, en over Mundt, die ook in die zaak gemengd was. Peter zei dat hij van mening was dat Maston – Maston was de man die de zaak toen in handen had – niet had gewild dat Mundt gearresteerd werd.'

'Hoe interpreteerde u dat?' vroeg Fiedler.

'Ik wist dat Maston die hele Fennan-zaak verkeerd behandeld had. Ik dacht dat hij niet wilde dat er in de modder geroerd zou worden door Mundt als deze verscheen in de Old Bailey.'*

'Als Mundt gevangen was genomen, zou hij dan wettelijk in staat van beschuldiging gesteld zijn?' viel de voorzitster hier in de rede.

'Het hangt ervan af wie hem gearresteerd zou hebben. Als de politie het gedaan had, zouden ze het binnenlandse zaken gemeld hebben. Daarna had geen macht ter wereld kunnen verhinderen dat hij in staat van beschuldiging werd gesteld.'

'En wat zou er gebeurd zijn als uw Dienst hem te pakken gekregen had?' vroeg Fiedler.

'O, dat is heel wat anders. Ik veronderstel dat ze hem ondervraagd zouden hebben en dan getracht hem voor een van onze eigen mensen te ruilen, die hier in de gevangenis zitten. Of anders hadden ze hem een kaartje gegeven.'

'Wat betekent dat?'

'Zich van hem ontdoen.'

---

* Een zeer bekend gerechtshof in Londen op Holborn Avenue. *(Vert.)*

'Hem liquideren?' Fiedler stelde nu alle vragen, en de leden van het tribunaal schreven ijverig in de dossiers vóór hen. 'Ik weet niet wat ze doen. Met dat spelletje heb ik nooit wat te maken gehad.'

'Zouden ze ook niet hebben kunnen proberen hem als hun agent te werven?'

'Ja, maar dat is hun niet gelukt.'

'Hoe weet u dat?'

'O, in godsnaam, dat heb ik al telkens en telkens weer verteld. Ik ben verdomme geen gedresseerde zeehond... Ik ben vier jaar lang hoofd van het Bureau in Berlijn geweest. Als Mundt een van onze mensen was geweest, zou ik dat geweten hebben. Ik zou het wel hebben moeten weten.'

'Juist.'

Fiedler scheen tevreden met dit antwoord, maar dacht misschien dat dit met de rest van het tribunaal niet het geval was. Hij richtte nu zijn aandacht op de operatie 'Rolling Stone', ging nogmaals met Leamas alle gecompliceerde handelingen na die de circulatie van het dossier betroffen, de brieven naar de banken in Helsinki en Stockholm en het ene antwoord dat Leamas ontvangen had. Zich tot het tribunaal wendende leverde Fiedler het volgende commentaar:

'Uit Helsinki kregen we geen antwoord. Ik weet niet waarom. Maar laat ik even voor u mogen recapituleren. Leamas deponeerde geld in Stockholm op 15 juni. Tussen de voor u liggende papieren bevindt zich het afschrift van een brief van de Royal Scandinavian Bank geadresseerd aan Robert Lang. Robert Lang was de naam die Leamas gebruikte om de Kopenhaagse depositorekening te openen. Uit die brief (het is de twaalfde van de serie in uw dossier) zult u zien dat de gehele som – tienduizend dollar – geïnd was door de medebegunstigde van de rekening, een week later. Ik neem aan,' ging Fiedler voort, met zijn hoofd de beweginloze gestalte van Mundt aanduidende, die op de voorste rij zat, 'dat gedaagde niet bestrijden zal dat hij op 21 juni in Kopenhagen was, zogenaamd voor een geheime opdracht ten behoeve van de Abteilung.'

Hij wachtte even en ging toen verder:

'Het bezoek van Leamas aan Helsinki – het tweede bezoek dat hij bracht om geld te deponeren – vond plaats op ongeveer 24 september.' Zijn stem verheffende draaide hij zich om en keek Mundt recht in het gezicht. 'Op de derde october bracht kameraad Mundt een clandestien bezoek aan Finland – nogmaals zogenaamd in het belang van de Abteilung.'

Er heerste stilte. Langzaam draaide Fiedler zich om en richtte zich weer tot het tribunaal. Met een stem die tegelijkertijd gedempt en dreigend klonk vroeg hij:

'Wilt u misschien tegenwerpen dat het bewijs niet rechtstreeks zou zijn? Laat me u aan nog iets anders herinneren.' Hij wendde zich tot Leamas.

'Getuige, gedurende uw activiteiten in Berlijn verbond u zich met Karl Riemeck, gewezen secretaris van het Presidium van de Socialistische Eenheids Partij. Wat was de aard van deze samenwerking?'

'Hij was mijn agent, totdat hij werd neergeschoten door Mundts mannen.'

'Juist. Hij werd neergeschoten door Mundts mannen. Een van de vele spionnen die door kameraad Mundt werden geliquideerd voordat ze ondervraagd konden worden. Maar voor hij werd neergeschoten door Mundts mannen, was hij dus agent van de Britse Geheime Dienst?'

Leamas knikte.

'Wilt u de ontmoeting beschrijven tussen Riemeck en de man die u Control noemt?'

'Control kwam vanuit Londen naar Berlijn om met Karl te spreken. Karl was een van de meest productieve agenten die we hadden, dacht ik zo, en Control wilde hem eens zien.'

Fiedler viel hem in de rede. 'Hij was ook een van de meest vertrouwde?'

'Ja, o ja. Londen was gek op Karl, hij kon niets verkeerds doen. Toen Control dus kwam arrangeerde ik het zo dat Karl naar mijn flat kwam en wij dineerden gedrieën. Ik vond het eigenlijk niet prettig dat Karl daar kwam, maar dat kon ik Control moeilijk zeggen. Het is moeilijk uit te leggen, maar ze hebben soms van die gekke ideeën in Londen, zij staan zo buiten alles, en ik was doodsbenauwd dat ze het een of andere voorwendsel zouden vinden om Karl zelf in handen te nemen – tot zoiets zijn ze best in staat.'

'Dus u arrangeerde een bijeenkomst van jullie drieën,' onderbrak Fiedler hem kortaf. 'Wat gebeurde er toen?'

'Van tevoren had Control me gevraagd ervoor te zorgen dat hij een kwartier alleen kon zijn met Karl, en dus deed ik het in de loop van de avond voorkomen alsof ik geen Scotch meer in huis had. Ik verliet de flat en ging naar De Jong. Daar dronk ik een paar borrels, leende een fles en ging terug.'

'Hoe trof u ze daar aan?'

159

'Wat bedoelt u?'

'Waren Control en Riemeck nog aan het praten? Zo ja, waarover spraken ze dan?'

'Ze spraken helemaal niet toen ik terugkwam.'

'Dank u. U kunt gaan zitten.'

Leamas keerde terug naar zijn plaats achter in de kamer. Fiedler richtte zich tot de drie leden van het tribunaal en begon: 'Ik zou eerst willen spreken over de spion Riemeck, die werd doodgeschoten: Karl Riemeck. U heeft daar voor u een staat met alle gegevens die Riemeck in Berlijn aan Leamas verstrekt heeft, voor zover Leamas zich dat herinneren kan. Het is een formidabele lijst van verraad. Laat me het even voor u mogen opsommen. Riemeck gaf zijn meesters een gedetailleerde opsomming van alle werkzaamheden en personen van de gehele Abteilung. Hij was in staat, als men Leamas geloven kan, een verslag te geven over zelfs onze meest geheime vergaderingen. Als secretaris van het Presidium verschafte hij de notulen van de meest geheime processen.

Dat was gemakkelijk voor hem; hijzelf stelde het verslag van de vergaderingen samen. Maar of Riemeck *toegang* had tot de geheime zaken van de Abteilung is heel wat anders. Wie heeft eind 1959 Riemeck toegevoegd aan het Comité voor de Bescherming van het Volk, dat essentiële sub-comité van het Presidium dat de zaken betreffende onze veiligheidsorganen bespreekt en coördineert? Wie stelde voor dat Riemeck het privilege zou krijgen kennis te nemen van alle dossiers van de Abteilung? Wie heeft, in elk stadium van Riemecks loopbaan *sedert* 1959 (het jaar waarin Mundt uit Engeland terugkwam, weet u nog wel?), hem steeds weer uitgezocht voor taken waaraan een zeer grote mate van verantwoordelijkheid verbonden was? Dat zal ik u vertellen,' riep Fiedler uit. 'Dezelfde man die een unieke plaats bekleedde om hem in zijn spionage-activiteiten te beschermen: Hans-Dieter Mundt. Laten we even in onze herinnering terugroepen hoe Riemeck met de organisaties van de Westelijke geheime dienst in Berlijn in contact kwam – hoe hij De Jongs auto uitzocht bij een picknick en een film erin deponeerde. Bent u niet verbaasd over Riemecks voorkennis? Hoe kon hij hebben ontdekt waar die wagen zou zijn en op die specifieke dag? Riemeck zelf had geen auto, hij kon dus De Jong niet gevolgd zijn vanaf diens huis in West-Berlijn. Er bestond slechts één manier waarop hij het te weten kon komen – door onze eigen Geheime Politie, die De Jongs aanwezigheid meldde als een routinekwestie zodra de wagen het controlepunt aan de Inter Sector passeerde. Over die wetenschap beschikte Mundt, en Mundt gaf ze door aan Riemeck. *Dat* is de aanklacht tegen Hans-Dieter Mundt – ik zeg u, Riemeck was zijn werktuig, de schakel tussen Mundt en zijn imperialistische meesters!'

Fiedler wachtte even en voegde er toen kalm aan toe:

'Mundt – Riemeck – Leamas: dat was de commandoketen, en het is een axioma in de techniek van Geheime Diensten over de gehele wereld dat elke schakel van de keten voor zover mogelijk onwetend wordt gehouden omtrent de andere. En zo is het dus *juist* als Leamas volhoudt dat hij niets weet ten nadele van Mundt, dat is niet anders dan het bewijs van de goede leiding van de Geheime Dienst door zijn chefs in Londen. U bent er ook over ingelicht hoe de gehele zaak, bekend onder de naam "Rolling Stone", onder onvoorwaardelijke geheimhouding geleid werd, hoe Leamas in vage trekken iets wist van een sectie van zijn Dienst die onder leiding stond van Peter Guillam en waarvan gezegd werd dat hij zich bezighield met de economische condities in onze Republiek – een sectie die, verwonderlijk genoeg, op de circulatielijst stond van "Rolling Stone". Laat ik u eraan mogen herinneren dat deze zelfde Peter Guillam een van de Britse veiligheidsofficieren was die betrokken waren in het onderzoek naar Mundts activiteiten terwijl hij in Engeland was.'

De jeugdig uitziende man aan de tafel hief zijn potlood op, keek Fiedler aan, en met zijn koude, harde ogen wijd open, vroeg hij: 'Waarom liquideerde Mundt dan Riemeck, als Riemeck zijn agent was?'

'Hij had geen keus. Riemeck stond onder verdenking. Zijn maîtresse had hem door haar stomme loslippigheid verraden. Mundt beval dat hij ter plaatse moest worden neergeschoten, liet Riemeck toen weten dat hij beter kon vluchten, en het gevaar voor verraad was uit de weg geruimd. Later vermoordde Mundt de vrouw.

Ik zal nu een ogenblik Mundts techniek trachten na te gaan. Na zijn terugkeer naar Duitsland in 1959 nam de Britse Geheime Dienst een afwachtende houding aan. Mundt moest zijn bereidwilligheid om met hen samen te werken eerst nog waarmaken, dus gaven ze hem instructies en wachtten, zich voorlopig tevreden stellende met te betalen en er het beste van te hopen. In die tijd was Mundt niet een van de leidende functionarissen van onze Dienst – evenmin als van de Partij –, maar hij zag heel wat en wat hij zag begon hij te rapporteren. Hij stond natuurlijk rechtstreeks met zijn opdrachtgevers in verbinding. We moeten veronderstellen dat men hem in West-Berlijn ontmoette, dat hij op zijn korte reizen in het buitenland, naar Scandinavië en elders, werd opgevangen en ondervraagd. In het begin moeten de Britten op hun hoede geweest zijn – en wie zou dat niet? –, ze wogen hetgeen hij hun vertelde met pijnlijke nauwkeurigheid af tegen wat ze al wisten, ze vreesden dat hij dubbel spel zou spelen. Maar langzamerhand realiseerden ze zich dat ze een goudmijn hadden aangeboord. Mundt verrichtte zijn verraderswerk met de systematische zorgvuldigheid waarvoor hij bekend staat. In het begin – dit is slechts een vermoeden, maar het is gebaseerd, kameraden, op lange ervaring in dit werk en op het getuigenis van Leamas –, in de eerste paar maanden durfden ze Mundt nog niet in een spionagenet in te schakelen. Ze lieten hem alleen werken, ze hielpen hem, betaalden en instrueerden hem, onafhankelijk van hun organisatie in Berlijn. In Londen richtten ze een kleine geheime sectie op onder Guillam (want hij was het die Mundt in Engeland in dienst had genomen), een sectie waarvan men zelfs in de Dienst, op een klein aantal ingewijden na, niet wist wat de bedoeling ervan eigenlijk was. Ze betaalden Mundt volgens een bepaald systeem, dat ze "Rolling Stone" noemden, en ik twijfel er niet aan of ze behandelden de gegevens die hij hun verstrekte met de grootste omzichtigheid. Dit klopt, zoals u ziet, volkomen met Leamas' protesten dat hij van het bestaan van Mundt niets afwist, hoewel – zoals u horen zult – hij hem niet alleen betaalde, maar uiteindelijk *zelfs van Riemeck de gegevens ontving en naar Londen doorgaf, die Mundt verschafte*. Tegen het einde van 1959 deelde Mundt zijn opdrachtgevers in Londen mee dat hij binnen het Presidium een man gevonden had die als tussenpersoon voor hem zou dienen. Die man was Riemeck.

Hoe ontdekte Mundt Riemeck? Hoe durfde hij op Riemecks bereidwilligheid tot medewerking af te gaan? U moet zich even Mundts uitzonderlijke positie indenken: hij had toegang tot alle geheime dossiers, kon telefoons aftappen, brieven openen, bewakers inschakelen; hij had het onaantastbare recht iedereen te ondervragen en had het meest gedetailleerde beeld van hun privélevens voor zich. En bovenal kon hij wantrouwen ogenblikkelijk doen verstillen door juist dat wapen tegen de mensen te gebruiken' – Fiedlers stem beefde van woede – 'dat bedoeld was voor hun bescherming.' Zonder moeite terugvallende in zijn vorige kalme spreektrant, vervolgde hij: 'U kunt nu zien wat Londen deed. Ze hielden Mundts identiteit nog steeds strikt geheim, lieten oogluikend toe dat hij Riemeck in dienst nam, en maakten het aldus mogelijk dat er tussen Mundt en het Berlijnse Bureau indirect contact werd gelegd. Dat is de betekenis van Riemecks ontmoeting met De Jong en Leamas. *Zo* moet u het getuigenis van Leamas interpreteren, daarnaar moet u het verraad van Mundt afmeten.' Hij draaide zich om, en terwijl hij Mundt pal in het gelaat keek, riep hij uit:

'Daar zit de saboteur, de terrorist! Daar zit de man die het recht van het Volk verkocht heeft!

Ik ben nu bijna aan het einde. Slechts één ding moet nog gezegd worden. Mundt verwierf de reputatie van een loyale en geslepen beschermer van het volk, en hij legde voor eeuwig het zwijgen op aan hen die zijn geheim zouden hebben kunnen verraden. Aldus doodde hij in naam van het volk om zijn fascistisch verraad te dekken en zijn eigen loopbaan binnen onze Dienst te begunstigen. Het is niet wel mogelijk zich een verschrikkelijker misdaad dan deze voor te stellen. En daarom – uiteindelijk – na alles wat in zijn vermogen was gedaan te hebben om Riemeck te beschermen tegen de achterdocht die hem langzamerhand omringde, gaf hij opdracht Riemeck ter plaatse neer te schieten. Dat is ook de reden waarom hij de moord op Riemecks vriendin organiseerde. Wanneer het zover is dat gij uw oordeel aan het Presidium kenbaar moet maken, deins er dan niet voor terug de ontstellende beestachtigheid van de misdaad van deze man te erkennen. Voor Hans-Dieter Mundt is de dood een genadig vonnis.'

21. De getuige

De voorzitster wendde zich tot de kleine man in het zwarte costuum die recht tegenover Fiedler zat.

'Kameraad Karden, u pleit voor kameraad Mundt. Wenst u de getuige Leamas te ondervragen?'

'Ja, ja, dat zal ik straks zeker doen,' antwoordde hij, moeizaam overeind komende, terwijl hij de veren van zijn gouden bril achter zijn oren bevestigde. Hij was een vriendelijke man, een beetje boers, en hij had wit haar.

'De bewering van kameraad Mundt,' begon hij – zijn zachte stem had een prettige klank – 'is dat Leamas liegt; dat kameraad Fiedler, hetzij willens en wetens, hetzij bij toeval, betrokken is geworden in een komplot om de Abteilung te doen uiteenvallen en op die wijze de verdedigingsorganen van onze socialistische staat in discrediet te brengen. We betwisten niet dat Karl Riemeck een Britse spion was – de bewijzen daarvan zijn aanwezig. Maar we betwisten wel dat Mundt met hem samenspande of geld accepteerde om onze Partij te verraden. Wij beweren dat er geen objectieve bewijzen zijn voor deze beschuldiging, dat kameraad Fiedler verblind is door zijn dromen over macht en niet in staat is redelijk te denken. Wij houden vol dat Leamas, vanaf het ogenblik dat hij van Berlijn naar Londen terugkeerde, een rol heeft gespeeld, dat zijn plotselinge verwording tot een aan de drank verslaafde dégeneré die zijn schulden niet betaalde gesimuleerd was, dat hij een winkelier in het publiek een pak slaag heeft gegeven en anti-Amerikaanse gevoelens heeft voorgewend – alles uitsluitend en alleen om de aandacht te trekken van de Abteilung. Wij zijn van mening dat de Britse Geheime Dienst weloverwogen een uitgebreid net van bewijzen heeft gesponnen rond de persoon van kameraad Mundt – het storten van gelden op buitenlandse banken, opgenomen op een datum samenvallende met de aanwezigheid van Mundt in dit of dat land, het terloopse mondeling overgebrachte getuigenis van Peter Guillam, de geheime ontmoeting tussen Control en Riemeck waarbij zaken werden besproken die Leamas niet kon horen: al deze punten vormden een bedrieglijke keten van bewijzen, en kameraad Fiedler, op wiens eerzucht de Britten zo terecht speculeerden, aanvaardde dit alles; en daardoor werd hij betrokken bij het monsterachtige komplot tot de vernietiging – tot het vermoorden in feite, want er bestaat een kans dat Mundt het leven erbij inschiet – van een van de meest waakzame verdedigers van onze Republiek.

Is het niet in overeenstemming met hun reputatie van saboteren, ondermijnen en samenspannen dat de Britten dit wanhopige komplot smeedden? Welke andere mogelijkheid lag er nog voor hen open, nu de muur gebouwd is dwars door Berlijn en de vloed van westelijke spionnen is gestuit? Wij zijn het slachtoffer geworden van hun samenzwering; in het gunstigste geval is kameraad Fiedler schuldig aan een hoogst ernstige dwaling, in het ernstigste geval aan het samenzweren met imperialistische spionnen om de veiligheid van de arbeidersstaat te ondermijnen en onschuldig bloed te vergieten.

Wij hebben ook een getuige.' Hij knikte vriendelijk naar het Hof. 'Ja, ook wij hebben een getuige. Want dacht u nou werkelijk dat al die tijd kameraad Mundt onbekend is gebleven met het koortsachtige intrigeren van Fiedler? Veronderstelt u dat nu heus? Al maanden was hij op de hoogte van Fiedlers waandenkbeelden. Het was kameraad Mundt zelf die toestemming gaf tot het benaderen van Leamas in Engeland; dacht u soms dat hij zulk een krankzinnig risico gelopen zou hebben als hij er zelf bij betrokken kon worden?

En toen de rapporten van Leamas' eerste ondervraging in Den Haag het Presidium bereikten, dacht u soms dat kameraad Mundt zijn exemplaar toen ongelezen had weggegooid? En toen er, nadat Leamas in ons land was aangekomen en Fiedler met zijn eigen ondervraging begon, geen verdere rapporten meer verschenen, dacht u dat kameraad Mundt toen zo achterlijk was dat hij niet wist wat Fiedler aan het uitbroeden was? Toen de eerste rapporten van Peters uit Den Haag binnenkwamen, hoefde Mundt alleen maar even naar de data van Leamas' bezoeken aan Kopenhagen en Helsinki te kijken om zich te realiseren dat de hele geschiedenis een val was – een val om Mundt zelf in discrediet te brengen. Die data vielen inderdaad samen met de bezoeken van Mundt aan Denemarken en Finland; ze waren juist om die reden door Londen gekozen. Mundt was van die "eerdere aanduidingen" even goed op de hoogte als Fiedler – onthoudt dat. Mundt zocht ook naar een spion in de rangen van de Abteilung...

En zo keek Mundt, omstreeks de tijd dat Leamas in Democratisch Duitsland kwam, gefascineerd toe hoe Leamas Fiedlers verdenkingen voedde met hints en terloopse aanduidingen – nooit overdreven, begrijpt u, nooit nadrukkelijk, maar hier en daar geplaatst met verraderlijke sluwheid. En tegen die tijd was de toestand rijp... de man in de Libanon, de fantastische primeur waarop Fiedler doelde, die beide schenen te bevestigen dat er een hooggeplaatste spion in de Abteilung aan het werk was...

Het was verwonderlijk knap gedaan. Het had de nederlaag die de Britten geleden hadden door het verlies van Riemeck kunnen doen omslaan – dat zou het nog kunnen – in een opmerkelijke overwinning.

Kameraad Mundt nam één voorzorg, terwijl de Britten, met behulp van Fiedler, zijn dood voorbereidden.

Hij liet uiterst nauwkeurige naspeuringen instellen in Londen. Hij onderzocht elk klein detail van het dubbele leven dat Leamas daar in Bayswater geleid had. Hij zocht, ziet u, naar de een of andere menselijke fout in een plan van bijna bovenmenselijk vernuft. Hij was van mening dat gedurende het lange verblijf van Leamas in die wildernis, deze toch wel éérs zou falen in het nakomen van zijn belofte

165

van armoede, dronkenschap, gedegenereerdheid en bovenal van eenzaamheid. Hij zou behoefte hebben aan gezelschap, misschien wel aan een vriendinnetje; hij zou verlangen naar warm menselijk contact, verlangen de andere ziel in zijn borst te kunnen openbaren. En weet u, kameraad Mundt had gelijk. Leamas, die bekwame, ervaren werker, beging inderdaad een fout, zo elementair, zo menselijk dat... ' Hij glimlachte. 'U zult de getuige horen, maar nu nog niet. Die getuige is hier; opgespoord door kameraad Mundt. Het was een bewonderenswaardige voorzorgsmaatregel. Later zal ik die – getuige oproepen.' Hij keek een beetje schalks, als om te beduiden dat men hem zijn kleine grap maar moest gunnen. 'Intussen zou ik, als u me toestaat, een of twee vragen willen stellen aan die onwillige aanklager, meneer Alec Leamas.'

'Vertelt u me eens,' begon hij, 'bent u een bemiddeld man?'

'Doe niet zo verdomd idioot,' zei Leamas kortaf, 'je weet hoe ik eraan toe was toen ik werd opgepikt.'

'Ja, inderdaad,' verklaarde Karden, 'dat was meesterlijk. Ik mag dus aannemen dat u helemaal geen geld hebt?'

'Dat mag je.'

'Heeft u vrienden die u geld zouden willen lenen, misschien zelfs geven? Of die bereid zouden zijn uw schulden te betalen?'

'Als ik die had, zat ik nu niet hier.'

'Geen enkele? U kunt zich niet voorstellen dat de een of andere vriendelijke weldoener, misschien iemand die u al bijna vergeten bent, zich de moeite zou geven u weer op de been te helpen... af te rekenen met schuldeisers en zo?'

'Nee.'

'Dank u. Een andere vraag: kent u George Smiley?'

'Natuurlijk ken ik die. Hij werkte in het Circus.'

'Hij heeft nu de Britse Geheime Dienst verlaten?'

'Hij nam de benen na de Fennan-zaak.'

'O, ja – die zaak waarbij Mundt betrokken was. Hebt u hem sindsdien ooit gezien?'

'Een paar maal.'

'Heeft u hem gezien sinds u bij het Circus wegging?'

Leamas aarzelde. 'Nee,' zei hij.

'Hij heeft u in de gevangenis niet bezocht?'

'Nee. Dat heeft niemand gedaan.'

'En voor u naar de gevangenis ging?'

'Nee.'

'Nadat u uit de gevangenis kwam – om precies te zijn de dag waarop u werd vrijgelaten – werd u meegenomen door een man die Ashe heette, nietwaar?'

'Ja.'

'U heeft met hem geluncht in Soho. Waar ging u heen nadat jullie uit elkaar gingen?'

'Dat herinner ik me niet. Vermoedelijk naar een kroeg. Geen idee.'

'Laat mij u helpen. U belandde tenslotte in Fleet Street en nam een bus. Vandaar schijnt u, op voor een man van uw ervaring nogal onhandige wijze, per bus, ondergrondse en privé-auto kris-kras naar Chelsea gegaan te zijn. Kunt u zich herinneren? Ik kan u het rapport laten zien als u dat graag wilt, ik heb het hier.'

'Je zult vermoedelijk wel gelijk hebben. Wat dan nog?'

'George Smiley woont in Bywater Street ter hoogte van King's Road, dat bedoel ik. Uw wagen draaide Bywater Street in en onze agent meldde dat u uitstapte bij nummer negen. Dat is toevallig Smileys huis.'

'Dat is kletskoek,' verklaarde Leamas, 'ik denk eerder dat ik naar de "Eight Bells" gegaan ben, dat is een geliefkoosde kroeg van me.'

'Met een privé-auto?'

'Dat is ook onzin. Ik zal wel een taxi genomen hebben. Als ik geld heb, laat ik het rollen.'

'Maar waarom al dat rondrennen voordien?'

'Dat is flauwekul. Vermoedelijk hebben ze de verkeerde kerel gevolgd. Dat zou net iets voor hen zijn.'

'Om op mijn oorspronkelijke vraag terug te komen, u kunt zich niet voorstellen dat Smiley enigerlei belangstelling voor u gekoesterd zou hebben nadat u bij het Circus wegging?'

'Goal, nee.'

'Noch voor uw welzijn nadat u naar de gevangenis was gegaan, noch geld zou hebben uitgegeven voor uw familieleden en u ook niet zou hebben willen weerzien nadat u Ashe had ontmoet?'

'Nee. Ik heb er geen flauw idee van wat je probeert te zeggen, Karden, maar het antwoord is nee. Als je Smiley ooit ontmoet had, zou je dat niet vragen. We waren zo verschillend van elkaar als maar menselijkerwijs mogelijk is.'

Dit scheen Karden nogal te bevallen, hij glimlachte en knikte voor zich heen, terwijl hij zijn bril rechtzette en omslachtig zijn dossier inkeek. 'O ja,' zei hij, alsof hij iets vergeten had, 'toen u die kruidenier om crediet vroeg, hoeveel geld had u toen?'

'Niets,' zei Leamas onverschillig. 'Ik was al een week blut. Nog langer zelfs, zou ik denken.'

'Waarvan had u dan geleefd?'

'Van een hap en een snap. Ik was ziek geweest, had koorts gehad. Gedurende een week had ik bijna niets gegeten. Ik veronderstel dat dat ook op mijn zenuwen gewerkt had – de doorslag gegeven heeft.'

'Ze waren u natuurlijk nog geld schuldig in de bibliotheek, is het niet?'

'Hoe weet jij dat?' vroeg Leamas scherp. 'Ben je –'

'Waarom bent u dat niet gaan halen? Dan had u niet om crediet hoeven vragen, is het niet zo, Leamas?'

Deze haalde zijn schouders op. 'Dat weet ik niet meer. Vermoedelijk omdat de bibliotheek op zaterdagochtend gesloten was.'

'O juist. Weet u zeker dat ze zaterdagochtend gesloten waren?'

'Nee. Daar gok ik maar naar.'

'Juist. Dank u, dat is alles wat ik te vragen heb.' Leamas ging juist weer zitten, toen de deur openging en er een vrouw binnenkwam. Ze was groot en lelijk en droeg een grijze overal met chevrons op een der mouwen. Achter haar stond Liz.

22. De voorzitster

Ze kwam langzaam de rechtszaal binnen, met wijd open ogen om zich heen kijkende als een kind dat nog niet goed wakker is en een helverlichte kamer binnenkomt. Leamas was vergeten hoe jong ze was. Toen ze hem tussen twee bewakers zag zitten, bleef ze staan.

'Alec.'

De bewaker naast haar legde zijn hand op haar arm en geleidde haar naar de plaats waar Leamas gestaan had. Het was heel stil in de rechtszaal.

'Hoe is je naam, kind?' vroeg de voorzitster bruusk. De lange handen van Liz hingen langs haar zijden, met gestrekte vingers.

'Hoe is je naam?' herhaalde ze, ditmaal op luide toon.

'Elizabeth Gold.'

'Je bent lid van de Britse Communistische Partij?'

'Ja.'

'En je hebt in Leipzig gelogeerd?'

'Ja.'

'Wanneer werd je lid van de Partij?'

'In 1955. Nee – het was in vierenvijftig, geloof ik –'

Ze werd onderbroken door het geluid van een beweging, het schuren van opzij geschoven meubelen en de stem van Leamas, schor, schel en dreigend, die het vertrek vulde.

'Jullie schoften! Laat haar met rust!'

Liz draaide zich ontzet om en zag hem daar staan, met bloed op zijn bleke gezicht en verfomfaaide kleren, zag hoe een bewaker hem met zijn vuist in het gezicht sloeg, zodat hij half viel; toen vielen ze beiden op hem aan, hadden hem nu opgetild en zijn armen achter zijn rug gebogen. Zijn hoofd viel naar voren op zijn borst, viel daarna met een ruk opzij van de pijn.

'Als hij nog eens begint, breng hem dan naar buiten,' beval de voorzitster, en ze knikte waarschuwend naar Leamas, eraan toevoegende: 'U kunt later weer spreken als u dat wenst. Wacht af.' Ze wendde zich weer naar Liz en zei scherp: 'Je zult toch zeker wel weten wanneer je lid van de Partij geworden bent?'

Liz zei niets, en na een ogenblik gewacht te hebben haalde de voorzitster haar schouders op. Daarna leunde ze voorover en keek Liz strak aan, toen ze vroeg:

'Elizabeth, heeft men jou bij je Partij ooit gesproken over de noodzaak van geheimhouding?'

Liz knikte.

'En men heeft je gezegd nooit, maar dan ook nooit vragen te stellen aan een andere kameraad omtrent organisatie en maatregelen in de Partij?'

Weer knikte Liz. 'Ja,' zei ze, 'natuurlijk.'

'Vandaag zul je in het naleven van deze regel zwaar op de proef gesteld worden. Het is beter voor jou, veel beter, dat je niets weet. Niets,' voegde ze eraan toe met plotselinge nadruk. 'Laat dit genoeg zijn: wij drieën hier aan deze tafel zijn hoge gezagsdragers in de Partij. Wij handelen met medeweten van het Presidium, in het belang van de veiligheid van de Partij. We moeten je een paar vragen stellen, en je antwoorden zijn van het hoogste belang. Door eerlijk en dapper te antwoorden help je de zaak van het Socialisme.'

'Maar wie,' fluisterde ze, 'wie staat er terecht? Wat heeft Alec gedaan?'

De voorzitster keek langs haar heen naar Mundt en zei: 'Misschien staat er niemand terecht. Daar gaat het juist om. Misschien alleen maar de aanklagers. Het mag geen verschil uitmaken wie er aangeklaagd wordt,' voegde ze eraan toe, 'het is een garantie voor je onpartijdigheid dat je het niet weten kunt.'

Een ogenblik was het doodstil in de kleine kamer; en toen, met een stem zo zacht dat de voorzitster instinctief haar hoofd draaide om de woorden op te vangen, vroeg Liz:

'Is het Alec? Is het Leamas?'

'Ik zeg je,' herhaalde de voorzitster, 'dat het beter voor je is - veel beter dat je het niet weet. Je moet de waarheid vertellen en weggaan. Dat is het verstandigste wat je doen kunt.'

Liz moest het een of andere gebaar gemaakt hebben of een paar woorden hebben gefluisterd, zo zacht dat de anderen het niet konden horen, want wederom boog de voorzitster naar voren en zei met grote nadruk:

'Luister, mijn kind, wil je nog een keer naar huis terug? Doe wat ik je zeg en het zal gebeuren. Maar als je... ' Ze zweeg, wees op Karden en voegde er geheimzinnig aan toe: 'Deze kameraad wil je een paar vragen stellen, niet veel. Dan kun je gaan. Spreek de waarheid.'

Karden stond weer overeind en lachte zijn vriendelijke, vaderlijke glimlach.

'Elizabeth,' vroeg hij, 'Alec Leamas was je minnaar, is het niet?' Ze knikte.

'Jullie ontmoetten elkaar in de bibliotheek in Bayswater, waar je werkt?'

'Ja.'

'Voordien had je hem nooit ontmoet?'

Ze schudde haar hoofd. 'We ontmoetten elkaar in de bibliotheek,' zei ze.

'Heb je veel minnaars gehad, Elizabeth?'

Wat ze ook antwoordde, het ging verloren toen Leamas weer schreeuwde: 'Karden, jij zwijn,' maar toen ze hem hoorde draaide ze zich om en zei op luide toon:

'Alec, doe dat niet. Straks brengen ze je nog weg.'

'Inderdaad,' merkte de voorzitster droog op, 'dat zullen ze zeker.'

'Vertel me eens,' hervatte Karden vriendelijk, 'was Alec communist?'

'Nee.'

'Wist hij dat jij communiste was?'

'Ja, dat heb ik hem verteld.'

'Wat zei hij toen je hem dat vertelde, Elizabeth?'

Ze wist niet of ze liegen moest, dat was het verschrikkelijke in deze situatie. De vragen volgden elkaar zo snel op dat ze geen kans kreeg na te denken. Aldoor zaten ze te luisteren, te loeren, wachtende op een woord, een gebaar misschien, dat voor Alec verschrikkelijke gevolgen zou kunnen hebben. Ze kon niet liegen tenzij ze wist waar het om ging; zij zou maar staan stamelen en Alec zou sterven – want het leed voor haar geen twijfel meer dat Leamas in gevaar verkeerde.

'Wat zei hij toen?' herhaalde Karden.

'Hij lachte. Hij stond boven dat soort dingen.'

'Geloof je dat hij erboven stond?'

'Natuurlijk.'

De jonge man aan de tafel van de rechters sprak voor de tweede keer. Zijn ogen waren half gesloten.

'Beschouwt u dat als een deugdelijke beoordeling van een menselijk wezen? Dat hij staat *boven* de loop van de geschiedenis en de resultaten van de logische redenering?'

'Dat weet ik niet. Het was mijn mening, dat is alles.'

'Doet er niet toe,' zei Karden. 'Vertel me eens, was hij een *gelukkig* mens, iemand die altijd lachte en zo?'

'Nee. Hij lachte niet vaak.'

'Maar hij lachte toen je hem vertelde dat je lid van de Partij was. Heb je enig idee waarom?'

'Ik denk dat hij de Partij verachtte.'

'Denk je dat hij haar *haatte*?' vroeg Karden langs zijn neus weg.

'Ik weet het niet,' antwoordde Liz pathetisch.

'Was hij een man van sterke antipathieën en sympathieën?'

'Nee... nee, dat was hij niet.'

'Maar hij viel die kruidenier toch aan. Waarom deed hij dat dan?'

Plotseling vertrouwde Liz Karden niet meer. Ze vertrouwde die vleiende stem en dat vriendelijke gezicht niet.

'Ik weet het niet.'

'Maar je hebt er wel over gedacht?'

'Ja.'

'En tot welke conclusie ben je gekomen?'

'Tot geen enkele,' antwoordde Liz bot.

Karden keek haar nadenkend aan, misschien een beetje teleurgesteld, alsof ze haar lesje vergeten was.

'Wist je,' vroeg hij – alsof het een heel gewone vraag was – *wist* je dat Leamas die kruidenier ging slaan?'

'Nee,' antwoordde Liz, misschien iets te vlug, zodat in de pauze die erop volgde Kardens glimlach veranderde in een blik van geamuseerde nieuwsgierigheid.

Tenslotte vroeg hij: 'Wanneer heb je Leamas voor het laatst gezien, behalve nu, behalve vandaag?'

'Ik heb hem niet meer gezien sedert hij naar de gevangenis ging,' antwoordde Liz.

'Wanneer heb je hem dan voor het laatst gezien?' – de stem was vriendelijk, maar volhardend. Liz vond het afschuwelijk dat ze met haar rug naar de zaal stond; ze wilde dat ze zich kon omdraaien en Leamas kon zien, naar zijn gezicht kon kijken, er misschien een raad van kon aflezen of het een of andere teken hoe ze moest antwoorden. Ze werd bang, ook voor zichzelf, voor deze vragen die voortkwamen uit beschuldigingen en verdenkingen waarvan ze niets wist. Ze moesten toch weten dat ze Alec wilde helpen, dat ze bang was, maar niemand hielp haar – waarom wilde niemand haar helpen?

'Elizabeth, wanneer was je laatste samenkomst met Leamas, vandaag buiten beschouwing gelaten?' O, die stem, hoe haatte ze die, die lievige stem.

'De nacht voor het gebeurde,' antwoordde ze, 'de nacht voor hij dat gevecht met meneer Ford had.'

'Het gevecht? Het was geen gevecht, Elizabeth. Die kruidenier heeft niet eenmaal teruggeslagen, is het wel – hij kreeg eenvoudig de kans niet. Heel onsportief!'

Karden lachte, en dat klonk zoveel te verschrikkelijker omdat niemand met hem meelachte.

'Vertel me eens, waar ontmoette je Leamas die laatste avond?'

'In zijn flat. Hij was ziek geweest en had niet gewerkt. Hij was bedlegerig geweest en ik kwam geregeld voor hem koken.'

'En je kocht ook het voedsel? Je ging boodschappen voor hem doen?'

'Ja.'

'Hoe vriendelijk. Dat moet je een heleboel geld gekost hebben,' merkte Karden waarderend op. 'Kon je je veroorloven hem te onderhouden?'

'Ik onderhield hem niet. Ik kreeg het van Alec. Hij... '

'O,' zei Karden scherp, 'dus dan *had* hij wat geld?'

O, mijn God, dacht Liz, o God, o lieve God, wat heb ik gezegd?

'Niet veel,' zei ze snel, 'niet veel, dat weet ik. Een pond, twee pond, niet meer. Meer dan dat had hij niet. Hij kon zijn rekeningen niet betalen – zijn electrisch licht en zijn huur – die werden allemaal later betaald, ziet u, door een vriend, nadat hij weg was. Een vriend moest voor hem betalen, Alec kon het niet.'

'Natuurlijk,' zei Karden rustig, 'een vriend heeft betaald. Kwam speciaal aan en betaalde alle rekeningen. De een of andere vriend van Leamas, iemand die hij vroeger gekend had, voor hij naar Bayswater kwam misschien. Heb je die vriend ooit ontmoet, Elizabeth?'

Ze schudde haar hoofd.

'Juist. Wat voor andere rekeningen betaalde die goeie vriend nog, weet je dat ook?'

'Nee... nee.'

'Waarom aarzel je?'

'Ik zei dat ik het niet weet,' antwoordde Liz fel.

'Maar je aarzelde,' antwoordde Karden, 'ik vroeg me af of je je misschien bedacht had.'

'Nee.'

'Heeft Leamas ooit over zijn vriend gesproken? Een vriend met geld die wist waar Leamas woonde?'

'Hij heeft nooit over een vriend gesproken. Ik dacht eigenlijk niet dat hij vrienden had.'

'Aha.'

Er hing een verschrikkelijke stilte in de rechtszaal, des te verschrikkelijker voor Liz omdat ze, als een blind kind tussen zienden, geen contact had met hen die haar omringden; zij konden haar antwoorden beoordelen naar een zekere geheime standaard en uit de vreselijke stilte kon zij niet opmaken wat ze ontdekt hadden.

'Hoeveel verdien je, Elizabeth?'

'Zes pond per week.'

'Heb je wat spaarcentjes?'

'Een beetje. Een paar pond.'

'Hoeveel is de huur van je flat?'

'Vijftig shilling per week.'

'Dat is een heleboel, is het niet, Elizabeth? Heb je onlangs je huur nog betaald?'

Ze schudde hulpeloos haar hoofd.

'Waarom niet,' vervolgde Karden. 'Heb je geen geld?'

Op een fluistertoon antwoordde ze: 'Ik heb een huurcontract. Iemand heeft het betaald en het mij toegestuurd.'

'Wie?'

'Ik weet het niet,' tranen stroomden langs haar gezicht, 'ik weet het niet... Vraag me alstublieft verder niets meer. Ik weet niet wie het was... zes weken geleden stuurden ze het me, een bank in de City... de een of andere liefdadigheidsinstelling had het gedaan... duizend pond. Ik zweer dat ik niet weet wie... ze zeiden een liefdadigheidsgift. U weet alles – vertelt u me maar wie... '

Haar gezicht in haar handen verbergende huilde ze, nog steeds met haar rug naar de zaal, terwijl haar schouders schokten van het snikken. Niemand bewoog zich, en tenslotte nam ze haar handen voor haar gelaat weg, maar ze keek niet op.

'Waarom heb je het niet onderzocht?' vroeg Karden eenvoudig. 'Of ben je eraan gewend anonieme giften van duizend pond te krijgen?'

Ze zei niets, en Karden ging verder: 'Je hebt geen onderzoek ingesteld omdat je een vermoeden had. Is het niet zo?'

Haar hand weer naar haar gezicht brengende, knikte ze.

'Je vermoedde dat het van Leamas kwam, of van die vriend van Leamas, is het niet?'

'Ja,' bracht ze met moeite uit, 'ik hoorde in de straat dat de kruidenier wat geld gekregen had, een heleboel geld ergens vandaan, na de rechtszitting. Er werd druk over gepraat en ik wist dat het Alecs vriend moest zijn... '

'Hoe buitengewoon vreemd,' zei Karden als tot zichzelf, 'hoe eigenaardig.' En toen: 'Vertel me eens, Elizabeth, heeft iemand je opgezocht nadat Leamas naar de gevangenis ging?'

'Nee,' loog ze. Ze wist nu, ze was er zeker van dat ze iets tegen Alec wilden bewijzen, iets over het geld of over zijn vrienden; iets over die kruidenier.

'Ben je daar zeker van?' vroeg Karden, zijn wenkbrauwen optrekkend boven de vergulde randen van zijn bril.

'Ja.'

'Maar je buurman, Elizabeth,' wierp Karden geduldig tegen, 'zegt dat er mannen op bezoek zijn geweest – twee mannen – heel kort nadat Leamas veroordeeld was; of waren dat alleen maar minnaars, Elizabeth? Toevallige minnaars, zoals Leamas, die je geld gaven?'

'Alec *was* geen toevallige minnaar,' riep ze uit, 'hoe kunt u... '

'Maar hij gaf je geld. Gaven die mannen je ook geld?'

'O God,' snikte ze, 'vraag niet... '

'Wie waren het?' Ze gaf geen antwoord en toen, plotseling, schreeuwde Karden, het was voor het eerst dat hij zijn stem verhief.
'Wie?'
'Ik weet het niet. Ze kwamen in een auto. Vrienden van Alec.'
'Nog *meer* vrienden? Wat wilden ze?'
'Ik weet het niet. Ze bleven maar vragen wat hij me verteld had... ze vertelden me dat ik me met hen in verbinding moest stellen als...'
'Hoe? Hoe kon je met ze in contact komen?'
Tenslotte antwoordde ze:
'Hij woonde in Chelsea... zijn naam was Smiley... George Smiley... ik moest hem opbellen.'
'En heb je dat gedaan?'
'Nee!'
Karden had zijn dossier neergelegd. Doodse stilte was over de rechtszaal neergedaald. Wijzende naar Leamas zei Karden, met een stem die te meer indruk maakte daar hij haar volkomen onder bedwang had: 'Smiley wilde weten of Leamas haar te veel verteld had. Leamas had het enige gedaan wat de Britse Geheime Dienst nooit verwacht had dat hij zou doen: hij had een vrouw genomen en bij haar zijn hart uitgestort.'
Toen lachte Karden zachtjes, alsof het allemaal een geweldige mop was:
'Precies wat Karl Riemeck deed. Hij heeft dezelfde fout gemaakt.'
'Sprak Leamas ooit over zichzelf?' vervolgde Karden.
'Nee.'
'Weet je niets van zijn verleden?'
'Nee. Ik wist dat hij iets in Berlijn had gedaan. Iets voor de Regering.'
'Dus dan sprak hij wel over zijn verleden, niet waar? Heeft hij je verteld dat hij getrouwd is geweest?'
Er volgde een langdurige stilte. Liz knikte.
'Waarom heb je hem niet meer gezien nadat hij uit de gevangenis kwam? Je had hem toch kunnen bezoeken?'
'Ik dacht niet dat hij dat op prijs zou stellen.'
'Juist. Heb je hem geschreven?'
'Nee. O ja, eens – alleen maar om hem te vertellen dat ik op hem zou wachten. Ik dacht niet dat hij daar bezwaar tegen zou hebben.'
'Je dacht dat hij het ook niet op prijs zou stellen?'
'Nee.'

'En toen hij zijn straf had uitgezeten in de gevangenis, heb je toen niet geprobeerd je met hem in verbinding te stellen?'

'Nee.'

'Wist hij waar hij heen kon gaan, lag er een baan op hem te wachten – waren er vrienden die hem zouden hebben willen opnemen?'

'Ik weet het niet... ik weet het niet.'

'Dus je had genoeg van hem, is dat het?' vroeg Karden honend. 'Had je een andere minnaar gevonden?'

'Nee! Ik wachtte op hem... ik zal altijd op hem wachten.' Ze beheerste zich. 'Ik wilde dat hij terug zou komen.'

'Maar waarom heb je dan niet geschreven? Waarom probeerde je dan niet uit te vinden waar hij was?'

'Dat wilde hij niet, kunt u dat nou niet begrijpen? Hij liet me beloven hem nooit te volgen – nooit te... '

'Dus hij verwachtte naar de gevangenis te gaan, is het niet?' vroeg Karden triomfantelijk.

'Nee... ik weet niet. Hoe kan ik u vertellen wat ik niet weet...'

'En op die laatste avond,' hield Karden aan, met ruwe en donderende stem, 'op die avond voordat hij de kruidenier aanviel, liet hij je toen die belofte hernieuwen? ...Kom, vooruit, deed hij dat?'

Dodelijk vermoeid knikte ze met een aandoenlijk gebaar van overgave. 'Ja.'

'En toen namen jullie afscheid?'

'Toen namen we afscheid.'

'Na het eten natuurlijk. Het was al laat. Of bleef je die nacht bij hem?'

'Na het eten. Ik ging naar huis... niet rechtstreeks naar huis... ik ging eerst een eind lopen, ik weet niet waarheen. Alleen maar lopen.'

'Wat voor reden gaf hij op voor het verbreken van jullie verhouding?'

'Die heeft hij niet verbroken,' zei ze. 'Nooit. Hij zei dat er iets was dat hij doen moest; dat er iemand was met wie hij moest afrekenen, wat dat ook kosten mocht, en daarna, op een goede dag misschien, als het allemaal voorbij was... zou hij... terugkomen, als ik er dan nog was en... '

'En jij zei,' opperde Karden ironisch, 'ongetwijfeld dat je op hem zou wachten? Dat je hem altijd zou beminnen?'

'Ja,' zei Liz eenvoudig.

'Zei hij dat hij je geld zou sturen?'

'Hij zei… hij zei dat de dingen niet zo erg waren als ze leken… dat er voor me… gezorgd zou worden.'

'En daarom heb je later, toen de een of andere weldadigheidsinstelling in de City je duizend pond gaf, maar nergens naar geïnformeerd, is het niet?'

'Ja! Ja, dat is juist! Nou weet u alles – u wist het toch al… waarom hebt u me laten halen als u toch alles al wist?'

Onverstoorbaar wachtte Karden tot haar snikken bedaard was.

'Dit,' merkte hij tenslotte tot het tribunaal op, 'is de bewijsvoering van de verdediging. Het spijt me dat een jonge vrouw wier waarnemingen zo sterk worden beïnvloed door sentimentaliteit en wier waakzaamheid door geld wordt afgestompt, door onze Britse kameraden geschikt wordt geacht voor een functie in de Partij.'

Daarna eerst naar Leamas en daarna naar Fiedler kijkende, voegde hij er wreed aan toe:

'Ze is een zottin. Het is ondanks dat gelukkig dat Leamas haar ontmoet heeft. Dit is niet de eerste maal dat een komplot ontdekt werd door de verdorvenheid van zijn ontwerpers.'

Met een lichte, correcte buiging naar het tribunaal, ging Karden zitten.

Terwijl hij dit deed, stond Leamas op, en ditmaal lieten de bewakers hem zijn gang gaan.

Londen moest stapelkrankzinnig geworden zijn. Hij had hun gezegd – dat was het gekke – hij had hun gezegd haar met rust te laten. En nu bleek duidelijk dat vanaf het ogenblik, hetzelfde ogenblik dat hij Engeland verliet – zelfs nog daarvoor, zodra hij naar de gevangenis was gegaan – de een of andere verdomde idioot was rondgegaan om alles te regelen – de rekeningen te betalen, de zaak met de kruidenier in orde te maken en met de huisbaas en boven alles met Liz. Het was krankzinnig, fantastisch. Wat probeerden ze te doen? Fiedler, hun agent, om zeep te brengen? Hun eigen operatie te saboteren? Was het alleen maar Smiley – had zijn armzalige, benarde geweten hem hiertoe gedreven? Er stond hem maar één ding te doen – Liz en Fiedler eruit zien te krijgen en zelf de consequenties te dragen. Waarschijnlijk hadden ze hem toch al afgeschreven. Als hij Fiedlers huid kon redden – àls hij dat kon –, was er misschien ook nog een kans dat Liz wegkwam.

Hoe konden ze verdomme zoveel aan de weet gekomen zijn? Hij was er zeker van, hij was er absoluut zeker van dat hij naar Smileys huis niet gevolgd was die middag. En het geld – hoe kwamen ze aan dat verhaal dat hij geld gestolen zou hebben van het Circus? Dat was alleen maar voor intern gebruik bestemd geweest... maar hoe dan? In godsnaam, hoe? Verbijsterd, woedend en bitter beschaamd liep hij het middenpad af, stram, als een man op weg naar het schavot.

23. Bekentenis

'Goed dan Karden.' Zijn gezicht was bleek en hard als graniet, zijn hoofd hield hij achterover en enigszins schuin in de houding van iemand die naar een geluid in de verte luistert.

Er ging een angstwekkende stilte van hem uit, niet van onderwerping maar van zelfbeheersing, zodat zijn gehele lichaam in de ijzeren greep van zijn wil scheen te worden gehouden.

'Goed dan, Karden, laat haar gaan.'

Liz keek naar hem, met gevlekt en lelijk gelaat, en met tranen in haar donkere ogen.

'Nee, Alec... nee,' zei ze. Ze zag niemand anders in het vertrek – alleen maar Leamas, groot en rechtop als een soldaat.

'Vertel het hun niet,' zei ze met verheffing van stem, 'wat het ook is, vertel het hun niet alleen maar om mijnentwil... het kan me niet meer schelen, Alec, ik zweer je dat dat waar is.'

'Zwijg jij nou maar, Liz,' zei Leamas onhandig. 'Het is nou te laat.' Zijn ogen richtten zich op de voorzitster.

'Zij weet niets. Helemaal niets. Stuur haar hier weg en laat haar naar huis gaan. Ik zal u de rest vertellen.'

De voorzitster wierp een korte blik op de aan weerszijden van haar gezeten mannen. Ze dacht even na, en zei toen:

'Ze kan de zaal verlaten, maar ze kan niet naar huis voordat het verhoor beëindigd is. Daarna zullen we zien.'

'Maar ik zeg u dat ze niets weet,' schreeuwde Leamas. 'Karden heeft het bij het rechte eind, ziet u dat dan niet? Het was een operatie, een geplande operatie. Hoe kon zij dat weten? Zij is een gefrustreerd jong meisje uit de een of andere idiote bibliotheek – ze is voor u van geen enkel belang.'

'Ze is een getuige,' antwoordde de voorzitster kortaf. 'Misschien wil Fiedler haar nog ondervragen.' Ze zei niet meer: kameraad Fiedler.

Bij het noemen van zijn naam scheen Fiedler te ontwaken uit de dromerij waarin hij verzonken was geweest, en Liz keek hem voor het eerst bewust aan. Zijn donkerbruine ogen bleven een ogenblik op haar rusten en hij glimlachte heel vluchtig, als in erkenning van haar ras. Hij was een kleine, eenzame figuur, eigenaardig ontspannen, vond ze.

'Zij weet niets,' zei Fiedler. 'Leamas heeft gelijk, laat haar maar gaan.' Zijn stem klonk vermoeid.

'Beseft u wat u daar zegt?' vroeg de voorzitster. 'Beseft u wat dat betekent? Heeft *u* haar geen vragen te stellen?'

'Ze heeft gezegd wat ze te zeggen had.' Fiedlers handen lagen gevouwen op zijn knieën en hij bekeek ze alsof ze hem meer belang inboezemden dan hetgeen zich voor het Hof afspeelde. 'Het werd allemaal heel slim uitgevoerd.' Hij knikte. 'Laat haar gaan. Ze kan ons toch niet vertellen wat ze niet weet.' Met een zekere spottende formaliteit voegde hij eraan toe: 'Ik heb geen verdere vragen voor de getuige.'

Een bewaker ontsloot de zaaldeur en riep iets de gang in. In de absolute stilte van de rechtszaal hoorden ze de stem van een vrouw die antwoordde en haar langzaam naderende zware voetstappen. Fiedler stond plotseling op, nam Liz bij de arm en leidde haar naar de deur. Toen ze de deur bereikte draaide ze zich om en keek naar Leamas, maar hij keek van haar weg als een man die niet tegen het zien van bloed kan.

'Ga terug naar Engeland,' zei Fiedler tegen haar. 'Ga jij maar terug naar Engeland.' Plotseling begon Liz onbedaarlijk te snikken. De gevangenbewaarster sloeg een arm om haar schouders, meer voor ondersteuning dan als troost bedoeld, en geleidde haar het vertrek uit. De bewaker sloot de deur. Het geluid van haar snikken vervaagde geleidelijk tot niets.

'Veel valt er niet te zeggen,' begon Leamas. 'Karden heeft gelijk. Het was een doorgestoken kaart. Toen we Karl Riemeck verloren, verspeelden we onze enige goede agent in de Zone. Alle anderen waren reeds verdwenen. We konden het niet begrijpen – Mundt scheen ze te pakken te krijgen bijna nog voor we ze aangenomen hadden. Ik kwam naar Londen en bezocht Control. Peter Guillam was er en George Smiley. In werkelijkheid was George al met pensioen en deed nu iets heel geleerds, filologie of zoiets.

In ieder geval, ze hadden dit plan verzonnen. Zoals Control het noemde: een man gebruiken om zichzelf in de val te lokken. Doe alsof en zie of ze happen. Daarna werkten we de details uit, van achter naar voren om zo te zeggen. Smiley noemde het ''inductief''. Als

Mundt onze agent *was,* hoe zouden we hem dan betaald hebben, hoe zouden de dossiers eruitzien, enzovoorts. Peter herinnerde zich dat de een of andere Arabier een paar jaar geleden geprobeerd had ons een gedetailleerde opgave van de Abteilung te verkopen en dat we daar niet op ingegaan waren. Later ontdekten we dat we daarmee een vergissing begaan hadden. Het was een idee van Peter om die episode te gebruiken – alsof we het aanbod hadden afgewezen omdat we het al wisten. Dat was slim.

De rest kunt u zich voorstellen. Mijn zogenaamd aan lager wal raken; drank, financiële moeilijkheden, de geruchten dat Leamas geld gestolen had. Het hield allemaal verband met elkaar. Elsie van Boekhouding haalden we over wat te helpen bij de roddel en nog een of twee anderen. Ze deden het verdomd goed,' voegde hij er een beetje trots aan toe. 'Toen koos ik een morgen – een zaterdagmorgen, toen er veel mensen op de been waren – om los te barsten. Het kwam in de plaatselijke pers – ik geloof dat het zelfs in de *Worker* stond – en tegen die tijd hadden jullie de lucht ervan gekregen. Vanaf dat ogenblik,' voegde hij er minachtend aan toe, 'groeven jullie je eigen graf.'

'Jouw graf,' zei Mundt rustig. Met zijn heel lichte ogen keek hij peinzend naar Leamas. 'En misschien dat van kameraad Fiedler.'

'Je kunt Fiedler de schuld niet geven,' zei Leamas onverschillig, 'hij was de man die toevallig bij de hand was, hij is heus niet de enige man in de Abteilung die je graag zou zien hangen, Mundt.'

'We zullen jou in ieder geval ophangen,' zei Mundt geruststellend. 'Jij hebt een bewaker vermoord. Je hebt geprobeerd mij te vermoorden.'

Leamas glimlachte droogjes.

'In de nacht zijn alle katten grauw, Mundt... Smiley heeft altijd gezegd dat het verkeerd kon gaan. Hij zei dat het een reactie kon ontketenen die we niet meer zouden kunnen stuiten. Hij is zijn lef kwijt – dat weet je. Hij is nooit meer de oude geweest sedert de Fennan-zaak – sinds de Mundt-affaire in Londen. Men zegt dat er toen iets met hem gebeurd is – dat was de reden dat hij bij het Circus wegging. Ik kan alleen maar niet begrijpen waarom ze die rekeningen betaalden, dat meisje en dat alles. Het moet Smiley geweest zijn die de hele onderneming moedwillig heeft doen mislukken, het kan niet anders. Hij moet gewetensbezwaren gehad hebben, gedacht hebben dat het verkeerd was te doden of zoiets. Het was krankzinnig om na al die voorbereidingen, al dat werk, een operatie op die manier in het honderd te sturen.

Maar Smiley haatte jou, Mundt. Ik denk dat we dat allemaal wel deden, al spraken we het niet uit. We zetten het hele geval op alsof het een soort spel was... het is nu moeilijk uit te leggen. We wisten dat we met de rug tegen de muur stonden, we hadden het onderspit gedolven tegen Mundt, nu gingen we dan trachten ons van hem te ontdoen. Maar het was nog steeds een spelletje.' Zich tot het tribunaal wendende, zei hij: 'U vergist zich wat betreft Fiedler, hij is niet een van de onzen. Waarom zou Londen dit soort risico nemen met een man in Fiedlers positie? Ze rekenden op hem, dat geef ik toe. Ze wisten dat hij Mundt haatte – en waarom zou hij niet? Fiedler is een jood, nietwaar? Het is u bekend, het moet u allen bekend zijn, wat Mundts reputatie is, hoe hij denkt over de joden.

Ik zal u iets vertellen, niemand anders doet het, dus ik zal het u vertellen: Mundt liet Fiedler afrossen en gedurende de gehele tijd dat het duurde sarde Mundt hem en bespotte hem omdat hij een jood was. Jullie weten allemaal wat voor soort man Mundt is en jullie tolereren hem omdat hij goed is voor zijn werk. Maar... ' hier weifelde hij even, ging toen door, 'maar in godsnaam... er zijn al genoeg mensen in dit alles gemoeid geweest zonder dat Fiedlers hoofd ook nog in de mand moet vallen. Fiedler is goed, zeg ik u... ideologisch betrouwbaar, dat is toch de uitdrukking, niet?'

Hij keek naar het tribunaal. Ze keken hem onverstoorbaar aan, nieuwsgierig bijna, met harde, koude ogen. Fiedler, die naar zijn stoel teruggekeerd was en met een nogal gemaakte onverschilligheid luisterde, keek Leamas een ogenblik nietszeggend aan.

'En jij hebt de hele zaak verziekt, Leamas, is het niet?' vroeg hij. 'Een ouwe rot als Leamas, bezig met de operatie die de kroon op zijn gehele loopbaan moet redden, wordt verliefd op een... hoe noemde je haar ook weer? ...een gefrustreerd jong meisje uit een idiote bibliotheek? Londen moet het geweten hebben; Smiley had dit nooit alleen kunnen doen.' Fiedler wendde zich tot Mundt. 'Dat is een eigenaardig punt, Mundt, ze moeten geweten hebben dat je elk deel van het verhaal zou doen nagaan. Dat was de reden van het losbandige leven van Leamas. En toch stuurden ze naderhand geld naar de kruidenier, betaalden de huur en sloten een huurovereenkomst voor het meisje. Van al de buitensporige dingen die ze konden uithalen... mensen van hun ervaring... duizend pond te betalen aan een meisje – *aan een lid van de Partij* – dat geloven moest dat hij aan lager wal was. Maak mij niet wijs dat Smileys geweten zover

181

reikt. Dat moet wel degelijk Londen gedaan hebben. Wat een risico!'

Leamas haalde zijn schouders op.

'Smiley had gelijk. We konden de reactie niet tegenhouden. We hadden nooit gedacht dat jullie me hier zouden brengen – naar Nederland, ja – maar niet hier.' Een ogenblik zweeg hij, doch ging daarna verder. 'En ik had nooit gedacht dat jullie dat meisje hier zouden brengen. Ik ben een verdomde gek geweest.'

'Maar Mundt niet,' viel Fiedler hem snel in de rede. 'Mundt wist waarnaar hij zoeken moest – hij wist zelfs dat zij het bewijs zou leveren –, erg slim van Mundt, dat moet ik toegeven. Hij wist zelfs van dat huurcontract – werkelijk verbazingwekkend. Ik bedoel, hoe *kon* hij dat aan de weet gekomen zijn? Ze had het niemand verteld. Ik ken dat meisje, ik begrijp haar... zoiets zou ze niemand vertellen.' Hij keek in de richting van Mundt. 'Misschien kan Mundt ons vertellen hoe hij dat wist?'

Mundt aarzelde, een seconde te lang, dacht Leamas.

'Het kwam door haar contributie,' zei hij. 'Een maand geleden verhoogde ze haar lidmaatschapsbijdrage voor de Partij met tien shilling per maand. Dat kwam me ter ore. En dus probeerde ik vast te stellen hoe ze zich dat kon veroorloven. Daar ben ik in geslaagd.'

'Een meesterlijke verklaring,' antwoordde Fiedler koel.

Er heerste stilte.

'Ik geloof,' zei de voorzitster, een blik werpende op haar beide collega's, 'dat het tribunaal nu voldoende op de hoogte is om verslag te kunnen uitbrengen aan het Presidium. Dat is te zeggen,' voegde ze eraan toe, haar kleine, wrede oogjes op Fiedler richtende, 'tenzij u nog iets te zeggen hebt.'

Fiedler schudde zijn hoofd. Iets scheen hem nog te amuseren.

'In dat geval,' vervolgde de voorzitster, 'zijn mijn collega's het met me eens dat kameraad Fiedler van zijn plichten ontheven moet worden, totdat het tuchtcollege van het Presidium zijn positie heeft beoordeeld.

Leamas is reeds onder arrest. Ik zou u allen nogmaals in herinnering willen brengen dat het tribunaal geen uitvoerende macht bezit. De aanklager voor het Volk, tezamen met kameraad Mundt, zal ongetwijfeld overwegen welke maatregelen genomen dienen te worden tegen een Britse *agent provocateur* en moordenaar.'

Ze keek langs Leamas naar Mundt. Maar Mundt keek naar Fiedler met de onverschillige blik van een beul die zijn slachtoffer bekijkt om de benodigde lengte voor de strop te schatten,

En plotseling, met de verschrikkelijke helderheid van een man die men te lang voor de gek heeft gehouden, begreep Leamas de hele smerige affaire.

24. De commissaris

Liz stond voor het venster, met haar rug naar de bewaakster, en staarde wezenloos naar de kleine binnenplaats. Ze veronderstelde dat de gevangenen daar gelucht werden. Ze bevond zich in iemands bureau, er stond eten op de schrijftafel, naast de telefoontoestellen, maar ze kon het zelfs niet aanraken. Ze voelde zich ziek en verschrikkelijk moe, fysiek moe. Haar benen deden pijn, haar gelaat was stijf en rauw van het huilen. Ze voelde zich vies en snakte naar een bad.

'Waarom eet je niet?' vroeg de vrouw weer. 'Het is nou allemaal afgelopen.' Ze zei dit zonder enige deernis, alsof het meisje wel gek was om niet te eten wanneer er voedsel was.

'Ik heb geen trek.'

De bewaakster haalde haar schouders op. 'Je kon wel eens een lange reis voor de boeg hebben,' merkte ze op, 'en niet zoveel goeds vinden aan de andere kant.'

'Wat bedoelt u?'

'De arbeiders in Engeland verhongeren,' verklaarde ze voldaan. 'De kapitalisten laten hen verhongeren.'

Liz wilde eerst iets terugzeggen, maar het scheen nauwelijks zin te hebben. Bovendien wou ze iets weten, ze moest het weten, en deze vrouw zou het haar kunnen vertellen.

'Wat is dit voor een gebouw?'

'Weet je dat niet?' De bewaakster lachte. 'Dat moet je hun dan maar eens vragen, daar aan de overkant.' Ze knikte naar het venster. 'Die kunnen je vertellen wat het is.'

'Wie zijn dat?'

'Gevangenen.'

'Wat voor gevangenen?'

'Vijanden van de Staat,' antwoordde ze prompt. 'Spionnen, opruiers.'

'Hoe weet u dat het spionnen zijn?'

'Dat weet de Partij. De Partij weet meer van de mensen dan zijzelf. Heeft men je dat niet verteld?' De bewaakster keek haar aan, schudde haar hoofd en merkte op: 'De Engelsen! De rijken hebben je toekomst opgevreten en de armen hebben hun het voedsel verschaft – dat is wat er met de Engelsen gebeurd is.'

'Wie heeft u dat verteld?'

De vrouw glimlachte en zei niets. Ze scheen zeer tevreden over zichzelf.

'En dit is een gevangenis voor spionnen?' hield Liz aan.

'Het is een gevangenis voor diegenen die te kort schieten in het erkennen van de socialistische werkelijkheid; voor diegenen die denken dat ze het recht hebben te dwalen; voor diegenen die de vooruitgang afremmen. Verraders,' concludeerde ze in het kort.

'Maar wat hebben ze gedaan?'

'We kunnen het communisme niet opbouwen zonder het individualisme uit de weg te ruimen. Je kunt geen groot gebouw ontwerpen als het een of andere zwijn zijn stal op je terrein bouwt.'

Liz keek haar verwonderd aan. 'Wie heeft u dat verteld?'

'Ik ben hier commissaris,' zei ze trots, 'ik werk in de gevangenis.'

'U bent heel knap,' merkte Liz naderbijkomend op.

'Ik behoor tot de werkers,' antwoordde de vrouw scherp. 'De opvatting dat de mensen die met hun hersens werken tot een hogere categorie behoren, dient vernietigd te worden. Er zijn geen categorieën, alleen werkers; geen tegenstelling tussen lichamelijke en hersenarbeid. Heb je dan Lenin niet gelezen?'

'Dus dan zijn de mensen in deze gevangenis intellectuelen?'

De vrouw glimlachte. 'Ja,' zei ze, 'het zijn reactionairen die zichzelf vooruitstrevend noemen: ze verdedigen het individu tegen de Staat. Weet je wat Chroestjof zei over de contrarevolutie in Hongarije?'

Liz schudde haar hoofd. Ze moest belangstelling tonen, ze moest die vrouw aan het praten krijgen.

'Hij zei dat het nooit gebeurd zou zijn als er een paar schrijvers op tijd waren neergeschoten.'

'Wie gaan ze nu doodschieten?' vroeg Liz snel. 'Na de rechtszitting?'

'Leamas,' antwoordde ze onverschillig, 'en de jood, Fiedler.'

Een ogenblik dacht Liz dat ze zou vallen, maar haar hand vond de rugleuning van een stoel en ze speelde het klaar te gaan zitten.

'Wat heeft Leamas gedaan?' fluisterde ze. De vrouw keek haar aan met haar kleine, sluwe oogjes. Ze was heel groot, haar haar was dun, strak achterover getrokken over haar hoofd met een knoedel in de nek. Ze had een grof gezicht, met een vale huid.

'Hij heeft een bewaker gedood,' zei ze.

'Waarom?'

De vrouw haalde haar schouders op.

'En wat die jood betreft,' zei ze, 'hij heeft een loyale kameraad beschuldigd.'

'En wordt Fiedler daarvoor doodgeschoten?' vroeg Liz ongelovig.

'Joden zijn allemaal hetzelfde,' was het commentaar van de vrouw. 'Kameraad Mundt weet hoe hij joden behandelen moet. We hebben hun soort hier niet nodig. Als zij zich bij de Partij aansluiten denken ze dat die van hen is. En als ze er buiten blijven, denken ze dat de Partij tegen ze samenspant. Men zegt dat Leamas en Fiedler hebben samengespannen tegen Mundt. Eet je dat nog op?' vroeg ze, wijzende op het voedsel op de schrijftafel. Liz schudde haar hoofd. 'Dan moet ik het doen,' verklaarde ze, met een belachelijke poging het te doen voorkomen alsof dat haar tegenstond. 'Ze hebben je aardappels gegeven. Je moet een vrijer in de keuken hebben.' De humor van deze opmerking hield haar bezig totdat ze het laatste hapje van de maaltijd van Liz had opgegeten.

Liz ging naar het venster terug.

In haar verwarde gedachten, in de chaos van schande en pijn en vrees had de verschrikkelijke herinnering aan Leamas de overhand, zoals ze hem daar voor het laatst gezien had in de rechtszaal, stijf rechtop op zijn stoel zittend en zijn ogen afgewend van de hare. Ze was tegenover hem te kort geschoten en hij durfde haar niet aan te zien voor hij stierf; wilde haar niet de minachting en misschien de vrees laten zien die op zijn gelaat te lezen stonden.

Maar hoe had ze anders kunnen handelen? Als Leamas haar maar verteld had wat hij te doen had – zelfs nu was het haar niet duidelijk –, dan zou ze voor hem gelogen en bedrogen hebben, alles, als hij het haar maar verteld had! Dat moest hij toch stellig begrijpen, hij kende haar toch zeker goed genoeg om te weten dat ze uiteindelijk alles zou doen, wat hij haar ook zei, dat ze, als dit mogelijk was, zijn vorm en wezen, zijn wil, zijn leven, zijn lichaam en zijn pijnen van hem zou overnemen; dat ze voor niets anders bad dan een kans dit te mogen doen? Maar hoe had ze kunnen weten, zonder dat haar dat verteld werd, hoe ze die bedekte, arglistige vragen moest beantwoorden? Er scheen geen eind te komen aan de rampen die ze had veroorzaakt. Ze herinnerde zich in de koortsachtige toestand waarin haar brein verkeerde, hoe ontzet ze als kind was geweest toen ze hoorde dat bij elke stap die ze deed, duizenden minuscuul kleine schepseltjes onder haar voet werden vernietigd; en nu, of ze gelogen had of de waarheid gesproken – of zelfs, daarvan was ze zeker, haar mond had gehouden –, was ze gedwongen een menselijk wezen te vernietigen, misschien twee, want was daar niet ook de jood, Fiedler, die zo vriendelijk tegen haar was geweest, die haar arm had gepakt en haar gezegd had naar Engeland terug te gaan? Ze zouden Fiedler doodschieten, had de vrouw gezegd. Waarom moest het juist Fiedler zijn – waarom niet die oude man die de vragen gesteld had, of die blonde in de voorste rij tussen de soldaten, die de hele tijd had zitten glimlachen; elke keer dat ze zich omdraaide had ze zijn gladde blonde hoofd gezien en zijn glad, wreed gelaat, glimlachende alsof het alles een enorme grap was. Ze was blij dat Leamas en Fiedler aan dezelfde kant stonden. Ze wendde zich weer tot de vrouw en vroeg: 'Waarom wachten we hier?'

De bewaakster schoof haar bord terzijde en stond op.

'Omdat er instructies moeten komen,' antwoordde ze. 'Ze beslissen of je blijven moet.'

'Blijven?' vroeg Liz beteuterd.

'Een kwestie van getuigenis. Fiedler moet misschien terechtstaan. Ik heb je al gezegd: ze vermoeden een komplot tussen Fiedler en Leamas.'

'Maar tegen wie? Hoe kon hij een komplot beramen in Engeland? Hoe kwam hij hier? Hij is niet van de Partij.'

De vrouw schudde het hoofd.

'Dat is geheim,' antwoordde ze. 'Dit gaat alleen het Presidium aan. Misschien heeft die jood hem wel hier gebracht.'

'Maar u weet het,' hield Liz aan, met een zweem van vleierij in haar stem, 'u bent de commissaris van deze gevangenis. Ze moeten het u toch verteld hebben?'

'Misschien,' antwoordde de vrouw, zelfvoldaan. 'Het is heel erg geheim,' herhaalde zij.

De telefoon ging. De vrouw nam de hoorn van de haak en luisterde. Na een ogenblik keek ze naar Liz.

'Ja, kameraad, onmiddellijk,' zei ze en legde de hoorn weer neer.

'Je moet blijven,' zei ze kortaf. 'Het Presidium zal het geval Fiedler bekijken. In die tussentijd moet jij hier blijven. Dat is de wens van kameraad Mundt.'

'Wie is Mundt?'

De vrouw keek sluw.

'Het is de wens van het Presidium,' zei ze.

'Ik wil niet blijven,' riep Liz uit. 'Ik wil... '

'De Partij weet meer van ons dan wijzelf,' antwoordde de vrouw. 'Je moet hier blijven, het is de uitdrukkelijke wens van de Partij.'

'Wie is Mundt?' vroeg Liz weer, maar weer kreeg ze geen antwoord.

Langzaam volgde Liz de vrouw langs eindeloze gangen, door hekken bewaakt door schildwachten, voorbij ijzeren deuren waarachter men geen geluid hoorde, eindeloze trappen af, over volledige binnenplaatsen diep onder de grond, totdat ze dacht tot in het binnenste van de hel te zijn doorgedrongen, en zelfs niemand haar zou vertellen wanneer Leamas dood was.

Ze had er geen idee van hoe laat het was, toen ze de voetstappen in de gang buiten haar cel hoorde. Het kon vijf uur namiddag zijn – het kon ook middernacht zijn. Ze was wakker geweest en had wezenloos in het pikkedonker liggen staren, snakkend naar enig geluid. Nooit had ze zich voorgesteld dat stilte zo verschrikkelijk kon zijn. Eens had ze het uitgeschreeuwd en er was geen echo geweest, niets. Alleen de herinnering aan haar eigen stem. Ze had zich een beeld gevormd van het geluid, slaande tegen de massieve duisternis als een vuist tegen een rotsblok. Ze had haar handen om zich heen bewogen terwijl ze op haar bed zat en het scheen haar dat de donkerte ze zwaar maakte, alsof ze rondtastte in water. Ze wist dat de cel klein was, dat die het bed bevatte waarop ze zat, een wasbak zonder kranen en een ruwe tafel; die had ze gezien toen ze binnenkwam. Toen was het licht uitgegaan en ze was hard naar de plaats gerend waar ze wist dat het bed gestaan had, had haar schenen ertegen gestoten en was daar blijven zitten, sidderend van angst. Totdat ze die voetstappen hoorde en de deur van haar cel plotseling geopend werd.

Ze herkende hem terstond, hoewel ze alleen zijn silhouet kon waarnemen tegen het bleke, blauwige licht in de gang. De nette, vlugge gestalte, de duidelijke lijn van de wangen en het korte, blonde haar, nog juist beschenen door het licht achter hem.

'Ik ben Mundt,' zei hij. 'Kom met me mee, nu direct.' Zijn stem was minachtend maar toch gedempt, alsof hij bang was gehoord te worden.

Liz was plotseling dodelijk verschrikt. Ze herinnerde zich de woorden van de bewaakster. 'Mundt weet hoe hij joden behandelen moet.' Ze bleef bij het bed staan en staarde hem aan, niet wetende wat te doen.

'Schiet op, jij dwaas.' Mundt was naar voren gekomen en pakte haar pols beet. 'Schiet op.' Ze liet zichzelf de gang in trekken. Verbijsterd keek ze toe hoe Mundt de deur van de cel weer zachtjes sloot. Hij nam haar ruw bij de arm en trok haar snel langs de eerste gang, half lopende, half rennende. Ze kon het ver verwijderde gezoem horen van de luchtverversing en zo nu en dan het geluid van andere voetstappen vanuit gangen die zich van de hunne afbogen. Ze merkte op dat Mundt aarzelde en zelfs zo nu en dan zich even terugtrok, wanneer ze in andere gangen kwamen, vooruit liep om vast te stellen dat er niemand kwam, en haar dan een teken gaf om verder te gaan. Hij scheen aan te nemen dat ze zou volgen, dat ze de reden kende. Het was bijna alsof hij haar als een medeplichtige behandelde.

En plotseling was hij blijven staan, en had een sleutel in het sleutelgat van een vuile ijzeren deur gestoken. Ze bleef staan, door paniek aangegrepen. Met een zwaai wierp hij de deur open en de geurige, koude lucht van een winteravond blies haar in het gezicht. Hij gaf haar weer een teken, nog steeds met hetzelfde ongeduld, en ze volgde hem twee treden naar beneden, naar een grintpad dat door een verwaarloosde moestuin leidde.

Ze volgde het pad tot een groot gothisch hek dat uitkwam op de weg. Binnen het hek stond een auto. Ernaast stond Alec Leamas.

'Blijf staan,' waarschuwde Mundt toen ze naar voren wilde komen. 'Wacht hier.'

Mundt ging alleen naar voren, en een paar minuten, die haar een eeuwigheid leken, zag ze de twee mannen daar samen staan, rustig met elkaar pratend. Haar hart sloeg wild, haar gehele lichaam beefde van kou en angst. Eindelijk kwam Mundt terug.

'Kom met me mee,' zei hij, en bracht haar naar de plaats waar Leamas stond. Een ogenblik keken de twee mannen elkaar aan.

'Goeiendag,' zei Mundt onverschillig. 'Je bent gek, Leamas,' voegde hij eraan toe. 'Ze is uitschot, net als Fiedler.' En hij draaide zich om zonder verder een woord te zeggen en liep snel weg, de schemering in.

Ze stak haar hand uit en raakte Leamas aan, en hij keerde zich half van haar af, haar hand wegduwend terwijl hij het portier opende. Hij gaf haar een teken in te stappen, maar ze aarzelde.

'Alec,' fluisterde ze, 'Alec, wat doe je? Waarom laat hij je gaan?'

'Mond dicht!' siste Leamas. 'Denk daar niet eens over, hoor je? Stap in.'

'Wat zei hij over Fiedler? Alec, waarom laat hij ons gaan?'

'Hij laat ons gaan omdat we onze taak vervuld hebben. Stap in de wagen, vlug!'

Onder de dwang van zijn buitengewone wilskracht stapte ze in de wagen en sloot het portier. Leamas ging naast haar zitten.

'Wat voor overeenkomst heb je met hem gesloten?' hield ze aan, terwijl wantrouwen en vrees in haar stem klonken. 'Ze zeiden dat jij en Fiedler tegen hem samengespannen hadden, waarom laat hij jou dan gaan?'

Leamas had de wagen gestart en reed spoedig met grote snelheid over de smalle weg. Aan weerskanten waren kale velden; in de verte losten donkere heuvels zich op in de steeds dieper wordende schemering. Leamas keek op zijn horloge. 'We zijn vijf uur van Berlijn,' zei hij. 'We moeten in Köpenick zijn om kwart voor een. Dat moeten we makkelijk kunnen halen.'

Gedurende enige tijd zei Liz niets, ze keek door de vooruit naar de verlaten weg die zich voor hen ontrolde, verward en verzonken in een labyrint van nauwelijks gevormde gedachten. Een volle maan was opgestegen en rijp zweefde in lange sluiers over de velden.

Ze draaiden de autoweg op.

'Belastte ik je geweten, Alec?' zei ze tenslotte. 'Heb je daarom Mundt ertoe gebracht me te laten gaan?'

Leamas zei niets.

'Jij en Mundt zijn vijanden, is het niet?'

Nog steeds zei hij niets. Hij reed nu zeer snel, de wijzer van de kilometerteller wees 120 kilometer aan, de autoweg zat vol gaten en bulten. Ze merkte op dat hij zijn koplampen aan had en niet de moeite nam te dimmen voor het tegemoetkomende verkeer op de andere banen. Hij reed ruw, voorovergeleund, zijn ellebogen bijna op het stuurwiel.

'Wat gaat er met Fiedler gebeuren?' vroeg Liz plotseling, en ditmaal antwoordde Leamas.

'Die wordt gefusilleerd.'

'Waarom fusilleerden ze jou dan niet?' vervolgde Liz snel. 'Jij hebt met Fiedler tegen Mundt samengespannen, zeiden ze. Je hebt een bewaker gedood. Waarom heeft Mundt jou laten gaan?'

'Goed!' schreeuwde Leamas plotseling. 'Ik zal het je vertellen. Ik zal je vertellen wat je nooit, maar dan ook nooit, had mogen weten, jij noch ik. Luister: Mundt is een man van Londen, hun agent, ze kochten hem toen hij in Engeland was. We zijn op het ogenblik getuige van het einde van een vuile, smerige operatie om Mundts huid te redden. Om hem te redden van een kleine, slimme jood in zijn eigen departement, die begonnen was de waarheid te vermoeden. Zij dwongen ons hem te doden, zie je, de jood te doden. Nou weet je het en God sta ons beiden bij.'

25. De muur

'Als dat zo is, Alec,' zei ze tenslotte, 'wat was dan mijn rol in dit alles?' Haar stem was volmaakt kalm, bijna zakelijk.

'Ik kan er alleen maar naar raden, Liz, door wat ik weet en door wat Mundt me verteld heeft voordat we weggingen. Fiedler verdacht Mundt, hij verdacht hem vanaf het ogenblik dat Mundt terugkwam uit Engeland; hij dacht dat Mundt dubbel spel speelde. Hij haatte hem, natuurlijk – waarom zou hij niet –, maar hij had gelijk ook, Mundt was een man van Londen. Fiedler was te machtig dan dat Mundt alleen kon trachten hem te liquideren, en dus besloot Londen het voor hem te doen. Ik kan nu zien hoe ze het uitdachten, ze beredeneren alles zo verdomd goed; ik zie ze zitten voor de open haard in een van hun vervloekte clubs. Ze wisten dat het geen zin had Fiedler alleen maar te elimineren – hij had het misschien al aan vrienden doorgegeven, had allicht beschuldigingen geuit in het openbaar, ze moesten dus elke *verdenking* uitschakelen. Openbaar eerherstel, dat organiseerden ze voor Mundt.'

Hij zwaaide over naar de linker baan om een trekker met aanhanger te passeren. Terwijl hij hiermee bezig was zwaaide ook de trekker onverwacht vlak voor hem naar links, zodat hij hevig moest remmen om te verhinderen dat hij tegen de links van hem liggende vangrail zou terechtkomen.

'Ze vertelden me dat ik Mundt in een onmogelijke positie moest brengen,' zei hij eenvoudig, 'ze zeiden dat hij uit de weg geruimd moest worden, en ik was bereid van de partij te zijn. Het zou mijn laatste opdracht zijn. Dus deed ik of ik aan lager wal raakte, verkocht die kruidenier een dreun... maar dat weet je allemaal.'

'En deed of je verliefd was?' vroeg ze rustig. Leamas schudde het hoofd.

'Maar het punt waar het om gaat, zie je, is dit,' vervolgde hij. 'Mundt wist er alles van, hij was op de hoogte van het plan, hij liet mij oppikken, hij en Fiedler. Daarna liet hij Fiedler zijn gang gaan, omdat hij wist dat uiteindelijk Fiedler zichzelf de das zou omdoen. Mijn taak was hun te laten denken, wat in feite de waarheid was: dat Mundt een Britse spion was.' Hij aarzelde. 'Jouw taak was me in discrediet te brengen. Fiedler werd gefusilleerd en Mundt was gered, gelukkig gered van een fascistisch komplot. Het is het oude principe: voor wat hoort wat.'

'Maar hoe konden ze van mijn bestaan weten; hoe konden ze weten dat wij elkaar zouden ontmoeten?' riep Liz uit. 'Hemelse goedheid, Alec, kunnen ze zelfs voorspellen wanneer mensen verliefd zullen worden op elkaar?'

'Dat deed er niet toe – daar hing het niet van af. Ze kozen jou omdat je jong en mooi bent en lid van de Partij, omdat ze wisten dat jij naar Duitsland zou komen als ze een uitnodiging voor je in elkaar zetten. Die man in de Arbeidsbeurs, Pitt, stuurde me erheen; ze wisten dus dat ik in de bibliotheek zou werken. Pitt werkte in de oorlog in de Geheime Dienst en ik veronderstel dat ze het met hem in orde brachten. Ze behoefden jou en mij slechts met elkaar in contact te brengen, zelfs al was het maar voor een dag, dat deed er niet toe; daarna konden ze je dan een bezoek brengen, je geld zenden, het er doen uitzien alsof het een verhouding was geweest, zelfs als dat niet waar was, begrijp je niet? Misschien moest het eruitzien als een bevlieging. Het enige punt van essentieel belang was dat na ons samengebracht te hebben, ze jou geld zouden doen toekomen alsof ik daarom gevraagd had. Zoals het uitpakte, maakten we het hun wel erg gemakkelijk... '

'Ja, dat deden we zeker.' En ze voegde eraan toe: 'Ik voel me vies, Alec, alsof ik als fokmerrie gebruikt was.'

Leamas zei niets.

'Is het geweten van je departement er een beetje door verlicht? Het exploiteren... van iemand uit de Partij, liever dan wie dan ook?' vervolgde Liz.

Leamas zei: 'Misschien. In werkelijkheid denken ze niet in die termen. Het was iets dat operationeel goed te stade kwam.'

'Ik had wel in de gevangenis kunnen blijven, is het niet? Dat wilde Mundt, niet waar? Hij vond niet dat het zin had zo'n groot risico te nemen – ik zou eens iets te veel hebben kunnen horen of raden. Tenslotte was Fiedler onschuldig, nietwaar? Maar ja, hij is maar een jood,' voegde ze er opgewonden aan toe, 'dus dan doet het er niet zoveel toe, hè?'

'O, in godsnaam,' riep Leamas uit.

'En toch vind ik het vreemd dat Mundt me heeft laten gaan – zelfs als een deel van zijn overeenkomst met jou,' peinsde ze. 'Ik ben nu een risico, is het niet? Wanneer we terugkomen in Engeland, bedoel ik; een lid van de Partij, die dit allemaal weet... Het schijnt mij hoogst onlogisch dat hij me zou laten gaan.'

'Ik veronderstel,' zei Leamas, 'dat hij onze ontsnapping zal gebruiken om het Presidium te bewijzen dat er in zijn departement nog meer Fiedlers zijn die hij moet opsporen.'

'En andere joden?'

'Het geeft hem een kans zijn positie te verstevigen,' antwoordde Leamas kortaf.

'Door nog meer onschuldige mensen te doden? Je schijnt je er nogal geen erge zorgen over te maken.'

'Dat doe ik natuurlijk wel. Het maakt me ziek van schaamte en woede en... Maar ik ben anders opgevoed, Liz; ik kan het niet alleen maar in zwart en wit zien. Mensen die dit spelletje spelen nemen risico's. Fiedler heeft verloren en Mundt gewonnen. Londen heeft gewonnen – daar gaat het om. Het was een smerige, smerige operatie. Maar ze is geslaagd en dat is de enige regel die in dit spel geldt.' Terwijl hij sprak verhief hij zijn stem, totdat hij bijna schreeuwde.

'Je probeert jezelf te overtuigen,' riep Liz. 'Ze hebben iets gemeens uitgehaald. Hoe kun je Fiedler doden – hij was goed, Alec; ik weet dat hij goed was. En Mundt... '

'Waar beklaag jij je verdomme over?' vroeg Leamas ruw.

'Jouw Partij voert altijd oorlog, niet? Het individu opofferend voor de massa. Dat zeggen ze. Socialistische realiteit; nacht en dag vechten – de meedogenloze strijd –, dat is toch wat ze verkondigen, niet? Jij hebt het tenminste overleefd. Ik heb nog nooit gehoord dat de communisten de heiligheid van het menselijk leven predikten – maar misschien heb ik dat mis,' voegde hij er sarcastisch aan toe. 'Ik geef toe, ja, ik geef toe, je had vernietigd kunnen worden. Dat zat er dik in. Mundt is een boosaardig zwijn; hij zag niet in dat het enige zin had het je te laten overleven. Zijn belofte – ik veronderstel dat hij beloofde zijn best voor je te doen – is niet zo erg veel waard. Dus had je kunnen sterven – vandaag, volgend jaar of over twintig jaar – in een gevangenis in het arbeidersparadijs. En ik ook. Maar er ligt me zoiets bij dat de Partij zich ten doel stelt een hele klasse te vernietigen. Of heb ik dat mis?' Hij haalde een pakje sigaretten uit zijn jasje en gaf er haar twee, tezamen met een doosje lucifers. Haar vingers beefden toen zij ze aanstak en er een aan hem teruggaf.

'Je hebt het allemaal goed overdacht, hè?' vroeg ze.

'Toevalligerwijze pasten wij in hun schema,' hield Leamas aan, 'en het spijt me. Voor die anderen spijt het me ook – die anderen die ook in dat schema passen. Maar klaag niet over de condities, Liz; het zijn Partijcondities. Een kleine prijs voor een grote revenu. Eén opgeofferd voor velen. Het is niet prettig, dat weet ik, uit te kiezen wie het zal zijn – het plan om te zetten in mensen.'

Ze luisterde in de duisternis, gedurende een ogenblik zich nauwelijks bewust van iets anders dan de steeds weer verdwijnende weg voor hen en de verlammende afschuw in haar gedachten. 'Maar ze lieten toe dat ik je liefhad,' zei ze tenslotte. 'En jij liet me in je geloven en je liefhebben.'

'Ze hebben ons gebruikt,' zei Leamas meedogenloos. 'Ze hebben ons beiden bedrogen omdat dat nodig was. Het was de enige manier. Fiedler had het al bijna voor elkaar, zie je dat niet in? Ze zouden Mundt gepakt hebben, begrijp je dat niet?'

'Hoe kun je de wereld op zijn kop zetten?' schreeuwde Liz plotseling. 'Fiedler was vriendelijk en fatsoenlijk; hij deed alleen maar zijn werk, en nou heb je hem gedood. Mundt is een spion en een verrader en je beschermt hem! Mundt is een nazi, weet je dat? Hij haat joden... aan wiens kant sta je eigenlijk? Hoe kun je...?'

'Er bestaat bij dit spel slechts één wet,' antwoordde Leamas. 'Mundt is hun man, hij geeft hun wat ze nodig hebben. Dat is gemakkelijk genoeg te begrijpen, is het niet? Het Leninisme het nut van tijdelijke bondgenootschappen. Wat dacht jij dat spionnen waren: priesters, heiligen en martelaren? Ze vormen een zielige processie van ijdele dwazen, verraders ook, ja; verwijfden, sadisten, dronkaards, mensen die indiaantje spelen om hun beroerde levens nog wat op te vrolijken. Dacht je dat ze in Londen als monniken zitten af te wegen wat goed is en wat kwaad? Als ik de kans gehad had zou ik Mundt vermoord hebben, ik haat hem als de pest; maar nu niet meer. Zij hebben hem nodig. Ze hebben hem nodig opdat de grote zwakzinnige massa, die jij zo bewondert, 's nachts gerust zal kunnen slapen. Zij hebben hem nodig voor de veiligheid van gewone, miserabele mensen, zoals jij en ik.'

'Maar hoe staat het met Fiedler – voel je dan niets voor hem?'

'Dit is oorlog,' antwoordde Leamas. 'Die is zichtbaar en onaangenaam, omdat hij op kleine schaal en op korte afstand wordt gevoerd; soms gevoerd ten koste van een onschuldig leven, dat geef ik toe. Maar het is niets, absoluut niets, in vergelijking met andere oorlogen – de laatste of de volgende.'

'O, mijn God,' zei Liz zacht. 'Je begrijpt het niet. Je wilt het niet begrijpen. Je probeert jezelf te overtuigen. Wat ze nu doen is veel erger; de menselijkheid te vinden in gewone mensen, in mij en wie ze dan verder nog gebruiken, om die als een wapen in hun handen om te vormen en te gebruiken om pijn te doen en te doden... '

'Godnogtoe!' riep Leamas uit. 'Wat heeft de mens dan ooit anders gedaan sinds het begin van de wereld? Ik geloof nergens in, zie je – zelfs niet in vernietiging en anarchie. Ik ben ziek, doodziek van het moorden, maar ik zie niet wat ze anders kunnen doen. Ze proberen niemand te bekeren, ze staan niet op preekstoelen of partijpodiums om ons te vertellen dat we moeten vechten voor de Vrede of voor God of wat het dan ook zijn moge. Zij zijn eigenlijk de arme donders die proberen te voorkomen dat de predikers elkaar het hiernamaals inblazen.'

'Je hebt het mis,' zei Liz wanhopig, 'zij zijn slechter dan iemand van ons.'

'Omdat ik verliefd op je werd toen je dacht dat ik een zwerver was?' vroeg Leamas woedend.

'Vanwege hun minachting,' antwoordde Liz, 'minachting voor wat waar is en goed; minachting voor liefde, minachting voor... '

'Ja,' zei Leamas, plotseling vermoeid. 'Dat is de prijs die ze betalen, het verachten van God en van Karl Marx in één adem. Als je dat tenminste bedoelt.'

'Het maakt dat jij precies eender bent,' vervolgde Liz, 'net eender als Mundt en de hele rest... ik had het moeten weten, ik was degene die de klappen incasseerde, is het niet? Van hen, van jou omdat het je niet schelen kan. Alleen Fiedler niet... maar de rest van jullie... jullie behandelen me allemaal alsof ik... niets was... alleen maar een betaalmiddel... Jullie zijn allemaal hetzelfde, Alec.'

'O, Liz,' zei hij wanhopig, 'geloof me in godsnaam. Ik haat het, ik haat het allemaal, ik ben moe. Maar het is de wereld, het is het mensdom, dat krankzinnig geworden is. Wij zijn maar een kleine prijs om te betalen... maar overal is het hetzelfde, mensen die bedrogen en misleid worden, hele levens die weggegooid worden, mensen die in de gevangenis geworpen of doodgeschoten worden, hele groepen en klassen van mensen die men afschrijft voor niets. En jij, jouw Partij – God weet dat die werd opgebouwd op de lichamen van gewone mensen. Je hebt nooit mensen zien sterven zoals ik dat gezien heb, Liz'... '

Terwijl hij sprak herinnerde Liz zich de sombere binnenplaats van de gevangenis en de bewaakster die zei: 'Het is een gevangenis voor diegenen die de vooruitgang afremmen... voor hen die denken dat zij het recht hebben te dwalen.'

Plotseling werd Leamas oplettend en tuurde scherp door de voorruit. In het licht van de koplampen onderscheidde Liz een gestalte die op de weg stond. In zijn hand hield hij een klein lampje, dat hij bij het naderen van de wagen aan- en uitdeed.

'Dat is hij,' mompelde Leamas, schakelde zijn koplampen uit, zette de motor af en gleed geruisloos voort. Toen ze bij de man gekomen waren, leunde Leamas achterover en opende het achterportier.

Liz draaide zich niet om om naar hem te kijken toen hij instapte. Zij staarde star voor zich uit, de straat af naar de vallende regen.

'Snelheid dertig kilometer,' zei de man. Zijn stem klonk gespannen, bevreesd. 'Ik zal u zeggen hoe we rijden moeten. Wanneer we aankomen moet u uitstappen en naar de muur rennen. Het zoeklicht zal de plek beschijnen waar u overklimmen moet. Ga in de lichtkegel staan. Begin te klimmen zodra het licht verdwijnt. U heeft negentig seconden om eroverheen te komen. U gaat eerst,' zei hij tegen Leamas, 'en dan volgt het meisje. Er zijn ijzeren treden in het onderste gedeelte – daarna moet u zichzelf naar boven trekken zo goed en zo kwaad als het kan. U moet boven op de muur gaan zitten om het meisje naar boven te trekken. Begrepen?'

'We hebben het begrepen,' zei Leamas. 'Hoe lang hebben we?'

'Als u dertig kilometer per uur rijdt zullen we er over ongeveer negen minuten zijn. Om precies vijf over een zal het zoeklicht op de muur schijnen. Ze kunnen u negentig seconden geven, niet langer.'

'Wat gebeurt er na negentig seconden?' vroeg Leamas.

'Ze kunnen u niet meer dan negentig seconden geven,' herhaalde de man, 'anders is het te gevaarlijk. Slechts één detachement heeft instructies gekregen. Ze denken dat u in West-Berlijn geïnfiltreerd wordt. Ze hebben orders het niet te gemakkelijk te maken. Negentig seconden zijn genoeg.'

'Dat zullen we dan verdomme maar hopen,' zei Leamas droog. 'Hoe laat heeft u het?'

'Ik heb mijn horloge vergeleken met dat van de sergeant van het detachement,' antwoordde de man. Een kort ogenblik ging er achter in de wagen een lichtje aan en uit. 'Het is twaalf uur achtenveertig. Om vijf voor enen moeten we weg. Nog zeven minuten wachten.'

Er heerste een doodse stilte, op het tikken van de regen op het dak na. De met kinderhoofdjes bestrate weg strekte zich recht voor hen uit, met om de honderd meter een zwakke straatlamp. Er was niemand in de buurt. Boven hen was de hemel verlicht door de onnatuurlijke gloed van booglampen. Van tijd tot tijd streek de lichtkegel van een zoeklicht over hen heen en verdween weer. Ver naar links viel Leamas' oog op een op en neer gaand licht vlak boven de horizon, dat voortdurend in sterkte wisselde, als de weerschijn van een brand.

'Wat is dat?' vroeg hij, ernaar wijzende.

'Voorlichtingsdienst,' antwoordde de man. 'Een stellage met lichten. Het zendt koppen van het nieuws naar Oost-Berlijn.'

'Natuurlijk,' mompelde Leamas. Ze waren nu heel dicht bij het einde van de weg.

'Van terugkeren kan geen sprake zijn,' vervolgde de man, 'heeft hij u dat gezegd? Een tweede kans is er niet.'

'Dat weet ik,' antwoordde Leamas.

'Als er iets verkeerd gaat – als u valt of gewond raakt – keer dan niet terug. Er wordt zonder meer direct geschoten binnen het gebied van de muur. U *moet* erover.'

'Dat weten we,' herhaalde Leamas, 'dat heeft hij me verteld.'

'Vanaf het ogenblik dat u uit de wagen stapt, bent u binnen het gebied.'

'Dat weten we. Hou nou je mond maar,' antwoordde Leamas. En toen voegde hij eraan toe: 'Neem jij de wagen mee terug?'

'Zodra u uit de wagen bent, rijd ik weg. Het is voor mij even goed gevaarlijk,' antwoordde de man.

'Ook erg,' zei Leamas droog.

Weer heerste er stilte, toen vroeg Leamas: 'Heb je een pistool bij je?'

'Ja,' zei de man, 'maar ik kan het u niet geven; hij zei dat ik het u niet mocht geven... maar dat u er zeker om zou vragen.'

Leamas lachte zachtjes. 'Hij wel,' zei hij.

Leamas startte de motor. Met een lawaai dat de gehele straat scheen te vullen bewoog de wagen langzaam vooruit. Ze hadden ongeveer driehonderd meter afgelegd, toen de man opgewonden fluisterde: 'Hier rechts afslaan, dan links.' Ze reden een nauwe zijstraat in. Aan weerskanten stonden lege marktstalletjes, zodat er nauwelijks ruimte voor de wagen was om te passeren.

'Nu hier links!'

Weer draaiden ze, snel, ditmaal tussen twee hoge gebouwen door in wat een doodlopende straat scheen te zijn. Er hing wasgoed over de straat en Liz vroeg zich af of ze eronderdoor zouden kunnen. Toen ze vlak bij een ogenschijnlijk blinde muur kwamen, zei de man: 'Weer naar links en volg het pad.' Leamas reed het trottoir op, stak het over en volgde een breed voetpad aan hun linkerkant begrensd door een gehavende helning en aan de rechterzijde door een groot gebouw zonder vensters. Van ergens boven hen hoorden ze een schreeuw, een vrouwenstem, en Leamas mompelde: 'O, hou je kop dicht', terwijl hij onhandig om een rechte hoek in het pad stuurde en daarna bijna meteen op een hoofdweg belandde.

'Waarheen?' vroeg hij.

'Recht oversteken – voorbij de apotheker – tussen de apotheker en het postkantoor – daar!' De man leunde zo ver naar voren dat zijn gezicht bijna op gelijke hoogte was met de hunne. Hij wees nu aan, reikte voorbij Leamas, de toppen van zijn vingers tegen de voorruit drukkend.

'Achteruit,' siste Leamas. 'Haal je hand weg. Hoe kan ik nou verdomme wat zien als je zo met je handen wappert?'

De wagen in zijn eerste versnelling gooiende reed hij snel de brede weg over. Hij wierp even een blik naar links en zag tot zijn verbazing de plompe silhouet van de Brandenburger Poort op driehonderd meter afstand liggen en de sinistere groepering van militaire voertuigen aan de voet ervan.

'Waar gaan we heen?' vroeg Leamas plotseling.

'We zijn er bijna. Langzaam nu... links, links naar links!' schreeuwde hij, en Leamas rukte zijn stuur net op tijd om; ze reden onder een nauwe poort door en kwamen op een binnenplaats. De helft van de vensters mankeerden of waren met planken dichtgespijkerd, de lege deuropeningen gaapten hen aan. Aan de andere kant van de binnenplaats was een open hek. 'Hierdoor,' kwam het gefluisterde bevel, dringend, in het duister, 'dan scherp rechts. Aan uw rechterhand zult u een straatlantaarn zien. Die daarop volgt is kapot. Als u die tweede lantaarn bereikt, moet u uw motor afzetten en doorrijden tot u bij een brandkraan komt. Dat is de plaats.'

'Waarom heb je verdomme niet zelf gereden?'

'Hij zei dat u moest rijden, dat dat veiliger was.'

Ze passeerden het hek en draaiden scherp naar rechts. Ze waren in een nauwe straat, pikdonker.

'Lichten uit!'

Leamas draaide zijn koplampen uit en reed langzaam voorwaarts naar de eerste straatlantaren. Voor zich uit konden ze nog net de tweede onderscheiden. Deze brandde niet. Met afgezette motor gleden ze er langzaam langs totdat ze twintig meter verder de vage omtrekken van de brandkraan onderscheidden. Leamas remde; de wagen kwam tot stilstand.

'Waar zijn we?' fluisterde Leamas. 'We zijn de Leninallee overgestoken, is het niet?'

'Greifswalderstrasse. Toen zijn we naar het noorden gedraaid. We zijn ten noorden van de Bernauerstrasse.'

'Pankow?'

'Zo ongeveer. Kijk,' de man wees naar een zijstraat aan hun linkerhand. Aan het einde daarvan zagen ze een kort stuk muur, grijsbruin in het matte licht van een booglamp. Langs de bovenkant liep een drievoudige rij prikkeldraad.

'Hoe komt dat meisje over dat prikkeldraad?'

'Waar u klimt is het al doorgeknipt. Er is een kleine opening. U heeft een minuut om bij de muur te komen. Goeiendag.'

Ze stapten alle drie uit de wagen. Leamas nam Liz bij de arm en ze trok zich van hem terug alsof hij haar pijn had gedaan.

'Goeiendag,' zei de Duitser.

Leamas fluisterde alleen maar: 'Start die wagen niet voor we er overheen zijn.'

Liz keek een ogenblik naar de Duitser in het flauwe licht. Ze had even een indruk van een jong, angstig gezicht; het gezicht van een jongen die dapper probeert te zijn.

'Goeiendag,' zei Liz. Ze maakte haar arm los en volgde Leamas over de weg en in de smalle straat die naar de muur leidde.

Terwijl ze de straat ingingen hoorden ze achter zich de wagen starten, draaien en snel wegrijden in de richting vanwaar ze gekomen waren.

'Wel ja, trek de ladder maar achter je op, schoft,' mompelde Leamas, omkijkend naar de wegrijdende auto.

Liz kon hem nauwelijks horen.

198

26. De spion gaat terug

Ze liepen snel, waarbij Leamas van tijd tot tijd over zijn schouder keek om te zien of ze volgde. Toen hij het einde van de steeg bereikte, stond hij stil, trok zich terug in de schaduw van een portiek en keek op zijn horloge.

'Twee minuten,' fluisterde hij.

Zij zei niets. Ze staarde recht vooruit naar de muur en naar de zwart geblakerde ruïnes erachter.

'Twee minuten,' herhaalde Leamas.

Voor hen lag een strook van dertig meter. Die volgde de muur in beide richtingen. Op misschien zeventig meter rechts van hen stond een wachttoren, de stralenbundel van het zoeklicht tastte de strook af. De lichte regen hing in de lucht, zodat het licht van de booglampen vuilgeel en witachtig was, en de wereld erachter afsloot. Er was niemand te zien, geen enkel geluid te horen. Een leeg toneel.

Het zoeklicht van de wachttoren begon tastend langs de muur naar hen te zoeken; elke keer dat het stilhield konden ze de afzonderlijke stenen zien en de slordige lijnen van het in haast aangebrachte cement. Terwijl ze keken stopte het licht vlak voor hen. Leamas keek op zijn horloge.

'Klaar?' vroeg hij.

Ze knikte.

Hij nam haar bij de arm en stak bedaard de strook over. Liz wilde gaan rennen, maar hij hield haar zo stevig vast dat ze dat niet kon. Ze waren nu halverwege de muur, terwijl de heldere halve cirkel van licht hen vooruit trok, met de bundel precies boven hen. Leamas was vastbesloten Liz vlak bij zich te houden, alsof hij bang was dat Mundt zijn woord niet zou houden en haar op het laatste ogenblik nog van hem zou wegnemen.

Ze waren bijna bij de muur toen het licht plotseling naar het noorden sprong en hen tijdelijk in volslagen duisternis achterliet. Hij hield Liz nog steeds bij de arm vast en geleidde haar blindelings voorwaarts, terwijl zijn linkerhand voor hem uit tastte tot hij plotseling de ruwe scherpte voelde van de sintelsteen. Nu kon hij ook de muur onderscheiden en naar boven kijkende de drie strengen prikkeldraad en de wrede haken waaraan het bevestigd was. Metalen wiggen, zoals de klimijzers die bergbeklimmers gebruiken, waren in de stenen aangebracht. Leamas pakte de bovenste ervan vast en hees zich snel omhoog, totdat hij de bovenkant van de muur had bereikt.

Hij gaf een scherpe ruk aan de onderste streng prikkeldraad die hij naar zich toe kon trekken, daar ze inderdaad reeds was doorgeknipt.

'Schiet op,' fluisterde hij, haar aansporend, 'begin nou te klimmen.' Plat op de muur liggend reikte hij naar beneden, pakte haar opgestoken hand en begon haar langzaam naar boven te trekken, tot haar voet de eerste sport had gevonden. Plotseling scheen de gehele wereld in vlammen uit te barsten; van overal, van boven en van de zijkanten, kwamen dikke lichtbundels tezamen die met een wrede accuratesse zich op hen concentreerden.

Leamas werd verblind, hij draaide zijn hoofd weg, en trok wild aan de arm van Liz. Nu hing ze vrij, hij dacht dat ze was uitgegleden en riep haar als een krankzinnige, haar intussen nog steeds naar boven trekkende. Hij kon niets zien – alleen een waanzinnige kleurenwarreling danste voor zijn ogen.

Toen kwam het hysterische gehuil van sirenes en er werden wilde bevelen geschreeuwd. Half knielende op de muur, pakte hij haar beide armen in de zijne en begon haar naar zich toe te trekken, centimeter voor centimeter, terwijl hijzelf bijna viel.

Toen vuurden ze – enkele schoten, drie of vier, en hij voelde haar sidderen. Haar magere armen glipten uit zijn handen. Hij hoorde een Engelse stem van de westzijde van de muur roepen:

'Spring, Alec! Spring dan toch, kerel!'

Nu schreeuwde iedereen, Engels, Frans, Duits door elkaar, hij hoorde Smileys stem van heel dichtbij:

'Het meisje, waar is het meisje?'

Zijn ogen afschermende keek hij naar beneden, naar de voet van de muur, en tenslotte slaagde hij erin haar te zien, ze lag stil. Een ogenblik aarzelde hij, toen klom hij heel langzaam langs dezelfde sporten weer naar beneden, totdat hij naast haar stond. Ze was dood; haar gezicht was afgewend, haar zwarte haar lag over haar wang als om haar voor de regen te beschutten.

Ze schenen te aarzelen, alvorens weer te vuren; iemand schreeuwde een bevel, en nog vuurde niemand. Tenslotte schoten ze hem neer, met twee of drie schoten. Hij stond om zich heen te staren als een verblinde stier in de arena. Toen hij viel, zag Leamas een kleine auto, verbrijzeld tussen zware vrachtwagens, terwijl de kinderen achter de ruiten vrolijk wuifden.

NACHTMERRIE

Herr Koorp was de beste kruidenier van de oude Duitse stad Lübeck. Hij woonde met zijn smalle vrouwtje in een smal straatje. Zijn winkel geurde naar kruiden, gerookte ham en welvaart. Met Kerstmis had hij biggetjes van marsepein in de etalage. Met Pasen lag er voortreffelijk paasbrood.

Elke zaterdag liep Herr Koorp langs de scheepsleverancier en de tuigmaker naar zijn nieuwe garage, nam een zeem en waste en poetste zijn prachtige Mercedes. Een droom van een stationcar waarmee hij zijn kruidenierswaren bij de elite van Lübeck afleverde. Bij de burgemeester bijvoorbeeld. Bij de wethouders, de raadsleden, de advocaten en de kooplui. En allemaal namen ze hun hoed voor Herr Koorp af, omdat hij zo'n mooie, blinkende Mercedes had. Op zondagmorgen zette hij z'n zwarte Edenhoed op, nam zijn vrouw bij de dunne arm en schreed naar de kerk. 's Middags ging hij naar het voetballen of bezocht een bijeenkomst van de refugiés uit het verloren gebied in de Oostzone. Herr Koorp was een dikke, maar zeer keurige man. Als hij toevallig niet met iets bezig was, hield hij zijn handen wat naar binnen gebogen en raakten duim en middelvinger elkaar, alsof ze een fijne naald vastklemden. Pakte Herr Koorp een pond koffie in, dan was het een lust hem de zak te zien dichtmaken. Het leek haast een wonder dat zo'n dikke, plompe man het zó delicaat voor elkaar kreeg. Twee keer per jaar sprak hij de refugiés toe. Op een podium met aan weerskanten elektrische kaarsen. Zijn vrouw zat dan tussen de 'Prominenz' van Lübeck, stijf en strak in het kant en batist van haar Silezische klederdracht, op de eerste rij vlak onder hem. De toespraken van Herr Koorp varieerden nimmer. Eerst herinnerde hij zijn auditorium diep verontwaardigd aan het verlies van zijn geboortegrond. Dan sprak hij met merkbaar trillende stem over het droeve lot van zijn oude vader en zuster, die in de Oostzone verbleven.

Schreef zijn zuster hem niet iedere week een brief waarin ze hem smeekte om 'westerse' koffie en warme kleren? Hunkerde zijn oude vader er niet naar in Lübeck weer met zijn fortuinlijke zoon verenigd te zijn? Tenslotte stelde Herr Koorp met onheilspellende heftigheid zijn eisen. Hij eiste voor het hele Duitse volk wat reeds het recht was van de kleinste Afrikaanse volksstam: zelfbeschikking! En per slot was het hele Duitse volk wel wat anders dan een Afrikaanse volksstam. Of niet soms? Als hij dan weer ging zitten, applaudisseerde de 'Prominenz', glansden de ogen van zijn vrouw en kreeg ze rode wangen, alsof ze midden in de vrieskou zat. Want Herr Koorp onderscheidde zich, Herr Koorp liet van zich spreken.

Hij was een angstvallig nauwgezet man, die zich angstvallig aan de letter der wet hield. En even angstvallig nauwgezet onthoofdde hij op een morgen in het begin van december om twintig minuten over acht z'n eitje. Zorgvuldig legde hij daarna zijn mes neer en sneed met chirurgische precisie de envelop van de brief uit Mohndorf open: de envelop met de postzegel waarop Ulbrichts beeltenis prijkte.

'Van je zuster,' zei z'n vrouw.

'Ze zal wel weer iets te vragen hebben,' nam Herr Koorp somber aan.

Hij begon de eerste regel te lezen.

'Ze houdt nooit op met vragen,' vond zijn vrouw.

'Het gaat over vader.'

'Is hij ziek?'

Herr Koorp legde na drie regels de brief langzaam neer en zei: 'Hij is dood. Al drie dagen.'

Daarna begon hij zachtjes te huilen.

Frau Koorp nam de brief op en las hem helemaal uit.

'Hij wil hier begraven worden,' zei ze. 'In Lübeck. Hij wil dat wij ervoor zorgen. Hij wil begraven worden in westerse aarde. Dat was zijn laatste wens.'

Herr Koorp stond op, veegde de tranen van zijn kin en liep naar de aangrenzende winkel.

'Het is een tragedie,' mompelde hij. Naast de geldla bevond zich een rek met dassen. Het was een experiment. De mensen schaften met Kerstmis graag een nieuw stropdasje aan en je kon nooit weten. Het waren dassen van 12 mark 80 per stuk. Herr Koorp koos een zwarte uit en deponeerde angstvallig nauwgezet het geld meteen in de la. Dan liep hij terug naar de kamer en verklaarde: 'Van vandaag af zijn we in de rouw.'

Het was, alsof hij een schip te water liet.

'Hij wil hier begraven worden,' herhaalde zijn vrouw.

Herr Koorp ging zitten.

'Dat wordt nooit toegestaan,' zei hij. 'En denk eens aan al die formaliteiten. Dat duurt weken.' Hij schudde het hoofd. 'Het is te laat.'

Frau Koorp zweeg.

'En bovendien,' vervolgde Herr Koorp, 'is in de winter de treinenloop voortdurend in de war. Je weet hoe het gaat. Maar in ieder geval moeten we wat bloemen sturen.'

'Het zou met de auto kunnen,' merkte Frau Koorp op.

'We krijgen nooit toestemming,' snauwde haar man. 'En ik denk er niet aan iets illegaals te doen.'

Want hij was, zoals gezegd, angstvallig nauwgezet en respecteerde de wet.

'Als we hem in Lübeck konden begraven,' zei Frau Koorp met een peinzende blik in haar ogen, 'zou iedereen komen. De burgemeester, de wethouders, de raadsleden en alle refugiés. Dat is hun vaderlandse plicht. Veel vlaggen. Een muziekkorps. Het zou een held van je vader maken. Besef je dat wel? En van jou ook – als je hem tenminste gaat halen.'

'Halen! Uit Mohndorf halen?' Herr Koorp had al z'n verdriet in eens van zich afgeschud. 'Je bent stapelgek.'

Hij begon te lachen, maar het was geen overtuigende voorstelling. 'Halen!' herhaalde hij. 'Hoe kom je er in vredesnaam bij? Ze zouden het moeten aanvragen. Je weet helemaal niet hoe het daar aan de andere kant toegaat. Halen... ! Met de Mercedes naar Mohndorf? Hoe... '

'Het is een voorstel van je zuster. Ze schrijft het. Ze heeft de aanvraag al ingediend.'

'Een aanvraag ingediend?' brieste Herr Koorp. 'Christina een aanvraag ingediend, zonder dat ik ervan afwist? Verwacht ze dat ik met de Mercedes... Hoe komt ze erbij, hoe durft ze!'

Hij schreeuwde en sloeg met zijn vuist op tafel.

'*Mij* bevelen geven! Een aanvraag indienen in *mijn* naam! Driehonderd kilometer op slechte wegen. Op wegen vol ijs en sneeuw. Met Kerstmis nota bene. En alles vanwege een lijk. Is ze vergeten dat we hier in vrijheid leven?'

'Niemand is vrij als het om onze plicht gaat.' Frau Koorp hield de brief omhoog. 'Onze plicht tegenover de doden. De refugiés zullen een krans maken. Ik heb ze gezien: twee tot drie meter hoog. En we komen in klederdracht. Ik ook – allemaal.' Ze keek Herr Koorp strak aan. 'Ga hem halen. In de Mercedes. Vandaag nog. Ga hem halen en breng hem hier, bij mij.'

'Maar daar heb ik toestemming voor nodig,' brulde Herr Koorp woedend. 'Toestemming van de autoriteiten in de Oostzone. Dat kan weken duren, zei ik je al, maanden... '

'Die toestemming is er al. Ook dat schrijft je zuster in haar brief.'

Herr Koorp hapte naar adem en veegde zijn voorhoofd af.

'En wie moet er voor de winkel zorgen?'

'Die sluit je,' zei Frau Koorp. 'Uit eerbied voor de doden. We zijn in de rouw, heb je zelf gezegd.'

De avond begon te vallen toen Herr Koorp in zijn mooie blinkende Mercedes in Mohndorf arriveerde. Hij had er zijn jeugd doorgebracht en het plaatsje bleek in dertig jaar niets veranderd te zijn. Herr Koorp reed een smalle straat in en stapte uit. Hij keek naar het huis. Hij keek naar het enige bovenraam dat verlicht was: het raam van de slaapkamer van zijn vader. Het was heel stil in de straat. Geen mens te zien. Alsof het verboden was 's avonds buiten te zijn. Maar Herr Koorp wist haast wel zeker dat de buren door de gordijnen loerden.

Vermoedelijk, dacht hij, hebben ze nog nooit een Mercedes gezien. Herr Koorp glimlachte. Hij voelde zich een rijk man onder de armen. Hij belde aan. Hij keek naar de deur en zag dat de verf lelijk aan het afschilferen was.

Een schande, dacht hij boos, m'n eigen voordeur! Christina, zijn zuster, zou het nooit leren: altijd even slordig en nooit was er iets in orde. In de gang naderden voetstappen. Ik neem 'm meteen mee, besloot Herr Koorp, ik blijf hier niet slapen. Het stinkt er natuurlijk van het vocht en morgen wil ik de winkel weer open hebben: anders kost het me klanten. Christina zou er waarschijnlijk niets van snappen, want die had lak aan geld. Geen eerbied voor bezit: dat was het. Precies als de communisten: nooit het verlangen haar positie te verbeteren.

Maar het was niet Christina die hem opendeed. Het was dokter Klaus Sandel. Herr Koorp was met Klaus op school geweest: hetzelfde magere babygezicht, en zijn lange haar zat nog steeds gruwelijk in de war.

'Fijn, dat je er bent,' zei de dokter. 'Geen moeilijkheden gehad?'

Hij hielp Herr Koorp uit z'n jas en streek even wat afgunstig over de dure stof en de zijden voering.

'Geen moeilijkheden,' antwoordde Herr Koorp kortaf.

De gang, de zitkamer en de keuken lagen in het donker.

'Waar is Christina?'

'Boven. Ze wilde bij hem blijven.'

'Zit ze dan al drie dagen bij 'm?' verbaasde Herr Koorp zich.

De dokter knikte. Ze gingen de trap op. Drie dagen, dacht Herr Koorp. Hij wist niet dat Christina zoveel om haar oude vader had gegeven. Ze bleven staan voor een gesloten deur. Op de overloop gloeide een spaarbrander.

'En jij?' vroeg Herr Koorp aan dokter Sandel. 'Wat doe jij hier eigenlijk, als ik vragen mag?'

'Helpen, zoals een vriend des huizes betaamt.'

'Ben je hier dus drie dagen lang geweest?'

'Niet voortdurend. Af en toe.'

'Je moet met haar trouwen,' zei Herr Koorp. 'Het is na die drie dagen geen bewijs van respect als je het niet doet. Was het zijn hart?'

Zelf had hij ook weleens last van pijn in zijn borst.

'Zijn hart was altijd een kritiek punt,' verklaarde de dokter.

'Wist hij dat hij zou sterven?'

'Waarom zou hij ons anders verteld hebben dat hij in het Westen begraven wilde worden?'

De dokter keek Herr Koorp niet aan, maar staarde naar zijn hand die om de deurknop geklemd lag.

'Je moet met haar trouwen,' herhaalde Herr Koorp. 'Dat ben je haar verplicht.'

Sandel opende de deur. Aan weerszijden van het hoofdeinde van het bed brandden kaarsen. Vader Koorp had het zwarte pak aan dat hij op bruiloften placht te dragen. Zijn handen lagen over zijn borst gevouwen. Ze hebben 'm geschoren, dacht Herr Koorp, z'n gezicht is glad als dat van een kind. Christina zat in de schommelstoel bij het raam. Ze droeg haar daagse kleren: een kaki overall en lange gebreide tienersokken. Volwassen zou ze nooit worden.

'En daar hebben we Dietrich,' zei ze.

Herr Koorp knielde naast het bed. De tranen stroomden over zijn wangen. Dit heb ik verdiend, dacht hij. Ik heb 'm slecht behandeld. Ik was egoïstisch en gemeen en als die pijn in m'n borst erger wordt, ben ik vandaag of morgen ook aan de beurt. Hij was zowel bang als geroerd. De tranen gleden over zijn knokkels. Zijn hart bonsde tegen zijn ribben. Ik ga dood, dacht hij, het kan elk ogenblik gebeuren. Nu meteen. Vannacht. Hij hoorde, dat Christina opstond. Zo heeft ze nog nooit gebeden, dacht Herr Koorp. En dan nog wel met zo'n atheïst als minnaar. Hij draaide zich om en keek naar haar. Ze stond naast Sandel. Ze had hem een arm gegeven. Ze lachten: ze lachten om een zwaar beproefde zoon, die naast het lijk van zijn vader knielde.

'Lach maar,' fluisterde hij, 'want jullie hebben nooit van hem gehouden.'

Terwijl hij dat fluisterde, bewoog er iets op het bed, kraakten de veren en ging zijn vader plotseling overeind zitten. Herr Koorp zag het in fragmenten. De zich spreidende, zwart gebroekte benen op het witte laken, de halfgeopende, wezenloos grijnzende mond, 't glanzen van de domme ogen. En hij onderging het in fragmenten. De omarming, de naar zeep ruikende kinderwangen, de zoekende handen die langs zijn rug gleden, het beven van dat oude, broze lichaam.

Ook hoorde hij het in fragmenten. Het gelach van Christina, en dat van Sandel, dan weer Christina, de piepende ademhaling van zijn vader. Ze hadden altijd al om hem gelachen: om zijn lafheid, zijn pietluttigheid, de overdreven manier waarop hij zijn broek in de vouw hing, zijn schoenen poetste, zijn haar kamde en borstelde, zich 'inpakte' tegen de kou. Ze hadden gelachen om de deftige waardigheid die hij zich trachtte aan te meten. Omdat hij de wet respecteerde en zo goed op z'n geld paste. Nog steeds lachend en grinnikend duwden ze hem de donkere trap af naar de eetkamer, waar ze zich om de tafel schaarden voor het feestmaal. En wat voor een feestmaal! Een hele ham, die net zo uitstekend smaakte als zijn eigen hammen in Lübeck. Boter! Hoe vaak hadden ze niet geklaagd dat ze geen boter hadden? Brood, veel brood. Weliswaar zat er een zure smaak aan en was het zwarter dan Herr Koorp eigenlijk lief was, maar voor de Oostzone kon het er best mee door. Ze hadden het voor deze gelegenheid natuurlijk allemaal op de zwarte markt gekocht en moesten er heel wat geld voor neergeteld hebben. En wat hadden ze een schik, dat het plan zo goed gelukt was. Z'n oude vader had het allemaal zelf bedacht. Waarschijnlijk het eerste goede idee, dat z'n stompzinnige hersens ooit geproduceerd hadden. Doodsimpel, verklaarde hij gniffelend. Sandel had een overlijdensakte uitgeschreven. Christina wist de uitvoervergunning te versieren.

'In de oorlog gebeurde het elke dag,' zei de oude man. 'Allerlei smokkelwaar in doodkisten, want geen mens kijkt graag in een doodkist, is het wel?'

Herr Koorp zei niets.

'Wat zit je daar nou sip te kijken?' vroeg de oude man. 'Had je me liever dood gezien?' Ze schudden van het lachen en de vlammen van de kaarsen flakkerden. 'Wil je me soms niet mee terug nemen naar Lübeck?'

'Natuurlijk niet,' zei Christina. 'Dat is immers in strijd met de wet?'

'Het zal wel moeten,' meende Sandel.

En ineens herinnerde Herr Koorp zich dat hij Klaus Sandel in feite altijd een arrogant ventje had gevonden. 'Ze lieten hem de grens over om een lijk te halen en nou kan hij moeilijk zonder lijk terugkomen. Je zal echt wel moeten, Dietrich. Anders zien ze je voor een spion aan.'

'Een saboteur,' zei Christina.

'Een Amerikaanse saboteur,' voorspelde de dokter.

Ze hadden ondertussen al ettelijke glazen wijn op en het was goed te merken, maar Christina schonk opnieuw de glazen vol. Haar oude vader kreeg een half glas, vanwege z'n broos gestel. 'Ze houden ze in de gaten,' zei Christina, 'die gemene West-duitsers.'

'En vooral als ze een Mercedes hebben,' zei dokter Sandel.

De doodkist paste precies in het achterste gedeelte van de Mercedes en werd er even nu middernacht netjes ingeschoven; met het hoofdeinde naar de voorkant gekeerd.

'Elk half uur moet het deksel open,' waarschuwde Sandel. 'Anders krijgt-ie te weinig lucht. Heb je een schroevedraaier bij je?'

Herr Koorp manoeuvreerde het donkere stadje uit in de richting van het Westen. Er was nauwelijks verkeer langs de weg. Terwijl de grijze dag begon aan te breken, reed Herr Koorp verder: eerst langzaam, omdat hij bang voor de gladdigheid was, maar daarna kreeg hij meer vertrouwen en voerde hij de snelheid geleidelijk op. De verwarming had hij op vol staan.

'Hoeveel,' schreeuwde de oude man vanuit zijn kist, 'kost de koffie nou eigenlijk aan de andere kant?'

'Rustig een beetje,' adviseerde Herr Koorp. 'Anders kom je dadelijk adem te kort.'

'Wat kost de koffie?' hield zijn vader vol. 'Braziliaanse? Afrikaanse? Guatemala? Al die gekke merken en soorten. Wat kosten die nou eigenlijk?'

'Rustig nou,' herhaalde Herr Koorp. Hij draaide de radio aan.

'Een prima doodkist!' gilde de oude man. 'Helemaal met vilt bekleed. Dat is lekker liggen. En wat een prachtauto. Mijn bloedeigen zoon,' krijste hij, 'die in zo'n prachtauto kan rijden... '

Inderdaad een prachtauto, dacht Herr Koorp, een wagen die een man tot eer strekt. Heel wat anders dan m'n vader.

'Ik koop een pet,' schreeuwde de oude man. 'Zo'n zeemanspet met een blinkende klep en een anker.'

En dan maar rondlummelen, dacht Herr Koorp. Met je pet. Met die blinkende klep en dat anker. Rondlummelen in de winkel, je eigen rotgrapjes debiteren en de vrouw van de burgemeester vertellen hoeveel luiers ik als baby dagelijks vuilmaakte. Overal met je slechte manieren te koop lopen: je aardappels met een mes snijden, boeren laten boven je eten. Geen greintje waardigheid, geen greintje opvoeding in je ongewassen lijf. Iedereen zal het merken. Elke dag en nacht zullen we je aanwezigheid moeten accepteren.

Je drinkt al mijn goede cognac en beste wijnen op. En wie zegt, dat je geen honderd wordt? Als ik mijn toespraak tot de refugiés houd, zul je lachen als ik iets ernstigs bedoel, juichen als ik verontwaardigd ben en applaudisseren als de rest er al lang mee opgehouden is. Je zult jezelf op de borst slaan en triomfantelijk brullen: 'Dat is mijn bloedeigen zoon. Ze klappen voor mijn zoon.'

En wat, dacht Herr Koorp vervolgens, zal mijn vrouw zeggen? Voorzichtig, om niet te slippen, remde hij af.

'Stoppen we?' schreeuwde de oude man in de kist.

'Ik wil de papieren nog even bekijken.'

'Zet de radio af. Ik kan niks horen.'

'Wat geeft 't?' mompelde Herr Koorp.

Uit het handschoenenkastje nam hij de documenten, die Christina hem had meegegeven: overlijdensakte, uitvoervergunning en andere papieren.

Ze hebben het mooi voor elkaar, dacht hij. Bang was hij niet meer. Hij voelde zich prima. Bereid orders op te volgen, als in de oorlog. Hij wilde iemand van dienst zijn, al was het alleen maar zichzelf.

'Sandel zei,' riep zijn vader, 'dat je elk half uur het deksel moet openen.'

'Veel te gevaarlijk,' zei Herr Koorp. Hij draaide de radio nog iets harder.

'Dietrich!' gilde de oude man. 'Ik krijg het zo warm. Dat komt door die verwarming. Doe hem uit. Helemaal. En waarom zet je die muziek zo hard aan?'

'Welke muziek?' vroeg Herr Koorp in een impuls. 'Ik hoor helemaal geen muziek. Welke muziek?' herhaalde hij, terwijl hij zijn gezicht dicht bij de kist met zijn vader bracht. 'Je bent gek!' schreeuwde hij. 'Het zijn de engelen!'

Hij wachtte op antwoord, maar lange tijd bleef het stil.

'Waarom doe je het deksel niet open?' klonk het ten slotte. De stem van de oude man had alle zekerheid verloren.

'Waarom wachten we hier?'

'Even uitblazen, voordat we de grens overgaan.'

'Uitblazen... '

Een man moet zijn verleden weten te overwinnen, dacht Koorp. Hij moet zijn positie verbeteren, anders is hij een communist. Als hij weer terug was, zou hij er een vriendin op gaan nahouden. Dat kind uit de winkel van de scheepsleverancier, die dikke! Herr Koorp glimlachte vaag en startte zijn Mercedes.

'Dietrich...!'

Wat een wagen, wat een droom van een wagen! Ze vloog over de weg, ze had er zin in. Ze vond het heerlijk met die zware last op haar achterwielen.

'Dietrich... doe de verwarming uit!'

Herr Koorp luisterde naar de radio en deed de koplampen uit, want het werd lichter en lichter. Het beloofde een mooie dag te worden.

'In godsnaam... Dietrich... '

Hij schakelde over op de derde versnelling en met de verwarming nog steeds op vol, want hij moest 'n beetje oppassen met die verraderlijke kou: het kon gevaarlijk zijn. De muziek beviel hem best. De Oostzone bracht altijd goede muziek. Hoofdzakelijk marsmuziek. Een soldaat telde daar mee. Dat moest Herr Koorp toegeven.

Zelfs van de grenswachten ging gezag uit. Die lieten niet met zich spotten. Een groot verschil met de Bundeswehr. Fijne muziek, heer-

lijke marsen. Hij had er zelf nog op gemarcheerd. Taromdebomme-
de... romdebommede... romderomderebom... Herr Koorp remde
opnieuw af en stopte op een parkeerstrook. Nou niet meteen de
grens over. Even wachten en nadenken. Geen verkeer op de weg.
Nog dertig kilometer tot de grens. De eerste post bevond zich bij het
begin van niemandsland, de tweede en laatste precies op de grens.
Herr Koorp veegde het zweet van zijn voorhoofd. Het was met die
verwarming op vol smoorheet in de Mercedes. Hij trok zijn jas uit.
Zijn mooie winterjas met de zijden voering. Waar moest hij hem laten? Niet op de vloer. Dan werd-ie vuil. Herr Koorp spreidde hem
zorgvuldig over de doodkist. Precies, dat was de aangewezen plaats.
Dan reed hij weer verder. De hitte was nauwelijks nog te verdragen.
Maar hij had die warmte nodig op zo'n koude dag en vooral nu hij
zijn jas uitgetrokken had om hem aan zijn oude vader te lenen.

'Dietrich' – jawel, zo heette hij eigenlijk. Maar in Lübeck noemden ze hem Dieter. Herr Dieter Koorp: een man die meetelde, de
beste kruidenier van de stad, een redenaar, bezitter van een Mercedes. Een man moest zijn erfenis van zich kunnen afschudden, het
verleden kunnen overwinnen. Dietrich? Wie noemde hem tegenwoordig nog Dietrich? Wie had de brutaliteit en het lef zo iets te durven? Iemand ver van hem vandaan. Iemand aan de verkeerde kant
van de grens. Iemand, die dood behoorde te zijn.

De grenswachten controleerden de papieren en toonden zich bijzonder hoffelijk. Overlijdensakte, uitvoervergunning. Alles in orde?

'We moeten er even een kijkje in nemen,' vond de jongste.

'Laat die man toch met rust,' zei de korporaal.

Maar de jongste was sergeant en haalde een schroevedraaier.

'Die schroeven zitten hartstikke vast aangedraaid,' zei hij.

'Om de lucht buiten te sluiten,' verklaarde Herr Koorp. 'Hij is al
vier dagen dood.'

'Maar nog steeds warm,' constateerde de sergeant.

'Dat komt door de verwarming. De Mercedes heeft een pracht
van een verwarming. Maar hij is echt al vier dagen dood.'

De grenswachten namen de papieren nog eens door en keken
daarna weer naar het lijk. Er ging veel gezag van hen uit, ofschoon
de sergeant nog erg jong was.

'Je zou nooit gedacht hebben,' bromde hij, 'dat hij er na vier volle dagen nog zo goed en fris zou uitzien.'

Herr Koorp gaf geen antwoord. Hij huilde en de tranen rolden
weer over zijn wangen. Want een man voelt voor zijn vader.

214

SPION VERSPEELD

'Ik wil best een pion zijn
als ik maar mee mag spelen'

Alice

Aan James Kennaway

Woord vooraf

Geen van de personen, clubs, instellingen of organisaties van de Geheime Dienst die ik hier of elders heb beschreven bestaat en naar mijn beste weten hebben ze ook nooit bestaan.

Ik wil graag de 'Radio Society of Great Britain' en de heer R.E. Molland mijn dank betuigen evenals de redactie en de staf van 'Aviation Week and Space Technology' en de heer Ronald Coles, die mij allen waardevolle technische adviezen hebben verstrekt. Ook mejuffrouw Elizabeth Tollinton, die als mijn secretaresse is opgetreden, ben ik erkentelijk voor haar hulp.

Ten slotte wil ik mijn vrouw hartelijk dank zeggen voor haar voort-durende steun, evenals mijn vriend James Kennaway aan wie dit boek is opgedragen en die mij met waardevolle adviezen heeft ge-steund.

Agios Nikolaos, Kreta   John le Carré
Mei 1964

DEEL I

TAYLORS MISSIE

*'Hier ligt een dwaas die het Oosten
tot haast dacht aan te sporen.'*

Kipling

'Het dragen van gewichten,
zoals een grote koffer of kist,
vlak voor het uitzenden van berichten,
maakt de spieren van onderarm, pols en vingers
te ongevoelig om goed te kunnen seinen.'

F. Tait: 'Complete Morse Instructor' (Pitman)

1

Het vliegveld was met sneeuw bedekt.

De sneeuw kwam uit het noorden en was door de nachtwind aangevoerd, in de mist, met de geur van de zee. Ze zou de hele winter blijven liggen, een dun tapijt op de grijze aarde, een ijzige, scherpe stoflaag. Ze dooide niet weg en bevroor niet, maar bleef onveranderlijk zo liggen, als een jaar zonder seizoenen. De telkens veranderende mist, als de rook van de oorlog, zou erboven blijven hangen en zo nu en dan een hangar doen verdwijnen en de radarhut en soms de vliegtuigen, en ze daarna een voor een weer prijsgeven, ontdaan van hun kleur, als zwarte kadavers in een witte woestijn.

Het was een toneel zonder diepte, zonder schaduwen. Het land vormde één geheel met de lucht; mensen en gebouwen waren in de koude opgesloten als ingevroren lijken.

Achter het vliegveld was niets. Geen huis, geen heuvel, geen straat, zelfs geen heg, geen boom. Alleen de lucht die laag boven de duinen hing en de voortdurend veranderende mist die opsteeg van de modderige Baltische kust. Verder landinwaarts waren ergens bergen.

Een groep kinderen met allemaal dezelfde schoolpetjes had zich verzameld voor het brede raam dat uitzag op het vliegveld. Ze praatten druk in het Duits. Sommigen droegen skikleding. Taylor keek suf langs hen heen, met een glas in zijn gehandschoende hand.

Een jongen draaide zich om, staarde naar hem, bloosde en fluisterde iets tegen de andere kinderen. Daarop werden ze stil.

Hij keek op zijn horloge waarbij hij een brede boog beschreef met zijn arm gedeeltelijk om zijn pols vrij te maken en gedeeltelijk omdat dit nu eenmaal zijn gewoonte was; hier staat een officier, wilde hij daarmee aangeven, van een fatsoenlijk regiment en een fatsoenlijke club, die in de oorlog van alles heeft meegemaakt.

Tien voor vier. De machine was een uur over tijd. Ze zouden nu spoedig de reden daarvan per luidspreker bekend moeten maken. Hij vroeg zich af wat ze zouden zeggen; opgehouden door de mist, wellicht; later opgestegen. Ze wisten waarschijnlijk niet eens dat het toestel driehonderdvijftig kilometer uit de koers was en zich ten zuiden van Rostock bevond - en als ze het wisten zouden ze het niet zeggen. Hij dronk zijn glas leeg en draaide zich om om het lege glas weg te zetten. Hij moest toegeven dat sommige van die buitenlandse brouwsels, vooral als je ze in het land zelf dronk, nog zo gek niet waren. Als je er zat en een paar uur moest doodslaan terwijl het buiten 10 graden vroor, dan was een glas Steinhäger lang niet kwaad. Hij zou ze op de Aliasclub een voorraadje laten inslaan als hij terugkwam. Daar zouden ze van opkijken.

De luidspreker begon te zoemen; plotseling kwam er een schreeuwend geluid uit, dat weer wegstierf en toen opnieuw begon, nu goed ingesteld. De kinderen staarden er vol verwachting naar. Eerst kwam de aankondiging in het Fins, daarna in het Zweeds en nu in het Engels. De luchtvaartmaatschappij 'Noord' betreurde het dat de chartervlucht twee-negen-nul van Düsseldorf vertraging had. Geen enkele aanwijzing hoe lang de vertraging zou duren en geen woord over de reden. Waarschijnlijk wisten ze het zelf niet.

Maar Taylor wel. Hij vroeg zich af wat er zou gebeuren als hij naar de kokette grondstewardess in het glazen hokje zou lopen en tegen haar zou zeggen: 'Het zal nog wel even duren voor twee-negen-nul landt, liefje, die is door een stormachtige noordenwind boven de Oostzee afgedreven en heeft geen idee meer waar hij zit.' Het meisje zou hem natuurlijk niet geloven en denken dat hij gek was. Later zou ze het wel begrijpen. Ze zou inzien dat hij een ongewone man was, iets bijzonders.

Buiten begon het donker te worden. De grond was nu lichter dan de lucht; de keurig geveegde startbanen staken als donkere dijken tegen de sneeuw af; hier en daar zag je de amberkleurige bakens. In de dichtstbijzijnde hangars wierpen neonbuizen een bleek licht over de mannen en de vliegmachines. De grond vlak onder hem werd plotseling even fel verlicht toen de straal van de verkeerstoren erop viel. Een brandweerauto had de werkplaatsen links verlaten en had zich bij de drie ambulances gevoegd die al in de nabijheid van de middelste landingsbaan stonden opgesteld. Tegelijkertijd schakelden ze hun blauwe zwaailichten in en gaven geduldig op een rij hun waarschuwingssignalen. De kinderen wezen ernaar en kwetterden opgewonden.

Weer klonk de stem van het meisje door de luidspreker; er konden hoogstens enkele minuten zijn verlopen na de laatste aankondiging. De kinderen staakten hun gesprekken en luisterden. De aankomst van twee-negen-nul zou minstens nog een uur op zich laten wachten. Verdere inlichtingen zouden worden verstrekt zodra ze beschikbaar waren. Er was iets in de stem van het meisje, iets tussen verwondering en vrees in, dat indruk maakte op de vijf of zes mensen die aan het andere einde van de wachtkamer zaten. Een oude vrouw zei iets tegen haar man, stond op, nam haar tasje en voegde zich bij de groep kinderen. Een tijdlang keek ze domweg naar de schemering daarbuiten. Toen ze er geen troost vond wendde ze zich tot Taylor en vroeg in het Engels: 'Wat zou er toch met het vliegtuig uit Düsseldorf zijn gebeurd?' Het was de stem van een verontwaardigde Hollandse.

Taylor schudde zijn hoofd. 'De sneeuw waarschijnlijk,' antwoordde hij. Hij was een man van weinig woorden, hij was nu eenmaal beroepsmilitair.

Taylor duwde de draaideur open en liep naar beneden, naar de toegangshal, waar zich de receptie bevond. Bij de hoofdingang zag hij het gele vaantje van de luchtvaartmaatschappij 'Noord'. Het meisje in de receptie was erg knap.

'Wat is er aan de hand met de machine uit Düsseldorf?' Hij sprak op vertrouwelijke toon; men zei weleens dat hij wist hoe hij met jonge meisjes moest omgaan. Ze glimlachte en haalde haar schouders op. 'Het zal wel komen door de sneeuw. Er zijn in de herfst vaak vertragingen.'

'Waarom vraag je het niet even aan de baas?' stelde hij voor en wees met een knikje van zijn hoofd naar de telefoon voor haar.

'Ze zullen het wel door de luidspreker bekend maken zodra ze iets weten,' antwoordde ze.

'Wie vliegt die kist, liefje?'

'Pardon?'

'Wie vliegt die kist, wie is de eerste piloot?'

'Captain Lansen.'

'Kent-ie zijn vak?'

Het meisje keek hem verontwaardigd aan. 'Captain Lansen is een zeer ervaren vlieger.'

Taylor keek haar onderzoekend aan, glimlachte en zei: 'Hij is in ieder geval een bijzonder *gelukkige* gezagvoerder, liefje.' Men zei dat hij niet op zijn achterhoofd was gevallen, die Taylor. Dat zeiden ze op vrijdagavond in de Alias.

Lansen. Vreemd om zo'n naam zomaar te horen uitspreken. Dat gebeurde nooit in de organisatie. Ze draaiden er altijd omheen, gebruikten schuilnamen als: broeder Archie, Onze vliegende vriend, Onze vriend in het noorden, die vent van de foto's; ze gebruikten desnoods de warwinkel van cijfers en letters waaronder de mensen op papier bekend waren; maar nooit, wat er ook gebeurde, zijn werkelijke naam.

Lansen. Leclerc had hem in Londen een foto laten zien van een nog jongensachtige man van vijfendertig, blond en knap. Hij was er zeker van dat al de stewardessen gek op hem waren. Dat was ook het enige waarvoor ze deugden, kanonnenvoer voor de piloten. Een gewoon mens kreeg geen kans bij ze. Taylor streek snel met zijn rechterhand over de buitenkant van zijn jaszak om zich te overtuigen dat de enveloppe er nog in zat. Het had nog nooit eerder zoveel geld bij zich gehad. Vijfduizend dollar voor één vlucht. Zeventienduizend gulden, belastingvrij, om even te verdwalen boven de Oostzee. Natuurlijk deed Lansen dat niet iedere dag. Dit was een speciale opdracht, iets heel bijzonders, had Leclerc gezegd. Wat zou ze doen als hij zich voorover zou buigen en haar zou toefluisteren wie hij was en haar het geld in die enveloppe zou laten zien? Een dergelijk meisje, lang, slank, jong, een ècht meisje, had hij nog nooit gehad.

Hij liep weer naar boven, naar de bar. De barman begon hem al te kennen. Taylor wees naar de fles Steinhäger op de middelste glasplaat achter de bar en zei: 'Geef me er daar nog maar een van, ja, daar achter je, die fles met jullie eigen vergif.'

'Steinhäger is Duits,' zei de barman.

Hij opende zijn portefeuille en haalde er een bankbiljet uit; in een vakje achter cellofaan zat het portret van een meisje van ongeveer negen jaar, met een bril op en een pop in haar armen. 'Mijn dochter,' zei hij tegen de barman, die begrijpend glimlachte.

Net als bij een handelsreiziger varieerde zijn stem sterk. Hij sprak nu met de imitatie-aristocratische intonatie waarmee hij medeofficieren gewoonlijk aansprak en die hij ook gebruikte als het erom ging de nadruk te leggen op een - niet bestaand, of overdreven - klasseverschil; en ook zoals nu, wanneer hij zenuwachtig was.

Ja, hij moest het eerlijk toegeven, hij voelde zich niet op zijn gemak. Het was een griezelige situatie voor een man van zijn ervaring en leeftijd om van het gewone koerierswerk plotseling in het diepe te worden gegooid. Dit was een karwei geweest voor die zwijnen van het Circus en niet voor zijn eigen organisatie. Dit was wel iets heel anders dan het normale routinewerk waaraan hij gewend was; hier liep hij onmiddellijk in de gaten, hier was hij helemaal alleen, honderden kilometers van de bewoonde wereld. Hoe kwamen ze erbij zo maar in de wildernis een vliegveld aan te leggen? In het algemeen vond hij die buitenlandse reizen wel prettig: een bezoek aan die brave Jimmy Gorton in Hamburg bijvoorbeeld, of een nachtje aan de rol in Madrid. Het deed hem wel eens goed Joanie een poosje niet te zien. Hij had een paar maal de koeriersdienst naar Turkije gedaan, maar hij moest eigenlijk niet veel van die Turken hebben. Zelfs dat was gemakkelijk, gezellig werk, vergeleken bij dit. Je reisde eerste klas, je bagage stond op de zitplaats naast je en je had een NAVO-pas in je zak; dat gaf je een zekere status, bijna het niveau van de jongens van de diplomatieke dienst. Nee, dit was heel iets anders en het beviel hem absoluut niet.

Leclerc had gezegd dat het belangrijk was, een grote zaak, en Taylor geloofde dat ook wel. Ze hadden hem een pas op een andere naam bezorgd. Malherbe. God wist waarom ze zo'n Franse naam hadden gekozen. Idioot, hij kon hem niet eens spellen, laat staan uitspreken. In het hotelregister had hij er maar wat op los geknoeid. De vergoeding was natuurlijk fantastisch, honderdvijftig gulden per dag voor gemaakte onkosten, waarvan geen verantwoording werd gevraagd. Daar kon hij een aardig centje aan overhouden en iets voor Joanie kopen. Maar waarschijnlijk had ze liever het geld.

Hij had het haar natuurlijk verteld; dat mocht wel niet, maar Leclerc kende Joanie niet. Hij stak een sigaret op, deed er een trekje aan en hield hem verborgen in de palm van zijn hand, als een schildwacht die onder diensttijd stond te roken. Hoe stelden ze zich dat voor, verdomme? Dachten ze dat hij zo maar naar Scandinavië kon gaan zonder het zijn vrouw te vertellen?

Wat zouden die kinderen toch doen, die steeds met hun gezichten tegen de ruit gedrukt stonden? Fantastisch zoals die zo'n vreemde taal spraken. Hij keek weer op zijn horloge, zag nauwelijks hoe laat het was en raakte even de enveloppe in zijn zak aan. Hij moest maar niet meer drinken, hij moest zijn positieven bij elkaar houden. Wat zou Joanie op dit ogenblik doen? Ze zou er wel even bij zijn gaan zitten met een gin en tonic of zo. Jammer dat ze de hele dag moest werken. Het drong plotseling tot hem door dat het stil was geworden. De oude mensen aan het tafeltje luisterden en de barman ook. Iedereen keek naar het grote raam. En toen hoorde hij het duidelijk, het geluid van een vliegtuig, nog ver weg, maar snel naderbij komend. Hij liep vlug naar het grote raam en was halverwege toen de luidspreker begon; na de eerste woorden Duits verdwenen de kinderen, bijna geluidloos, als een vlucht duiven naar de hal van de receptie. Het groepje aan de tafel stond op. De vrouwen grepen naar hun handschoenen, de mannen naar hun overjassen en aktentassen. Eindelijk kwam het bericht ook in het Engels. Lansen stond op het punt te landen.

Taylor staarde naar het nachtelijk duister daarbuiten. Geen vliegtuig te zien. Hij wachtte en voelde zich steeds ongeruster worden. Net het einde van de wereld, dacht hij, verdomme, net het einde van de wereld. Stel je voor dat Lansen op het laatste ogenblik te pletter sloeg. Stel je voor dat ze de camera's vonden. Hadden ze maar iemand anders dit karwei opgedragen; waarom hadden ze Woodford niet gestuurd of die jonge Avery - die was toch zo slim, een jongen die aan de universiteit had gestudeerd? De wind was sterker geworden; hij had erop durven wedden dat hij zelfs veel sterker was geworden; je kon het zien aan de opdwarrelende sneeuw, die over de startbanen werd gejaagd. En aan de horizon zag je witte sneeuwkolommen die fel werden voortgedreven.. Een harde windvlaag sloeg plotseling tegen de ramen voor hem, en hij deed geschrokken een stap achteruit. Hij hoorde het kletteren van hagel en het kraken van houtwerk. Weer keek hij op zijn horloge; dat was een gewoonte geworden.

Lansen haalt het nooit in dit weer. Nooit.

Zijn hart stond stil. Eerst zachtjes, daarna snel aanzwellend hoorde hij de claxons, alle vier tegelijk, jankend boven het van-god-verlaten vliegveld. Brand ... het toestel stond zeker in brand. Het staat in brand en probeert te landen ... hij draaide zich paniekerig om, zoekend naar iemand die hem wat meer zou kunnen vertellen.

De barman stond naast hem, poetste een glas op en keek door het raam naar buiten.

'Wat is er aan de hand?' schreeuwde Taylor. 'Waarom zijn die sirenes aangezet?'

'Dat doen ze altijd bij slecht weer,' antwoordde de man. 'Dat moet volgens de voorschriften.'

'Waarom laten ze hem landen?' hield Taylor aan. 'Waarom hebben ze hem niet verder naar het zuiden doorgestuurd? Het is hier te klein. Waarom hebben ze hem niet naar een groter vliegveld gedirigeerd?'

De barman schudde onverschillig zijn hoofd. 'Zo erg is het niet,' meende hij. 'Bovendien is het al laat geworden. Het kan best zijn dat hij geen benzine meer heeft.'

Ze zagen het toestel laag boven het vliegveld aankomen, de lichten aan en uit flikkerend boven de schijnwerpers van de landingsbaan; het zoeklicht zocht de juiste koers. Toen was de machine geland, veilig geland, ze hoorden het brullen van de motoren toen het toestel in hun richting taxiede.

De bar was leeggelopen. Hij was alleen overgebleven. Taylor bestelde een borrel. Hij wist wat hem te doen stond. Rustig in de bar blijven, had Leclerc gezegd, Lansen zal je in de bar ontmoeten. Het zal wel even duren, want hij moet zijn documenten overleggen en voor zijn camera's zorgen. Taylor hoorde de kinderen beneden zingen. Een vrouw zong mee. Waarom was hij in 's hemelsnaam omringd door vrouwen en kinderen? Dit was mannenwerk, hij had vijfduizend dollar in zijn zak en een valse pas.

'Dit was de laatste vlucht vandaag,' zei de barman. 'Ze hebben alle landingen verder verboden. En er mogen ook geen machines meer opstijgen.'

Taylor knikte. 'Dat begrijp ik, het is buiten afschuwelijk, afschuwelijk.'

De barman zette de flessen weg. 'Er was geen gevaar bij,' zei hij kalmerend. 'Captain Lansen is een uitstekend piloot.' Hij aarzelde of hij de Steinhäger ook weg zou zetten.

'Natuurlijk was er geen gevaar bij,' snauwde Taylor. 'Wie kletst er nou over gevaar?'

'Nog een borrel?' vroeg de barman.

'Nee, dank je, maar neem er zelf een. Vooruit, neem er zelf maar een.'

Met tegenzin schonk de barman een borrel voor zichzelf in en zette de fles weg.

'Toch vraag je je af hoe ze het doen,' zei Taylor op verzoenende toon. 'Bij dit weer kunnen ze geen barst zien, geen barst.' Hij glimlachte als een man die weet waarover hij spreekt. 'Je zit daar maar in de neus en je zou je ogen net zo goed dicht kunnen doen, want ze zijn volkomen waardeloos. Ik heb het meegemaakt,' vervolgde hij, zijn handen losjes om een denkbeeldige stuurknuppel geslagen. 'Ik weet er alles van ... en zij zijn de eersten die eraan gaan als er iets misgaat, die jongens.' Hij schudde zijn hoofd. 'Niets voor mij. Ze hebben recht op elke cent die ze verdienen. Zeker in die kleine pestdingen. Die hangen met touw aan elkaar, die kisten. Waardeloos.'

De barman knikte vaag, dronk zijn glas leeg, waste het af, droogde het en zette het op een plank onder de bar. Hij knoopte zijn witte jasje los. Taylor bleef onverstoorbaar zitten.

'Nou,' zei de barman met een vreugdeloos glimlachje, 'dan gaan we maar eens naar huis.'

We? vroeg Taylor. Hij sperde zijn ogen wijd open en wierp het hoofd in de nek. 'Wie zijn die ''we''?' Hij was bereid het tegen de hele wereld op te nemen. Lansen was geland.

'Ik moet de bar sluiten.'

'Naar huis gaan ... kom nou, schenk me nog maar een borrel in. En als jij naar huis wilt gaan, ga je gang. Maar ik woon toevallig in Londen.' Zijn toon was uitdagend, half speels, half wrokkig en zijn stem werd steeds luider. 'En gezien het feit dat jullie luchtvaartmaatschappij me niet terug kan brengen voor morgenochtend naar Londen of naar een andere min of meer fatsoenlijke stad is het toch wel een beetje dwaas om maar te zeggen dat ik er vandoor moet, niet, ouwe jongen?' Hij glimlachte nog, maar het was het kwaadaardige lachje van een nerveus man die bezig is nijdig te worden. 'En als je weer eens een borrel van me aanneemt, vriend, dan zou je wel eens zo beleefd kunnen zijn ...'

De deur ging open en Lansen kwam binnen.

Zo had het allemaal niet mogen gaan; nee, dat hadden ze hem heel anders voorgesteld. Blijf in de bar, had Leclerc gezegd, neem een hoektafeltje, laat je een borrel brengen, leg je hoed en overjas op de stoel naast je, alsof je op iemand zit te wachten. Lansen drinkt altijd een pilsje als hij binnen is. En hij houdt van de bar voor het publiek, zo is Lansen nu eenmaal. Er zullen allerlei mensen rondlopen, had Leclerc gezegd. Het is wel een klein vliegveld, maar er gebeurt natuurlijk altijd wel iets, dat is overal hetzelfde. Hij zal om zich heen kijken en naar een plaatsje zoeken - heel openlijk - en dan komt hij naar jou toe en vraagt je of die tweede stoel bezet is. Dan zeg je dat je die vrij hebt gehouden voor een vriend die niet is komen opdagen; Lansen zal je vragen of hij bij je kan komen zitten. Hij zal een biertje bestellen en vragen: 'Vriend of vriendin?' Je verzoekt hem dan geen onfatsoenlijke dingen te veronderstellen, jullie lachen allebei een beetje. En raakt aan de praat. Denk aan de twee belangrijke vragen: hoogte en snelheid. Die moet de researchafdeling weten. Laat het geld in de zak van je overjas zitten. Hij zal je jas ophangen, zijn eigen jas ernaast hangen en dan zonder omslag de enveloppe overnemen en de film in jouw zak stoppen. Je drinkt je glas uit en hij het zijne, je drukt elkaar de hand en de zaak is voor elkaar. De volgende ochtend vlieg je naar huis. Het had heel eenvoudig geklonken toen Leclerc het zei.

Lansen liep door de lege zaal naar hen toe, een lange, sterke vent in een blauwe regenjas en pet. Hij keek even naar Taylor en zei toen langs hem heen tegen de barman: 'Jens, geef me een pilsje.' Daarna wendde hij zich tot Taylor. 'Wat drinkt u?'

Taylor glimlachte vaagjes. 'Geef me maar iets van dat spul dat jullie hier maken.'

'Geef hem wat hij hebben wil. Een dubbele.'

De barman knoopte vlot zijn jasje weer dicht, opende de kast, tapte een pils en schonk een groot glas Steinhäger in.

'Heeft Leclerc u gestuurd?' informeerde Lansen kortaf. Iedereen had het kunnen horen.

'Ja.' En veel te tam en veel te laat voegde hij eraan toe: 'Leclerc & Company, Londen.'

Lansen nam zijn pilsje op en liep ermee naar het dichtstbijzijnde tafeltje. Zijn hand beefde. Ze namen plaats.

'Dan kunt u me zeker wel vertellen welke verdomde idioot mij die krankzinnige opdracht heeft gegeven?' vroeg hij heftig.

'Dat weet ik niet,' antwoorde Taylor geschrokken. 'Ik weet niet eens wat u voor instructies hebt gekregen. Daar heb ik niets mee te maken. Ze hebben mij alleen uitgestuurd om de film in ontvangst te nemen, dat is alles. Dit soort zaken doe ik anders nooit. Ik zit meer in het gewone werk, ik ben koerier.'

Lansen boog zich voorover, zijn hand op Taylors arm. Taylor voelde hoe die hand beefde: 'Ik zat ook in het gewone werk. Tot vandaag. Er waren kinderen aan boord. Vijfentwintig Duitse schoolkinderen die een skivakantie hadden gehad. Een hele lading kinderen.'

'Ja,' zei Taylor en lachte gedwongen, 'ja, er was een hele groep in de wachtkamer om ze af te halen.'

Lansen barstte plotseling uit: 'Maar wat *zochten* we nu eigenlijk? Wat is zo opwindend aan Rostock? Daar begrijp ik niets van.'

'Ik heb u toch al gezegd dat ik daar niets mee te maken heb.' En nogal inconsequent voegde hij eraan toe: 'Leclerc zei dat het niet om Rostock ging, maar om de streek ten zuiden daarvan.'

'De zuidelijke driehoek: Kalkstadt, Langdorn, Wolken. Dat hoeft u me niet te vertellen.'

Taylor keek benauwd in de richting van de barman.

'We kunnen beter niet hardop praten,' zei hij. 'Die vent is anti.' Hij nam een slok van zijn Steinhäger.

Lansen maakte een gebaar met zijn hand alsof hij iets van zijn gezicht wegveegde. 'Afgelopen voor mij,' zei hij. 'Uit. Het was allemaal best toen we gewoon op koers konden vliegen om te fotograferen wat daar te zien was; maar dit is te gek, zeg ik je. Dit is verdomme volslagen gekkenwerk.' Zijn zware accent verried dat hij zich in het Engels niet thuis voelde.

'Heeft u wel foto's genomen?' vroeg Taylor. Hij moest die film zien te krijgen en er vandoor gaan.

Lansen haalde zijn schouders op, stak zijn hand in de zak van zijn regenjas en haalde er tot Taylors grote schrik een metalen huls uit voor 35-mm film, die hij hem over de tafel heen gaf.

'Nou, wat was het?' vroeg Lansen. 'Wat zochten ze daar in vredesnaam? Ik ben tot onder de wolken gedoken, ik heb over de hele streek gecirkeld, maar ik heb nergens atoombommen gezien.'

'Het was iets belangrijks, dat is alles wat ze me hebben verteld. En dat werk moet nu eenmaal gedaan worden, ziet u. Je kunt over een dergelijk gebied geen geheime vluchten maken.' Taylor herhaalde wat hij iemand anders had horen zeggen. 'Dat moet een gewone machine van een normale luchtlijn doen, anders gaat het nu eenmaal niet.'

'Luister nou eens goed naar me. Ze pikten ons direct op toen ik boven dat gebied kwam. Twee MIGs. Waar kwamen die vandaan? Dat zou ik wel eens willen weten. Toen ik ze zag ben ik onmiddellijk de wolken in gedoken. Ze volgden me. Ik heb contact met ze opgenomen, gevraagd naar mijn positie. Toen we de wolken uitkwamen zag ik ze weer. Ik dacht dat ze me zouden dwingen te landen. Ik heb geprobeerd de camera af te werpen, maar dat ging niet, het ding zat vastgeklemd. De kinderen stonden allemaal bij de raampjes en wuifden naar de MIGs. Ze zijn een tijdje naast me blijven vliegen en toen waren ze plotseling verdwenen. Ze kwamen heel dichtbij. Het was verdomd gevaarlijk voor die kinderen.' Hij had zijn bier niet aangeraakt. 'Wat wilden die MIGs, verdomme?' vroeg hij. 'Waarom hebben ze me geen bevel gegeven te landen?'

'Ik heb u al gezegd, ik heb met die kant van de zaak niets te maken. Dat is mijn werk niet. Ik heb geen idee waar Londen achterheen zit, maar u kunt van mij gerust aannemen dat ze heel goed weten wat ze doen.' Het leek alsof hij zichzelf wilde overtuigen. Zonder geloof in Londen kon hij niet. 'Die verknoeien waarachtig hun tijd niet en de jouwe ook niet, beste kerel. Die weten wel wat ze doen.' Hij fronste zijn wenkbrauwen om aan te geven dat hij wist wat hij zei, maar Lansen scheen zijn woorden niet te hebben gehoord.

'En ze nemen ook geen onnodige risico's,' vervolgde Taylor. 'Dit is een knap stuk werk, Lansen. We moeten allemaal onze bijdrage leveren ... en daarbij moeten nu eenmaal risico's worden genomen. Dat heb ik in de oorlog ook gedaan, weet je. Jij bent te jong om je de oorlog te herinneren. Dit is net zo, we vechten voor dezelfde zaak.'

Hij herinnerde zich ineens de twee vragen. 'Hoe hoog zat je toen je die foto's maakte?'

'Dat liep nogal uiteen. Boven Kalkstadt zaten we op zesduizend voet of iets lager.'

'Kalkstadt, daarvoor hadden ze de meeste belangstelling,' zei Taylor waarderend. 'Prima, Lansen, prima. Wat was je snelheid?'

'Tweehonderd, tweeveertig, zoiets. Maar er was niets, zeg ik je, absoluut niets.' Hij stak een sigaret op. 'En ik schei ermee uit, het kan me niet schelen hoe belangrijk de zaak is.' Hij stond op. Taylor eveneens. Hij stak zijn hand in de rechterzak van zijn overjas. Plotseling schrok hij heftig. Het geld, waar was het geld?

'In de andere zak, denk ik,' zei Lansen.

Taylor overhandigde hem de enveloppe. 'Zouden er moeilijkheden komen, dacht je? Ik bedoel met die twee MIGs.'

Lansen haalde zijn schouders op. 'Ik betwijfel het. Het is me nog niet eerder gebeurd en de eerste keer zullen ze me wel geloven; ze zullen denken dat het door het weer is gekomen. Ik ben zowat halverwege van mijn koers gegaan. Het had een fout van de gronddienst kunnen zijn. Een misverstand.'

'En de navigator? En de rest van de bemanning? Wat denken die?'

'Dat is mijn zaak,' zei Lansen zuur. 'Vertel ze in Londen maar dat ik ermee ophoud.'

Taylor keek hem bezorgd aan. 'Je bent zenuwachtig,' zei hij, 'dat is de spanning.'

'Loop naar de bliksem,' zei Lansen zachtjes, 'loop naar de bliksem!' Hij draaide zich om, legde een geldstuk op de bar en liep weg, terwijl hij de lange, gele enveloppe achteloos in zijn zak stak.

Een ogenblik later volgde Taylor hem. De barman keek hem na toen hij door de draaideur verdween en de trap afliep. Onsympathieke kerel, dacht hij; maar ja, hij had altijd iets tegen de Engelsen gehad.

Taylors eerste opwelling was om niet per taxi naar het hotel te gaan. Hij kon het in tien minuten lopen en dat spaarde weer wat geld. De grondstewardess knikte tegen hem toen hij haar passeerde op weg naar de hoofdingang. De receptie, en trouwens de hele hal, was uitgevoerd in teak; golven warme lucht stegen van de vloer omhoog. Taylor stapte naar buiten. De kou stak als een degen door zijn kleding; als een verdovend gif trok hij over zijn blote gezicht naar zijn hals en schouders. Hij veranderde van gedachten en keek haastig om zich heen, op zoek naar een taxi. Hij was dronken. Hij werd zich daar plotselng van bewust, die koude lucht had hem dronken gemaakt. Nergens een taxi te zien. Vijftig meter verderop stond een eenzame, oude Citroën met draaiende motor. Die heeft zijn verwarming aan, gelukkig mens, dacht Taylor jaloers. Hij haastte zich door de draaideuren weer naar binnen.

'Ik moet een taxi hebben,' zei hij tegen het meisje. 'Weet u waar er een kan krijgen?' Hij hoopte in 's hemelsnaam dat hij er redelijk uitzag. Het was gekkenwerk om zoveel te drinken. Hij had die dubbele borrel van Lansen moeten weigeren.

Ze schudde haar hoofd. 'De kinderen hebben alle taxi's in beslag genomen,' zei ze. 'Zes per wagen. Dat was de laatste machine voor vandaag. Er zijn hier 's winters nooit veel taxi's.' Ze glimlachte. 'Het is geen groot vliegveld.'

'En die oude wagen daar, een eind de weg op? Dat is zeker geen taxi?' Zijn articulatie liet te wensen over.

Ze liep naar de uitgang en keek naar buiten. Ze had een uitgebalanceerde manier van lopen. Niet gekunsteld en toch uitdagend.

'Ik zie geen auto,' zei ze.

Taylor keek langs haar heen. 'Er stond daar een oude Citroën. Met zijn lichten aan. Zeker weggereden.' Verduiveld, dat ding was hier langs gereden en hij had het niet eens gehoord.

'De taxi's hier zijn allemaal Volvo's,' zei het meisje. 'Misschien komt er nog wel een terug nadat hij de kinderen heeft afgezet. Waarom gaat u niet zolang iets drinken in de bar?'

'De bar is gesloten,' zei Taylor kortaf. 'En de barman is naar huis.'

'Logeert u in het hotel van het vliegveld?'

'Hotel Regina, ja. En ik heb nogal haast.' Het ging nu al beter. 'Ik verwacht een telefoontje uit Londen.'

Ze keek onzeker naar zijn jas van waterdichte tweed. 'U zou kunnen gaan lopen,' zei ze. 'Het is maar tien minuten, rechtuit die straatweg af. Ze kunnen u uw bagage wel nasturen.'

Taylor keek op zijn horloge, datzelfde brede gebaar. 'Mijn bagage is al in het hotel. Ik ben vanmorgen hier aangekomen.'

Hij had zo'n gerimpeld, zorgelijk gezicht dat bijna komisch aandoet maar in feite eindeloos droevig is; een gezicht waarin de ogen bleker waren dan de huid eromheen. Om van het geijkte type af te wijken had Taylor een snorretje laten staan, een dun, mager streepje dat zijn gezicht volkomen onbetekenend maakte in plaats van er iets aan te verbeteren. Geen gezicht dat vertrouwen inboezemde; dat kwam niet omdat hij een schoft was, maar omdat hij niemand kon bedriegen. Daar kwam bij dat hij zich een vreemde manier van lopen had aangewend, afgekeken van een vergeten voorbeeld, de irriterende gewoonte bijvoorbeeld om plotseling zonder noodzaak zijn rug te strekken alsof hij ineens had ontdekt dat hij in een volgens de voorschriften onjuiste houding liep. En dan bewoog hij soms ineens zijn knieën en ellebogen naar buiten, wat vaag herinnerde aan paardrijden. Toch kreeg zijn houding iets waardigs omdat hij een bijna gepijnigde indruk maakte, alsof hij zich schrap zette tegen een gure wind.

'Als u vlug loopt,' zei ze, 'is het nog geen tien minuten.'

Taylor had een hekel aan wachten. Hij vond dat mensen die rustig konden wachten onbetekenende lieden waren; er zat in wachten iets beledigends. Hij tuitte zijn lippen, schudde zijn hoofd en met een knorrig: 'Goedenavond, dame,' stapte hij snel de kou in.

Taylor had nog nooit zo'n hemel gezien. Hij stond als een eindeloze boog boven de besneeuwde velden, alleen hier en daar onderbroken door slierten mist waardoor de sterren bevroren leken en de gele halve maan werd omkranst. Taylor was bang, bang zoals een landrot vrees koestert voor de zee. Hij verhaastte zijn onzekere pas en zwaaide de weg op.

Hij had misschien vijf minuten gelopen toen de wagen hem inhaalde.

Er was geen trottoir. Het eerst merkte hij de koplampen, want het geluid van de motor werd gedempt door de sneeuw, en hij zag alleen maar dat licht voor zich, zonder te begrijpen waar het vandaan kwam, wat het was. Het vervolgde traag zijn baan over de besneeuwde velden en een tijdlang dacht hij dat het een van de bakens van het vliegveld was. Toen zag hij zijn eigen schaduw op de weg korter worden, het licht werd plotseling feller en hij begreep dat het een auto was. Hij liep met stevige passen rechts langs de beijsde kant van de straatweg. Het viel hem op dat het licht ongewoon geel was; het moest dus een Franse wagen zijn. Hij was nogal trots op deze conclusie, zijn hersens werkten weer aardig goed.

Hij keek niet om, want hij was verlegen en wilde niet de indruk wekken om een lift te vragen. Maar het kwam wel bij hem op - zij het vrij laat - dat ze op het vasteland rechts reden en dat hij dus eigenlijk aan de verkeerde kant van de weg liep en zou moeten oversteken.

233

De wagen trof hem van achteren en brak zijn ruggegraat. Eén af-schuwelijk moment trok Taylors lichaam zich krampend samen in een klassieke houding van doodsangst, hoofd en schouders heftig achteruitgeworpen, vingers wijd gespreid. Hij schreeuwde niet. Het was alsof zijn hele lichaam en ziel zich concentreerden in deze laatste stuiptrekking, waardoor hij in de dood welsprekender werd dan hij tijdens zijn leven ooit was geweest.

Het was best mogelijk dat de chauffeur niet eens had gemerkt wat er was gebeurd, dat de botsing van de wagen met het lichaam niet anders had aangevoeld dan wanneer de as in aanraking was gekomen met een hoop losse sneeuw.

De wagen sleurde hem een paar meter mee en gooide hem toen naar de zijkant van de verlaten weg. Een stijve, gebroken figuur aan de rand van de wildernis. Zijn deukhoed lag naast hem. Een plotse-linge windvlaag joeg hem over de sneeuw. De flarden van zijn tweed-jas fladderden in de wind en schenen vergeefse pogingen te doen het metalen busje vast te houden dat zachtjes wegrolde, even op de be-vroren wegkant bleef liggen en toen traag verder rolde, de helling af.

DEEL II

AVERY'S MISSIE

*'Er zijn dingen die niemand
van een blanke mag vergen.'*

John Buchan ('Mr. Standfast')

2. Voorspel

Het was drie uur in de ochtend.

Avery legde de hoorn op de haak, maakte Sarah wakker en zei: 'Taylor is dood.' Dat had hij haar natuurlijk niet mogen zeggen.

'Wie is Taylor?'

Een saaie vent, dacht hij, zich vaag herinnerend hoe hij was geweest. Een stijve Engelse hark, zo van de pier van Brighton.

'Een man van de verbindingsdienst,' zei hij. 'Iemand die al in de oorlog bij hen was. Hij deed zijn werk uitstekend.'

'Dat zeg je altijd. Volgens jou doen ze hun werk allemaal uitstekend. Waarom is hij dan gestorven? Waarom is hij gestorven? Ze was rechtop gaan zitten in bed.

'Leclerc wacht op nadere bijzonderheden.' Het hinderde hem dat ze toekeek terwijl hij zich aankleedde.

'En hij wil dat jij hem helpt wachten?'

'Hij wil dat ik naar het bureau kom. Hij heeft me nodig. Je verwacht toch niet dat ik me zal omdraaien en weer ga slapen, wel?'

'Ik vraag het maar,' zei Sarah. 'Jij hebt altijd zoveel consideratie met Leclerc.'

'Taylor was nog iemand van de oude garde. Leclerc trekt het zich erg aan.' Hij hoorde nog de triomf in Leclercs stem: 'Kom onmiddellijk, neem een taxi, we moeten de dossiers weer raadplegen.'

'Gebeurt zoiets vaak? Gaan er vaak mensen dood?' Haar stem klonk verontwaardigd, alsof niemand haar ooit iets vertelde, alsof zij de enige was die het erg vond dat Taylor dood was.

'Je mag er met niemand over spreken,' zei Avery. Het was een manier om haar van zich af te houden. 'Je mag niet eens vertellen dat ik midden in de nacht ben weggeroepen. Taylor reisde onder een andere naam.' Daarna zei hij nog: 'Iemand zal het zijn vrouw moeten zeggen.' Hij zocht zijn bril.

Zij stapte uit bed en sloeg een peignoir om. 'Praat in godsnaam niet als iemand uit een Wild-Westfilm. De secretaresses zijn op de hoogte, waarom de vrouwen dan niet? Of mogen die het alleen weten als hun man dood is?' Ze liep naar de deur.

Ze was niet al te groot en droeg het haar lang, een kapsel dat niet paste bij de strenge lijnen van haar gezicht. Haar gezicht stond meestal gespannen, nerveus, met een begin van ontevredenheid,

237

alsof alles morgen nog erger zou zijn. Ze hadden elkaar in Oxford leren kennen; haar studieresultaten waren beter geweest dan die van Avery. Maar in het huwelijk had ze iets kinderlijks gekregen; ze was afhankelijk van hem geworden, en ze deed alsof ze hem iets onherroepelijks had gegeven dat ze nu telkens terugeiste. Haar zoon was niet zozeer een projectie dan wel een excuus, een muur die ze had opgeworpen tegen de wereld, niet een weg die haar ermee verbond.

'Waar ga je heen?' vroeg Avery. Soms deed ze dingen om hem te ergeren, zoals een kaartje voor een concert verscheuren. Zé zei: 'We hebben een kind, weet je?' Nu hoorde hij Anthony huilen. Ze hadden hem zeker wakker gemaakt.

'Ik bel je vanaf het bureau op.'

Hij liep naar de voordeur. Toen ze voor de kinderkamer stond keek ze om en Avery wist wat ze dacht: ze hadden elkaar geen zoen gegeven.

'Je had op de uitgeverij moeten blijven,' zei ze.

'Dat beviel je ook niet.'

'Waarom sturen ze je geen auto?' vroeg ze. 'Je zegt altijd dat ze massa's auto's hebben.'

'Hij wacht op de hoek.'

'Waarom in godsnaam?'

'Veiliger.'

'Waartegen veiliger?'

'Heb jij geld? vroeg hij. 'Ik heb niets meer.'

'Waarvoor?'

'Zomaar, geld! Ik kan toch niet rondlopen zonder een cent op zak.'

Ze gaf hem tien shilling uit haar tas. Snel sloot hij de deur achter zich, daalde de trap af en liep door de Prince of Wales Drive.

Hij passeerde het raam van de benedenverdieping en wist zonder te kijken dat mevrouw Yates hem van achter haar gordijn gadesloeg, zoals ze iedereen dag en nacht opnam, haar kat troostend tegen haar borst gedrukt.

Het was afschuwelijk koud. De wind leek van de rivier te komen, aan de overzijde van het park. Hij keek in beide richtingen de straat af. Hij had de taxistandplaats in Clapham moeten opbellen, maar hij had haast gehad om weg te komen uit de flat. Bovendien had hij tegen Sarah gezegd dat er een auto voor hem onderweg was. Hij liep een honderd meter in de richting van de centrale, bedacht zich en keerde terug. Hij had slaap. Vreemd genoeg leek het of hij zelfs op straat de telefoon nog hoorde bellen. Bij de Albert Bridge stond op alle mogelijke uren meestal een taxi; daar had hij de meeste kans. Dus liep hij langs de ingang van zijn flat, keek omhoog naar het raam van de kinderkamer en zag Sarah die naar buiten keek. Ze vroeg zich zeker af waar de auto stond. Ze had Anthony in haar armen en hij wist dat ze huilde omdat hij haar niet had gekust.

Het duurde een half uur voor hij een taxi had ontdekt die hem naar de Blackfriars Road kon brengen.

Avery staarde naar de lantarens, die langs de taxi schoten. Hij was nog jong en behoorde tot die grote amorfe groep die aan een algemene universitaire opleiding een onzeker bestaan moet ontlenen. Hij was lang, een typische intellectueel, met een bril en een trage oogopslag, die zich bij oudere collega's onmiddellijk sympathie verwierf door zijn zachtzinnige, bescheiden optreden. Het deinen van de taxi ontspande hem zoals een baby die in slaap wordt gewiegd.

Ze staken het St. George's Circus over, passeerden de ooglijderkliniek en reden de Blackfriars Road in. Plotseling hadden ze het huis bereikt, maar John liet de chauffeur tot de volgende hoek doorrijden omdat Leclerc hem tot voorzichtigheid had gemaand.

'Hier maar,' zei hij, 'dat is prima.'

Het departement was ondergebracht in een ongezellige door roet geblakerde villa met een brandblusapparaat op het balkon. Het huis wekte de indruk van een pand dat permanent te koop is. Iedereen vroeg zich af waarom het ministerie er een muur omheen had laten bouwen: misschien om het te onttrekken aan de blik van het publiek, zoals een kerkhofmuur, of om het publiek de blik van de doden te besparen. In ieder geval niet terwille van de tuin, want daarin groeide niets behalve gras, dat hier en daar kale plekken vertoonde als de vacht van een bejaarde straathond. De voordeur was donkergroen geverfd; hij ging nooit open. Overdag reden soms anonieme bestelwagens van dezelfde tint over de slordige oprit, maar die leverden hun bestellingen altijd aan de achterkant van het huis af. Als de buren al over de villa spraken, duidden ze die aan als het Ministerie, wat niet juist was, want het departement was een zelfstandig onderdeel, al ressorteerde het onder het ministerie. Het pand ademde dan ook die onmiskenbare sfeer van nooit te ver gaande verwaarlozing die karakteristiek is voor regeringsgebouwen waar ook ter wereld. Voor degenen die er werkten was het mysterie ervan identiek met het mysterie van het moederschap, en het voortbestaan ervan slechts te verklaren door de mysterieuze krachten die in het Britse rijk werkzaam zijn. Het huis beschermde en koesterde hen, het troostte hen en schonk hun in een behaaglijk anachronisme de illusie van onmisbaarheid. Avery herinnerde het zich zoals het was als de mist tevreden om de gepleisterde muren bleef hangen, en in de zomer, als de zon kortstondig door de glasgordijnen gluurde, en er geen warmte achterliet, geen geheimen onthulde. En hij zou het zich herinneren zoals het was geweest bij deze winterse dageraad, de voorgevel een zwarte vlek, het licht van de straatlantarens glanzend op de regendroppels die aan de groezelige ruiten hingen. Maar hoe hij het in zijn herinnering ook zag, nooit was het als een plaats waar hij werkte maar als een plek waar hij woonde.

Hij volgde het pad dat naar de achterkant leidde, belde aan en wachtte tot Pine hem zou opendoen. Achter Leclercs raam brandde licht. Hij liet Pine zijn pas zien. Misschien werden beiden erdoor herinnerd aan de oorlog, voor Avery en nooit-gekende realiteit. Pine kon echter terugzien op ervaringen.

'Mooie maan, meneer,' zei Pine.

'Ja.' Avery ging naar binnen. Pine volgde hem en sloot de deur achter zich af.

'Er is een tijd geweest waarin de jongens zo'n maan vervloekten.'

'En òf,' zei Avery lachend.

'Hebt u de cricketuitslagen al gehoord, meneer? Bradley is er na drie al uit.'

'Ach, wat jammer,' zei Avery vriendelijk. Hij had een hekel aan cricket.

In de hal brandde een blauwe plafondlamp, als het nachtlicht van een Victoriaans ziekenhuis. Avery liep de trap op, hij had het koud en voelde zich niet op zijn gemak. Ergens ging een bel. Het was vreemd dat Sarah de telefoon niet had gehoord.

Leclerc wachtte hem op: 'Er moet iemand heen,' zei hij. Hij sprak automatisch, als iemand die pas wakker was geworden. Een lamp bescheen het dossier dat voor hem lag.

Hij was klein, beheerst en welverzorgd, een man met het onberispelijke uiterlijk van een kat, gladgeschoren en in de puntjes. Zijn stijve boorden hadden omgebogen punten en hij droeg meestal effen dassen, misschien in het besef dat het beter was géén pretenties te hebben dan een valse schijn proberen op te houden. Hij had donkere, snel heen en weer schietende ogen en hij sprak glimlachend zonder de indruk te wekken dat hij echt plezier had. Zijn colberts hadden twee splitten en hij bewaarde zijn zakdoek altijd in zijn mouw. Vrijdags droeg hij suède schoenen; er werd beweerd dat hij de weekends buiten doorbracht. Niemand scheen te weten waar hij woonde. Het was half donker in de kamer.

'We kunnen geen nieuwe verkenningsvlucht laten uitvoeren. Dit was de laatste; het ministerie heeft me gewaarschuwd. We moeten er iemand heensturen. Ik heb de oude dossiers doorgekeken. John. Er is een zekere Leiser bij, een Pool. Die zou wel geschikt zijn.'

'Wat is er met Taylor gebeurd? Wie heeft hem vermoord?'

Avery liep naar de deur en draaide het grote licht aan. Even stonden ze knipperend met hun ogen tegenover elkaar. 'Sorry. Ik slaap nog half,' zei Avery. Ze begonnen opnieuw, de draad weer opvattend.

Leclerc was de eerste die sprak: 'Je bent laat, John. Was er thuis iets aan de hand?' Hij straalde van nature weinig gezag uit.

'Ik kon geen taxi krijgen. Ik heb de standplaats Clapham opgebeld, maar ik kreeg geen antwoord. En bij de Albert Bridge evenmin.' Hij vond het erg dat hij Leclerc had teleurgesteld.

'Je kunt de rit in rekening brengen,' zei Leclerc gereserveerd. 'En de telefoongesprekken natuurlijk ook. Alles goed met je vrouw?'

'Ik heb geen gehoor gekregen, zeg ik toch. Met mijn vrouw is het best.'

'Vond ze het niet erg?'

'Natuurlijk niet.'

Ze praatten verder nooit over Sarah. Het was alsof ze samen dezelfde relatie met haar hadden, zoals kinderen een stuk speelgoed kunnen delen als het hun niet langer interesseert. Leclerc zei: 'Nu ja, ze heeft die zoon van jullie om haar gezelschap te houden.'

'Ja, dat is zo.'

Leclerc was er trots op dat hij wist dat het een zoon was en geen dochter.

Hij nam een sigaret uit de zilveren doos op zijn bureau. Hij had Avery eens verteld dat de doos een geschenk was, een geschenk uit de oorlog. De man die het hem had gegeven was dood, de aanleiding ertoe lag in het verleden, er stond geen inscriptie op de deksel. Hij placht te zeggen dat hij zelfs nu niet met zekerheid wist aan welke kant de man had gestaan, en dan lachte Avery om hem een plezier te doen.

Leclerc nam de map van zijn bureau en hield hem vlak onder het licht, alsof er iets in stond dat hij van dichtbij moest bestuderen.

'John.'

Avery liep naar hem toe en probeerde te vermijden zijn schouder aan te raken.

'Wat voor indruk maakt dat gezicht op jou?'

'Ik weet het niet. Het is moeilijk om op een foto af te gaan.'

Het gezicht was dat van een jongen, rond en nietszeggend, met lang blond achterovergekamd haar.

'Leiser. Hij maakt zo wel een goede indruk, vind je niet? Dat was natuurlijk twintig jaar geleden', zei Leclerc. 'We waren toen erg over hem te spreken.' Aarzelend legde hij het dossier neer en stak zijn sigaret aan met zijn aansteker. 'Nu ja,' zei hij op energieke toon, 'er schijnt iets aan de hand te zijn. Ik heb geen idee wat er met Taylor is gebeurd. De consul heeft het geval gerapporteerd, meer weten we niet. Het lijkt een auto-ongeluk. Enkele bijzonderheden, maar geen duidelijke aanwijzingen. Niet meer dan wat in zo'n geval aan de naaste familie wordt bericht. Buitenlandse zaken heeft ons het telexbericht doorgestuurd. Ze wisten dat dit een van onze paspoorten was.' Hij schoof Avery een velletje papier toe. Die las het vluchtig.

'Malherbe? Was dat Taylors schuilnaam?'

'Ja. Ik moet zorgen dat ik een paar auto's uit de pool van het ministerie krijg,' zei Leclerc. 'Het is te mal dat we niet onze eigen wagens hebben. Het Circus heeft een hele vloot.' En toen: 'Misschien zullen ze me op het ministerie nu geloven. Misschien zullen ze daar eindelijk gaan inzien dat wij nog altijd een operationeel departement vormen.'

'Heeft Taylor de film in ontvangst genomen?' vroeg Avery. 'Weten we of hij die al in zijn bezit had?'

'*Ik* heb geen inventarislijst van zijn bezittingen ontvangen. Wat hij bij zich had zal wel door de Finse politie in beslag zijn genomen. Misschien is de film erbij. Het is een kleine plaats en ik vermoed dat alles er precies volgens de voorschriften wordt gedaan.' En op een onverschillige toon die Avery duidelijk maakte hoe belangrijk dit was: 'Buitenlandse Zaken is bang voor complicaties.'

'Tuttut,' zei Avery automatisch. Dat was de traditie van het departement: ouderwetse understatements.

Leclerc keek Avery recht in de ogen en zei nu geïnteresseerd: 'De staatssecretaris van buitenlandse zaken heeft de adjunct zijn standpunt een half uur geleden uiteengezet. Ze wijzen alle verantwoordelijkheid af. Ze zeggen dat wij clandestien opereren en het maar op onze eigen manier moeten opknappen. Iemand moet er heen en zich voordoen als naaste bloedverwant; dat is volgens hen de beste tactiek. Het lijk en de nagelaten bezittingen opeisen en hierheen brengen. Ik wilde jou er naar toe sturen.'

Avery was zich plotseling bewust van de foto's die in de kamer hingen, de foto's van de jongens die in de oorlog hadden gevochten.

242

Ze hingen in twee rijen van zes, aan weerskanten van het zwartge-verfde model van een Wellington-bommenwerper, zonder emble-men en een beetje stoffig. De meeste foto's waren buiten genomen. Avery zag de hangars op de achtergrond en half onzichtbare rompen van geparkeerde vliegtuigen tussen de jonge, lachende gezichten.

Onder iedere foto waren handtekeningen geplaatst, nu al bruin en verbleekt, sommige vlot en zelfbewust, andere - waarschijnlijk van de lagere rangen - moeizaam en houterig, alsof de schrijvers niet ge-wend waren aan hun roem. Achternamen werden niet vermeld, al-leen bijnamen die uit een stripblad leken te komen: Jacko, Kleintje, Pip en Lucky Joe. Maar het zwemvest, de lange haren en de stralen-de, jongensachtige glimlach hadden ze allemaal gemeen. Het was alsof de jongens het leuk vonden met elkaar op de foto te komen, alsof deze samenkomst voor hen een aanleiding tot uitbundige vro-lijkheid vormde die zich misschien nooit meer zou voordoen. De jongens op de voorste rij zaten ontspannen gehurkt als mannen die gewend zijn in geschutskoepels te zitten, en de kameraden die achter hen stonden hadden hun armen joviaal om elkaars schouders ge-slagen. Het was geen geposeerde opname, hun houding getuigde van de spontane vriendschap die foto's of oorlogen blijkbaar niet over-leeft.

Eén gezicht kwam op alle opnamen voor: het gezicht van een slanke man met heldere ogen, die een jekker en een corduroy broek droeg. Hij had geen zwemvest aan en hield zich wat afzijdig van de anderen, alsof hij om een of andere reden aan de groep was toege-voegd. Hij was kleiner dan de rest, ouder. Zijn trekken waren al ge-vormd; in tegenstelling tot de anderen maakte hij een zelfverzekerde indruk. Hij had hun onderwijzer kunnen zijn. Avery had eens ge-zocht naar zijn handtekening om te zien of die in de loop van twintig jaar was veranderd, maar Leclerc had niet getekend. Hij leek nog frappant veel op zijn foto's, zijn kaaklijn iets meer geprononceerd misschien en wat minder haar.

'Maar dat is een operationele opdracht,' zei Avery onzeker.

'Natuurlijk. We zijn ten slotte een operationele afdeling.' Even wierp hij het hoofd in de nek. 'Je hebt recht op een operationele toelage. Het enige wat je hoeft te doen is Taylors spullen ophalen. Je brengt alles mee terug, behalve de film, die moet je op een adres in Helsinki afleveren. Daarover krijg je nog afzonderlijke instructies. Als je terug bent kun je me helpen met Leiser -'

'Kan het Circus dit niet doen? Ik bedoel, is het voor die mensen niet eenvoudiger?'

Ditmaal duurde het even voor hij glimlachte. 'Dat zou niet gaan, vrees ik, John. Wij moeten het opknappen; de hele operatie valt binnen onze competentie. Een militair doel. Ik zou me aan plichtsverzuim schuldig maken als ik dit geval overdroeg aan het Circus. Zij werken op politiek terrein, uitsluitend op politiek terrein.'

Zijn kleine hand streek over zijn haar met een korte, snelle beweging, gespannen, maar beheerst. 'Dit is dus een zaak voor ons. Het ministerie gaat voorlopig akkoord met mijn interpretatie' - een van zijn geliefkoosde uitdrukkingen - 'maar ik kan wel iemand anders aanwijzen, als je dat liever hebt, Woodford of een van de ouderen. Ik dacht dat je blij zou zijn met de opdracht. Het is belangrijk werk, vergeet dat niet, en je hebt het nooit eerder gedaan.'

'Natuurlijk. Ik wil het graag doen ... als u vertrouwen in me stelt.'

Daarvan genoot Leclerc. Hij schoof Avery een stukje blauw kladpapier toe. Het was bedekt met Leclercs eigen handschrift, ronde, jongensachtige letters. Als codenaam voor Johns missie had hij 'Eéndagsvlieg' gekozen en dat woord onderstreept. In de linkermarge stonden zijn initialen, alle vier, en daaronder 'Niet geheim'. Avery begon ook dit te lezen.

'Als je dit concept zorgvuldig leest,' zei hij, 'zul je zien dat wij niet uitdrukkelijk verklaren dat jij de naaste bloedverwant *bent*; we citeren dat alleen uit Taylors aanvraagformulier. Verder wilden ze bij Buitenlandse Zaken niet gaan. Ze zijn bereid dit telexbericht via Helsinki aan de plaatselijke consul te zenden.'

Avery las: 'Consulaire afdeling. Uw telex inzake Malherbe. John Somerton Avery, houder van Brits paspoort no. ---, halfbroer van overledene, wordt op Malherbes aanvraagformulier voor een paspoort als naaste bloedverwant genoemd. Hij heeft bericht ontvangen en vertrekt vandaag per vliegtuig om stoffelijk overschot en nagelaten bezittingen in ontvangst te nemen. NAS-vlucht 201 via Hamburg. Vermoedelijke aankomst 18.20 plaatselijke tijd. U gelieve hem de gebruikelijke faciliteiten en bijstand te verstrekken.'

'Ik wist het nummer van je pas niet,' zei Leclerc. 'Het vliegtuig vertrekt vanmiddag om drie uur. Het is een kleine plaats; de consul zal je wel komen afhalen, denk ik. Er is om de andere dag een lijnverbinding met Hamburg. Als je dus niet naar Helsinki hoeft kun je met hetzelfde toestel terugvliegen.'

'Kan ik niet doorgaan voor zijn broer?' vroeg Avery ongelukkig. 'Halfbroer klinkt zo verdacht.'

'Er is geen tijd om je een valse pas te bezorgen. Ze zijn op Buitenlandse Zaken erg lastig geworden met passen. Het heeft ons al moeite genoeg gekost om er een voor Taylor te krijgen.' Hij boog zich weer over het dossier. 'Jij zou dan ook Malherbe moeten heten, begrijp je. Daar zullen ze wel niet voor voelen.' Hij sprak bijna automatisch, zijn woorden aaneenrijgend.

Het was erg koud in de kamer.

'Hoe zit het met onze Scandinavische vriend ...?' vroeg Avery. Leclerc keek hem vragend aan. 'Lansen. Moet er geen contact met hem worden gezocht?'

'Daar heb ik al voor gezorgd.' Leclerc haatte vragen en beantwoordde ze altijd zo omzichtig alsof hij bang was dat zijn woorden zouden worden geciteerd.

'En Taylors vrouw?' Hij vond het te formeel om al weduwe te zeggen. 'Zorgt u daar ook voor?'

'Ik vond dat we er straks samen maar even heen moesten gaan. Ze heeft geen telefoon. In een telegram kun je zo weinig zeggen.'

'Wij?' zei Avery. 'Moeten we er allebei heen?'

'Jij bent toch mijn assistent?' zei Leclerc.

Het was eigenlijk te rustig. Avery verlangde nu naar de verkeersgeluiden en het rinkelen van telefoons. Overdag hadden ze mensen om zich heen, de dreunende tred van de loopjongens, het rammelen van de postwagentjes. Als hij alleen was met Leclerc had hij altijd het gevoel dat er een derde man ontbrak. Bij niemand anders was hij zich zo bewust van zijn eigen houding, niemand anders maakte het voeren van een gesprek zo moeilijk. Hij wilde dat Leclerc hem nog iets te lezen zou geven.

'Weet jij iets van Taylors vrouw?' vroeg Leclerc. 'Is het iemand die haar mond weet te houden?'

Avery begreep hem niet, zag hij, en daarom vervolgde hij:

'Ze zou ons in ernstige moeilijkheden kunnen brengen, weet je. Als ze daarop uit was. We zullen heel voorzichtig moeten optreden.'

'Wat wilt u haar zeggen?'

'Dat moeten we maar van de situatie laten afhangen. Zoals we dat in de oorlog deden. Ze weet niets, begrijp je. Ze weet niet eens dat hij in het buitenland was.'

'Misschien heeft hij het haar gezegd.'

'Dat zou niets voor Taylor zijn. Taylor is een oude rot. Hij had zijn instructies en hij kende de regels. Maar ze moet een pensioen hebben, dat is heel belangrijk. Hij was in actieve dienst.' Weer maakte hij een kort, resoluut gebaar met zijn hand.

'En de staf, wat zegt u tegen de mensen hier?'

'Ik laat de afdelingshoofden vanmorgen bijeenkomen. Tegen de rest van het departement zullen we zeggen dat het een ongeluk was.'

'Misschien was het dat wel,' opperde Avery.

Leclerc glimlachte weer, een kille, metaalachtige glimlach zonder warmte of overtuiging.

'In dat geval zullen we de waarheid hebben gezegd en dan is er meer kans dat we de film terugkrijgen.'

Op straat was het nog altijd stil. Avery had honger. Leclerc keek op zijn horloge.

'U had Gortons rapport nog eens ingezien,' zei Avery.

Hij schudde het hoofd, streek verlangend over een map, als iemand die een dierbaar album terugziet. 'Er staat verder niets in. Ik heb het al zo vaak overgelezen. Ik heb de andere foto's op alle mogelijke manieren laten vergroten. Haldanes mensen zijn dag en nacht in de weer geweest. We komen eenvoudig niet verder.'

Sarah had gelijk: hij moest hem helpen wachten.

Leclerc zei - en dat scheen plotseling de hele bedoeling van deze bijeenkomst: 'Ik heb met George Smiley afgesproken dat je na de conferentie van vanmorgen even bij hem in het Circus zult komen. Je kent hem van naam?'

'Nee,' loog Avery. Dit was een precair onderwerp.

'Vroeger was hij een van hun beste mensen. In sommige opzichten een karakteristieke figuur voor het Circus, het betere soort. Hij neemt ontslag en komt dan weer terug. Je weet nooit of hij er nog werkt of niet. Hij begint nu wat af te takelen. Er wordt beweerd dat hij nogal veel drinkt. Smiley is hoofd van de afdeling Noord-Europa. Hij zal je zeggen wat je met de film moet doen. Onze eigen verbindingsdienst bestaat niet meer, dus er is geen andere oplossing: Buitenlandse Zaken wil ons niet erkennen en na Taylors dood wil ik niet dat jij met dat ding in je zak rondloopt. Wat weet je eigenlijk van het Circus?' Hij had kunnen vragen wat Avery van vrouwen wist: argwanend, een oudere man zonder ervaring.

'Niet veel,' zei Avery. 'De gewone roddels.'

Leclerc stond op en liep naar het raam. 'Het zijn merkwaardige mensen. Er zijn hele bekwame figuren bij, natuurlijk. Smiley was bekwaam. Maar het zijn bedriegers!' riep hij plotseling heftig. 'Ik weet dat het zonderling is, John, zoiets te zeggen van een organisatie die soortgelijk werk doet als wij. Maar liegen is hun tweede natuur geworden. De helft van hun mensen weet niet eens meer wanneer ze de waarheid zeggen.' Hij draaide zijn hoofd geïnteresseerd naar verschillende kanten om te zien wat er gebeurde op de straat beneden hem, die nu wakker begon te worden. 'Wat een ellendig weer,' bromde hij ten slotte. 'In de oorlog was er veel rivaliteit, weet je.'

'Dat heb ik gehoord.'

'Nu is dat voorbij. Ik misgun hun niets. Ze hebben meer geld en een grotere staf dan wij. Ze doen meer werk. Maar ik betwijfel of ze beter werk doen. Ze hebben bijvoorbeeld niets dat onze research-afdeling kan evenaren. Niets.' Avery kreeg plotseling het gevoel dat Leclerc hem een vertrouwelijke mededeling had gedaan, iets als een gestrand huwelijk of een oneervolle handeling, en dat de sfeer tussen hen nu gezuiverd was.

'Als je Smiley ziet zal hij je misschien naar de operatie vragen. Je mag hem *niets* vertellen, begrijp je, alleen dat je naar Finland gaat en daar misschien een film in ontvangst zult nemen die onmiddellijk moet worden doorgestuurd naar Londen. Als hij aandringt doe je maar alsof het een oefening betreft. Meer mag je niet zeggen. De ach-tergronden, het rapport van Gorton, toekomstige operaties - daar-mee hebben ze allemaal niets te maken. Een oefening.'

'Dat begrijp ik. Maar hij zal toch wel van Taylors dood op de hoogte zijn als dat op Buitenlandse Zaken bekend is, niet?'

Laat dat maar aan mij over. En laat je niet wijsmaken dat alleen het Circus agenten mag uitzenden. Wij hebben hetzelfde recht. We doen het alleen niet onnodig.' Hij had zijn dogma opnieuw geformu-leerd.

Avery staarde naar Leclercs smalle rug, zijn silhouet tegen de lich-ter geworden hemel buiten het raam: een man die niet mee mocht doen, een man zonder lidmaatschapskaart.

'Zullen we de kachel aanmaken?' vroeg hij en liep naar de gang, waar Pine een kast had met zwabbers en stoffers. Hij vond er wat aanmaakhout en oude kranten. Toen hij terugkwam knielde hij voor de haard neer, en haalde hem uit. Hij bewaarde de goede brokken kolen en verwijderde de as door het rooster, precies zoals hij dat in de flat deed. 'Ik vraag me nog af of het wel verstandig was de ontmoe-ting op het vliegveld te laten plaatsvinden,' zei hij.

'Het was dringend. Na Jimmy Gortons rapport was de zaak uiterst dringend geworden. Dat is ze nog. We hebben geen ogenblik te ver-liezen.'

Avery hield een lucifer bij de krant en keek hoe die verbrandde. Toen het hout vlam vatte wolkte de rook hem in het gezicht, zodat zijn ogen achter de brilleglazen begonnen te tranen. 'Hoe konden ze weten wat Lansens bestemming was?'

'Het was een gewone lijnvlucht. Hij moest van tevoren toestem-ming vragen.'

Avery gooide nog wat kolen op het vuur, stond op en spoelde zijn handen af onder de kraan in de hoek, waarna hij ze met zijn zakdoek afdroogde.

'Ik vraag Pine telkens om een handdoek,' zei Leclerc. 'Het personeel heeft niet genoeg te doen, dat is de hele kwestie.'

'Het hindert niet.' Avery stak de natte zakdoek in zijn zak. Het gaf hem een kil gevoel tegen zijn dij. 'Misschien krijgen ze nu meer werk,' zei hij zonder ironie.

'Ik denk erover Pine hier een bed voor me te laten neerzetten. Om dag en nacht paraat te zijn.' Leclerc sprak behoedzaam, alsof Avery hem dit genoegen zou kunnen ontnemen. 'Als je vanavond in Finland bent kun je me hier opbellen. Wanneer je de film hebt zeg je alleen maar dat het gelukt is.'

'En als ik hem niet krijg?'

'Dat de zaak mislukt is.'

'Dat zou tot een misverstand kunnen leiden,' meende Avery. 'Als de verbinding slecht is, bedoel ik. "Gelukt" en "Mislukt".'

'Zeg dan dat er geen belangstelling is. Iets negatiefs. Je begrijpt wel wat ik bedoel.'

Avery nam de lege kolenkit op. 'Die zal ik even naar Pine brengen.'

Hij passeerde het wachtlokaal. Een schrijver van de luchtmacht zat te dommelen naast de telefoontoestellen. Hij liep de houten trap af naar de voordeur.

'De baas heeft steenkolen nodig, Pine.' De portier stond op zoals altijd wanneer hij werd aangesproken; hij sprong in de houding naast zijn bed, dat in een chambree stond.

'Het spijt me, meneer. Ik mag niet bij de deur weg.'

'Goeie genade, ik let wel even op de deur. We bevriezen boven.' Pine nam de kit over, knoopte zijn tuniek dicht en verdween in de gang.

'En hij wil dat je in zijn kamer een opgemaakt bed neerzet,' vervolgde hij toen Pine terug was. 'Misschien kun je dat tegen de schrijver zeggen als die wakker wordt. O ja, en een handdoek. Hij heeft een handdoek nodig bij zijn wasbak.'

'Zeker, meneer. Het is mooi dat er weer leven komt op het departement.'

'Waar kunnen we hier in de buurt ergens ontbijten? Is er hier iets in de buurt?'

'Ja, de Cadena,' antwoordde Pine twijfelend. 'Maar ik weet niet of de baas dat goed genoeg vindt, meneer.' Hij grinnikte. 'Vroeger hadden we de kantine. Stamppot en surrogaatkoffie.'

Het was kwart voor zeven. 'Wanneer zijn ze daar open?'

'Geen idee, meneer.'

'Zeg, ken jij meneer Taylor eigenlijk?' Hij had bijna 'kende' gezegd.

'O, ja, meneer.'

'Heb je zijn vrouw ooit ontmoet?'

'Nee, meneer.'

'Hoe is ze? Heb je enig idee? Ooit iets over haar gehoord?'

'Ik zou het heus niet weten, meneer. Een heel droevige zaak, meneer.'

Avery keek hem verbaasd aan. Leclerc moet het hem hebben verteld, dacht hij en liep naar boven. Straks zou hij Sarah toch even moeten opbellen.

3

Ze ontbeten ergens. Leclerc weigerde naar de Cadena te gaan en daarom liepen ze eindeloos rond, tot ze een ander café vonden, slechter en duurder dan de Cadena.

'Ik herinner me hem niet,' zei Leclerc. 'Dat is nu juist zo vreemd. Hij schijnt een bekwaam radiotelegrafist te zijn. Dat was hij tenminste in die dagen.'

Avery dacht dat hij over Taylor sprak. 'Hoe oud zei u dat hij was?'

'Veertig, iets ouder misschien. Dat is een goede leeftijd. Een Pool uit Danzig. Die spreken Duits, weet je. En ze zijn niet zo gek als die lui van zuiver Slavische afkomst. Na de oorlog heeft hij een paar jaar rondgescharreld, toen is hij wat tot rust gekomen en een garage begonnen. Hij moet aardig hebben verdiend.'

'Dan zal hij er wel niet voor voelen om ...'

'Onzin. Hij is natuurlijk dankbaar, daar heeft hij tenminste alle reden voor.'

Leclerc betaalde en stak de rekening in zijn zak. Toen ze het restaurant verlieten zei hij iets over onkostenvergoeding en het indienen van de rekening op de boekhoudafdeling. 'Je kunt je nachtdienst ook declareren, weet je. Of er een vrije dag voor vragen.' Ze liepen de straat af. 'Je passagebiljet is gereserveerd. Dat heeft Carol vanuit haar flat gedaan. We moeten je maar een voorschot op je kosten geven. Je moet voor het overbrengen van het lijk en dat soort dingen

249

zorgen. Dat schijnt erg kostbaar te zijn. Ik zou het maar per vliegtuig doen. We laten hier dan nog eens officieus sectie verrichten.'

'Ik heb nog nooit een lijk gezien,' zei Avery.

Ze stonden in Kennington, op de hoek van een straat, op een taxi te wachten. Aan de ene kant was een gasfabriek, aan de andere kant niets, hier zouden ze de hele dag kunnen staan zonder een taxi te zien.

'John, je begrijpt wel dat je niets mag loslaten over die kant van de zaak, over ons plan iemand uit te zenden. Niemand mag het weten, ook niet op het departement, helemaal niemand. Ik wil hem aanduiden met het codewoord Mayfly. Leiser, bedoel ik. We zullen hem Mayfly noemen.'

'Goed.'

'Het is een precaire zaak; het gaat erom het juiste moment te kiezen. We zullen natuurlijk tegenwerking ondervinden, zowel op het departement als daarbuiten.'

'Wat voor verhaal moet ik daarginds eigenlijk ophangen?' vroeg Avery. 'Ik weet niet precies -' Een lege taxi reed langs hen heen zonder te stoppen.

'Die rotzak,' tierde Leclerc. 'Waarom neemt hij ons niet mee?'

'Hij woont hier ergens in de buurt, denk ik. Hij gaat naar het West End. Wat zeg ik daarginds?' drong hij aan.

'Je reist onder je eigen naam. Dat lijkt me toch zo moeilijk niet. Je mag je eigen adres gebruiken. Zeg dat je uitgever bent. Ten slotte ben je dat geweest. De consul zegt je wel wat er moet gebeuren. Waar maak je je zorgen over?'

'Nu ja - detailkwesties.'

Leclerc was in gedachten verdiept geweest; nu glimlachte hij. 'Ik zal je iets vertellen over een goede dekmantel, iets dat je zelf ook zult ontdekken. Kom nooit uit jezelf met bijzonderheden. De mensen *verwachten* niet dat je allerlei verklaringen zult geven. En wat valt er ten slotte te verklaren? Alles is voorbereid: de consul heeft ons telexbericht ontvangen. Je laat je pas zien en verder handel je naar omstandigheden.'

'Ik zal mijn best doen,' zei Avery.

'Je brengt het er vast goed af,' zei Leclerc vol overtuiging en ze lachten allebei verlegen.

'Hoe ver is het naar de stad?' vroeg Avery. 'Vanaf het vliegveld?'

'Een kilometer of vijf. De lijn vormt de voornaamste verbinding voor de wintersportplaatsen in de omgeving. God mag weten wat de consul er de hele dag uitvoert.'

'En naar Helsinki?'

'Dat heb ik je al gezegd. Honderdvijftig kilometer. Misschien wat meer.'

Avery stelde voor de bus te nemen, maar Leclerc wilde zich niet bij de rij passagiers aansluiten en daarom bleven ze op de hoek staan. Hij begon weer over de kwestie van de dienstauto's. 'Het is te gek,' zei hij, 'in de oorlog hadden we onze eigen pool, nu moeten we ons redden met twee bestelwagens en dan protesteert Financiën nog als we de chauffeurs overuren uitbetalen. Hoe kan ik het departement behoorlijk leiden onder zulke omstandigheden?'

Ten slotte gingen ze te voet. Leclerc wist het adres uit zijn hoofd; hij legde zich erop toe dergelijke dingen te onthouden. Avery vond het pijnlijk lang naast hem te lopen omdat Leclerc grote stappen nam om zijn langere metgezel bij te houden. Avery probeerde zich aan te passen, maar soms vergat hij het en dan maakte Leclerc zo groot mogelijke passen, zodat zijn lichaam bij iedere stap omhoog ging. Er viel een lichte regen. Het was nog erg koud.

Er waren perioden waarin Avery een warme, beschermende liefde voor Leclerc voelde. Leclerc bezat de ondefinieerbare eigenschap een zeker schuldgevoel te kunnen opwekken, alsof zijn metgezel slechts een armzalig surrogaat was voor een overleden vriend. Er was iemand geweest die er nu niet meer was, misschien een hele wereld, een generatie. Iemand had hem gemaakt tot wat hij was en hem toen in de steek gelaten, zodat Avery, ofschoon hij hem het ene ogenblik haatte om de overduidelijke manier waarop hij mensen manipuleerde, en hem verafschuwde om zijn precieuze gebaren, zoals een kind aanstellerij van vader of moeder verafschuwt, het volgende ogenblik een overweldigend verlangen voelde hem te beschermen, hem te verdedigen en hem zijn genegenheid te tonen. Hoe wisselvallig hun vriendschap ook was, toch was hij Leclerc dankbaar, omdat die hem had aangenomen. Zo hadden ze die sterke onderlinge band gesmeed die slechts tussen zwakkelingen bestaat; beiden waren het toneel waarop de ander zijn rol speelde.

'Het zou een goed idee zijn,' zei Leclerc plotseling, 'als jij actief deelnam aan operatie Mayfly.'

'Dat wil ik graag doen.'

'Als je terug bent.'

Ze hadden het adres op de kaart gevonden. Roxburgh Gardens vierendertig, een zijstraat van de Kennington High Street. De wijk werd al gauw armoediger, de huizen stonden dichter opeen. Er brandden gaslampen, geel en vlak als papieren manen.

'In de oorlog hadden we een huis waar het personeel kon slapen.'

'Misschien krijgen we dat weer,' opperde Avery.

'Het is meer dan twintig jaar geleden dat ik een bezoek als dit heb afgelegd.'

'Ging u toen alleen?' vroeg Avery en hij kreeg onmiddellijk spijt van zijn vraag. Je kon Leclerc zo gemakkelijk kwetsen.

'In die dagen was het eenvoudiger. We konden zeggen dat ze voor hun vaderland waren gestorven. We hoefden geen bijzonderheden te vermelden; die verwachtten ze niet. 'Het was dus wel *we,* dacht Avery, een andere jongeman, een van de lachende gezichten aan de muur.

'Ze sneuvelden toen dagelijks, de vliegers. We deden zowel luchtverkenningen als speciale operaties weet je ... Ik schaam me soms, ik herinner me zelfs hun namen niet. Ze waren zo jong, sommigen van hen.'

Door Avery's geest trok een tragische stoet van door smart geteisterde gezichten, moeders en vaders, vriendinnen en echtgenotes, en hij probeerde zich Leclerc voor te stellen tussen hen in, naïef en toch zeker van zijn zaak, als een politicus op het toneel van een ramp.

Ze stonden bovenop een helling. Het was een erg armoedige buurt. De weg voerde omlaag naar een rij naargeestige, blinde huizen, waarboven zich een enkel flatgebouw verhief: Roxburgh Gardens. Een rij lichten bescheen de geglazuurde tegels, waardoor het hele gebouw van links naar rechts en van boven naar beneden in cellen werd verdeeld. Het was groot en buitengewoon lelijk in zijn soort, het begin van een nieuwe wereld, terwijl aan de voet van de heuvel nog de lugubere resten van de oude lagen: verzakte, smerige huisjes, bewoond door schimmen met trieste gezichten die door de regen liepen als wrakhout in een vergeten haven.

Leclerc balde zijn tengere vuisten; hij stond roerloos.

'Daar?' zei hij. 'Heeft Taylor daar gewoond?'

'Wat zou dat? Dit is een deel van een uitbreidingsplan, er komt een nieuwe buurt ...'. Toen begreep Avery het. Leclerc schaamde zich. Taylor had hem op een schandelijke manier bedrogen. Dit was niet de samenleving die zij beschermden. Deze achterbuurten met hun toren van Babel hadden geen plaats in Leclercs maatschappijbeeld. Te denken dat een lid van Leclercs staf dagelijks van het gekrioel en de stank die hier heersten naar het heiligdom van het departement was gesjokt; had hij dan geen geld, geen jaarinkomen? Had hij geen kapitaaltje, zoals wij allemaal, een paar honderd pond, waarmee hij zich had kunnen loskopen uit dit afgrijselijke milieu?

'Het is hier niet erger dan in de Blackfriars Road,' zei Avery onwil-

252

lekeurig. Hij bedoelde het troostend.

'Iedereen weet dat wij vroeger een huis in de Baker Street hadden,' repliceerde Leclerc scherp.

Ze begaven zich snel naar de voet van de plompe toren, langs etalages vol oude kleren en roestige elektrische kacheltjes, de trieste verzameling rommelige spullen die alleen door arme mensen worden gekocht. Er was een kaarsenwinkel bij, de kaarsen waren geel en stoffig als delen van een graftombe.

'Welk nummer?' vroeg Leclerc.

'U zei vierendertig.'

Ze liepen langs zware zuilen, versierd met schrilgekleurde mozaïeken, ze volgden plastic pijlen met rose nummers, wrongen zich langs rijen oude lege auto's en bereikten ten slotte de cementen hal, waar kartonnen pakken met melk op de trap stonden. Er was geen deur, alleen een met rubber beklede trap waarvan de treden bij iedere stap kraakten. Het rook er naar eten en naar de vloeibare zeep die je in toiletten van de spoorwegen vindt. Een met de hand beschilderd bordje op de gepleisterde muur waarschuwde tegen lawaai. Ergens speelde een radio. Ze beklommen twee trappen en bleven staan voor een groene deur, waarvan het bovenste deel uit glas bestond. Witte bakelieten cijfers kondigden aan dat dit nummer vierendertig was. Leclerc nam zijn hoed af en veegde het zweet van zijn slapen, alsof hij een kerk ging betreden. Het had harder geregend dan ze beseft hadden; hun jassen waren kletsnat. Hij drukte op de bel. Avery werd plotseling bang. Hij wierp een blik op Leclerc en dacht: Dit is jouw werk, doe jij het woord maar.

De muziek klonk harder. Ze luisterden ingespannen maar hoorden geen ander geluid.

'Waarom hebt u hem de naam Malherbe gegeven?' vroeg Avery plotseling.

Leclerc belde nogmaals en toen hoorden ze het allebei: een klagend geluid, iets tussen het snikken van een kind en het jammeren van een kat in, een gesmoorde, metaalachtige zucht. Toen Leclerc een stap achteruit deed greep Avery de bronzen klopper op de brievenbus en liet die een paar maal dreunend neerkomen. De echo stierf weg en ze hoorden in de flat een lichte, aarzelende stap, een grendel werd weggeschoven, het slot sprong terug. Toen hoorden ze het geluid weer, veel luider en duidelijker, hetzelfde jammerende gesteun. De deur ging op een kier open en Avery zag een kind, een bleek, mager ding, een meisje dat niet ouder kon zijn dan tien. Ze droeg een bril met een stalen montuur, zoals Anthony. In haar armen, de rose ledematen onder dwaze hoeken uitstekend, de geschilderde ogen starend tussen twee streepjes rafelige katoenen franje, hield ze een pop. De vuur- rode mond gaapte onnozel open, de kop hing opzij alsof de pop kapot of dood was. Het was wat men een sprekende pop noemt, maar geen levend wezen zou ooit zo'n geluid voortbrengen.

'Waar is je moeder?' vroeg Leclerc. Zijn stem klonk agressief. Het kind schudde het hoofd. 'Naar haar werk.'

'Wie zorgt er dan voor je?'

Ze sprak langzaam, alsof ze aan iets anders dacht. 'Mammie komt tegen theetijd terug. Ik mag niet opendoen.'

'Waar is ze nu? Waar gaat ze heen?'

'Naar haar werk.'

'Wie zorgt dan voor je lunch?' drong Leclerc aan.

'Wat?'

'Wie geeft je middageten?' vroeg Avery snel.

'Mevrouw Bradley. Na school.'

Toen Avery vroeg: 'Waar is je vader?', glimlachte ze en legde haar vinger op haar lippen.

'Hij is weg met een vliegtuig,' zei ze. 'Om geld te halen. Maar ik mag niets zeggen. Het is een geheim.'

Ze spraken geen van beiden. 'Hij brengt een cadeautje voor me mee,' vervolgde ze.

'Waarvandaan?' vroeg Avery.

'Van de noordpool, maar het is een geheim.' Haar hand rustte nog op de deurknop. 'Waar de Kerstman vandaan komt.'

'Zeg maar tegen je moeder dat er twee mannen geweest zijn. Van je vaders bureau. We komen tegen theetijd terug,' zei Avery.

'Het is belangrijk,' zei Leclerc.

Toen ze hoorde dat ze haar vader kenden verdween haar angst.

'Hij is met een vliegtuig weg,' herhaalde ze. Avery tastte in zijn zak en gaf haar vijf shilling, het restant van Sarahs tien shilling; ze deed de deur dicht en liet hen achter op die vervloekte trap, met de drome- rige muziek van de radio op de achtergrond.

4

Ze stonden weer op straat en keken elkaar niet aan. Leclerc zei: 'Waarom stelde je die vraag, waarom vroeg je waar haar vader was?'

Toen Avery niet antwoordde, vervolgde hij zonder enig verband: 'Het gaat er niet om dat je de mensen aardig moet vinden.'

Soms scheen Leclerc niets te horen of te voelen; dan zweefde hij weg, luisterend naar klanken, als iemand die de danspassen had geleerd maar de muziek niet te horen kreeg. Hij leek dan diepbedroefd en maakte de indruk van iemand die zich hulpeloos en verraden voelde.

'Ik kan helaas vanmiddag niet met u mee,' zei Avery behoedzaam. 'Misschien kan Bruce Woodford ...'

'Aan Bruce heb ik niets.' Hij vervolgde: 'Je komt toch wel op de conferentie, om kwart voor elf?'

'Misschien moet ik eerder weg naar het Circus en om mijn koffer te pakken. Sarah voelt zich niet goed. Ik blijf zo lang mogelijk op het bureau. Het spijt me dat ik die vraag heb gesteld, heus, het spijt me.'

'Ik wil niet dat iemand ervan hoort. Ik moet eerst met de moeder spreken. Misschien is er een verklaring. Taylor is een oude rot. Hij kende de regels.'

'Ik zal er geen woord over zeggen, dat beloof ik u. En ook niet over Mayfly.'

'Ik moet met Haldane over Mayfly spreken. Hij zal het er wel niet mee eens zijn. Ja, zo zullen we de operatie noemen ... Mayfly.' Het idee leek hem te troosten.

Ze haastten zich naar het bureau, niet om te werken maar om veilig te zijn; ze zochten er de anonimiteit waaraan ze behoefte hadden gekregen.

Zijn kamer was naast die van Leclerc. Op de deur hing een kaartje met 'Directiesecretaris'. Twee jaar geleden was Leclerc uitgenodigd een bezoek te brengen aan Amerika, en de uitdrukking stamde uit die tijd. Maar op het departement bestond de gewoonte stafleden aan te duiden met de naam van hun functie. Daarom stond Avery bekend als 'Persoonlijke staf'. Leclerc kon hem iedere week een andere titel geven, maar hij kon het idioom niet veranderen.

Om kwart voor elf kwam Woodford bij hem binnen. Avery had het al verwacht: een babbeltje voor de conferentie zou beginnen, een vertrouwelijk woord over een kwestie die eigenlijk niet op de agenda stond.

'Wat is er toch allemaal aan de hand, John?' Hij stak een pijp op, wierp zijn grote hoofd in zijn nek en doofde de lucifer met lange, zwaaiende bewegingen van zijn hand. Hij was vroeger bij het onderwijs geweest.

'Ik wil niet voorbarig zijn,' zei hij en ging, nog bezig met zijn pijp, op de rand van het bureau zitten.

'Ik wil niet voorbarig zijn, John,' herhaalde hij, 'maar er is een andere zaak die ook onze aandacht verdient, hoe tragisch de dood van Taylor ook is.' Hij stak zijn tabaksdoos in de zak van zijn groene pak en zei: 'Het archief.'

'Dat is Haldanes afdeling. Research.'

'Ik heb niets tegen Adrian. Hij is een beste kerel. We werken nu al meer dan twintig jaar samen.' En dat maakt jou automatisch ook tot een beste kerel, dacht Avery.

Woodford was gewoon zich naar iemand over te buigen als hij met hem sprak; hij wreef met zijn brede schouder tegen je aan zoals een paard zich tegen een hek wrijft. Hij boog zich naar voren en keek ernstig naar Avery: een eenvoudige kerel die zich in een moeilijke positie bevond, betekende dit, een nette vent die moest kiezen tussen vriendschap en plichtsgevoel. Zijn pak was van ruige stof, te dik om te kreuken, stof die plooien vormde als een deken. De bruine benen knopen waren grof bewerkt.

'John, het archief gaat naar de bliksem, dat weten we allebei. Allerlei stukken worden niet ingeschreven, de dossiers zijn niet bij.' Hij schudde wanhopig het hoofd. 'Sinds midden oktober wordt er al een map vermist met politieke beslissingen over de zeevrachtvaart. Het ding is eenvoudig verdwenen.'

'Adrian Haldane heeft bekendgemaakt dat de map wordt vermist,' zei Avery. 'We kunnen hem allemaal hebben weggemaakt, niet alleen Adrian. Mappen raken nu eenmaal weleens zoek - dit is de eerste sinds april, Bruce. Dat vind ik nog zo slecht niet, als je rekent hoeveel er moet worden opgeborgen. Ik dacht dat ons archief juist iets was om trots op te zijn. De dossiers zien er onberispelijk uit. Er is me van allerlei kanten verzekerd dat de index van onze research-afdeling uniek is. Dat is toch allemaal Adrians werk, niet? Maar waarom praat je niet eens met Adrian, als je je er zorgen over maakt?'

'Nee, nee. Zo belangrijk is het nu ook weer niet,' antwoordde Woodford.

Carol kwam binnen met de thee. Woodford dronk de zijne uit een jumbokop van aardewerk met zijn initialen in reliëf erop. Terwijl Carol het blad neerzette merkte ze op: 'Wilf Taylor is dood.'

'Ik ben hier al vanaf één uur,' loog Avery, 'juist in verband daarmee. We hebben de hele nacht gewerkt.'

'De Chef trekt het zich erg aan,' zei ze.

'Wat had hij voor vrouw, Carol?' Ze was een goedgekleed meisje, iets langer dan Sarah.

'Niemand kent haar.'

Toen ze de kamer verliet, keek Woodford haar na. Hij nam zijn pijp uit zijn mond en grijnsde breed. Avery wist dat hij nu iets zou zeggen over met Carol naar bed gaan, en zijn geduld was plotseling ten einde.

'Heeft je vrouw die theekop gemaakt, Bruce?' vroeg hij snel. 'Ze moet zo goed potten kunnen bakken, heb ik gehoord.'

'Ja, en de schotel ook,' zei Woodford. Hij begon te praten over de cursus die ze had gevolgd, over de vermakelijke rage die erdoor was ontstaan in Wimbledon en het plezier dat zijn vrouw erin had.

Het was bijna elf uur en ze hoorden de anderen die zich in de gang verzamelden.

'Ik moet maar eens hiernaast gaan kijken,' zei Avery. 'Zien of hij klaar is. Hij heeft het de afgelopen acht uur heel moeilijk gehad.'

Woodford nam zijn kom op en dronk een slok thee. 'Als je de kans krijgt, zeg dan iets over het archief tegen de baas, John. Ik wil er niet over beginnen waar iedereen bij is. Het wordt Adrian een beetje te veel.'

'De Chef heeft het op het ogenblik al zo druk, Bruce.'

'Ja, zeker.'

'Hij bemoeit zich veel liever niet met Haldanes werk, dat weet je.'

Terwijl ze naar de deur van zijn kamer liepen draaide hij zich om naar Woodford en vroeg: 'Herinner jij je iemand van het departement die Malherbe heette?'

Woodford bleef plotseling staan. 'God, ja. Een jonge vent, net als jij. In de oorlog. Goeie hemel.' En ernstig, maar toch heel anders dan hij gewoonlijk sprak: 'Noem die naam maar niet tegenover de baas. Hij heeft zich de dood van de jonge Malherbe erg aangetrokken. Een van de speciale vliegers. Op een bepaalde manier waren die twee bijzonder op elkaar gesteld.'

Bij daglicht maakte Leclercs kamer niet zozeer een sombere als wel een geïmproviseerde indruk. Het was alsof de bewoner het vertrek in een kritieke situatie haastig had betrokken en niet had geweten hoe lang hij er zou blijven. Op een lange tafel lagen kaarten, niet drie of vier, maar tientallen, sommige op zo grote schaal dat straten en gebouwen erop waren afgebeeld. Op stroken rose papier geplakte telexberichten hingen in bundels aan stevige knijpers op het mededelingenbord, als drukproeven bij een corrector. In een hoek was een bed neergezet met een sprei erover. Er hing een schone handdoek naast de wastafel. Het schrijfbureau was nieuw, van grijs staal, door het rijk verstrekt. De muren waren vies. De crèmekleurige verf was

hier en daar afgebladderd zodat de donkergroene laag eronder zichtbaar was. Het was een kleine, vierkante kamer, met een eigen wastafel en door het rijk geleverde gordijnen. Er was heel wat te doen geweest over die gordijnen: ruzie over de vraag in welke ambtenaren-
categorie iemand met Leclercs rang moest vallen. Het was de enige
gelegenheid voor zover Avery zich herinnerde waarbij Leclerc een
poging had gedaan wat orde in de chaos van zijn kamer te scheppen.
Het vuur was bijna uit. Op sommige dagen, als het erg winderig was,
wilde de haard helemaal niet branden en dan hoorde Avery in
de kamer ernaast de hele dag roet in de schoorsteen vallen.

Avery keek op toen ze binnenkwamen: eerst Woodford, toen
Sandford, Dennison en McCulloch. Ze hadden het allemaal al
gehoord van Taylor. Hij kon zich precies voorstellen hoe het nieuw-
tje de ronde had gedaan door het departement, niet als een belangrijk
bericht maar als een kleine, smakelijke sensatie, die van kamer tot
kamer werd doorgegeven en de werkzaamheden van de dag wat had
opgefleurd, zoals aan deze mannen te zien was; het bericht had het
effect gehad van een salarisverhoging en hen even wat optimistischer
gemaakt. Nu hielden ze Leclerc in het oog als gevangenen een cipier.
Ze waren vertrouwd met zijn routine en wachtten nu op het door-
breken daarvan. Iedere man en iedere vrouw die op het departement
werkte wist dat er midden in de nacht was opgebeld en dat Leclerc nu
in het gebouw sliep.

Ze installeerden zich om de tafel en zetten hun theekoppen voor
zich neer, rumoerig, als kinderen onder het eten. Leclerc aan het
hoofd, de anderen tegenover elkaar; de stoel tegenover Leclerc bleef
leeg. Haldane kwam binnen, en zodra Avery hem zag besefte hij al
dat dit een strijd zou worden van Leclerc tegen Haldane. Naar de lege
stoel kijkend, zei hij: 'Ik zie al dat de tochtigste plaats voor mij bewaard is.'

Avery stond op, maar Haldane was al gaan zitten. 'Doe geen
moeite, Avery. Ik ben toch al ziek.' Hij hoestte, zoals hij het hele jaar
door hoestte. Zelfs in de zomer knapte hij niet op; in alle jaargetijden
hoestte hij.

De anderen keken gegeneerd op hun handen. Woodford nam een
biscuitje. Haldane keek eens naar het vuur. 'Is dat de beste prestatie
die Gebouwen en Materieel weet te leveren?' vroeg hij.

'Het komt door de regen,' zei Avery. 'Die haard kan niet tegen
regen. Pine heeft er al naar gekeken, maar hij kan er niets aan doen.'

'Aha.'

Haldane was een magere man met lange, rusteloze vingers, geslo-

258

ten, langzaam in zijn bewegingen maar met levendige trekken, al een beetje kaal, uitgeteerd, humeurig en dor; een man die voor alles een hautaine minachting scheen te hebben. Hij kwam en ging zoals het hem uitkwam en liet zich met niemand in; hij was verslaafd aan kruiswoordraadsels en negentiende-eeuwse aquarellen.

Carol kwam binnen met dossiers en kaarten en legde ze op Leclercs bureau, dat in tegenstelling tot de rest van zijn kamer altijd heel netjes was. Ze wachtten in pijnlijke stilte tot ze weg zou zijn. Nadat de deur zorgvuldig was gesloten streek Leclerc behoedzaam over zijn donkere haar alsof het hem niet helemaal vertrouwd was.

'Taylor is dood. Dat weten jullie nu allemaal. Hij is in de afgelopen nacht, terwijl hij in Finland onder een andere naam reisde, vermoord.' Het viel Avery op dat hij de naam Malherbe niet noemde.

'We kennen de bijzonderheden niet. Het schijnt dat hij overreden is. Ik heb Carol gezegd iedereen te vertellen dat het een ongeluk geweest is. Is dat duidelijk?'

Ja, zeiden ze, dat was volkomen duidelijk.

'Hij zou een film in ontvangst nemen van ... een contactman, een Scandinavische contactman. Jullie weten wie ik bedoel. Gewoonlijk gebruiken wij geen koerier voor operationeel werk, maar dit was een bijzonder geval, een zeer speciale gelegenheid. Wat dat betreft zal Adrian me gelijk moeten geven.' Hij hief zijn geopende handen even op, zodat zijn witte manchetten wegschoven van zijn polsen, en drukte zijn palmen en vingers tegen elkaar alsof hij bad om Haldanes steun.

'Een speciale gelegenheid?' herhaalde Haldane langzaam. Zijn stem was even schraal en scherp als de man zelf, beschaafd, zonder nadruk of affectatie, een benijdenswaardige stem. 'Een bijzonder geval, ja, dat wel, vooral omdat Taylor erbij om het leven is gekomen. We hadden hem hiervoor nooit mogen aanwijzen, nooit,' merkte hij onbewogen op. 'We hebben gezondigd tegen een grondbeginsel van de Geheime Dienst. We hebben iemand die legaal werk deed een illegale opdracht gegeven. Maar we hebben dan ook geen illegale afdeling meer.'

'Zullen we onze chefs dat laten beoordelen?' vroeg Leclerc zoetsappig. 'Je zult het toch in ieder geval met me eens zijn dat het ministerie dagelijks op resultaten aandringt.' Hij keek de mannen die links en rechts van hem zaten een voor een aan, alsof ze aandeelhouders waren die hij voor zich probeerde te winnen. 'Het wordt tijd om jullie wat meer details te vertellen. Deze zaak is strikt geheim. Ik wil er dus alleen met de afdelingshoofden over spreken. Tot dusverre weten alleen Adrian Haldane en een of twee personen van de researchafdeling ervan. En mijn secretaris, John Avery. Ik wil nadrukkelijk vaststellen dat onze collega's van het Circus er geen idee van hebben. En nu de maatregelen die we hebben getroffen. De operatie krijgt de codenaam Mayfly.' Hij sprak kort, zakelijk. 'Er bestaat één dossier over de operatie, dat aan het eind van iedere dag aan mij persoonlijk moet worden teruggegeven of aan Carol, als ik er niet ben, en er bestaat een referentiekopie van. Dat is het systeem voor operationele dossiers waarmee we in de oorlog werkten, en jullie kennen het, geloof ik, allemaal. We zullen dit weer invoeren. Ik zal Carols naam aan de lezerslijst toevoegen.'

Woodford wees met zijn pijp naar Avery en schudde het hoofd. John kende het niet, hij was nog te jong, hij had nooit met het systeem gewerkt. Sandford, die naast Avery zat, legde het hem uit. De kopie werd in de codekamer bewaard. Het was tegen de voorschriften dit dossier mee te nemen. Alle nieuwe berichten moesten zodra ze aankwamen erin worden opgenomen; de lezerslijst was de lijst van de personen die het dossier mochten raadplegen. Het gebruik van paperclips en dergelijke was verboden, alle nieuwe stukken moesten in het dossier worden geplakt. De anderen keken voldaan toe.

Sandford was het hoofd van de afdeling boekhouding, een vaderlijke man met een goudomrande bril, die op de motor van en naar zijn werk ging. Leclerc had hiertegen eens zonder duidelijke redenen geprotesteerd; sindsdien parkeerde hij de motor een eindje verderop, voor het ziekenhuis.

'En nu: de operatie,' zei Leclerc. De smalle streep van zijn tegen elkaar gevouwen handen verdeelde zijn opgewekte gezicht in twee helften. Haldane was de enige die niet naar hem keek; zijn ogen staarden naar het raam. Buiten druppelde de regen zacht op de gebouwen als lenteregen in een donkere vallei.

Leclerc stond plotseling op en liep naar een kaart van Europa die aan de muur hing. Er waren vlaggetjes op geprikt. Zijn arm zo ver mogelijk uitrekkend en op zijn tenen staand om het hoge noorden te kunnen bereiken, zei hij: 'De Duitsers zijn weer een beetje lastig.' Er werd even gelachen. 'In het gebied ten zuiden van Rostock, bij een plaats die Kalkstadt heet, hier.' Zijn vinger gleed over de kustlijn van de Oostzee en ging van Sleeswijk-Holstein in oostelijke richting tot enkele centimeters ten zuiden van Rostock.

'Kort gezegd hebben we drie aanwijzingen die de indruk wekken - bewezen is het nog niet - dat er daar belangrijke dingen gebeuren op het gebied van militaire installaties.'

Hij draaide zich snel om en keek hen aan. Alles wat hij nog te zeggen had zou hij vertellen terwijl hij bij de kaart stond, om te bewijzen dat hij zich de feiten in het geheugen had geprent en de papieren die voor hem op tafel lagen niet behoefde te raadplegen.

'De eerste aanwijzing kwam precies een maand geleden binnen, toen we een rapport ontvingen van onze vertegenwoordiger in Hamburg. Jimmy Gorton.'

Woodford zei glimlachend: 'Goeie God, werkt Jimmy nog altijd voor ons?'

'Een Oostduitse vluchteling is bij Lübeck over de grens gekomen; hij is over de rivier gezwommen - een spoorman uit Kalkstadt. Hij heeft zich tot ons consulaat gewend en aangeboden gegevens te verkopen over een nieuwe raketbasis bij Rostock. Ik hoef nauwelijks te zeggen dat de heren van het consulaat hem eruit hebben gegooid. Wanneer Buitenlandse Zaken niet eens bereid is ons gebruik te laten maken van hun diplomatieke postdienst' - een zure glimlach - 'behoeft niemand te verwachten dat men militaire gegevens zal kopen om ons te helpen.' Een waarderend gemompel begroette dit grapje. 'Maar we hebben geboft: Gorton hoorde van het geval en heeft in Flensburg met de man gesproken.'

Woodford wilde deze kans niet voorbij laten gaan. 'Flensburg? Is dat niet de plaats waar wij in '41 Duitse onderzeeboten hebben opgespoord?' Flensburg was een machtig succes geweest.

Leclerc knikte toegeeflijk naar Woodford, alsof hij ook had geglimlacht bij die herinnering. 'Die arme bliksem had alle geallieerde instanties in Noord-Duitsland afgelopen maar niemand wilde zich met hem inlaten. Jimmy Gorton heeft met hem gepraat.' Leclercs voorstelling van zaken impliceerde dat Gorton de enige verstandige was geweest onder een verzameling sukkels. Hij liep naar zijn schrijfbureau, nam een sigaret uit de zilveren doos, stak hem op, nam een map op met een enorm rood kruis op de kaft en legde die geluidloos op de tafel voor hen neer. 'Dit is Jimmy's rapport,' zei hij. 'Iedereen zal moeten toegeven dat hij knap werk heeft gedaan.' De sigaret leek erg lang tussen zijn vingers. 'De naam van de overloper,' vervolgde hij abrupt, 'was Fritsche ...'

'Overloper?' interrumpeerde Haldane snel. 'Die man is een doodgewone vluchteling, die bij de spoorwegen werkte. Bij *overlopers* denken we toch niet aan dat soort mensen.'

Leclerc antwoordde op verdedigende toon: 'Die man is geen gewone spoorwegarbeider. Hij heeft technische en fotografische aanleg.'

261

McCulloch opende het dossier en begon de bladen systematisch om te slaan. Sandford sloeg hem door zijn goudomrande bril gade.

'Op de eerste of de tweede september - dat weten we nog niet omdat hij het zich niet herinnert - had hij toevallig tweemaal zes uur dienst in de spoorwegloodsen van Kalkstadt. Een van zijn kameraden was ziek. Hij moest 's morgens van zes tot twaalf werken en daarna van vier uur 's middags tot tien uur 's avonds. Toen hij op zijn werk verscheen stonden er wel een dozijn Vopo's, leden van de Oostduitse volkspolitie, bij de ingang van het station geposteerd. Er mochten die dag geen passagiers van de treinen gebruik maken. Ze controleerden zijn identiteitspapieren aan de hand van een lijst en zeiden hem dat hij uit de buurt van de loodsen aan de oostzijde van het station moest blijven. Ze zeiden,' besloot Leclerc op nadrukkelijke toon, 'dat hij kon worden doodgeschoten als hij in de buurt van de oostelijke loodsen kwam.'

Dit maakte indruk. Woodford zei dat dat echt iets voor de Duitsers was.

'We vechten tegen de Russen,' merkte Haldane op.

'Nu is die man een merkwaardige vent. Hij schijnt een discussie te zijn begonnen. Hij zei hun dat hij even betrouwbaar was als zij, een eerlijke Duitser en lid van de partij. Hij liet hun zijn vakbondskaart zien, foto's van zijn vrouw en God weet wat. Maar het hielp hem niet, ze zeiden natuurlijk dat hij zich moest houden aan de bevelen en uit de buurt van die loodsen moest blijven. Maar hij had blijkbaar toch een gunstige indruk op hen gemaakt, want toen ze om tien uur soep warmden, riepen ze hem en boden hem een kom aan. Terwijl ze soep dronken vroeg hij hun wat er eigenlijk aan de hand was. Ze wilden niets loslaten, maar hij zag wel dat ze het zelf iets geweldigs vonden. Toen gebeurde er iets. Iets heel belangrijks,' vervolgde hij. 'Een van de jongere agenten flapte eruit dat ze met wat daar in die loodsen stond de Amerikanen in enkele uren uit West-Duitsland konden knallen. Op dat moment kwam er een officier aan, die hun beval weer aan het werk te gaan.'

Haldane hoestte, een diep en hopeloos geluid, als een echo in een oud gewelf.

Een van de mannen wilde weten wat voor officier het geweest was, een Duitser of een Rus.

'Een Duitser. Dat is een interessante bijzonderheid. Er waren helemaal geen Russen in de buurt.'

Haldane interumpeerde scherp: 'De vluchteling heeft er geen gezien. Meer weten we niet. Laten we ons aan de feiten houden? Hij hoestte weer. Het was erg irriterend.

'Zoals je wilt. Hij ging naar huis om een hapje te eten. Het ergerde hem nog altijd dat hij zich op zijn eigen station moest laten commanderen door een stel jonge kerels die soldaatje speelden. Hij dronk een paar borrels en zat te denken over die loods ... Adrian, heb je zo'n last van je hoest ...?' Haldane schudde het hoofd. 'Toen schoot hem te binnen dat er tegen de noordwand van de loods een oud schuurtje voor gereedschap stond en dat zich in de gemeenschappelijke wand een ventilator bevond. Hij nam zich voor straks eens door die ventilator te kijken naar wat er in die loods stond. Bij wijze van wraak op de Vopo's.'

Woodford lachte.

'En toen besloot hij om het daar niet bij te laten en een foto te maken van wat daar stond.'

'Hij moet stapelgek geweest zijn,' vond Haldane. 'Voor mij is dit deel van zijn verhaal eenvoudig onaanvaardbaar.'

'Gek of niet, hij heeft het gedaan. Hij was nijdig omdat ze hem niet vertrouwden. Hij vond dat hij het recht had te weten wat er in die loods was neergezet.' Leclerc was even onzeker en vluchtte in technische details. 'Hij had een Exa II-camera, een éénogige spiegelreflex van Oostduits fabrikaat. Het is een eenvoudig uitgevoerd toestel, maar je kunt er alle Exaktalenzen in gebruiken. Je hebt natuurlijk wel veel minder sluitersnelheden dan bij een Exakta.' Hij keek de technici Dennison en McCulloch vragend aan. 'Heb ik het goed gezegd, heren?' vroeg hij. 'U moet me corrigeren als ik me vergis.' Ze glimlachten schaapachtig omdat er niets te corrigeren viel. 'Hij had een goede groothoeklens, de grote moeilijkheid was de belichting. Hij hoefde pas om vier uur weer op zijn werk te zijn en dan begon de schemering al te vallen, zodat er in de loods nog minder licht zou zijn. Hij had één snelle Agfafilm, die hij voor een speciale gelegenheid bewaarde; de film had een gevoeligheid van 27 DIN. Hij besloot die te gebruiken.' Hij zweeg even, meer om indruk te maken dan omdat hij vragen verwachtte.

'Waarom heeft hij niet tot de volgende morgen gewacht?' informeerde Haldane.

'Het rapport bevat een zeer uitvoerig verslag van Gorton, waarin wordt beschreven hoe de man de hut is binnengekomen, op een olievat is gaan staan en zijn opnamen heeft gemaakt door de ventilator,' zei Leclerc op rustige toon. 'Ik wou dat nu maar niet allemaal herhalen. De man werkte met de grootste lensopening - twee punt acht - en sluitersnelheden variërend van een kwart tot twee seconden. In dit

263

geval kunnen we de Duitse grondigheid alleen maar bewonderen.'
Niemand lachte. 'De sluitersnelheden koos hij natuurlijk op goed
geluk. Hij werkte zoveel mogelijk in de buurt van een belichtingstijd
van één seconde. Alleen op de laatste drie opnamen is iets te zien.
Hier zijn ze.'

Leclerc maakte de stalen lade van zijn bureau open en haalde een
stel glanzende foto's te voorschijn van 30 bij 24 centimeter. Hij glimlachte als een man die naar zijn eigen spiegelbeeld kijkt. Ze kwamen
om hem heen staan, met uitzondering van Haldane en Avery, die ze
al eerder hadden gezien.

Er was iets te zien.

Je kon het onderscheiden als je vlug keek; iets dat verscholen ging
in verwarrende schaduwen; maar als je ernaar blééf kijken werd alles
donker, bleven alleen de schaduwen over en was de vorm verdwenen.
Toch was er iets; de gecamoufleerde vorm van een kanonloop, maar
puntig en te lang voor het onderstel, vaag zag je ook het verplaats-
bare onderstuk en iets dat op een platform leek.

'Ze dekken ze natuurlijk af met beschermkappen,' zei Leclerc, die
hoopvol hun gezichten bestudeerde en wachtte op optimistische
commentaren.

Avery keek op zijn horloge. Het was twintig over elf. 'Ik moet nu
eigenlijk weg, meneer,' zei hij. Hij had nog altijd Sarah niet opgebeld. 'Ik moet nog naar de boekhouding voor mijn vliegticket.'

'Blijf nog tien minuten,' verzocht Leclerc, en Haldane vroeg:
'Waar gaat hij heen?'

'Hij zal voor Taylor zorgen. Maar hij heeft eerst nog een afspraak
met het Circus,' antwoordde Leclerc.

'Voor Taylor zorgen? Maar die is toch dood!'

Er volgde een onaangename stilte.

'Je weet heel goed dat Taylor onder een andere naam reisde,' antwoordde Leclerc. 'Iemand moet zijn bezittingen gaan halen en de
film zien te vinden. Avery gaat erheen als familielid. Het ministerie
heeft zijn goedkeuring er al aan gehecht. Ik was me er niet van bewust dat jij het ook eerst moest goedvinden.'

'Gaat hij het lijk opeisen?'

'Hij gaat de film halen,' zei Leclerc venijnig.

'Dat is operationeel werk, waarvoor Avery geen opleiding heeft
gehad.'

'In de oorlog waren ze jonger dan hij. Hij kan wel voor zichzelf
zorgen.'

'Taylor kon dat niet. En wat gaat hij doen als hij de film vindt?

264

Stopt hij hem dan in zijn reisnecessaire?'

'Zullen we dat het laatst bespreken?' vroeg Leclerc, en wendde zich weer tot de anderen. Hij glimlachte geduldig als om aan te duiden dat je Adrian wel eens zijn zin moest geven.

'Tot voor tien dagen waren dit alle gegevens waarover we beschikten. Toen kwam de tweede belangrijke aanwijzing. Het gebied rondom Kalkstadt werd tot verboden terrein verklaard.' Er volgde een opgewonden gemompel, iedereen raakte nu echt geïnteresseerd. 'Het verboden gebied heeft een straal van 30 kilometer, voor zover we hebben kunnen vaststellen. Het is helemaal afgesloten en verboden voor alle verkeer. Ze hebben er grensbewakers heen gebracht.' Hij keek om zich heen. 'Daarna heb ik de minister op de hoogte gesteld. Zelfs jullie kan ik niet alles vertellen wat hieraan vastzit. Maar laat ik in ieder geval één punt nog vermelden.'

Hij had die laatste woorden snel uitgesproken terwijl hij tegelijkertijd met een haastig gebaar de plukken grijs haar omhoogstreek die boven zijn oren uitgroeiden.

Haldane was vergeten.

'Wat we in het begin nogal vreemd vonden' - hij knikte Haldane toe, een verzoenend gebaar na een moment van triomf, maar Haldane negeerde het - 'was het feit dat er in dit gebied geen Sowjettroepen aanwezig waren. Er zijn eenheden gestationeerd in Rostock, Witmar en Schwerin.' Zijn vinger danste heen en weer tussen de vlaggetjes. 'Maar in de directe omgeving van Kalkstadt niets - en dit is ons bevestigd door diverse andere instanties. Als er zich bij Kalkstadt inderdaad wapens bevinden, wapens met een hoge destructieve capaciteit, waarom dan geen Sowjettroepen?'

McCulloch opperde dat er misschien alleen Sowjettechnici waren, technici in burger.

'Dat lijkt me onwaarschijnlijk.' Een bescheiden lachje. 'In soortgelijke gevallen waarbij we de aanwezigheid van tactische wapens hebben geconstateerd, hebben we ook altijd tenminste één militair Sowjetonderdeel geïdentificeerd. Maar vijf weken geleden zijn er Russische troepen waargenomen in Gustweiler, iets verder naar het zuiden.' Hij wees weer op de kaart. 'Ze zijn één nacht ondergebracht in een café. Sommigen droegen de distinctieven van de artillerie: anderen hadden helemaal geen schouderdistinctieven. De volgende ochtend in alle vroegte zijn ze verder naar het zuiden getrokken. We zouden daaruit kunnen afleiden dat ze iets naar deze streek hadden overgebracht en daarna weer zijn teruggetrokken.'

Woodford begon onrustig te worden. Maar wat betekende dit alles bij elkaar nu eigenlijk? wilde hij weten. Wat dachten ze er op het ministerie van? Woodford hield niet van raadsels.

Leclerc sprak nu op docerende toon, met iets dictatoriaals, zo van: feiten waren feiten en die kon je niet bestrijden. 'De researchafdeling heeft goed werk verricht. De totale lengte van het voorwerp dat op deze foto's zichtbaar is - ze kunnen die vrij nauwkeurig berekenen - komt overeen met die van een Sowjetraket voor de middenafstand. Op grond van de nu beschikbare gegevens' - hij tikte even met zijn knokkels op het voor hem liggende dossier - 'op grond van deze gegevens is het ministerie van mening dat de mogelijkheid bestaat dat we hier te maken hebben met Sowjetraketten die onder Oostduitse controle zijn gesteld. De researchafdeling,' voegde hij er snel aan toe, 'is niet bereid zover te gaan. Als zou blijken dat het ministerie op het juiste spoor is' - hij wachtte even om meer indruk te maken - 'dan hebben we hier te maken met een soort Cuba-situatie, alleen' - zijn stem kreeg een verontschuldigende klank om het effect van zijn woorden groter te maken - 'veel gevaarlijker.'

Dat maakte indruk.

'Op dit punt gekomen,' legde Leclerc uit, 'meende het ministerie toestemming te moeten geven voor een vlucht over het betreffende gebied. Zoals jullie weten heeft het departement alleen toestemming gekregen voor het maken van luchtfoto's langs de gebruikelijke burgerlijke en militaire luchtroutes. En zelfs daarvoor was de toestemming nodig van het ministerie van Buitenlandse Zaken.' Zijn aandacht dwaalde af. 'Het was allemaal erg jammer.'

Zijn ogen schenen iets te zoeken dat niet in het vertrek aanwezig was. De anderen keken hem vol belangstelling aan en wachtten gespannen tot hij zijn relaas zou vervolgen.

'Voor deze ene keer besloot het ministerie de verbodsbepaling terzijde te schuiven, en het doet me genoegen te kunnen zeggen dat de organisatie van de betreffende operatie aan dit departement werd opgedragen. We hebben de beste vlieger genomen die in onze boeken voorkomt: Lansen.' Iemand keek verbaasd op; er werden anders nooit namen van agenten genoemd. 'Lansen nam tegen een flinke vergoeding op zich tijdens een chartervlucht van Düsseldorf naar Finland van zijn koers af te wijken. We hebben Taylor gestuurd om de film in ontvangst te nemen; hij stierf bij het vliegveld. Een verkeersongeval, blijkbaar.'

Ze hoorden buiten de auto's in de regen voorbijrijden, een geluid als van het ritselen van papier in de wind. Het vuur was uitgegaan; alleen de rook hing nog als een lijkwade over de tafel.

Sandford had zijn hand even opgestoken. Wat was het voor raket?

'Een Sandal, voor de middenafstand. De researchafdeling heeft me meegedeeld dat de Sandal voor het eerst is getoond tijdens de parade op het Rode Plein in november 1962. De raket is sindsdien min of meer berucht geworden. Dit is namelijk de raket die de Russen op Cuba hadden geïnstalleerd. De Sandal is bovendien de directe afstammeling van de V2's die de Duitsers in de oorlog hebben gebruikt.' Deze opmerking ging gepaard met een zijdelingse blik op Woodford.

Leclerc haalde nog andere foto's uit zijn bureau en legde die op tafel.

'Dit is een foto van de Sandalraket die ik van de researchafdeling heb gekregen. Ze beschouwen dit typische brede onderstuk als een van de karakteristieke kenmerken, evenals deze kleine vinnen. De raket is in totaal 12 meter lang. Als u goed kijkt, ziet u plooien bij de klamp - hier dus - waardoor de stofkap op zijn plaats wordt gehouden. Grappig genoeg beschikken we niet over een foto van de raket compleet met beschermkap. Misschien hebben de Amerikanen zo'n foto maar het lijkt me niet juist de Amerikanen in dit stadium te benaderen.'

'Nee, natuurlijk niet,' merkte Woodford onmiddellijk op.

'De minister voelde er niets voor de Amerikanen voortijdig te alarmeren. Je hoeft tegen hen alleen maar het woord raket te noemen om de meest drastische acties uit te lokken. Voordat we het wisten zou er al een U-2 over Rostock vliegen.' Aangemoedigd door hun gelach vervolgde Leclerc: 'De minister heeft nog een ander punt genoemd dat ik hier wel mag vermelden. Het land waarvoor deze raketten het allergevaarlijkst zijn - ze hebben een bereik van ongeveer 1400 km - is waarschijnlijk Engeland. In geen geval Amerika. Politiek gezien is dit geen best moment om hulp te gaan zoeken bij de Amerikanen en ten slotte, zoals de minister het formuleerde, kunnen we zelf ook nog onze tanden laten zien.'

'Dat is een bijzonder aardige opvatting,' merkte Haldane sarcastisch op. Alle woede die Avery met zoveel moeite had bedwongen kwam boven toen hij zei: 'Als dat alles is wat u weet te zeggen?' Bijna had hij eraan toegevoegd: Wees niet zo wreed.

Haldanes koele blik bleef even op Avery rusten. Hij ging niet vrijuit, zijn zaak werd aangehouden.

Iemand vroeg wat ze zouden doen als Avery Taylors film niet vond.

Stel dat die film er helemaal niet was? Kon men dan een tweede vlucht over het gebied organiseren?

'Nee,' antwoordde Leclerc. 'Een tweede vlucht is onmogelijk. Veel te gevaarlijk. Dan zullen we iets anders moeten proberen.' Hij leek niet van plan verder op dit punt door te gaan. Maar Haldane vroeg: 'Wat dan bijvoorbeeld?'

'Misschien moeten we er een mannetje naar toe sturen. Dat lijkt me de enige mogelijkheid.'

'Wij?' vroeg Haldane ongelovig. 'Moet dit departement een man daar naar toe sturen? Dat zou het ministerie nooit toestaan. Je bedoelt natuurlijk dat je het Circus zal vragen iemand te sturen?'

'Ik heb je de situatie al uiteengezet. Verdomme, Adrian, je wilt me toch niet zeggen dat wij dat niet kunnen doen?' Hij keek hulp zoekend de tafel rond. 'Iedereen hier, met uitzondering van Avery, zit al meer dan twintig jaar in dit werk. Jijzelf bent meer over het uitzenden van agenten vergeten dan het hele Circus ooit te weten zal komen.'

'Heel juist!' riep Woodford uit.

'Kijk eens naar je eigen afdeling, Adrian. Neem nu eens de researchafdeling. In de laatste vijf jaar is het Circus vijf keer bij je gekomen om advies en heeft gebruik gemaakt van jouw deskundigheid en faciliteiten. Best mogelijk dat de tijd komt dat ze voor het uitzenden van agenten hetzelfde zullen doen! Het ministerie heeft ons een vlucht over het gebied toegestaan. Waarom dan niet een agent?'

'Je hebt nog over een duidelijke derde aanwijzing gesproken. Maar verder heb je nog geen details genoemd. Wat is die derde aanwijzing?'

'Taylors dood,' zei Leclerc.

Avery stond op, knikte tegen hen en liep op zijn tenen naar de deur. Haldane keek hem na.

5

Op zijn bureau lag een briefje van Carol: 'Je vrouw heeft opgebeld.'

Hij liep haar kantoortje binnen en zag haar achter haar machine zitten, maar ze tikte niet. 'Je zou niet zo over Wilf Taylor hebben gesproken als je hem beter had gekend,' zei ze.

'Ik heb helemaal niet over hem gesproken.'

Hij vond dat hij haar moest troosten, omdat ze elkaar wel eens aanraakten; misschien verwachtte ze dat nu van hem.

Hij boog zich voorover totdat de scherpe punten van haar haar zijn wang raakten. Hij draaide zijn hoofd, zodat hun slapen elkaar aanraakten; hij voelde dat haar huid langzaam over haar schedel bewoog. Een ogenblik bleven ze in deze houding. Carol zat recht overeind en keek strak voor zich uit, haar handen aan weerszijden van haar machine. Avery stond onhandig voorovergebogen. Hij overwoog zijn hand onder haar arm te leggen en haar borst te strelen. Maar hij deed het niet. Beiden weken zachtjes terug en maakten zich weer van elkaar los. Avery stond op.

'Je vrouw heeft opgebeld,' zei ze. 'Ik heb haar gezegd dat je bij de bespreking was. Ze moet je dringend spreken.'

'Dank je, ik ga nu naar huis.'

'John, was is er nu eigenlijk aan de hand? Wat hoor ik toch allemaal over het Circus? Wat heeft Leclerc uitgebroed?'

'Ik dacht dat je dat wist. Hij zei dat hij jou op de lijst had geplaatst.'

'Dat bedoel ik niet. Waarom liegt hij weer tegen hen? Hij heeft een memorandum voor Control gedicteerd over het een of andere trainingsschema waarin staat dat jij naar de overkant gaat. Pine moest het persoonlijk overhandigen. En hij lijkt wel gek geworden in verband met dat pensioen van mevrouw Taylor. Hij heeft er allerlei precedenten op nageslagen en de hemel weet wat nog meer. Zelfs de aanvraag is Zeer Geheim. Hij bouwt weer een van zijn kaartenhuizen, John, daar ben ik zeker van. Wie is die Leiser nu weer?'

'Daar hoor jij niets over te weten. Hij is een agent, een Pool.'

'Werkt hij voor het Circus?' Ze veranderde van tactiek.

'Nou, en waarom sturen ze *jou*? Daar begrijp ik ook niets van. Trouwens, waarom moest Taylor worden uitgezonden? Als het Circus koeriers in Finland heeft, waarom konden wij die dan niet gebruiken? Waarom moesten ze die arme Taylor daarheen sturen? Zelfs nu zou Buitenlandse Zaken de boel wel kunnen gladstrijken, dat weet ik zeker. Maar hij geeft ze gewoon de kans niet, hij stuurt jou liever.'

'Je begrijpt het niet,' zei Avery kortaf.

'En nog iets,' zei ze, toen hij wegliep. 'Waarom haat Adrian Haldane je zo?'

Hij ging naar de boekhouding en nam daarna een taxi naar het Circus. Leclerc had gezegd dat hij die in rekening kon brengen. Het ergerde hem dat Sarah had opgebeld. Hij had haar duidelijk gezegd dat ze hem nooit op het departement mocht bellen. Leclerc zei dat het niet veilig was.

269

'Wat heeft u in Oxford gestudeerd? U bent toch in Oxford geweest, niet?' vroeg Smiley en bood hem een nogal verfomfaaide sigaret aan uit een doosje van tien.

'Moderne talen.' Avery zocht in zijn zakken naar lucifers. 'Duits en Italiaans.'

Toen Smiley niets zei, voegde hij eraan toe: 'In de eerste plaats Duits.'

Smiley was een kleine verstrooide man, met dikke vingers, vaag in zijn optreden, knipperend met zijn ogen, een man die zich in het leven niet op zijn gemak voelde. Wat Avery ook van hem had verwacht, dit zeker niet.

'Zo, zo,' zei Smiley en knikte. 'Het gaat om een koerier, geloof ik, in Helsinki. U wilt hem een film geven. Onderdeel van een trainingsplan.'

'Ja.'

'Een heel ongewoon verzoek. Weet u zeker ... weet u de afmetingen van die film?'

'Nee.'

Lange stilte.

'U moet zich van dat soort details op de hoogte stellen.' Smiley glimlachte vriendelijk. 'Ik bedoel maar, de koerier kan de film weleens verborgen willen houden, ziet u.'

'Het spijt me.'

'Och, zo belangrijk is het nu ook weer niet.'

Avery moest aan Oxford denken, scripties die hij had moeten voorlezen aan zijn tutor.

'Misschien,' zei Smiley bedachtzaam, 'mag ik één ding even opmerken. Ik ben er zeker van dat Control het er al wel met Leclerc over zal hebben gehad. Namelijk dit: we willen u alle mogelijke hulp verstrekken - *alle* hulp die u nodig mocht hebben. Er is een tijd geweest,' vervolgde hij peinzend, op die vreemde manier die de indruk wekte dat hij niet rechtstreeks het woord tot hem richtte, 'er is een tijd geweest dat onze departementen met elkaar *concurreerden* - ik heb dat altijd heel pijnlijk gevonden. Ik vraag me af of u mij niet *iets* kunt vertellen - een aanduiding ... Control wilde zo bijzonder graag helpen. En we zouden het heel onaangenaam vinden als we door onwetendheid iets verkeerd zouden doen.'

'Het is een oefening. Maar compleet opgezet. Ik weet er zelf niet zo veel van.'

'We willen u helpen,' herhaalde Smiley rustig. 'Wat is uw doelgebied? Zullen we zeggen, uw *hypothetisch* doelgebied?'

'Ik weet het niet. Ik speel maar een heel kleine rol in de operatie. Het is een oefening.'

'Maar als het een oefening is, waarom dan al dat geheimzinnige gedoe?'

'Nou ja, Duitsland,' zei Avery.

'Dank u.'

Smiley leek verlegen. Hij keek naar zijn handen die luchtig ineengevouwen op zijn bureau lagen. Hij vroeg Avery of het nog steeds regende. Avery antwoordde dat hij dacht van wel.

'Jammer van Taylor,' zei Smiley en Avery stemde daarmee in.

'Weet u hoe laat u die film in uw bezit zult hebben? Vanavond nog? Morgen? Leclerc dacht vanavond, als ik het goed begrepen heb.'

'Ik weet het niet. Het hangt ervan af hoe het gaat.

'Hm. Ja. Hm.' Er volgde een lange, onverklaarbare stilte. Net een oude man, dacht Avery, hij vergeet zo nu en dan dat hij niet alleen is.

'Er zijn zoveel onberekenbare factoren. Heeft u al eens eerder iets dergelijks gedaan?'

'Een of twee keer.' En weer zei Smiley niets en de stilte scheen hem niet op te vallen.

'Hoe gaat het met de mensen van de Blackfriars Road? Kent u Haldane bijvoorbeeld?' vroeg Smiley. Het antwoord scheen hem nauwelijks te interesseren.

'Die staat nu aan het hoofd van de researchafdeling.'

'Ja, natuurlijk. Knappe vent. Uw researchmensen hebben hier een uitstekende reputatie. We hebben hen meer dan eens geconsulteerd. Haldane en ik waren studiegenoten in Oxford. En in de oorlog hebben we een tijdlang samengewerkt. Hij heeft filosofie gestudeerd. We zouden hem na de oorlog zeker hier hebben aangenomen; maar ik geloof dat de medische lui zich zorgen maakten over zijn longen.'

'Dat wist ik niet.'

'O, nee?' Zijn wenkbrauwen schoten op komische wijze omhoog. 'In Helsinki is een hotel dat ''De Prins van Denemarken'' heet. Recht tegenover het centraal station. Kent u het misschien?'

'Nee, ik ben nooit in Helsinki geweest.'

'O, nee?' Smiley keek hem gespannen aan. 'Een vreemd verhaal, heel, heel vreemd. Die Taylor ... was dat ook een oefening?'

'Ik weet het niet. Maar dat hotel zal ik wel vinden,' zei Avery, die ongeduldig begon te worden.

'Ze verkopen prentbriefkaarten, u zult het stalletje wel zien, het staat in de hal, even voorbij de ingang. Er is maar één ingang.' Hij sprak erover alsof het ging om het buurhuis. 'Bloemen verkopen ze daar ook. Ik geloof dat het maar het beste is als u daarheen gaat zodra u de film hebt. Vraag de mensen in het bloemenstalletje een dozijn rode rozen te zenden naar mevrouw Avery, Imperial Hotel, Torquay. Och, eigenlijk is een half dozijn ook wel genoeg, we hoeven niet met geld te smijten, wel? Reist u onder uw eigen naam?'

'Ja.'

'Is daar een speciale reden voor? Ik wil niet nieuwsgierig zijn,' voegde hij er haastig aan toe. 'Maar het leven is kort ... en in dit soort werk al heel kort, gewoonlijk.'

'Het schijnt dat het nogal wat tijd kost om een valse pas gereed te maken. Buitenlandse Zaken ...' Hij had helemaal niet op die vraag moeten antwoorden, hij had gewoon moeten zeggen dat hij zich maar met zijn eigen zaken moest bemoeien.

'Dat spijt me,' zei Smiley en fronste zijn wenkbrauwen alsof hij in tact tekort was geschoten. 'U kunt voor die dingen altijd bij ons komen, weet u. Voor passen, bedoel ik.' Het was vriendelijk bedoeld. 'Goed, u stuurt dus die bloemen. Bij het verlaten van het hotel zet u uw horloge gelijk met de klok van het hotel. Een half uur later keert u terug in het hotel. Een taxichauffeur zal u herkennen en het portier van zijn wagen voor u openen. Stap in, laat u rondrijden en geef hem de film. O, en betaal hem alstublieft. De gewone ritkosten. Het is zo gemakkelijk dat soort *kleine* dingen te vergeten. Wat voor *soort* oefening is het eigenlijk?'

'En als ik de film niet krijg?'

'In dat geval doet u niets. U komt niet in de buurt van het hotel. U gaat niet naar Helsinki. U vergeet alles.' Het viel Avery op dat zijn instructies bijzonder duidelijk waren.

'Heeft u bij uw studie van het Duits misschien ook aandacht geschonken aan de zeventiende eeuw?' informeerde Smiley hoopvol, toen Avery opstond om weg te gaan. 'Gryphius, Lohenstein en zo?'

'Dat was een speciaal onderwerp. Nee, daar heb ik me niet mee beziggehouden.'

'*Speciaal* onderwerp,' mompelde Smiley. 'Wat een dwaas woord. Ze zullen er wel mee bedoeld hebben dat het buiten de normale studie viel. Onzinnig.'

Bij de deur gekomen zei Smiley: 'Heeft u een aktentas bij u of zoiets?'

'Ja.'

'Als u de film heeft, stop hem dan in uw zak en houd de tas in uw hand. Als u gevolgd mocht worden, let men altijd speciaal op die tas. Dat is begrijpelijk. Als u die tas gewoon ergens achterlaat, gaan ze die waarschijnlijk doorzoeken. Ik geloof dat de Finnen wat aan de naïeve kant zijn. Het is natuurlijk alleen een aanwijzing voor de oefening, maar maak u geen *zorgen*. Ik heb het altijd een ernstige fout gevonden te veel vertrouwen te stellen in de *techniek*.' Hij nam bij de deur afscheid van Avery en liep met zware stappen naar de kamer van Control.

Avery liep de trap op naar de flat. Hoe zou Sarah reageren? Het speet hem dat hij haar toch maar niet even had opgebeld, want hij hield er niet van haar in de keuken aan te treffen en Anthony's speelgoed overal verspreid over het tapijt te vinden. Binnenkomen zonder voorafgaande waarschuwing was altijd verkeerd. Dan werd ze bang, alsof ze dacht dat hij iets verschrikkelijks op zijn geweten had. Hij had nooit een sleutel bij zich, want Sarah was altijd thuis. Ze ging nooit naar vriendinnen en deed nooit zelf uitvoerig boodschappen met een kopje koffie en zo. Ze scheen zich in haar eentje niet te kunnen vermaken.

Hij drukte op de bel, hoorde Anthony 'Mammie, Mammie' roepen en luisterde naar haar stap. De keuken was aan het eind van de gang, maar ditmaal kwam ze uit de slaapkamer, zacht, alsof ze op blote voeten liep.

Ze opende de deur zonder hem aan te kijken. Ze droeg een katoenen nachtjapon met een vest erover.

'God, wat duurde dat lang,' zei ze, zich omdraaiend, en ze liep met onzekere stappen terug naar de slaapkamer. 'Is er iets mis?' vroeg ze over haar schouder. 'Soms weer iemand vermoord?'

'Wat scheelt eraan, Sarah? Voel je je niet goed?'

Anthony liep juichend rond omdat zijn vader was thuisgekomen. Sarah klom weer in bed. 'Ik heb de dokter opgebeld. *Ik* weet niet wat ik heb,' zei ze, alsof ziekten haar vak niet waren.

'Heb je verhoging?'

Ze had een kom koud water met een washandje erin naast zich neergezet. Hij wrong het washandje uit en legde het op haar voorhoofd. 'Je moet je maar redden,' zei ze. 'Ik vrees dat dit niet zo opwindend is als spionnen.'

'Wanneer komt de dokter?'

'Hij heeft tot twaalf uur spreekuur. Daarna zal hij wel komen opdagen.'

Hij liep naar de keuken, gevolgd door Anthony. Het ontbijt stond nog op tafel. Hij belde haar moeder in Reigate op en vroeg haar zo snel mogelijk te komen.

Het was even voor één toen de dokter kwam. Koorts, zei hij, een of ander virus dat heerste.

Hij dacht dat ze in snikken zou uitbarsten toen hij haar vertelde dat hij naar het buitenland ging; ze hoorde hem aan, dacht even na en zei toen dat hij zijn koffer maar moest pakken.

'Is het belangrijk?' vroeg ze plotseling.

'Natuurlijk. Erg belangrijk.'

'Voor wie?'

'Voor jou en mij. Voor iedereen, denk ik.'

'Ook voor Leclerc?'

'Dat zeg ik toch. Voor iedereen.'

Hij beloofde Anthony dat hij iets voor hem zou meebrengen.

'Waar ga je heen?' vroeg Anthony.

'Met een vliegtuig.'

'Waarheen?'

Hij wilde zeggen dat het een geheim was, maar hij herinnerde zich het dochtertje van Taylor.

Bij het afscheid kuste hij haar, nam zijn koffer mee naar de hal, en zette hem daar op de mat. Om Sarah gerust te stellen waren er twee sloten op de deur aangebracht, die je gelijktijdig moest omdraaien.

Hij hoorde haar zeggen:

'Is dit ook gevaarlijk?'

'Ik weet het niet. Ik weet alleen dat het om een grote zaak gaat.'

'Weet je dat heel zeker?'

Hij riep bijna wanhopig terug: 'Luister nu eens, kun je van me verlangen dat ik alles weet! Het is geen kwestie van politiek, begrijp dat dan toch! Het gaat om feiten. Kun je dat niet geloven? Kun je me niet eens één keer in mijn leven zeggen dat ik nuttig werk doe?' Hij liep naar de slaapkamer om haar tot rede te brengen. Ze hield een pocketboek voor haar gezicht en deed alsof ze las. 'Je weet best dat we allemaal ergens een grens moeten trekken, een grens die ons leven afbakent. Het is zinloos me voortdurend te vragen: "Weet je het wel zeker?" Je kunt me even goed vragen of het verstandig was kinderen te verwekken, of het verstandig was te trouwen. Daar schiet je niets mee op.'

'Arme John,' merkte ze op, haar boek neerleggend en hem onderzoekend aankijkend. 'Loyaliteit zonder overtuiging. Je hebt het erg moeilijk.' Ze zei het volkomen emotieloos, alsof ze een sociale misstand had geïdentificeerd. Met de laatste kus pleegde ze verraad aan haar eigen normen.

Haldane keek de laatste die de kamer verliet na; hij was later gekomen, hij zou later weggaan, nooit tegelijk met de groep.

Leclerc zei: 'Waarom doe je me zoiets aan?' Hij sprak als een acteur die nog moe is van het stuk. De kaarten en de foto's lagen nog over de tafel verspreid, tussen de lege kopjes en de asbakken.

Haldane antwoordde niet.

'Wat probeer je te bewijzen, Adrian?'

'Wat zei je over iemand uitzenden?'

Leclerc liep naar de wasbak en schonk zich een glas water uit de kraan in. 'Jij mag Avery niet, is 't wel?'

'Hij is jong. Ik heb genoeg van die jeugdcultus.'

'Ik heb keelpijn,' zei hij. 'Dat krijg je van al dat praten. Drink ook wat. Goed voor je hoest.'

'Hoe oud is Gorton?' vroeg Haldane tenslotte.

'Vijftig.'

'Ouder. Hij is van onze leeftijd. In de oorlog was hij iemand van onze leeftijd.'

'Je vergeet die dingen. Ja, hij zal vijf-, zesenvijftig zijn.'

'Is hij in vaste dienst?' drong Haldane aan.

Leclerc schudde ontkennend het hoofd. 'Dat ging niet,' zei hij. 'Daarvoor had hij niet genoeg dienstjaren. Na de oorlog is hij bij de controlecommissie geweest. Toen die werd ontbonden wilde hij in Duitsland blijven. Een Duitse vrouw, geloof ik. Hij heeft zich tot ons gewend en we hebben hem een contract gegeven. We hadden hem daar nooit kunnen houden als hij in vaste dienst was geweest.' Hij nam een teugje water, nuffig, als een meisje. 'Tien jaar geleden hadden we nog dertig mensen in het buitenland. Nu nog negen. We hebben niet eens meer eigen koeriers, geen illegale koeriers. Dat wist iedereen hier vanmorgen; waarom is er niets over gezegd?'

'Hoe vaak dient hij een rapport over een vluchteling in?'

Leclerc haalde zijn schouders op. 'Ik krijg ze niet allemaal te zien,' zei hij. 'Op jouw afdeling moeten ze het weten. Het aanbod moet wel geringer worden, nu de grens in Berlijn is afgesloten.'

'Alleen de beste rapporten worden mij voorgelegd. Ik heb er zeker in een jaar niet een uit Hamburg te zien gekregen, dit is het eerste. Ik dacht dat hij allang een andere functie had.'

Leclerc schudde ontkennend het hoofd. Haldane vroeg: 'Wanneer loopt zijn contract af?'

'Ik weet het niet. Ik weet het eenvoudig niet.'

'Hij zal zich wel zorgen maken over de vernieuwing. Krijgt hij een gratificatie als hij wordt afgedankt?'

'Het is een gewoon contract voor drie jaar. Zonder gratificatie. Geen extraatjes. Hij kan na zijn zestigste natuurlijk doorwerken als we hem nodig hebben. Dat is het voordeel van een tijdelijke verbintenis.'

'Wanneer is zijn contract het laatst verlengd?'

'Dat zou je Carol moeten vragen. Ik vermoed twee jaar geleden. Het kan ook langer zijn.'

Haldane zei weer: 'Jij had het over iemand uitzenden.'

'Ik heb vanmiddag weer een onderhoud met de minister.'

'Maar je hebt Avery al uitgezonden. Dat had je niet moeten doen.'

'Er moest iemand heen. Had jij gewild dat ik me tot het Circus zou wenden?'

'Avery was vrij brutaal,' merkte Haldane op.

De regen stroomde door de goten en vormde grijze sporen op de groezelige ruiten. Leclerc scheen te willen dat Haldane verder zou gaan, maar Haldane had niets meer te zeggen. 'Ik weet nog niet hoe de minister Taylors dood beoordeelt. Hij zal me er vanmiddag naar vragen en dan zal ik hem mijn mening zeggen. We hebben natuurlijk geen van allen zekerheid.' Zijn stem klonk weer krachtiger. 'Maar hij kan me instrueren - die mogelijkheid bestaat, Adrian - hij *kan* me instrueren iemand uit te zenden.'

'En?'

'Als ik jou vroeg een operatieve afdeling te vormen, het researchwerk te doen, te zorgen voor de papieren en de uitrusting, als ik jou dus vroeg, een agent op te sporen, te trainen en uit te zenden. Zou je het dan doen?'

'Zonder het Circus erin te kennen?'

'Zonder alle details te vertellen. Misschien hebben we als we eenmaal bezig zijn bepaalde faciliteiten van hen nodig. Maar daarom hoeven we nog niet het hele verhaal te vertellen. Daarvoor geldt nog altijd het oude veiligheidsprincipe: *moet* de ander het weten?'

'Dus zonder het Circus?'

'Waarom niet?'

Haldane schudde het hoofd. 'Omdat dit ons werk niet is. We hebben er de mensen niet voor. Draag de zaak over aan het Circus en bied de hulp aan van onze militaire experts. Laat een van hun veteranen het opknappen, iemand als Smiley of Leamas ...'

'Leamas is dood.'

'Goed, Smiley dan.'

'Smiley deugt er niet meer voor.'

Haldane liep rood aan. 'Dan Guillam of een van de anderen. Een beroeps. Ze hebben daar tegenwoordig mensen genoeg. Ga met Control praten en laat hem de zaak opknappen.'

'Nee,' zei Leclerc resoluut en hij zette zijn glas op tafel. 'Nee, Adrian. Je werkt even lang op het departement als ik en je kent onze taak. *"Alle noodzakelijke stappen doen* - ik citeer letterlijk - *alle noodzakelijke stappen doen voor het verzamelen, analyseren en verifiëren van militaire gegevens in gebieden waar dit met de conventionele militaire middelen niet mogelijk is."* ' Terwijl hij sprak hamerde hij met zijn kleine vuist om de woorden te onderstrepen. 'Dacht je dat ik anders toestemming had gekregen voor een verkenningsvlucht?'

'Goed,' gaf Haldane toe. 'Dat is onze taak. Maar de situatie is gewijzigd. Er wordt gewerkt volgens een andere techniek. In die dagen maakten wij de dienst uit - rubberbootjes in een maanloze nacht, een buitgemaakt vijandelijk toestel, radio, al dat soort dingen. Jij en ik weten er alles van, we hebben het samen gedaan. Maar zo gaat het niet meer. Dit is een heel andere oorlog, een heel andere manier van vechten. Dat weten ze op het ministerie heel goed.' En hij voegde eraan toe: 'Vertrouw niet te veel op het Circus, die mensen helpen je heus niet uit naastenliefde.'

Ze keken elkaar verrast aan; het was een blik van herkenning. Leclerc zei, en zijn stem klonk bijna fluisterend: 'Het is met de radiouitzendingen begonnen, hè? Herinner je je hoe het Circus de onze een voor een onmogelijk heeft gemaakt? Dan zeiden ze bij het ministerie: "Wat de Poolse uitzendingen betreft lopen we het gevaar van verdubbeling, Leclerc. Ik heb besloten Control in het vervolg voor Polen te laten zorgen." Wanneer was dat? Juli '48. Jaar in jaar uit is het zo verder gegaan. Waarom maken die lui zo vaak gebruik van jouw researchafdeling, dacht je? Niet alleen om je keurige dossiers, het is een manier om ons op onze plaats te zetten. Wij zijn een hulporganisatie geworden! Niet-operationeel! Zo wiegen ze ons in slaap! Weet je hoe ze ons in Whitehall tegenwoordig noemen? De Genadebroodeters.'

Er viel een lange stilte.

Haldane zei: 'Ik verifieer gegevens, ik werk niet operationeel.'

'*Vroeger* was je wel operationeel, Adrian.'

'Toen waren we het allemaal.'

'Je kent het doel van deze operatie. Je kent de achtergronden. Ik heb niemand anders. Neem wie je wilt - Avery, Woodford, wie je maar wilt.'

'We kunnen niet meer zo met mensen werken als vroeger. Hen opleiden en begeleiden, bedoel ik.' Haldane sprak met een voor hem ongewone schuchterheid. 'Ik doe researchwerk. Ik heb genoeg aan mijn dossiers.'

'Tot vandaag was er niets anders waarmee we je konden belasten. Hoe lang doe je dat nu al? Twintig jaar.'

'Heb je eigenlijk een voorstelling van een raketbasis?' vroeg Haldane. 'Besef je wat er allemaal bij komt kijken voor zo'n ding klaar is? Ze hebben lanceerplatforms nodig, luchtdrukschilden, controlebunkers, administratiegebouwen, bunkers voor het opslaan van de atoomkoppen, tankwagens voor de brandstof en ga zo maar door. Al die dingen moeten eerst worden aangevoerd. Raketten sluipen niet in het nachtelijk duister rond; het transport doet denken aan een reizend circus. Als het gerucht waar was hadden we al veel meer aanwijzingen ontvangen, wij of het Circus. En wat Taylors dood betreft -'

'Goeie hemel, Adrian, sinds wanneer gaan we bij de inlichtingendienst van onaantastbare wijsgerige waarheden uit? Moet iedere priester soms *bewijzen* dat Christus met Kerstmis geboren is?'

Zijn kleine gezicht was naar voren gestoken alsof hij in de ander iets teweeg wilde brengen waarvan hij wist dat het aanwezig was. 'Je kunt niet van alles een rekensommetje maken, Adrian. We zijn geen academici, we staan in dienst van de regering. Wij moeten ons bezighouden met concrete situaties. Met mensen, met gebeurtenissen!'

'Goed, gebeurtenissen dan: als hij over de rivier is gezwommen, hoe heeft hij die film dan kunnen meenemen? Hoe heeft hij die foto's in werkelijkheid gemaakt? Waarom heeft zijn camera absoluut niet getrild? Hij had gedronken, hij stond op zijn tenen en hij beweert dat hij toch tijdopnamen heeft gemaakt.' Haldane scheen bang, niet voor Leclerc, niet voor de operatie, maar voor zichzelf. 'Waarom heeft hij Gorton gratis aangeboden wat hij anderen voor geld wilde geven? Waarom heeft hij zijn leven op het spel gezet om die foto's te nemen? Ik heb Gorton een lijst met aanvullende vragen toegezonden. Hij zegt dat hij probeert weer met de man in contact te komen.'

Zijn ogen dwaalden af naar het vliegtuigmodel en de dossiers op Leclercs bureau. 'Je denkt aan Peenemünde, is het niet?' vervolgde hij. 'Jij wilt graag dat dit een tweede Peenemünde wordt.'

'Je hebt me nog niet gezegd wat je zult doen als ik die instructies krijg.'

'Die krijg je niet, die krijg je nooit, nooit.' Hij sprak vol overtuiging, bijna triomfantelijk. 'We bestaan niet meer, begrijp dat toch. Je hebt het zoëven zelf gezegd. Ze willen dat wij inslapen, niet dat we weer actief worden.' Hij stond op. 'En daarom hindert het niet. Het is ten slotte toch een vraag van academisch belang. Dacht je *heus* dat Control ons zou helpen?'

'Hij heeft zich bereid verklaard een koerier beschikbaar te stellen.'

'Ja. Dat vind ik heel merkwaardig.'

Haldane bleef bij de deur voor een foto staan. 'Is dat Malherbe niet? De jongen die gesneuveld is? Waarom heb je die naam gekozen?'

'Ik weet het niet. Die schoot me het eerst te binnen. Ieder mens heeft wel eens een wonderlijke inval.'

'Je had Avery niet moeten uitzenden. Het is niet juist iemand die legaal werk doet voor zoiets te gebruiken.'

Leclerc zei: 'Ik heb vannacht nog eens in de oude dossiers gebladerd. We hebben een man die wel geschikt zou zijn. Radio-ervaring, spreekt Duits, ongehuwd.' Haldane stond roerloos.

'Hoe oud?' vroeg hij tenslotte.

'Veertig. Iets ouder.'

'Dan moet hij erg jong geweest zijn.'

'Hij heeft goed werk gedaan. Nadat ze hem in Holland te pakken hadden gekregen is hij ontsnapt.'

'Hoe hebben ze hem te pakken gekregen?'

Even bleef het stil. 'Dat stond er niet bij.'

'Intelligent?'

'Iemand die uitstekend aan de eisen voldoet.'

Weer een lange stilte.

'Dat kun je van mij ook zeggen. Laten we maar afwachten waarmee Avery terugkomt.'

'Laten we afwachten wat het ministerie ervan zegt.'

Leclerc wachtte tot het hoesten in de gang was weggestorven en trok toen zijn jas aan. Hij zou een eind gaan lopen, wat frisse lucht happen en dan op zijn club lunchen; het beste wat er op het menu stond. Hij vroeg zich af wat het zou zijn - het eten werd er de laatste jaren voortdurend slechter. Na de lunch zou hij Taylors weduwe bezoeken. En dan naar het ministerie gaan.

Terwijl ze bij Gorringe lunchten, zei Woodford tegen zijn vrouw: 'De jonge Avery is vertrokken voor zijn eerste missie. Clarkie heeft hem uitgezonden. Hij zal het er wel goed afbrengen.'

279

'Misschien wordt hij ook wel vermoord,' zei ze hatelijk. Ze mocht niet drinken van de dokter. 'Dan kunnen jullie pas feest vieren. Jezus, wat zou dat lollig voor jullie zijn! Allemaal op naar het feest van de Zwarte Monniken!' Haar onderlip trilde. 'Waarom vinden jullie jongeren altijd zo verrot knap? Zijn wij soms niet jong geweest? Jezus, we zijn het nog! Waarom kijk je op ons neer? Wij moeten maar gauw oud worden, hè? Wij moeten -'

'Stil maar, Babs,' zei hij. Hij was bang dat ze zou gaan huilen.

6. Vertrek

Avery zat in het vliegtuig en dacht aan de keer toen Haldane niet was komen opdagen. Het was toevallig de eerste van de maand, het moest in juli geweest zijn, en Haldane was niet op het bureau verschenen. Avery wist er niets van, tot Woodford hem over de huistelefoon opbelde en het hem zei. Haldane was waarschijnlijk ziek, had Avery gezegd, of er had zich onverwacht een persoonlijke kwestie voorgedaan. Maar Woodford bleef op zijn stuk staan. Hij was in Leclercs kamer geweest, vertelde hij, en had daar het vakantierooster geraadpleegd: Haldane kreeg pas in augustus verlof.

'Bel zijn flat op, John, bel zijn flat op,' had hij dringend gezegd. 'Praat met zijn vrouw. Onderzoek waar hij gebleven is.' Avery was te verbaasd geweest om een woord te kunnen uitbrengen: die twee werkten al twintig jaar samen en zelfs hij wist dat Haldane ongetrouwd was.

'Vooruit,' had Woodford aangedrongen, 'bel zijn flat.'

En dus had hij het maar gedaan. Hij had tegen Woodford kunnen zeggen zelf te bellen, maar dat wilde hij hem niet aandoen. Haldanes zuster was aan het toestel geweest. Haldane lag in bed met kou op zijn borst; hij had geweigerd haar het telefoonnummer van het departement te zeggen. Toen Avery's blik op de kalender viel had hij begrepen waarom Woodford zich zo had opgewonden: er was die dag een nieuw kwartaal begonnen. Het was dus mogelijk geweest dat Haldane een ander baantje had gekregen en was weggegaan zonder afscheid te nemen van Woodford. Toen Haldane enkele dagen later terugkwam had Woodford hem ongewoon hartelijk begroet en zijn sarcastische opmerkingen dapper genegeerd; hij was Haldane dankbaar omdat die er weer was. Daarna had Avery zich enige tijd zorgen gemaakt. Zijn geloof was geschokt en hij had het voorwerp van zijn verering wat kritischer bezien.

Het viel hem op - dit was een komplot waaraan iedereen behalve Haldane meedeed - dat ze elkaar legendarische eigenschappen toeschreven. Leclerc bijvoorbeeld zou John zelden aan een ambtenaar van het ministerie waaronder hun bureau ressorteerde voorstellen, zonder een prijzend woord. 'Avery is de begaafdste van onze nieuwe sterren' - of, tegen superieuren: 'John is mijn geheugen. U moet het aan John vragen.' Om dezelfde reden vergaven ze elkaar hun fouten gemakkelijk. Ter wille van hun eigen zekerheid durfden ze niet aan te nemen dat er op hun bureau sukkels werkten. Hij besefte dat het hun een schuilplaats bood tegen het gecompliceerde moderne leven, een plek waar nog grenzen bestonden. Voor de mannen die er werkten was het departement een religieus begrip. Ze gaven het, zoals monniken hun orde, een mystieke identiteit, waardoor het hoog verheven bleef boven de weifelende zondaarsgroep die er in dienst was. Ze konden cynisch zijn over elkaars begaafdheden, minachtend doen over hun eigen geobsedeerdheid met de hiërarchie, maar hun hartstocht voor het departement was een zuivere vlam, die ze aanduidden als vaderlandsliefde.

En ofschoon hij dat alles wist voelde hij, starend naar de zee beneden hem, die al donkerder werd, naar het kille zonlicht, dat schuin op de golven viel, liefde en vertedering. Woodford met zijn pijp en zijn simpele ziel werd een deel van de geheime elite, waartoe Avery nu ook behoorde. Haldane - Haldane vooral - met zijn kruiswoordraadsels en zijn excentrieke gewoonten, was de onmisbare intellectueel, meedogenloos, prikkelbaar en gereserveerd. Het speet hem dat hij onhebbelijk was geweest tegen Haldane. Hij zag Dennison en McCulloch als geniale technici, zwijgzame mannen die niet uitblonken op de vergaderingen maar die onvermoeibaar waren en uiteindelijk altijd gelijk kregen. Hij was Leclerc dankbaar, omdat die hem met deze mannen in contact had gebracht, omdat die hem deze opwindende opdracht had gegeven, omdat die hem in staat had gesteld zich uit de onzekerheid van het verleden tot een ervaren en gerijpt man te ontwikkelen die schouder aan schouder vocht met die anderen, gestaald in het vuur van de oorlog; hij was hem dankbaar voor de rechtlijnigheid van zijn bevel, dat orde schiep in de anarchie van zijn hart. Hij stelde zich voor hoe Anthony, als die wat ouder was, ook door die verveloze gangen zou lopen, hoe hij hem zou voorstellen aan de oude Pine, die met tranen in zijn ogen in zijn portiershokje zou opstaan om de zachte kinderhand hartelijk te drukken. Het was een scène waarin Sarah geen rol speelde.

Avery streek even over een punt van de lange enveloppe in zijn binnenzak. Daar zat het geld in: tweehonderd pond in een blauwe enveloppe met de kroon van de Britse regering. Hij had gehoord dat het in de oorlog de gewoonte was geweest zulke dingen in de voering van je kleren te naaien, en het speet hem dat ze het bij hem niet hadden gedaan. Het was een kinderachtig idee, dat wist hij, en hij glimlachte zelfs toen hij zich op zo'n dwaze wens betrapte.

Hij dacht terug aan het gesprek met Smiley van die ochtend. Achteraf was hij een beetje bang voor Smiley. En hij zag weer het kind achter de deur. Maar een man moet zich harden tegen overgevoeligheid.

'Uw man heeft uitstekend werk gedaan,' zei Leclerc. 'Ik mag u geen bijzonderheden verstrekken. Maar ik weet zeker dat hij als een held gestorven is.'

Haar mond was vlekkerig en lelijk. Leclerc had nog nooit meegemaakt dat iemand zo lang bleef huilen; het was als een wond die zich maar niet wilde sluiten.

'Wat bedoelt u, als een held?' zei ze, knipperend met haar ogen. 'Het is toch geen oorlog. Met al die mooie praatjes is het uit. Hij is dood,' zei ze verbijsterd en ze begroef haar gezicht in haar gebogen arm, terwijl ze als een losgelaten marionet over de tafel van de eetkamer viel. Het kind stond in een hoek met grote ogen te kijken.

'Ik vertrouw,' zei Leclerc, 'dat ik uw toestemming heb een pensioen aan te vragen. Die kwestie moet u helemaal aan ons overlaten. Hoe eerder we stappen doen, des te beter. Een pensioen,' verklaarde hij, alsof het een stelregel van zijn zaak gold, 'maakt een heel verschil.'

De consul stond naast de immigratieambtenaar te wachten, hij kwam naar voren met het strakke gezicht van iemand die zijn plicht doet. 'Bent u Avery?' vroeg hij. Avery kreeg de indruk van een lange man met een deukhoed en een donkere overjas, een rood, streng gezicht. Ze drukten elkaar de hand.

'U bent de Britse consul, meneer Sutherland.'

'Harer Majesteits consul, juister gezegd,' antwoordde hij, een beetje scherp. 'Dat maakt verschil, weet u.' Hij sprak met een Schots accent. 'Hoe kende u mijn naam?'

Ze liepen samen naar de hoofdingang. Het ging allemaal erg eenvoudig. Avery merkte het meisje op dat achter de balie zat, blond en tamelijk knap. 'Het is erg vriendelijk van u helemaal hierheen te komen,' zei Avery.

'Het is maar vijf kilometer van de stad.' Ze stapten in de auto. 'Hij is even verderop doodgereden,' zei Sutherland. 'Wilt u de plek zien?'

'Laat ik het maar doen. Dan heb ik iets om mijn moeder te vertellen.' Hij droeg een zwarte das.

'U *heet* toch Avery, is het niet?'

'Natuurlijk; u heb zoëven mijn pas toch gezien?' Die opmerking beviel Sutherland niet, en Avery had er spijt van. De consul startte. Juist toen hij de weg opreed werden ze gesneden door een juist vertrekkende Citroën.

'Wat een idioot,' snauwde Sutherland. 'De wegen zijn spekglad. Zeker weer zo'n piloot. Geen idee van snelheid.' Ze zagen de klep van een uniformpet in de voorruit spiegelen toen de andere auto, een wolk sneeuw opwerpend, over de lange weg door de duinen schoot.

'Waar komt u vandaan?' vroeg hij.

'Uit Londen.'

Sutherland wees recht voor zich uit: 'Daar is uw broer om het leven gekomen. Precies op het hoogste punt van de weg. De politie vermoedt dat de bestuurder aangeschoten is geweest. Ze zijn hier erg streng op rijden onder invloed, weet u.' Het klonk als een waarschuwing.

Avery staarde naar het vlakke, besneeuwde landschap aan weerskanten van de weg en dacht aan Taylor, een eenzame Engelsman die zich hier moeizaam had voortbewogen, terwijl zijn zwakke ogen traanden door de kou.

'We rijden straks naar het politiebureau,' zei Sutherland. 'Daar worden we verwacht. U hoort dan alle bijzonderheden wel. Hebt u hier al een kamer?'

'Nee.'

Toen ze boven aan de helling waren zei Sutherland met stroeve voorkomendheid: 'Hier is het gebeurd, als u soms wilt uitstappen.'

'Laat maar.'

Sutherland reed wat sneller, alsof hij haast had om weg te komen van de plek.

'Uw broer ging te voet naar het hotel. Het Regina, hier vlakbij. Er was geen taxi.' Terwijl ze de helling aan de andere kant afdaalden zag Avery de lange lichtstrepen van een hotel aan de overzijde van het dal.

'Het lijkt verder af dan het is. Hij had er in een kwartier kunnen zijn. Minder. Waar woont uw moeder?'

Op die vraag was Avery niet voorbereid.

'In Woodbridge, Suffolk.' Er werden daar juist plaatselijke verkiezingen gehouden en het was de eerste stad die hem te binnen
schoot, ofschoon hij zich niet voor politiek interesseerde.

'Waarom heeft hij haar dan niet genoemd?'

'Pardon - ik begrijp u niet.'

'Als naaste bloedverwant. Waarom heeft Malherbe uw naam opgegeven en niet die van uw moeder?'

Misschien was de vraag niet ernstig bedoeld, misschien wilde hij
het gesprek met Avery alleen aan de gang houden omdat die nog
onder de indruk was, maar het was een enerverend moment. Hij
voelde zich moe van de reis, hij had behoefte aan vertrouwen, een
ondervraging was hem op dit ogenblik verre van welkom. Bovendien
zag hij nu in dat hij niet voldoende had nagedacht over de zogenaamde familieverhouding tussen Taylor en hemzelf. Wat had
Leclerc in het telexbericht gezegd: halfbroer of stiefbroer? Haastig
probeerde hij een serie familiegebeurtenissen te verzinnen, een sterfgeval, een tweede huwelijk of een uit elkaar gegroeide relatie, die
hem het antwoord op Sutherlands vraag zou kunnen geven.

'Hier is het hotel,' zei de consul plotseling, en toen: 'Het gaat mij
natuurlijk niet aan. Hij kon precies noemen wie hij wilde.' In
Sutherlands stem klonk altijd de rancune door die zijn levenshou-
ding was. Hij sprak alsof alles wat hij zei tegen de algemene opinie
indruiste.

'Ze is al oud,' zei Avery ten slotte. 'We moeten voorkomen dat ze
schrikt. Dat zal hem wel voor ogen hebben gestaan toen hij het formulier invulde om een pas aan te vragen. Ze is ziek geweest, een
hartkwaal. Ze is geopereerd.' Het klonk erg kinderlijk.

'Aha.'

Ze reden nu door de buitenwijken van de stad.

'Er moet sectie worden verricht,' zei Sutherland. 'Het spijt me,
maar dat schrijft de wet hier voor in gevallen van een gewelddadige
dood.'

Wat zou Leclerc woedend zijn! Sutherland vervolgde: 'Dat maakt
de formaliteiten voor ons ingewikkelder. Het lijk wordt pas na de
sectie door de politie vrijgegeven. Ik heb hun gevraagd de zaak zoveel mogelijk te bespoedigen, maar ik kan natuurlijk geen eisen stellen.'

'Heel vriendelijk van u. Ik wil het lijk per vliegtuig laten overbrengen.' Toen ze het marktplein opdraaiden, vroeg Avery terloops, alsof hij geen persoonlijk belang had bij het antwoord: 'Hoe gaat het
met zijn bezittingen? Die moet ik zeker maar meenemen?'

'Ik vermoed dat de politie die houdt tot het gerechtelijke onderzoek is afgesloten. De officier van justitie krijgt het sectierapport van de politiearts en beslist of alles in orde is. Heeft uw broer een testament nagelaten?'

'Ik heb geen idee.'

'U weet dus ook niet of u executeur bent?'

'Nee.'

Sutherland lachte, een kort, meewarig lachje. 'Dan bent u wel wat voorbarig. Naaste bloedverwant is niet helemaal hetzelfde als executeur,' zei hij. 'U mag beslissen wat er met het lijk moet gebeuren, maar verder hebt u helaas geen rechten.' Hij zweeg even en keek over zijn schouder terwijl hij de wagen achteruit parkeerde. 'Ook al zou de politie de bezittingen van uw broer aan mij overdragen, dan mag ik u die niet geven, voor het ministerie me heeft gemachtigd en,' vervolgde hij snel, toen hij zag dat Avery wilde interrumperen, 'die machtiging wordt niet gegeven voor er een verklaring van erfrecht is binnengekomen. Maar ik kan u wel één overlijdensakte geven,' besloot hij troostend, terwijl hij het portier opende, 'als u die voor de verzekering nodig hebt.' Hij nam Avery van terzijde op, alsof hij zich afvroeg of die een erfenis verwachtte. 'Daarvoor betaalt u vijf shilling registratiekosten en vijf shilling voor ieder gewaarmerkt exemplaar. Wat zei u?'

'Niets.' Samen beklommen ze het bordes van het politiebureau.

'Inspecteur Peersen zal ons ontvangen,' legde Sutherland uit. 'Die is heel welwillend. Laat u mij maar met hem spreken.'

'Graag.'

'Hij heeft me vaak goed geholpen met mijn GBO-problemen.'

'Met uw wat?'

'Gestrande Britse Onderdanen. 's Zomers krijgen we er één per dag. Het is een schandaal. Tussen haakjes, dronk uw broer veel? Er zijn enkele aanwijzingen dat hij -'

'Het is mogelijk,' zei Avery. 'Ik heb hem de laatste jaren bijna niet gesproken.' Ze betraden het gebouw.

Leclerc beklom langzaam het brede bordes van het ministerie. Het lag tussen de Whitehall Gardens en de rivier. De ingang was nieuw en imposant; eromheen waren het soort fascistische sculpturen aangebracht dat door gemeentebesturen zo wordt bewonderd. Het gedeeltelijk gemoderniseerde gebouw werd bewaakt door sergeants met rode bandeliers en bevatte twee roltrappen. Die naar omlaag stond vol, want het was half zes.

'Meneer de staatssecretaris,' begon Leclerc schuchter, 'ik zal de minister toestemming moeten vragen voor een tweede vlucht boven het doel.'

'Dat zou tijdverspilling zijn,' antwoordde hij voldaan. 'Hij vond de vorige al heel precair. Nu heeft hij definitief besloten dat er niet meer zullen volgen.'

'Zelfs niet bij een doel als dit?'

'Juist niet bij een doel als dit.'

De staatssecretaris tikte op het mandje met binnengekomen stukken zoals een bankdirecteur op een balans. 'U moet iets anders bedenken,' zei hij. 'Een andere manier. Bestaat er geen pijnloze methode?'

'Nee. Misschien zouden we iemand uit dat gebied ertoe kunnen bewegen om over te lopen. Maar dat kost tijd. Pamfletten, radio-uitzendingen, financiële regelingen. In de oorlog hebben we daarmee veel succes gehad. We zouden allerlei mensen moeten inschakelen.'

'Het lijkt me een zeer irreëel plan.'

'Ja. De situatie is veranderd.'

'Wat zijn er nog meer voor manieren?' drong hij aan.

Leclerc glimlachte weer, als iemand die graag bereid is een vriend te helpen maar geen wonderen kan verrichten. 'Een agent. Een korte operatie. In een week misschien heen en terug.'

De staatssecretaris zei: 'Maar wie zou u voor zo'n opdracht kunnen vinden? In een tijd als deze?'

'Ja, wie? De kans is heel klein.'

De kamer van de staatssecretaris was groot maar donker, met rijen ingebonden boeken. Het moderniseringsproces was doorgedrongen tot in zijn kantoor, dat in eigentijdse stijl was ingericht, maar het had daar halt gehouden. Ze konden met het opknappen van zijn eigen kamer wachten tot hij met pensioen was. In de marmeren schouw brandde een gashaard. Aan de wand hing een olieverfschilderij van een zeeslag. Het geluid van de misthoorns op de rivier was te horen. Er heerste een merkwaardig maritieme sfeer.

'Kalkstadt ligt vrij dicht bij de grens,' opperde Leclerc. 'We hebben geen lijntoestel nodig. Het zou een vliegtuig kunnen zijn dat bij een oefenvlucht uit de koers was geraakt. Dat is eerder gedaan.'

'Daarom juist,' zei de staatssecretaris. En toen: 'Die man van u, die nu dood is ...'

'Taylor?'

'Namen interesseren me niet. Maar hij is dus vermoord?'

'We hebben geen bewijs,' zei Leclerc.

286

'Maar u denkt van wel?'

Leclerc glimlachte geduldig. 'U weet even goed als ik dat het gevaarlijk is veronderstellingen te doen als er ministeriële beslissingen in het spel zijn. Ik handhaaf mijn verzoek om een tweede vlucht.'

De staatssecretaris liep rood aan.

'Ik heb u al gezegd dat daarvan geen sprake kan zijn. Nee! Is dat duidelijk? We hadden het over andere methodes.'

'Ik neem aan dat er nog één methode is, waarbij mijn departement nauwelijks een rol kan spelen. Het zou iets zijn voor uw mensen en voor Buitenlandse Zaken.'

'Zo?'

'De Londense kranten een tip geven. Ruchtbaarheid geven aan de zaak. De foto's publiceren.'

'En dan?'

'Hen in het oog houden. De pers, de diplomaten, de verklaringen van de Oostduitse en de Sowjetdiplomaten nagaan. Een knuppel in het hoenderhok gooien en afwachten wat dat oplevert.'

'Ik weet nu al wat het zou opleveren. Hevige protesten van de Amerikanen die hier over twintig jaar nog zouden naklinken.'

'Natuurlijk. Ik vergat de Amerikanen.'

'Dan bent u wel gelukkig. Maar u wilde een agent erop afsturen.'

'Het was maar een voorstel. We weten niemand.'

'Luistert u nu eens,' zei de staatssecretaris op de resolute toon van iemand wiens geduld ten einde is. 'Wat de minister betreft liggen de zaken heel eenvoudig. U hebt een rapport overlegd. Als het juist is verandert onze hele defensieve positie. Sterker nog, alles zou erdoor veranderen. Ik heb een afschuw van sensatie en de minister ook. Maar dit is uw rapport en u moet de juistheid ervan aantonen.'

Leclerc zei: 'Als ik iemand vind moet ik de middelen hebben om hem voor te bereiden. Geld, opleiding, uitrusting. Extra personeel, misschien. Transportmiddelen. Terwijl een vlucht boven het doel ...'

'Waarom maakt u het ons zo moeilijk? Ik dacht dat dit nu juist een zaakje voor uw departement was.'

'Wij zijn ter zake kundig, dat is zo. Maar ik heb moeten bezuinigen, weet u. Ik heb op allerlei dingen bezuinigd. Laten we eerlijk zijn: sommige afdelingen bestaan niet meer. Ik heb nooit pogingen gedaan de wijzers van de klok achteruit te draaien. En dit is tenslotte' - hij glimlachte fijntjes - 'een enigszins *anachronistische* situatie.'

De staatssecretaris keek uit het raam naar de lichten op de rivier.

'Het klink mij anders heel modern in de oren. Raketten en zo. Ik geloof ook niet dat de minister daarin iets anachronistisch ziet.'

'Ik heb het nu niet over het doel, maar over de wijze van benadering: de snelle operatie aan de grens. Die is na de oorlog vrijwel niet meer voorgekomen. Al behoort ze tot clandestiene oorlogvoering waarin mijn departement traditioneel gespecialiseerd is. Of was.'

'Wat bedoelt u daarmee?'

'Ik denk hardop, meneer de staatssecretaris. Ik vraag me af of dit niet meer een zaak voor het Circus is. Misschien zou u zich tot Control moeten wenden. Ik zou hem de steun van mijn bewapeningsexperts kunnen geven.'

'Bedoelt u dat u niet competent bent om deze zaak op te lossen?'

'Niet met mijn tegenwoordige organisatie. Control wel. Vooropgesteld dat de minister het niet bezwaarlijk vindt de hulp van een ander departement in te roepen. Of twee eigenlijk. Ik had er niet aan gedacht dat de publiciteit voor u zo'n probleem vormt.'

'Twee?'

'Control zal Buitenlandse Zaken op de hoogte moeten brengen. Dat is hij verplicht. Zoals ik u op de hoogte houd. Daarna moeten we de oplossing van het probleem natuurlijk aan hen overlaten.'

'Als *die* lui het weten,' zei de staatssecretaris minachtend, 'wordt er morgen in iedere club over gekletst.'

'Dat gevaar bestaat,' gaf Leclerc toe. 'En ik vraag me in de eerste plaats af of het Circus voldoende gespecialiseerde *militaire* kennis bezit. Een raketbasis is een gecompliceerde installatie: lanceerplatforms, luchtdrukschilden, controlebunkers; het uitwerken en beoordelen van de gegevens vergt heel wat deskundigheid. Misschien kunnen Control en ik samen aan het project werken -'

'Dat is uitgesloten. Het zou een slecht team worden. Ook al ging de samenwerking vlot, dan zou dat nog indruisen tegen onze politiek: geen monolithische organisatie.'

'Ja, ja. Natuurlijk.'

'Stel dat u het zelf doet, stel dat u iemand vindt, wat brengt dat dan mee?'

'Een aanvullende subsidie. Kasgeld. Een uitbreiding van de staf. Een opleidingscentrum. Ministeriële steun: speciale passen en bevoegdheden.' En, weer scherp: 'Plus *enige* hulp van Control ... die zouden we onder een voorwendsel kunnen inroepen.'

Een misthoorn loeide droefgeestig over het water.

'Als dat de enige manier is ...'

'Misschien wilt u het aan de minister voorleggen.'

Stilte. Leclerc zei: 'Concreet geformuleerd zullen de kosten tegen de dertigduizend pond lopen.'

'Openbaar verantwoorde fondsen?'

'Gedeeltelijk. Ik had de indruk dat u geen details wilde horen?'

'Behalve op financieel gebied. Ik stel voor dat u een memorandum opstelt over de kosten.'

'Goed. Een grove schatting.'

De stilte keerde terug.

'Vergeleken met het risico is het eigenlijk geen groot bedrag,' zei de staatssecretaris ten slotte.

'Het eventuele risico. We willen opheldering verschaffen. Ik zeg niet dat ik nu al overtuigd ben. Alleen argwanend, zeer argwanend.' Hij kon niet nalaten eraan toe te voegen: 'Het Circus zou tweemaal zoveel vragen. Daar zijn ze erg royaal.'

'Dertigduizend pond dus en onze steun?'

'En de geschikte man. Maar die moet ik zelf zien te vinden.' Een kort lachje. De staatssecretaris zei abrupt: 'Er zijn bepaalde details die de minister niet moet horen. Dat begrijpt u toch?'

'Natuurlijk. Ik stel me voor dat u wel het woord zult doen.'

'De minister zal wel het meest zeggen. U bent erin geslaagd hem lelijk te laten schrikken.'

Leclerc merkte schijnheilig op: 'Dat mogen we onze heer en meester niet aandoen - onze gemeenschappelijke heer en meester.'

De staatssecretaris scheen dit niet te waarderen. Ze stonden op.

'Tussen haakjes,' zei Leclerc, 'we moeten aan mevrouw Taylors pensioen denken. Ik heb een verzoek ingediend bij Financiën. Maar het schijnt dat de handtekening van de minister ervoor nodig is.'

'Waarom in godsnaam?'

'Het gaat om de vraag of hij in en door de dienst is omgekomen.'

De staatssecretaris verstijfde. 'Dat gaat veel te ver. U vraagt daarmee of de minister wil bevestigen dat hij vermoord is.'

'Ik vraag pensioen voor zijn weduwe,' protesteerde Leclerc ernstig.

'Hij was een van mijn beste mensen.'

'Natuurlijk. Dat zijn het altijd.'

De minister keek niet op toen ze binnenkwamen.

Maar de politie-inspecteur stond op uit zijn stoel: klein van stuk, gezet, met een uitgeschoren nek. Hij was in burger. Avery veronderstelde dat hij rechercheur was. Hij drukte hun met een gelegenheidsgezicht de hand, liet hen plaats nemen in moderne stoelen met teakhouten leuningen en bood sigaren aan uit een blikje. Toen ze weigerden stak hij er zelf een op en gebruikte die daarna als verlengstuk voor zijn korte vingers bij het maken van nadrukkelijke gebaren en als tekenstift om in de rokerige lucht voorwerpen te schetsen waarover hij sprak. Hij eerbiedigde Avery's rouw door zijn kin herhaaldelijk tegen zijn kraag te drukken en hem van onder gefronste wenkbrauwen blikken van medeleven toe te werpen. Eerst schilderde hij de omstandigheden waaronder het ongeluk zich had voorgedaan, waarbij hij vervelend lang uitweidde over de pogingen van de politie om de auto op te sporen en herhaaldelijk vermeldde dat de commissaris van politie zelf, wiens anglofilie algemeen bekend was, smartelijk getroffen was geweest, en daarna verklaarde hij persoonlijk vast overtuigd te zijn dat de politie de dader zou achterhalen, die met alle gestrengheid van de Finse wet zou worden gestraft. Hij sprak over zijn eigen bewondering voor het Britse volk, zijn sympathie voor de koningin en Sir Winston Churchill, en over de voordelen van de Finse neutraliteit, en bracht het gesprek pas daarna op het lijk.

Het officiële onderzoek, verklaarde hij trots, was voltooid en Meneer de Openbare Aanklager (zo noemde hij hem) had verklaard dat meneer Malherbe, ofschoon het alcoholpercentage in zijn bloed vrij hoog was, niet onder verdachte omstandigheden was gestorven. Volgens de verklaring van de barkeeper op het vliegveld had hij vijf glazen Steinhäger gedronken. Hij wendde zich tot Sutherland.

'Wil hij zijn broer nog zien?' informeerde hij; blijkbaar vond hij het tactvoller zich met deze vraag tot een derde te wenden.

Sutherland kwam in verlegenheid. 'Dat moet meneer Avery maar uitmaken,' zei hij, alsof deze kwestie buiten zijn competentie viel. Ze keken allebei naar Avery.

'Nee, liever niet,' zei Avery.

'Er is één moeilijkheid. De identificatie,' zei Peersen.

'De identificatie?' herhaalde Avery. 'Van mijn broer?'

'U hebt zijn pas toch gezien,' interrumpeerde Sutherland. 'Voor die naar mij werd gezonden. Wat is het probleem dan?'

De inspecteur knikte. 'Ja, ja.' Hij trok een lade open en haalde er een handvol brieven uit, een portefeuille en enkele foto's.

'Hij heette Malherbe,' zei hij. Hij sprak Engels met een geprononceerd Amerikaans accent, dat om de een of andere reden goed paste bij zijn sigaar. 'Zijn pas staat op naam van Malherbe. Het was toch een *geldig* paspoort, niet?' Peersen keek naar Sutherland, en Avery had één seconde de indruk dat Sutherlands betrokken gezicht een eerlijke aarzeling verried.

'Natuurlijk.'

Peersen begon de brieven te sorteren; sommige legde hij in de map voor hem, andere borg hij weer op in de lade. Telkens wanneer hij een brief aan het stapeltje toevoegde mompelde hij iets als: 'Aha', of 'Ja, ja'. Avery voelde dat het zweet hem langs het lichaam stroomde; zijn ineengeklemde handen werden kletsnat.

'En uw broer heette dus Malherbe?' vroeg hij weer, toen hij klaar was met sorteren.

Avery knikte. 'Natuurlijk.'

Peersen glimlachte. 'Dat is niet zo natuurlijk,' zei hij, met zijn sigaar wijzend. Hij knikte vriendschappelijk, alsof hij bij een debat een punt had gescoord. 'Al zijn bezittingen, zijn brieven, zijn kleren, zijn rijbewijs staan op naam van een meneer Taylor. Weet u iets van die Taylor?'

Avery's hersens werden op een afschuwelijke manier geblokkeerd. De enveloppe, wat moest hij met die enveloppe beginnen? Naar het toilet gaan en hem vernietigen voor het te laat was? Het leek hem twijfelachtig of hem dat zou lukken: het was stug, glanzend papier. Als hij het verscheurde zouden de stukken vast blijven drijven. Hij besefte dat Peersen en Sutherland hem allebei aankeken en een antwoord verwachtten, maar hij kon alleen denken aan de enveloppe in zijn binnenzak, die nu als een zware last op hem drukte.

Hij stamelde: 'Nee, ik weet het niet. Mijn broer en ik ...' Stiefbroer of halfbroer? '... mijn broer en ik hadden niet veel contact. Hij was ouder. We zijn eigenlijk niet samen opgegroeid. Hij heeft allerlei baantjes gehad, hij was iemand die nergens rust kon vinden. Misschien was Taylor een vriend van hem ... die ...' Avery haalde zijn schouders op in een dappere poging de indruk te wekken dat Malherbe voor hem ook een mysterie was geweest.

'Hoe oud bent u?' vroeg Peersen. Zijn deelneming met de man die een broer had verloren scheen wat af te nemen.

'Tweeëndertig.'

'En Malherbe?' vroeg hij rustig. 'Hoeveel jaar ouder was die eigenlijk?' Sutherland en Peersen hadden zijn pas gezien en kenden zijn leeftijd. Je herinnert je de leeftijd van mensen die pas gestorven zijn. Maar Avery, zijn broer, had geen idee hoe oud de overledene was.

'Twaalf,' waagde hij. 'Mijn broer was vierenveertig.' Waarom zei hij toch zoveel?

Peersen trok zijn wenkbrauwen op. 'Pas vierenveertig? Dan klopt die pas dus *niet*.'

Nu wendde Peersen zich tot Sutherland, wees met zijn sigaar naar de deur van het vertrek en zei tevreden, als iemand die aan een oud meningsverschil tussen vrienden een eind heeft gemaakt: 'Nu begrijpt u dus waarom ik moeilijkheden heb met de identificatie.'

Sutherland keek diep verontwaardigd.

'Het zou mooi zijn als meneer Avery het lijk bekeek,' stelde Peersen voor. 'Dan hebben we zekerheid.'

Sutherland zei: 'Inspecteur Peersen, meneer Malherbes identiteit is aan de hand van zijn paspoort vastgesteld. Het Britse ministerie van Buitenlandse Zaken heeft gemeld dat meneer Malherbe als naaste bloedverwant meneer Avery heeft genoemd. U zegt me dat er bij het sterfgeval geen sprake is geweest van verdachte omstandigheden. De normale procedure is nu dat u zijn bezittingen aan mij overdraagt en dat ik ze bewaar tot de formaliteiten in het Verenigd Koninkrijk zijn afgewikkeld. Meneer Avery kan naar ik aanneem beschikken over het lijk van zijn broer.'

Peersen scheen dit te overwegen. Hij haalde de rest van Taylors paperassen uit de lade van zijn stalen bureau en voegde ze bij het stapeltje dat al voor hem lag. Hij belde op en sprak met iemand in het Fins. Enkele minuten later kwam er een agent binnen met een oude leren koffer en een inventarislijst, die Sutherland ondertekende. Al die tijd hadden Avery en Sutherland geen woord met de inspecteur gewisseld.

Peersen liep helemaal tot de voordeur met hem mee. Sutherland stond erop de koffer en de papieren zelf te dragen. Ze liepen naar de auto. Avery verwachtte dat Sutherland nu iets zou zeggen, maar dat gebeurde niet. Ze reden een minuut of tien. De stad was slecht verlicht. Avery merkte op dat er met een chemisch middel twee rijbanen op de weg waren gemaakt. Het middengedeelte en de goten waren nog met sneeuw bedekt. Het deed hem denken aan paardrijden in Pall Mall, iets dat hij nooit had gedaan. De neonverlichting verspreidde een naargeestig schijnsel dat zich huiverend scheen terug te trekken voor de vallende duisternis. Af en toe was Avery zich bewust van steile houten daken, het bellen van een tram of de hoge witte pet van een politieagent. Soms wierp hij heimelijk een blik door de achterruit.

7

Woodford stond in de gang zijn pijp te roken en lachte tegen de vertrekkende personeelsleden. Dit was zijn heerlijkste uur. 's Morgens was het een andere zaak. De traditie eiste dat de lagere ambtenaren

292

om half tien kwamen, de hogeren om tien uur of kwart over tien. Theoretisch werkten de chefs langer door, om nog wat af te maken. Een heer, placht Leclerc te zeggen, keek niet naar de klok. De gewoonte stamde nog uit de oorlog, toen de officieren gedurende de eerste ochtenduren met de teruggekeerde bemanningen van de verkenningsvliegtuigen spraken, of 's avonds laat agenten instrueerden. In die dagen had het lagere personeel in ploegen gewerkt, maar de officieren niet; die kwamen en gingen al naar hun werk het hun toestond. Nu diende de traditie een ander doel. Er waren dagen, vaak weken, waarin Woodford en zijn collega's nauwelijks wisten hoe ze de tijd tot half zes om moesten krijgen; dit gold voor iedereen behalve Haldane, die de reputatie van het departement voor grondig researchwerk op zijn gebogen schouders torste. De anderen verzonnen projecten die nooit aan hogere instanties werden voorgelegd, ze kibbelden beleefd onder elkaar over verloven, dienstroosters en de kwaliteit van hun bureaumeubilair en ze besteedden buitensporig veel aandacht aan de problemen van hun ondergeschikten.

Berry, de code-expert, betrad de gang, bukte zich en bevestigde zijn broekveren.

'Hoe is het met je vrouw, Berry?' vroeg Woodford. Je moest je vinger op de pols houden.

'O, best, meneer, dank u.' Hij stond op en haalde een kam door zijn haar. 'Wat erg van Wilf Taylor, meneer.'

'Ja, heel erg. Hij was een beste jongen.'

'Meneer Haldane zou de kartotheek afsluiten, meneer. Hij werkt over.'

'Zo? Ja, we hebben het nu allemaal razend druk.'

Berry dempte zijn stem. 'En de baas slaapt hier, meneer. Een echte crisis. Ik hoor dat hij nu bij de minister is. Hij is met een auto gehaald.'

'Goedenavond, Berry.'

Ze horen te veel, dacht Woodford voldaan, en hij slenterde de gang door.

Het licht dat uit Haldanes kamer kwam was van een verstelbare leeslamp afkomstig. Er viel een korte, felle lichtbundel op het dossier dat voor hem lag; de omtrekken van zijn gezicht en handen werden scherp geaccentueerd.

'Nog zo laat aan het werk?' informeerde Woodford.

Haldane schoof een map in zijn mandje voor uitgaande stukken en nam een andere op.

'Ik vraag me af hoe het met de jonge Avery gaat. Die jongen redt het wel. De chef is nog niet terug, hoor ik. Het schijnt een lang onderhoud te worden.'

Met deze woorden nam Woodford plaats in de leren clubfauteuil. Het was een stoel die Haldane van zijn eigen flat had meegebracht; hij zat erin als hij na de lunch kruiswoordraadsels oploste.

'Waarom zou hij? Er is geen enkel precedent voor,' zei Haldane, zonder op te zien.

'Hoe is het Clarkie gegaan bij de vrouw van Taylor?' vroeg Woodford. 'Hoe nam ze het op?'

Zuchtend schoof Haldane de map opzij.

'Hij heeft haar het slechte nieuws gebracht. Meer weet ik er ook niet van.'

'Je hebt niet gehoord hoe ze erop reageerde? Heeft hij je dat niet verteld?' Woodford sprak altijd wat luider dan noodzakelijk was, als een man die gewend is dat hij zijn vrouw moet overschreeuwen.

'Ik heb heus geen idee. Hij schijnt alleen te zijn gegaan. Leclerc houdt dat soort dingen liever voor zich.'

'Ik dacht dat hij er misschien met jou ...'

Haldane schudde het hoofd. 'Alleen met Avery,' zei hij halfluid.

'Het is iets geweldigs wat er gebeurt, is het niet, Adrian ... misschien tenminste?'

'Misschien, ja. We zullen het wel zien,' zei Haldane zachtzinnig. Hij was niet altijd hatelijk tegen Woodford.

'Nog nieuws van het Taylorfront?' informeerde Woodford.

'De luchtmachtattaché in Helsinki heeft met Lansen gesproken. Die heeft de film inderdaad aan Taylor gegeven. Het schijnt dat de Russen hem boven Kalkstadt hebben onderschept, twee MIG's. Ze zijn een paar maal rakelings langs hem heen gevlogen en toen hebben ze hem laten gaan.'

'Goeie God,' zei Woodford onnozel. 'Nu hebben we dus zekerheid.'

'Geen sprake van, het klopt met wat we al wisten. Als een streek tot gesloten gebied wordt verklaard, waarom zouden ze er dan niet patrouilleren? Waarschijnlijk is het gebied gesloten omdat er manoeuvres worden gehouden, een oefening voor grond-luchtstrijdkrachten. Waarom hebben ze Lansen niet gedwongen te landen? Alles blijft nog even vaag.'

Leclerc stond in de deuropening. Hij had een schone boord omgedaan voor de minister en een zwarte das voor Taylor.

'Ik ben met de auto gekomen,' zei hij. 'We hebben er voor onbepaalde tijd een te leen gekregen van het ministerie. De minister was ontzet toen hij hoorde dat we er geen hadden. Het is een Humber, met een chauffeur, precies als die van Control. Ik heb gehoord dat de chauffeur iemand is die weet wanneer hij zijn mond moet houden.'

Hij keek naar Haldane. 'Ik heb besloten een speciale afdeling te vormen, Adrian. Jij moet de leiding nemen. Sandford kan voorlopig de researchafdeling wel leiden. Een beetje afwisseling is goed voor hem.' Zijn gezicht begon te stralen, alsof hij geen kans zag zich langer te beheersen. 'We sturen er iemand heen. De minister heeft toestemming gegeven. We moeten meteen aan het werk. Ik moet morgenochtend onmiddellijk met de afdelingschef spreken. Adrian, jij kunt Woodford en Avery krijgen. Bruce, jij hebt nog contact met de jongens, probeer een paar van onze vroegere instructeurs op te sporen. De minister is bereid tijdelijke krachten een contract voor drie maanden te geven. Beperkte garanties natuurlijk. De gewone opleiding: zenden, wapenkennis, coderen, observeren, ongewapend verzet, camouflage. Adrian, we zullen een huis nodig hebben. Misschien kan Avery dat probleem voor ons oplossen als hij terug is. Ik zal me voor de documenten tot Control wenden: alle vervalsers zijn naar hem overgelopen. Verder hebben we gegevens nodig over het gebied om Lübeck, vluchtelingenrapporten, bijzonderheden over mijnenvelden en obstructies.' Hij keek op zijn horloge. 'Adrian, kan ik je nog even spreken?'

'Nog één vraag,' zei Haldane. 'Hoeveel weet het Circus er al van?'

'Alleen wat wij hun erover vertellen. Hoezo?'

'Ze weten daar al dat Taylor dood is. Iedereen in Whitehall heeft dat gehoord.'

'Dat kan wel.'

'Ze weten dat Avery naar Finland is om een film te halen. Het is ook heel goed mogelijk dat het rapport van het Luchtveiligheidscentrum over Lansens vliegtuig hun aandacht heeft getrokken. Voor dat soort dingen hebben ze een fijne neus ...'

'En?'

'Wat wij hun vertellen is dus niet het enige dat ze weten, wel?'

'Je komt toch morgen wel op de vergadering?' vroeg Leclerc een beetje pathetisch.

'Ik geloof dat ik nu de kern van mijn instructies wel ken. Als je geen bezwaar hebt zou ik een paar dingetjes willen onderzoeken. Vanavond en misschien morgenochtend.'

Leclerc zei onthutst: 'Uitstekend. Heb je hulp nodig?'

'Zou ik je auto een uurtje mogen gebruiken?'

'Natuurlijk. Ik wil dat iedereen er vrijuit over beschikt - voor de goede zaak. Adrian - dit is voor jou.'

Hij overhandigde hem een groene kaart in een etui van cellofaan.

'De minister heeft hem ondertekend, persoonlijk.' Hij gaf daarmee te kennen dat er bij ministeriële handtekeningen, evenals bij de pauselijke zegen, graden van authenticiteit waren. 'Je doet het dus, Adrian? Je neemt de opdracht aan?'

Het was alsof Haldane hem niet verstond. Hij had de map weer geopend en keek geïnteresseerd naar de foto van een Poolse jongen, die twintig jaar geleden tegen de Duitsers had gevochten. Het was een jong, streng gezicht, zonder enige humor. Niet zozeer erop uit te leven als zich te handhaven.

'Maar Adrian!' riep Leclerc, plotseling opgelucht. 'Jij hebt de tweede gelofte afgelegd!'

Haldane glimlachte onwillig, alsof de woorden iets bij hem wakker hadden geroepen dat hij al bijna vergeten was. 'Dat schijnt een taaie te zijn,' merkte hij ten slotte op, wijzend naar het dossier. 'Hij weet hoe hij zich moet handhaven.'

'Als naaste bloedverwant,' begon Sutherland, 'hebt u het recht de begrafenis van uw broer te regelen.'

'Ja.'

Sutherland woonde in een klein huis met een breed raam, waarachter een lange rij potplanten stond. Alleen hierin onderscheidde het zich uitwendig en inwendig van zijn voorbeelden in de woonwijken van Aberdeen. Terwijl ze over het tuinpad liepen zag Avery een vrouw van middelbare leeftijd voor het raam staan. Ze droeg een schort en stofte iets af. Ze deed hem denken aan mevrouw Yates en haar kat.

'Ik heb mijn werkkamer aan de achterkant,' zei Sutherland, alsof hij nadrukkelijk wilde vaststellen dat al deze weelde niet uitsluitend voor zijn particuliere genoegen was. 'Ik stel voor dat we daar de laatste formaliteiten even regelen. Ik zal u niet lang ophouden.' Hij gaf Avery te verstaan dat deze geen uitnodiging voor het avondmaal kon verwachten. 'Hoe wilt u hem overbrengen naar Engeland?'

Ze gingen tegenover elkaar aan het bureau zitten. Achter Sutherlands hoofd hing een aquarel: mauve heuvels weerspiegelden zich in een Schots meer.

'Met een vliegtuig.'

'Weet u dat dat veel geld gaat kosten?'

'Ik geef toch de voorkeur aan een vliegtuig.'

'En u laat hem begraven?'

'Natuurlijk.'

'Dat is helemaal niet natuurlijk,' repliceerde Sutherland met enige weerzin in zijn stem. 'Als u uw broer' - hij zei het nu tussen aanhalingstekens, maar hij zou de komedie tot het eind toe volhouden - 'zou laten cremeren, zouden er andere vliegvoorschriften gelden.'

'O, juist. Neemt u me niet kwalijk.'

'We hebben hier in de stad een begrafenisonderneming, Barford en Co. Een van de vennoten is een Engelsman, hij is met een Zweeds meisje getrouwd. We hebben hier een vrij grote Zweedse minderheid. Ik streef ernaar het Britse element te bevoordelen. Gezien de omstandigheden lijkt het me het beste dat u zo spoedig mogelijk terugkeert naar Londen. Daarom zou ik u willen voorstellen dat u mij machtigt van Barfords diensten gebruik te maken.'

'Best.'

'Zodra het lijk in zijn bezit is zal ik hem de pas van uw broer geven. Hij moet een doktersverklaring aanvragen over de doodsoorzaak. Ik zal hem zeggen zich tot Peersen te wenden.'

'Ja.'

'Bovendien heeft hij een overlijdensakte nodig, afgegeven door een ambtenaar van het plaatselijke bevolkingsregister. Het is goedkoper als men zelf voor dat soort dingen zorgt. Ik weet natuurlijk niet in hoeverre financiële overwegingen voor uw familie belangrijk zijn ...'

Avery zei niets.

'Als hij laadruimte heeft besproken zorgt hij wel voor de documenten. Ik geloof dat dergelijke transporten gewoonlijk 's nachts plaatsvinden. De vrachttarieven zijn dan lager en ...'

'Uitstekend.'

'Barford zal ervoor zorgen dat de kist luchtdicht wordt afgesloten. Het wordt een metalen of een houten kist. Hij moet zelf ook een verklaring ondertekenen dat de kist niets anders bevat dan het lijk - en wel hetzelfde lijk waarop het paspoort en de overlijdensakte betrekking hebben. Barford is een man die het allemaal snel voor u in orde zal maken. Ik zal hem goed de wacht aanzeggen. Hij heeft enige invloed bij de chartermaatschappijen hier. Hoe eerder hij -'

'Dat begrijp ik.'

'Ik betwijfel het,' zei Sutherland, zijn wenkbrauwen optrekkend alsof Avery een impertinente opmerking had gemaakt. 'Peersen heeft zich keurig gedragen. Ik wil zijn geduld niet al te zeer op de proef stellen. Barford heeft een firma in Londen waarmee hij samenwerkt - Londen *is* toch de bestemming, niet?'

'Londen, ja.'

'Ik vermoed dat hij een deel van het geld vooruit zal willen hebben. Daarom stel ik voor dat u het tegen afgifte van een reçu bij mij deponeert. En nu wat de bezittingen van uw broer betreft. Ik neem aan dat degene die u heeft gestuurd deze brieven terug wilde hebben?' Hij schoof ze over de tafel van zich af.

Avery zei halfluid: 'Er was een film, een onontwikkelde film.' Hij stak de brieven in zijn zak.

Langzaam haalde Sutherland een kopie voor de dag van de inventarislijst die hij op het politiebureau had getekend, spreidde die voor zich uit en liet zijn wijsvinger argwanend langs de linkerkolom glijden, alsof hij de cijfers van iemand anders controleerde.

'Er staat geen film op. Was er ook een camera?'

'Nee.'

'O.'

Hij liep met Avery naar de deur. 'U moet tegen degene die u heeft gestuurd zeggen dat Malherbes pas ongeldig was. Buitenlandse Zaken had juist een circulaire laten uitgaan over een groep nummers, een stuk of twintig. Dat van uw broer was erbij. Er moet ergens een vergissing gemaakt zijn. Ik wilde het juist rapporteren toen ik dat telexbericht ontving waarin stond dat u gemachtigd was Malherbes bezittingen te halen.' Hij lachte kort. Hij was woedend. 'Dat was natuurlijk waanzin. Zoiets zou Buitenlandse Zaken nooit op eigen initiatief doen. Formeel is het niet in orde, tenzij u een verklaring van erfrecht had. En die had u midden in de nacht nooit kunnen krijgen. Weet u al waar u gaat logeren? Het Regina is heel behoorlijk en dicht bij het vliegveld. Buiten de stad, wat ook een voordeel is. Ik neem aan dat u zich nu wel zult redden. Er wordt altijd beweerd dat mensen zoals u zulke hoge declaraties mogen indienen.'

Avery verwijderde zich snel over het tuinpad met een onuitwisbare herinnering aan Sutherlands smalle, verbitterde gezicht, woedend verstrakt, tegen een achtergrond van Schotse heuvels. De houten huizen langs de weg glansden bleek in het donker, als schimmen om een operatietafel.

Niet ver van Charing Cross, in het souterrain van een der achttiende-eeuwse huizen die tussen de Villiers Street en de Theems zo verrassend opduiken, is een club gevestigd die geen naambordje op de deur heeft. Men moet een stenen wenteltrap afdalen om er te komen. De leuning is, evenals het hout van het huis in de Blackfriars Road, donkergroen geverfd en haveloos geworden.

De leden vormen een wonderlijk gezelschap. Sommigen hebben iets militairs, anderen zijn onderwijzers of leraren, weer anderen geestelijken, terwijl enkelen tot dat grensgebied van de Londense societywereld behoren dat tussen de bookmaker en de gentleman ligt. Ze maken op hun omgeving en misschien ook op zichzelf een indruk van nutteloze moed, en ze converseren in leuzen en frasen, zodat iemand met een beetje taalgevoel slechts uit de verte naar hen kan luisteren. Dit is een plaats voor oude gezichten met jonge lichamen, voor jonge gezichten met oude lichamen, waar de spanningen van de oorlog zijn overgegaan in de spanningen van de vrede, waar men liedjes aanheft om de stilte te verdrijven en de glazen heft om zich te bevrijden van de eenzaamheid. Het is de plaats waar zoekenden elkaar ontmoeten zonder ooit iemand of iets te vinden dan de oude bekenden en de troost van een gedeelde smart; waar vermoeide, waakzame ogen geen horizon behoeven af te zoeken. Dit is nog altijd hun slagveld; als ze nog tot genegenheid in staat zijn vinden ze die hier bij elkaar, maar daarbij denken ze als schuchtere adolescenten steeds aan andere mensen.

Van de oorlogsvrienden ontbraken alleen de professoren.

Het is een kleine club, geëxploiteerd door een magere, dorre man, die majoor Dell wordt genoemd. Hij heeft een snor en draagt een das met blauwe engelen op een zwarte achtergrond. Hij biedt de eerste borrel aan, daarna drinkt hij gratis van hen. De club heet de Alias-club, en Woodford was er lid van.

Hij is alleen 's avonds open. Tegen zessen komen ze binnen, ze maken zich tevreden los uit de stroom van voorbijgangers, met de heimelijke maar vastbesloten bewegingen van provincialen die een theater met een bedenkelijke reputatie willen bezoeken. Het eerste wat opvalt zijn de dingen die hier ontbreken: geen zilveren bekers achter de bar, geen gastenboek of ledenlijst, geen emblemen, kroontjes of eretitels. Alleen hangen aan de gewitte bakstenen muren enkele foto's in passepartout, die aan de foto's in Leclercs kamer doen denken. De gezichten zijn vaag, sommige kennelijk vergroot van een pasfoto, van voren genomen met beide oren zichtbaar, zoals de voorschriften vereisen. Er zijn ook vrouwen bij, sommige knap, met de hoge, vierkante schouders en het lange haar die in de oorlog mode waren. De mannen dragen uiteenlopende uniformen. Vrije Fransen en Polen staan tussen hun Britse kameraden. Sommigen zijn vliegers. Van de Engelse gezichten dolen er enkele, sterk verouderd, nog in de club rond.

Toen Woodford binnenkwam keek iedereen naar hem om; majoor

Dell bestelde tevreden een glas bier voor hem. Een blozende man van middelbare leeftijd vertelde van een vlucht die hij eens boven België had gemaakt maar hij zweeg toen zijn gehoor geen belangstelling meer had.

'Hallo, Woodie,' zei iemand verwonderd. 'Hoe is het met mevrouw?'

'Prima,' zei Woodford met een joviale glimlach. 'Prima.' Hij dronk een paar slokken bier. Er werden sigaretten gepresenteerd. Majoor Dell zei: 'Woodie maakt vanavond een verdomd mysterieuze indruk.'

'Ik zoek iemand. Het is allemaal nogal streng geheim.'

'Daar weten we alles van,' zei de blozende man. Woodford keek naar de mannen die aan de bar stonden en vroeg zacht, met iets geheimzinnigs in zijn stem: 'Wat deed je in de oorlog met een wafel?'

Er viel een verbijsterde stilte. Ze hadden al enige tijd gedronken.

'Die hield je dicht natuurlijk,' zei majoor Dell onzeker en ze lachten allemaal.

Woodford lachte mee, genietend van dit samenzweerderige gevoel, de herinnering aan het halfvergeten ritueel van geheime messavonden, ergens in Engeland.

'En hoe at je die wafel?' vroeg hij, nog op diezelfde vertrouwelijke toon. Ditmaal riepen twee of drie stemmen in koor: 'Met je kiezen op elkaar!'

Ze werden luidruchtiger, vrolijker.

'Er was een vent die Johnson heette,' vervolgde Woodford snel, 'Jack Johnson. Ik probeer na te gaan wat er van hem geworden is. Hij was een van onze beste radio-instructeurs. Eerst zat hij met Haldane in Bovingdon en later is hij overgeplaatst naar Oxford.'

'Jack Johnson!' riep de blozende man opgewonden. 'Die vent van de zendertjes? Man, ik heb twee weken geleden nog een autoradio van Jack gekocht! ''Johnson's Fair Deal'' heet zijn zaak, aan de Clapham Broadway. Hij komt hier af en toe nog weleens. Een enthousiaste radio-amateur. Zo'n klein ventje, hij praat met zijn mond een beetje scheef?'

'Dat is hem,' zei iemand anders. 'De ouwe jongens krijgen twintig procent korting van hem.'

'Die heb ik niet gekregen,' zei de blozende man.

'Ja, dat is Jack; hij woont in Clapham.'

De anderen stemden hiermee in; dat was hem en hij had een zaak in Clapham, een prominente amateur, voor de oorlog had hij als jongen al een zendvergunning gehad. Ja, aan de Broadway, hij zat er al jaren, hij moest enorm verdienen. Met Kerstmis kwam hij altijd op de club. Met een blos van tevredenheid gaf Woodford een rondje.

In de drukte die volgde nam majoor Dell Woodford vriendelijk bij de arm en liep met hem naar de andere kant van de bar.

'Woodie, is het waar wat ik gehoord heb over Wilf Taylor? Is hij werkelijk de pijp uit?'

Woodford knikte met een ernstig gezicht. 'Hij voerde een opdracht uit. We hebben de indruk dat er een luchtje aan zit.'

Majoor Dell was een en al bezorgdheid. 'Ik heb het de jongens niet verteld. Ze zouden het zich maar aantrekken. Wie zorgt er voor zijn vrouw?'

'De Chef doet stappen voor haar. Het ziet er vrij hoopvol uit.'

'Gelukkig,' zei de majoor. 'Gelukkig.' Hij knikte en klopte Woodford troostend op de arm. 'We zullen het maar verzwijgen voor de jongens, hè?'

'Natuurlijk.'

'Hij had hier nog een paar verteringen staan. Niet veel. Op vrijdagavond kwam hij hier vaak.' Op sommige momenten klonk het accent van de majoor wat minder beschaafd.

'Stuur de rekening maar naar ons. Dat komt wel in orde.'

'Hij had een kind, is het niet? Een dochtertje?' Ze liepen terug naar de bar. 'Hoe oud was ze ook weer?'

'Een jaar of acht. Misschien wat ouder.'

'Hij had het vaak over haar,' zei de majoor.

Iemand riep: 'Zeg eens, Bruce, wanneer geven jullie de moffen weer eens op hun donder? Ze komen verdomme weer overal. Ik ben van de zomer met de vrouw in Italië geweest - het wemelde er van brutale Duitsers.'

Woodford glimlachte. 'Eerder dan je denkt. Maar nu heb ik nog een vraag.' De gesprekken verstomden. Woodford was een echte. Die deed dat werk nog altijd.

'We hadden een instructeur voor ongewapend verzet, een sergeant eerste klasse, hij kwam uit Wales. Ook een klein ventje.'

'Dat doet me aan Sandy Low denken,' opperde de blozende man.

'Sandy, ja natuurlijk!' Ze keken de blozende man allemaal bewonderend aan. 'Je hoorde onmiddellijk dat hij uit Wales kwam. We noemden hem Geile Sandy.'

'Natuurlijk,' zei Woodford enthousiast. 'Is die niet als boksleraar naar een of andere kostschool gegaan?' Hij keek hen met half dichtgeknepen ogen aan, verraadde geen bijzonderheden en zei zo weinig mogelijk, omdat het allemaal zo geheim was.

301

'Precies, ja zeker, dat was Sandy!'

Woodford schreef het adres zorgvuldig op omdat hij wist dat hij dingen vaak vergat als hij op zijn geheugen vertrouwde.

Toen hij weg wilde gaan vroeg de majoor hem: 'Hoe is het met Clarkie?'

'Druk,' zei Woodford. 'Die werkt zich nog altijd dood.'

'De jongens hebben het nog vaak over hem.'

'Zeg eens,' zei Woodford. Ze stonden bij de deur. 'Herinner je je een vent die Leiser heette? Fred Leiser, een Pool? Een jongen van ons onderdeel. Hij heeft meegedaan met dat zaakje in Holland.'

'Leeft hij nog?'

'Ja.'

'Het spijt me,' zei de majoor vaag. 'De buitenlanders komen niet meer, ik weet niet waarom. Ik praat er nooit over met de jongens.'

De deur achter zich sluitend stapte Woodford de donkere Londense straat op. Hij keek om zich heen, vol liefde voor alles wat hij zag - de stad, zijn moeder, die aan zijn goede zorgen was toevertrouwd. Hij liep langzaam, een oude sportman over een oude baan.

8

Avery daarentegen liep snel. Hij was bang. Er is geen vrees zo hardnekkig, zo moeilijk te beschrijven als die waardoor een spion in een vreemd land wordt gekweld. De blik van een taxichauffeur, de drommen mensen op straat, de uiteenlopende officiële uniformen - was het een politieagent of een postbode? - zijn onbekendheid met de gewoonten en de taal, ja zelfs de straatgeluiden van de wereld waarin Avery verplaatst was, hadden een voortdurende onrust in hem gewekt die, als de pijn aan een zenuw, heviger werd nu hij alleen was. In de kortst mogelijke tijd werd hij heen en weer geslingerd tussen paniek en een verlangen naar genegenheid, waardoor hij met onnatuurlijke dankbaarheid reageerde op een vriendelijke blik of een woord. Hij voelde een bijna weke afhankelijkheid van de mensen die hij bedroog. Avery snakte te midden van de onverschillige gezichten om hem heen naar de verlossing van een glimlach vol vertrouwen. Het hielp niet dat hij zichzelf voorhield: je doet hun geen kwaad, je bent hun beschermer. Hij bewoog zich onder hen als een uitgehongerde die eten en onderdak zoekt.

Hij nam een taxi naar het hotel en vroeg om een kamer met bad. Er werd hem een register voorgelegd waarin hij zijn naam moest schrijven. Toen zijn pen al boven het blad zweefde zag hij, geen tien regels hoger, de naam Malherbe, moeizaam geschreven, midden in het woord afgebroken, alsof de schrijver had geaarzeld met de spelling. Zijn blik volgde de regel: Adres, Londen. Beroep: Majoor b.d. Bestemming: Londen. Zijn laatste ijdelheid, dacht Avery, een gefingeerd beroep, een gefingeerde rang, maar de brave Engelse Taylor had zich even gekoesterd in een glorie die hem niet toekwam. Waarom niet kolonel? Of admiraal? Waarom had hij zichzelf niet in de adelstand verheven en een adres in Park Lane gekozen? Ook wanneer hij droomde had Taylor beseft dat er grenzen waren.

De portier zei: 'De jongen zal uw bagage boven brengen.'

'Pardon,' zei Avery, een zinloze verontschuldiging en hij zette zijn naam terwijl de man bevreemd toekeek.

Hij gaf de jongen een geldstuk en pas toen hij het hem had overhandigd besefte hij dat hij hem acht en een halve shilling had gegeven. Hij sloot zijn kamerdeur. Een poosje bleef hij op zijn bed zitten.

De kamer was keurig ingericht maar nuchter en ongezellig. Op de deur was een bekendmaking in diverse talen geprikt waarin de gasten werden gewaarschuwd tegen diefstal, en bij het bed hing er nog een, waarin de financiële nadelen van niet in het hotel ontbijten werden uiteengezet. Op de schrijftafel lagen een tijdschrift over toerisme en een bijbel met een zwarte kaft. Er was een kleine badkamer, kraakhelder, en een ingebouwde kast met één klerenhanger. Hij had vergeten een boek mee te nemen. Toen hij wegging had hij niet verwacht dat hij zoveel tijd zou moeten doden.

Hij was koud en hongerig en besloot een bad te nemen. Terwijl het volliep, ontkleedde hij zich. Hij wilde juist in het water stappen toen hem te binnen schoot dat hij Taylors brieven nog in zijn zak had. Hij trok zijn kamerjas aan, ging op het bed zitten en bekeek ze. Een waarschuwing van zijn bank dat hij moest bijstorten, een brief van zijn moeder, een van een vriend met als aanhef 'Beste Wilf' en de rest van een vrouw. Hij werd plotseling bang. De brieven vormden bewijsmateriaal. Hij kon erdoor in moeilijkheden komen. Het zou het beste zijn ze allemaal te verbranden. De slaapkamer had twee vaste wastafels. Hij legde de brieven in een ervan en hield er een lucifer bij. Hij had ergens gelezen dat dit de beste methode was. Er was ook een lidmaatschapskaart van de Aliasclub bij op Taylors naam, en die verbrandde hij ook, waarna hij de as met zijn vingers verkruimelde en de kraan openzette; het water steeg snel. De afvoer werd geregeld door een metalen handle tussen de twee kranen. De doorweekte as bleef steken. De wastafel was verstopt.

Hij keek zoekend rond naar een of ander instrument waarmee hij de prop zou kunnen wegduwen. Hij probeerde het met zijn vulpen, maar die was te dik en dus haalde hij zijn nagelvijl. Na herhaalde pogingen slaagde hij erin de as in de afvoerbuis te duwen. Het water stroomde weg, maar er bleef een donkerbruine vlek op het email achter. Hij wreef erover, eerst met zijn hand, toen met het nagelborsteltje, maar de vlek ging niet weg. Een of ander bestanddeel in het papier moest de bruine afzetting hebben veroorzaakt, teer misschien. Hij liep naar de badkamer, waar hij tevergeefs rondkeek naar een schoonmaakmiddel.

Toen hij zijn slaapkamer weer binnenkwam drong het tot hem door dat er een lucht van geblakerd papier hing. Hij liep snel naar het raam en zette het open. Een ijzige windvlaag streek over zijn naakte ledematen. Hij wikkelde zich steviger in zijn kamerjas, toen er op de deur werd geklopt. Verlamd van schrik staarde hij naar de deurknop, hoorde weer kloppen, riep en zag dat de knop werd omgedraaid. Het was de receptionist.

'Meneer Avery?'

'Ja?'

'Neemt u me niet kwalijk. We hebben uw pas nodig. Voor de politie.'

'De politie?'

'Dat is voorschrift hier.'

Avery was achteruitgeweken naar de wastafel. De gordijnen wapperden woest bij het openstaande raam.

'Zal ik het raam voor u sluiten?' vroeg de man.

'Ik voelde me niet goed. Ik had frisse lucht nodig.'

Hij had zijn pas opgezocht en gaf die aan de receptionist. Terwijl hij het deed zag hij dat de man naar de wasbak keek, naar de bruine vlek en de verkoolde snippers die nog aan de randen kleefden.

Hij wenste vuriger dan ooit dat hij weer in Engeland was.

De rij villa's aan weerskanten van de Western Avenue doet denken aan een rij rose graven op een grijs veld, een architectonische uitbeelding van de middelbare leeftijd. De uniformiteit ligt hier in de dwang oud te moeten worden, te sterven zonder gewelddadigheid en te leven zonder successen te behalen. Er zijn huizen die hun bewoners de baas zijn, die hen veranderen en zelf onveranderd blijven. Verhuisauto's schuiven eerbiedig af en aan als lijkwagens; ze halen de doden onopvallend weg en brengen de levenden. Af en toe steekt een bewoner de handen uit de mouwen, hij besteedt potten verf aan het houtwerk of

304

hij beult zich af in de tuin, maar zijn inspanning verandert het huis evenmin als bloemen de sfeer van een ziekenzaal veranderen en het gras blijft groeien zoals het wil, als het gras op een graf.

Haldane zond de auto weg en sloeg de weg naar de South Park Gardens in, een straat op vijf minuten afstand van de Avenue. Een school, een postkantoor, vier winkels en een bank. Hij liep enigszins gebogen, aan zijn magere hand hing een zwarte aktentas. Rustig bewoog hij zich over het trottoir, de toren van een moderne kerk verhief zich boven de huizen, een klok sloeg zeven uur. Een kruidenierswinkel op de hoek, met een gemoderniseerde gevel, een zelfbedieningszaak. Hij keek naar de naam: Smethwick. Binnen bouwde een nog vrij jonge man aan een hoge stapel pakken cornflakes. Haldane tikte op de ruit. De man schudde het hoofd en zette nog een pak op de piramide. Hij tikte weer, dringender. De kruidenier liep naar de deur.

'Ik mag u niets verkopen!' schreeuwde hij. 'Wat hebt u dan te kloppen?' Hij merkte de aktentas op en vroeg: 'Bent u vertegenwoordiger?'

Haldane stak zijn hand in zijn binnenzak en hield iets tegen de ruit - een kaart in een etui van cellofaan, iets als een spoorwegabonnement. De kruidenier staarde ernaar. Langzaam draaide hij de sleutel om.

'Ik wilde u graag even onder vier ogen spreken,' zei Haldane, de winkel betredend.

'Ik had nog nooit een van die dingen gezien,' merkte de kruidenier wat onthutst op. 'Het is toch wel in orde?'

'Het is volkomen in orde. Een onderzoek van de Geheime Dienst. Het gaat over een zekere Leiser, een Pool. Ik heb gehoord dat die hier jaren geleden heeft gewerkt.'

'Dan moet ik mijn vader roepen,' zei de kruidenier. 'Ik was toen nog maar een jongen.'

'O, juist,' zei Haldane op een toon alsof hij een hekel had aan de jeugd.

Het was al bijna middernacht toen Avery Leclerc opbelde. Hij kreeg hem onmiddellijk aan de telefoon. Avery zag hem in zijn verbeelding op het stalen bed zitten, de luchtmachtdekens van zich afgegooid, het kleine levendige gezicht vol spanning luisterend naar het nieuws.

'Met John,' zei hij voorzichtig.

'Ja, ja, ik begrijp het al.' Het klink bits, alsof hij het afkeurde dat Avery zijn naam had genoemd.

'De transactie gaat helaas niet door. Ze hebben geen interesse ...
nee. Zeg het maar tegen de man met wie ik heb gesproken, dat dikke
mannetje ... zeg hem dat we de hulp van zijn vriend hier niet nodig
hebben.'

'Juist. Het hindert niet.' Zijn toon was volmaakt ongeïnteresseerd.

Avery wist niet wat hij moest zeggen, hij wist het eenvoudig niet.
Hij snakte ernaar nog wat te praten met Leclerc. Hij had hem graag
verteld dat Sutherland zo minachtend had gedaan en dat het paspoort ongeldig was. 'De mensen hier, de mensen met wie ik onder-
handel, maken zich nogal zorgen over de hele zaak.'

Hij wachtte.

Hij wilde hem graag bij zijn naam noemen, maar dat deed hij
nooit. Ze spraken elkaar niet met 'meneer' aan op het departement;
de chefs noemden elkaar bij de achternaam en de assistenten bij de
voornaam. Voor het aanspreken van superieuren bestond geen algemeen gebruikelijke methode. Daarom zei hij: 'Bent u daar nog?' en
Leclerc antwoordde: 'Natuurlijk. Wie maakt zich zorgen? Wat is er
misgegaan?'

Avery dacht: Ik had 'chef' kunnen zeggen, maar dat zou onvoor-
zichtig geweest zijn.

'Onze vertegenwoordiger hier, die voor onze belangen waakt ...
hij is op de hoogte,' zei hij. 'Het schijnt dat hij al een vermoeden
had.'

'Je hebt hem erop gewezen dat het strikt vertrouwelijk was?'

'Ja, natuurlijk.'

Had hij hem ooit kunnen uitleggen hoe Sutherland was?

'Mooi. Moeilijkheden met Buitenlandse Zaken kunnen we ons op
het ogenblik helemaal niet permitteren.' Op een andere toon vervolgde Leclerc: 'Alles gaat hier bijzonder goed, John, bijzonder goed.
Wanneer kom je terug?'

'Ik moet nog zorgen dat ... dat onze vriend wordt thuisgebracht.
Er zijn allerlei formaliteiten. Het is niet zo gemakkelijk als het lijkt.'

'Wanneer ben je klaar?'

'Morgen.'

'Ik laat je met een auto van Heathrow afhalen. Er is hier de laatste
uren veel gebeurd, alles wordt beter. We hebben je hard nodig.' En
als een aalmoes voegde hij eraan toe: 'En goed gedaan, John.'

'Mooi.'

Hij had verwacht dat hij die nacht vast zou slapen, maar misschien
een uur later werd hij wakker, gespannen en waakzaam. Hij keek op

zijn horloge; het was tien over één. Hij stapte uit zijn bed, liep naar het raam en keek naar het besneeuwde landschap met de donkere lijnen van de weg naar het vliegveld; hij meende zelfs de lage helling te kunnen zien, waar Taylor om het leven was gekomen. Hij voelde zich eenzaam en bang. Hij werd geobsedeerd door verwarde beelden: Taylors gruwelijke gezicht, het gezicht dat hij bijna had gezien, bloedeloos, met grote ogen, als die van iemand die een uiterst belangrijke ontdekking heeft gedaan. Leclercs stem, vervuld van een kwetsbaar optimisme; de dikke politieagent die hem jaloers had aangestaard alsof hij iets in een etalage was dat de agent zich niet kon permitteren. Hij ontdekte dat hij iemand was die niet goed tegen eenzaamheid kon. Eenzaamheid had voor hem iets deprimerends, hij werd er sentimenteel van. Voor het eerst sinds hij de flat die ochtend had verlaten dacht hij aan Sarah en Anthony. De tranen sprongen plotseling in zijn vermoeide ogen toen hij zich zijn zoontje voorstelde, de bril met stalen montuur, die hem iets hulpbehoevends gaf; hij had zijn stem willen horen, hij verlangde naar Sarah, naar de vertrouwde sfeer van thuis. Misschien kon hij de flat opbellen, met haar moeder praten, vragen hoe het met haar was. Maar als ze dan ziek was? Hij had die dag al genoeg ellende doorstaan, hij had meer dan voldoende van zijn energie, zijn emoties en zijn vindingrijkheid gevergd. Hij had geleefd in een nachtmerrie: niemand kon eisen dat hij haar nu nog opbelde. Hij ging weer naar bed.

Hoe hij het ook probeerde, hij kon niet in slaap komen. Zijn oogleden waren zwaar en gloeiden, zijn lichaam was doodmoe, maar hij kon toch niet slapen. Er stak wind op die de dubbele ruiten deed rammelen; nu had hij het te heet, dan weer te koud. Eenmaal dommelde hij in, maar schrok uit zijn onrustige slaap op doordat hij iemand hoorde huilen, misschien was het in de kamer naast de zijne, misschien was het Anthony, of misschien - hij had het niet goed gehoord maar wist toen hij wakker was alleen vaag wat voor geluid het was geweest - was alleen het metalige huilstemmetje van een pop tot hem doorgedrongen.

En eenmaal, kort voor het licht werd, had hij buiten zijn kamer een voetstap gehoord, een enkele stap in de gang, en hij had verstijfd van angst liggen wachten tot de knop van zijn deur zou worden omgedraaid of de mannen van inspecteur Peersen bevelend zouden aankloppen. Terwijl hij scherp luisterde had hij kunnen zweren dat hij heel zwak kleren hoorde ritselen, een bijna onhoorbare ademhaling als een korte zucht; toen stilte. Ofschoon hij nog minutenlang luisterde hoorde hij niets meer.

Hij draaide het licht aan, liep naar de stoel en tastte in zijn jaszak naar zijn vulpen. Die lag nog bij de wastafel. Uit zijn aktentas haalde hij de leren map die Sarah hem had gegeven.

Hij installeerde zich bij het wankele tafeltje voor het raam en begon een liefdesbrief te schrijven, misschien aan Carol. Toen het eindelijk morgen was scheurde hij de brief in kleine stukjes, die hij door het toilet spoelde. Terwijl hij het deed viel zijn blik op iets wits dat op de vloer lag. Het was een foto van Taylors kind met een pop, ze droeg net zo'n bril als Anthony. Het fotootje moest tussen Taylors papieren hebben gelegen. Hij wilde het verscheuren maar merkte dat hij het niet kon. Hij stak het in zijn zak.

9. Thuiskomst

Leclerc was, zoals Avery al had verwacht, op Heathrow. Hij stond op zijn tenen en tuurde gespannen tussen de hoofden van de wachtende menigte door. Hij moest de douane op de een of andere manier tevredengesteld hebben, waarschijnlijk met de hulp van het ministerie, en toen hij Avery zag liep hij naar voren en loodste hem door de hal als iemand die gewend is dat formaliteiten hem bespaard blijven. Zo leven we dus, dacht Avery, telkens hetzelfde vliegveld, maar met een andere naam, dezelfde haastige, schuldige ontmoetingen; we wonen buiten de stadsmuren, we zijn de zwarte monniken, uit een donker huis in Lambeth. Hij voelde zich ellendig moe. Hij verlangde naar Sarah. Hij wilde haar zeggen dat het hem speet, zich met haar verzoenen, een ander baantje zoeken, een nieuw begin maken, meer met Anthony spelen. Hij schaamde zich.

'Ik moet even opbellen. Sarah voelde zich niet goed toen ik wegging.'

'Doe het vanaf het bureau,' zei Leclerc. 'Goed? Ik heb over een uur een bespreking met Haldane.' Omdat hij meende dat Leclercs toon niet oprecht klonk, keek Avery hem argwanend aan, maar de ander had zich afgewend en keek naar de zwarte Humber die op de voor belangrijke bezoekers gereserveerde parkeerplaats gereed stond. Leclerc wachtte tot de chauffeur het portier had geopend, toen volgden enkele ogenblikken van dwaze verwarring voor Avery links van hem zat, zoals het protocol blijkbaar vereiste.

Er was geen afscheiding tussen de chauffeur en hen.

'Een hele verandering,' zei Avery, op de auto doelend.

Leclerc knikte onverschillig, alsof hij het al heel gewoon vond over een auto te kunnen beschikken. 'Hoe gaat het?' vroeg hij achteloos.

'Best. Er is hier toch niets mis? Met Sarah, bedoel ik.'

'Waarom?'

'Blackfriars Road?' vroeg de chauffeur, zonder zijn hoofd om te draaien.

'Het hoofdkwartier, ja.'

'Het was een heel gedonder daar in Finland,' zei Avery meedogenloos. 'De papieren van onze vriend ... van Malherbe ... waren niet in orde. Buitenlandse Zaken had zijn paspoort ingetrokken.'

'Malherbe? O, juist, je bedoelt Taylor. Daar weten we alles van. Maar het hindert niet meer. Het was weer de gebruikelijke jaloezie. Control was er zelf van geschrokken. Hij heeft iemand gestuurd om zijn verontschuldigingen aan te bieden. Allerlei mensen hebben partij voor ons getrokken, John, je hebt er geen idee van. Je zult ons waardevolle diensten kunnen bewijzen, jij bent de enige die het van dichtbij heeft gezien.' Wat heb ik gezien? vroeg Avery zich af. Ze waren weer bijeen. Dezelfde spanning, hetzelfde fysieke gevoel van onbehagen, dezelfde ogenblikken van afwezigheid. Toen Leclerc zich naar hem toewendde dacht Avery een ogenblik vol weerzin dat hij zijn hand op zijn knie zou leggen. 'Je bent moe, John, dat zie ik. Ik weet wat het is. Nu ja - je bent veilig terug. Zeg, ik heb goed nieuws voor je. Het ministerie beseft plotseling hoe belangrijk we zijn. We hebben opdracht een speciale operationele afdeling te vormen om de volgende fase voor te bereiden.'

'De volgende fase?'

'Natuurlijk. De man, je weet wel. We kunnen nu niet passief blijven. Wij moeten niet alleen gegevens verzamelen maar ook problemen ontwarren. Ik heb de Speciale Afdeling nieuw leven ingeblazen; je weet wat dat is?'

'Haldane was er tijdens de oorlog mee belast, het opleiden ...'

Leclerc interrumpeerde snel met het oog op de chauffeur: '... het opleiden van de handelsreizigers, ja. En hij krijgt opnieuw de leiding. Ik heb besloten dat jij aan hem wordt toegevoegd. Jullie tweeën zijn de knapste koppen die ik heb.' Een blik opzij.

Leclerc was in zijn hele optreden veranderd. Hij straalde iets uit dat verder ging dan optimisme of hoop. Toen Avery hem de laatste maal had gesproken was hij een man geweest die worstelde met tegenslagen, nu had hij een vitaliteit, een doelbewustheid, die òf nieuw òf heel oud moest zijn.

'En Haldane heeft de opdracht aangenomen?'

'Dat heb ik al gezegd. Hij werkt dag en nacht. Vergeet niet dat dit

Adrians eigenlijke beroep is. Hij is ervoor geboren. Oude rotten zijn het best voor een opdracht als deze. Met een paar jonge kerels om hen te helpen.'

Avery zei: 'Ik wil straks graag met u spreken over de hele operatie … over Finland. Als ik Sarah heb opgebeld zal ik bij u komen.'

'Loop toch mee, dan kan ik je alles vertellen.'

'Ik moet eerst Sarah opbellen.'

Weer kreeg Avery het dwaze gevoel dat Leclerc wilde verhinderen dat hij contact opnam met Sarah.

'Er is toch niets met haar, wel?'

'Voor zover ik weet niet. Waarom vraag je dat?' Leclerc vervolgde: 'Ben je blij dat je terug bent, John?'

'Ja, natuurlijk.'

Hij liet zich achterover vallen tegen de bekleding van de auto. Leclerc merkte zijn afwijzende houding op en liet hem een tijdlang met rust. Avery concentreerde zijn aandacht op de weg en de rose, gezonde villa's die in de motregen langs het raampje zweefden.

Leclerc praatte weer, nu met zijn conferentiestem. 'Ik wil graag dat je onmiddellijk aan je nieuwe taak begint. Liefst morgen al. We hebben je kamer al ingericht. Er is veel te doen. Wat die man betreft: Haldane heeft contact met hem. Als we er zijn zullen we wel meer horen. Van nu af ben je Adrians handlanger. Dat zal je wel bevallen, denk ik. Onze superieuren hebben zich bereid verklaard je een pas te geven, een machtiging van het ministerie. Zo'n zelfde ding als de lui van het Circus hebben.'

Avery was vertrouwd met Leclercs eigenaardige manier van zich uit te drukken. Soms bediende hij zich uitsluitend van vage toespelingen: hij bood de consument dan de ruwe grondstof van zijn gedachten aan en liet het bewerken ervan aan zijn afnemers over.

'Ik wil de hele zaak graag met u bespreken. Als ik Sarah heb opgebeld.'

'Uitstekend,' antwoordde Leclerc vlot. 'Kom maar met me praten. Waarom niet direct?' Hij keek Avery aan, zodat die zijn hele gezicht kon zien, een vlak zonder diepte, een maan met maar één zijde. 'Je hebt het er goed afgebracht,' zei hij royaal. 'Ik hoop dat je zo doorgaat.' Ze reden Londen binnen. 'We krijgen wat hulp van het Circus,' vervolgde hij. 'Het schijnt dat die mensen graag wat voor ons willen doen. Ze weten natuurlijk niet precies wat er aan de hand is. Dat wilde de minister absoluut niet hebben.'

Ze reden door de Lambeth Road, waar de God der Veldslagen resideert: het oorlogsmuseum aan het ene uiteinde, scholen aan het andere, ertussenin ziekenhuizen en een kerkhof, afgeschermd als een tennisbaan. Wie er woont is niet uit te maken. Er zijn teveel huizen voor de mensen die men er ziet, de scholen te groot voor de kinderen. De ziekenhuizen liggen misschien vol, maar de gordijnen zijn altijd gesloten. Overal hangen stofwolken, als na een bombardement. Stof bedekt de vooroverhangende gevels en verstikt het gras van het kerkhof; het heeft de mensen verdreven behalve degenen die nog rondwaren op donkere plaatsen als schimmen van soldaten, of die slapeloos wachten achter geel verlichte ramen. Het is een weg waarvan mensen vaak schijnen te zijn weggetrokken. De enkelen die zijn teruggekeerd hebben iets meegebracht uit de levende wereld, herinneringen aan de reis die ze hebben gemaakt. De een een stuk land, de ander een terras met afbrokkelende pilaren in Regencystijl, een pakhuis of een autokerkhof, of een kroeg die 'De Woudbloemen' heet.

Het is een weg waaraan brave inrichtingen staan. Er is er één gewijd aan de Moeder der Vertroosting, een ander aan aartsbisschop Amigo. Wat hier geen ziekenhuis, school, kroeg of seminarie is leeft niet meer en is verslagen door het stof. Je ziet er een speelgoedwinkel met een hangslot op de deur. Avery keek er elke dag even naar als hij op weg was naar het bureau. Het speelgoed stond te roesten op de planken. De etalageruit leek steeds vuiler; over het onderste deel liepen de strepen van kindervingers. Er is een zaak waar je gebit wordt gerepareerd terwijl je wacht. Hij zag de winkeltjes nu een voor een terwijl ze langsreden en hij vroeg zich af of hij ze ooit terug zou zien als ambtenaar van het departement. Er zijn pakhuizen met prikkeldraadversperringen voor de ingang en fabrieken waar niets meer wordt gemaakt. In een ervan luidde een bel die niemand hoorde. Er is een afbrokkelende muur met oude aanplakbiljetten. 'In het beroepsleger kunt u iets bereiken.' Ze reden over het St. George's Circus de Blackfriars Road in.

Toen ze het gebouw naderden voelde Avery al dat zich een verandering had voltrokken. Eén ogenblik verbeeldde hij zich dat het armetierige gras van het gazonnetje ervoor in zijn kortstondige afwezigheid zelfs groener en weliger was geworden, dat de cementen trap voor de hoofdingang, die er zelfs midden in de zomer vochtig en vuil uitzag, nu schoon en uitnodigend was. Voor hij het gebouw betrad wist hij al dat het departement door een nieuwe geest werd bezield.

Zelfs de nederigste personeelsleden waren erdoor aangestoken. Pine, kennelijk geïmponeerd door de zwarte stafauto en het komen en gaan van mensen die het druk hadden, maakte een keurige en

311

ijverige indruk. Over de uitslagen van de cricketwedstrijden sprak hij niet meer. De trap werd juist in de boenwas gezet.

In de gang liepen ze tegen Woodford aan. Hij had haast. Onder zijn arm droeg hij een aantal mappen met het rode etiket dat geheimhouding eiste.

'Hallo, John! Goed aangekomen? Goede reis gehad?' Hij scheen werkelijk blij te zijn hem te zien. 'Is Sarah weer beter?'

'Hij heeft het er best afgebracht,' zei Leclerc snel. 'Het was een moeilijke opdracht.'

'Ja, natuurlijk, die arme Taylor. We hebben je hard nodig voor de nieuwe afdeling. Je vrouw zal het een paar weken zonder je moeten stellen.'

'Wat zei je over Sarah?' vroeg Avery. Hij werd plotseling bang. Haastig liep hij de gang af. Leclerc riep hem iets toe, maar hij negeerde het. Hij ging zijn kamer binnen en bleef stomverbaasd staan. Zijn bureau had een tweede telefoontoestel gekregen en tegen de zijmuur stond een stalen bed, precies als dat van Leclerc. Naast het nieuwe toestel stond een militair bord, waarop een lijstje met speciale telefoonnummers was bevestigd. De nummers die 's nachts gebeld konden worden hadden rode cijfers. Op de deur hing een biljet in twee kleuren, waarop het hoofd van een man was afgebeeld. Dwars over de schedel liepen de letters: 'Bewaar het hier', en over de mond: 'Laat het hieruit niet ontsnappen'. Het duurde even voor hij besefte dat dit plakkaat tegen loslippigheid waarschuwde en geen macabere grap was over Taylor. Hij nam de hoorn op en wachtte. Carol kwam binnen met een mandje post die hij moest ondertekenen.

'Hoe is het gegaan?' vroeg ze. 'De Chef schijnt heel tevreden te zijn.'

Ze stond vlakbij hem.

'Gegaan? Ik heb geen film. Die was niet bij zijn spullen. Ik neem ontslag; mijn besluit staat vast. Verdomme, waarom doet die telefoon het niet?'

'Waarschijnlijk weten ze niet dat je al terug bent. De boekhouding heeft gemopperd over je declaratie voor een taxi. Ik moest je vragen waarvoor dat nodig was.'

'Een taxi?'

'Van je flat naar het bureau. Die nacht waarin Taylor is omgekomen. De boekhouding vindt het bedrag te hoog.'

'Zeg, ga eens naar de centrale en por die lui eens op. Ze slapen daar zeker nog.'

Sarah kwam zelf aan de telefoon.

'O, goddank dat je er bent.'

Avery zei dat hij een uur geleden was aangekomen. 'Hoor eens, Sarah, ik heb er genoeg van, ik zal Leclerc zeggen -' Verder kwam hij niet, want toen barstte ze uit: 'John, wat heb je *in godsnaam* uitgevoerd? De politie is hier aan de deur geweest, rechercheurs; ze wilden met je praten over een lijk dat op het vliegveld van Londen is aangekomen, een zekere Malherbe. Ze zeiden dat het op een valse pas uit Finland was gekomen.'

Hij sloot zijn ogen. Hij wilde de hoorn neerleggen en hield die een eindje van zijn oor af, maar hoorde haar stem nog zeggen: 'John, John. Ze beweren dat die man een broer van je is, het is aan *jou* geadresseerd, John, een of andere Londense begrafenisondernemer had de formaliteiten voor je moeten regelen ... John, John, ben je daar nog?'

'Luister,' zei hij, 'alles is in orde. Ik zorg er nu verder wel voor.'

'Ik heb hun van Taylor verteld, ik moest wel.'

'Sarah!'

'Wat had ik anders kunnen doen? Ze dachten dat ik een misdaad had gepleegd; ze geloofden me niet, John! Ze vroegen hoe ze jou te spreken konden krijgen en toen moest ik zeggen dat ik het niet wist; ik wist niet eens in welk land of met welk vliegtuig. Ik was ziek, John, ik voelde me afschuwelijk, ik had vergeten mijn pillen in te nemen. Ze kwamen midden in de nacht, met hun tweeën. John, waarom zijn ze 's nachts gekomen?'

'Wat heb je hun verteld? Verdomme, Sarah, wat heb je hun nog meer verteld?'

'Vloek niet tegen me! Ik zou eerder moeten vloeken over jou en je rot-departement! Ik heb gezegd dat je een geheime opdracht had; dat je een buitenlandse reis moest maken voor je departement - John, ik weet niet eens hoe het *heet!* - dat je midden in de nacht was opgebeld en toen weggegaan was. Ik zei dat het ging over een koerier die Taylor heette.'

'Je bent gek!' schreeuwde Avery. 'Je bent volslagen gek. Ik heb je gezegd dat je nooit iets mag vertellen!'

'Maar John, die mannen waren van de *politie!* Het kan toch geen kwaad *hun* zoiets te vertellen!' Ze huilde nu, hij hoorde de tranen in haar stem. 'John, kom *alsjeblieft* terug. Ik ben zo bang. Je moet met dit werk ophouden, zoek weer een baan bij een uitgeverij, het kan me niet schelen wat je doet, maar ...'

'Ik kan het niet doen. Dit is ontzettend belangrijk. Hoe belangrijk het is, zul jij nooit begrijpen. Het spijt me, Sarah, maar ik kan hier nu niet weg.' In zijn woede loog hij handig: 'Misschien is door jou alles verprutst.'

Er viel een heel lange stilte.

'Sarah, ik moet zien wat er nog aan te doen is. Ik bel je nog wel.'

Toen ze eindelijk antwoordde, hoorde hij in haar stem dezelfde doffe berusting waarmee ze hem had gezegd dat hij zijn koffer dan maar moest pakken. 'Jij hebt het chequeboek. Ik heb geen geld.'

Hij beloofde het haar te zullen sturen. 'We hebben een auto,' zei hij, 'speciaal voor dit soort dingen. Met een chauffeur.' Toen hij de hoorn op de haak wilde leggen hoorde hij haar zeggen: 'Ik dacht dat jullie massa's auto's hadden?'

Hij stormde Leclercs kamer binnen. Haldane stond achter het bureau; zijn jas was nog nat van de regen. Ze bogen zich allebei over een dossier. De bladzijden waren vergeeld en gescheurd.

'Het lijk van Taylor!' schreeuwde hij. 'Het is op het vliegveld aangekomen. Jullie hebben de hele zaak in de war gestuurd! Ze zijn bij Sarah geweest! Midden in de nacht!'

'Wacht even!' Het was Haldane die sprak. 'Wat denk je wel, dat je hier zo maar kunt komen binnen hollen,' zei hij woedend. 'Wacht rustig af.' Hij had een hekel aan Avery.

Hij boog zich weer over het dossier en negeerde Avery. 'De brutaliteit,' bromde hij nog en hij vervolgde tegen Leclerc: 'Woodford heeft al enig succes gehad, schijnt het. Ongewapend verzet is in orde, hij heeft een radio-expert opgespoord, een van de knapste die we hadden. Ik ken hem van vroeger. Zijn garage heet Hartenkoning, hij verdient blijkbaar goed. We hebben bij de bank geïnformeerd; daar waren ze heel behulpzaam, al hebben we geen concrete cijfers gekregen. Hij is ongetrouwd. Wel affaires met vrouwen, je weet hoe de Polen zijn. Geen politieke belangstelling, voor zover bekend geen hobby's, geen schulden, geen klachten. Hij schijnt een nogal kleurloze figuur te zijn. Maar wel veel technische aanleg. Wat zijn karakter aangaat -' Hij haalde zijn schouders op. 'Wat weten we van andere mensen?'

'Maar hoe wordt er over hem *gepraat?* Goeie hemel, je kunt niet vijftien jaar in een groep leven zonder *enige* indruk te maken. Wat zei die kruidenier - hoe heette hij ook weer, Smethwick? Na de oorlog is hij daar in huis geweest.'

Haldane permitteerde zich een glimlach. 'Ze zeiden dat hij ijverig was en erg beleefd. Iedereen zegt dat hij zo beleefd is. Bij de kruidenier herinnerden ze zich alleen dat hij in de achtertuin graag met een tennisracket een balletje sloeg.'

314

'Heb je de garage gezien?'

'Beslist niet. Ik ben er zelfs niet in de buurt geweest. Vanavond ga ik erheen. Volgens mij hebben we geen keuze. En deze man staat al twintig jaar in ons kaartsysteem.'

'Kun je niet nog ergens anders informeren of er iets over hem bekend is?'

'Dat zouden we dan via het Circus moeten doen.'

'Laat Avery de details opknappen.' Leclerc scheen te zijn vergeten dat Avery in de kamer aanwezig was. 'Met het Circus zal ik zelf wel praten.' Zijn belangstelling was gewekt door een nieuwe kaart aan de muur, een plattegrond van Kalkstadt met de kerk en het station. Ernaast hing een oudere kaart van Oost-Europa. Raketbases waarvan het bestaan al bevestigd was werden hierop in verband gebracht met de hypothetische basis ten zuiden van Rostock. Met tussen spelden gespannen dunne wollen draden waren aanvoerwegen, militaire eenheden en de mogelijke opstelling van ondersteunende wapens aangegeven. Een aantal van deze draden leidden naar Kalkstadt.

'Goed, hè? Sandford heeft die kaart gisteravond gemaakt,' zei Leclerc. 'In dat soort dingen is hij lang niet slecht.'

Op zijn bureau lag een nieuwe withouten stok als een reusachtige priem met een rose lint door het oog geregen. Hij had een nieuw telefoontoestel, groen, luxueuzer dan dat van Avery, voorzien van een bordje waarop stond: *gesprekken via deze lijn kunnen worden afgeluisterd.*

Een tijdlang bestudeerden Haldane en Leclerc de kaart, waarbij ze af en toe een map met telegrammen raadpleegden die Leclerc geopend met beide handen vasthield als een koorknaap zijn gezangenboek.

Ten slotte wendde Leclerc zich tot Avery en zei: 'Zo, John.' Ze wachtten af wat hij te zeggen had.

Hij voelde dat zijn woede begon te zakken. Hij probeerde zich eraan vast te klampen, maar zijn emotie ontglipte hem. Hij wilde verontwaardigd uitroepen: hoe wagen jullie het mijn vrouw hierin te be trekken? Hij wilde zich onbeheerst gedragen, maar het lukte hem niet. Zijn ogen waren gericht op de kaart.

'En?'

'De politie is bij Sarah geweest. Ze is midden in de nacht uit haar bed gehaald. Twee mannen. Haar moeder was erbij. Ze kwamen naar aanleiding van het lijk op het vliegveld, Taylors lijk. Ze wisten dat de pas ongeldig was en ze dachten dat zij erbij betrokken was. Ze hebben haar uit haar bed gehaald,' besloot hij hulpeloos.

'Daar weten we alles van. Die zaak is al opgehelderd. Ik had het je willen vertellen, maar je gunde me de tijd niet. Het lijk is vrijgegeven.'

'Het was verkeerd Sarah erin te betrekken.'

Haldane keek snel op. 'Wat bedoel je daarmee?'

'Wij zijn hier niet competent om een dergelijk probleem op te lossen.' Het klonk erg brutaal. 'We zouden het niet eens moeten proberen. Dit is een geval voor het Circus, Smiley of zo iemand - dat zijn de mensen ervoor, wij niet.' Moeilijk sprekend vervolgde hij: 'Ik geloof dat rapport niet eens. Ik geloof niet dat het waar is! Het zou me niets verbazen als die vluchteling niet bestond, als Gorton de hele zaak uit zijn duim had gezogen.'

'Is dat alles?' vroeg Haldane streng. Hij was razend.

'Dit is niet iets waarmee ik verder wil gaan. Met die operatie, bedoel ik. Ik geloof er niet in.'

Hij keek naar de kaart en naar Haldane, toen lachte hij een beetje onnozel. 'Al die tijd terwijl ik me druk maakte over een lijk hebt u hier gezocht naar een levende! Maar hier is het gemakkelijk, hier, in die droomfabriek ... maar daarginds wonen mensen, echte mensen!'

Leclerc raakte Haldanes arm even aan als om hem te beduiden dat hij het karwei zelf zou opknappen. Hij scheen niet geschokt. Bijna tevreden, alsof hij symptomen herkende, die hij al had verwacht. 'Ga naar je kamer, John, je bent wat overspannen,' zei hij.

'Maar wat moet ik dan tegen Sarah zeggen?' Het klonk wanhopig.

'Zeg haar dat niemand haar meer zal lastig vallen. Dat het een vergissing was ... zeg haar wat je wilt. Ga dan wat warms eten en kom hier over een uur terug. Aan die maaltijden in een vliegtuig heb je niets. Dan zullen we naar de rest van je verslag luisteren.' Leclerc glimlachte, het was dezelfde vriendelijke, serene glimlach waarmee hij tussen de dode vliegers had gestaan. Toen Avery al bij de deur was hoorde hij dat iemand hem zacht, vol genegenheid terugriep; hij bleef staan en keek om.

Leclerc nam zijn ene hand van het bureau en beschreef een halve cirkel die de kamer waarin ze zich bevonden omvatte.

'Ik zal je nog iets zeggen, John. Tijdens de oorlog zaten wij in de Baker Street. We hadden daar een kelder die door het ministerie als operatiekamer voor noodgevallen was ingericht. Adrian en ik hebben daarin heel wat uren doorgebracht. *Heel* wat uren.' Een blik op Haldane.

'Herinner je je hoe de olielamp heen en weer slingerde als de bommen vielen? We moesten toen situaties onder ogen zien, waarbij we maar op één gerucht konden afgaan, John, niet meer. Op één aanwijzing waagden we al een kans. We stuurden er iemand heen, twee als het nodig was, en we wisten dat ze misschien niet terug zouden komen. Misschien bleek achteraf dat er niets aan de hand was geweest. Geruchten, vermoedens, een voorgevoel, dat je tot actie dwingt; je vergeet zo gemakkelijk dat het bij de inlichtingendienst allemaal een kwestie van geluk en intuïtie is. Af en toe een buitenkansje, een enkele maal een grote klap. Soms stond je ook voor een geval als dit: het kon heel belangrijk zijn, maar misschien zat er niets achter. Je kunt een tip krijgen van een boer uit Flensburg of van een professor in Oxford, maar je zit met een mogelijkheid die je niet mag verwaarlozen. Dan krijg je instructies: zoek een man en zend hem erheen. Dat hebben we gedaan. Er zijn er veel niet teruggekomen. Ze waren uitgezonden om zekerheid te brengen als we twijfelden, begrijp je? We stuurden hen uit omdat we iets niet wisten. We beleven allemaal ogenblikken zoals jij nu, John. Denk niet dat het altijd gemakkelijk is.' Een peinzende glimlach. 'Wij hebben het ook vaak te kwaad gehad met ons geweten. Maar daar moet je doorheen. Je tweede gelofte afleggen, noemden we dat vroeger.' Hij leunde tegen het bureau, ongedwongen. 'De tweede gelofte,' herhaalde hij.

'Kijk, John, als jij wilt wachten tot de bommen vallen, tot er op straat mensen liggen te sterven ...' Hij sprak met diepe ernst, alsof hij zijn geloof beleed. 'Ik weet dat het in vredestijd allemaal moeilijker lijkt. Het vergt moed. Moed van een ander soort.'

Avery knikte. 'Het spijt me,' zei hij.

Haldane stond hem vol weerzin aan te kijken.

'Wat de chef bedoelt,' zei hij zuur, 'is dat je bij ons kunt blijven als je doet wat je wordt gevraagd. Als je liever toegeeft aan je emoties zoek dan wat anders en ga in vrede. We zijn hier te oud voor jouw soort.'

Sarahs stem klonk Avery nog in de oren, hij zag de rijen kleine huizen in de regen, hij probeerde zich het leven voor te stellen zonder het departement. Maar hij zag in dat het te laat was, dat het altijd al te laat was geweest, omdat hij zich tot deze mannen had gewend om het weinige dat zij hem konden schenken en dat ze hem nu het weinige hadden afgenomen dat hij bezat. Als een door twijfel verteerde kloosterling had hij gemeend dat hij het weinige dat zijn kleine hart bevatte op een veilige plaats had verborgen; nu was het weg. Hij keek naar Leclerc, toen naar Haldane. Ze waren zijn collega's. Als gevangenen van de stilte zouden ze naast elkaar voortwerken, ze zouden gedurende alle vier jaargetijden de dorre aarde openbreken, vreemden voor elkaar, die elkaar niet konden missen, zich afbeulend in een woestijn van verloren geloof.

'Heb je gehoord wat ik zei?' vroeg Haldane scherp.

Avery mompelde: 'Spijt me.'

'Jij hebt de oorlog niet meegemaakt, John,' zei Leclerc goedig. 'Jij begrijpt niet wat er dan in je omgaat. Je begrijpt niet wat werkelijke plichtsbetrachting is.'

'Ik weet het,' zei Avery. 'Het spijt me. Zou ik de wagen een uur kunnen lenen ... ik wil iets naar Sarah sturen, als er geen bezwaar is.'

'Ga je gang.'

Het schoot hem te binnen dat hij het cadeautje voor Anthony had vergeten. 'Het spijt me,' zei hij nogmaals.

'O ja' - Leclerc opende een lade van het bureau en haalde er een enveloppe uit. Met een toegeeflijke glimlach gaf hij die aan Avery. 'Dit is je pas, een speciale van het ministerie. Daarmee kun je je identificeren. Hij staat op je eigen naam. In de komende weken zul je hem nodig hebben.'

'Dank u.'

'Maak hem maar open.'

Het was een stuk stevig karton, bedekt met cellofaan, groen, de verf was naar beneden gedropen zodat de kaart aan de onderkant donkerder was. Zijn naam was er met een elektrische schrijfmachine op getypt: John Avery. Er stond op dat de houder van deze kaart het recht had namens het ministerie vragen te stellen. Er prijkte een met rode inkt geschreven handtekening op.

'Dank u.'

'Daarmee kun je je altijd redden,' zei Leclerc. 'Hij is door de minister ondertekend. Met rode inkt, zie je. Dat is traditie.'

Hij ging terug naar zijn kamer. Er waren ogenblikken waarop hij tegenover zijn eigen beeld stond als iemand die kijkt naar een verlaten vallei, en dan dreef wat hij zag hem voort om nieuwe ervaringen te zoeken, zoals de wanhoop ons in de dood drijft. Soms was hij als iemand die vlucht, maar hij vluchtte in de richting van de vijand, begerig om op zijn tot vernietiging gedoemde lichaam de slagen te voelen die zijn identiteit zouden bewijzen, begerig om op zijn deprimerende banaliteit het stempel van doelgerichtheid te drukken, begerig misschien, zoals Leclerc had laten doorschemeren, om zijn geweten te verzaken en daardoor tot God te komen.

DEEL III

LEISERS MISSIE

'Om opgelucht als zwemmers die het zuivere water zoeken
Ons af te wenden van een oud en koud
en moe geworden wereld.'

Rupert Brooke, '1914'

10. Voorspel

De Humber zette Haldane bij de garage af.

'Je hoeft niet te wachten. Je moet meneer Leclerc naar het ministerie brengen.'

Met tegenzin bewoog hij zich over het geasfalteerde terrein, langs de gele benzinepompen en de reclameborden die rammelden in de wind. Het was avond; er dreigde regen. De garage was klein, maar modern ingericht: links de showrooms, rechts de werkplaatsen, in het midden een toren waarin iemand woonde. Blank hout en veel glas; een lichtreclame op de toren in de vorm van een hart, waarvan de kleuren voortdurend wisselden. Ergens klonk het gieren van een metaaldraaibank. Haldane betrad het kantoortje. Er was niemand. Het rook er naar rubber. Hij drukte op een bel en begon hevig te hoesten. Soms drukte hij bij het hoesten zijn handen op zijn borst en dan kreeg zijn gezicht de onderworpen uitdrukking van iemand die gewend is aan pijn. Aan de wand hingen kalenders met showgirls en ernaast een met de hand beschreven kaartje, als een amateuristische reclame, waarop stond: 'Mogen de Heilige Christoffel en al zijn engelen ons beschermen tegen ongelukken op de weg. F.L.' Bij het raam fladderde een zangparkiet nerveus heen en weer in zijn kooi. De eerste regendruppels kletsten loom tegen de ruiten. Een jongen van een jaar of achttien kwam binnen, zijn vingers zwart van de smeerolie. Hij droeg een overall; op de borstzak was een rood hart met een kroon erboven aangebracht.

'Goedenavond,' zei Haldane: 'Neem me niet kwalijk. Ik zoek een oude kennis, een vriend. We hebben elkaar lang geleden gekend. Een meneer Leiser. Fred Leiser. Ik vroeg me af of u misschien ...'

'Ik zal hem halen,' zei de jongen en verdween.

Haldane wachtte geduldig, hij keek naar de kalenders, zich afvragend of de jongen of Leiser ze daar had opgehangen. De deur ging voor de tweede maal open - en daar stond Leiser. Haldane herkende hem van zijn foto. Hij was heel weinig veranderd. De twintig jaar waren niet in krachtige lijnen op zijn gezicht getekend maar in kleine streepjes naast de ogen, in een trek van zelfbeheersing om de mond. Het indirecte licht boven hem wierp geen schaduwen. Het was een gezicht dat bij de eerste blik alleen van eenzaamheid getuigde. De huidskleur was bleek.

'Wat kan ik voor u doen?' vroeg Leiser. Hij stond bijna militair in de houding.

'Hallo, ik vraag me af of je me nog kent.'

Leiser keek alsof hem werd gevraagd een prijs te noemen, neutraal, een tikje argwanend.

'Weet u zeker dat u mij moet hebben?'

'Ja.'

'Dat moet dan wel lang geleden zijn,' zei hij ten slotte. 'Ik vergeet een gezicht niet gauw.'

'Twintig jaar.' Haldane kuchte verontschuldigend.

'In de oorlog dus?'

Hij was klein van stuk, maar met een kaarsrechte houding; in zijn lichaamsbouw had hij iets van Leclerc. Hij had kelner kunnen zijn. Zijn mouwen waren een eindje opgerold; zijn onderarmen waren opvallend sterk behaard. Hij droeg een duur wit overhemd met een monogram op de zak. Kennelijk een man die veel geld uitgaf aan zijn kleren. Hij droeg een gouden ring, een polshorloge met een gouden band. Zijn lichaam verzorgde hij blijkbaar goed. Haldane rook de lotion op zijn huid. Zijn lange bruine haar was dik en vormde een rechte lijn boven zijn voorhoofd. Het was achterovergekamd en bolde enigszins bij de slapen. Hij had geen scheiding, wat hem een duidelijk Slavisch gezicht gaf. Ondanks zijn rechte houding bewoog hij zich soepel, met een zekere losheid in schouders en heupen, die de indruk wekte dat hij vroeger gevaren had. Op dit punt hield iedere gelijkenis met Leclerc volkomen op. Zonder het te willen leek hij een man van de praktijk, handig in de huishouding of bij het starten van een auto op een koude morgen; en daarnaast leek hij een naïeve man, hoe bereisd hij ook mocht zijn. Hij droeg een das met Schotse ruiten.

'Je kent me toch nog wel?' zei Haldane bijna smekend.

Leiser staarde naar de ingevallen wangen met de vuurrode plekjes, naar het slungelige, rusteloze lichaam en de licht bewegende handen, en toen kwam er een uitdrukking op zijn gezicht van smartelijk herkennen, alsof hij het stoffelijk overschot van een vriend identificeerde.

'U bent toch kapitein Hawkins niet?'

'Precies.'

'Godallemachtig,' zei Leiser, zonder zich te bewegen. 'Dan zijn jullie die lui die naar me hebben geïnformeerd.'

'We zoeken iemand met jouw ervaring, een man zoals jij.'

'Waarvoor hebt u hem nodig?'

Hij stond nog altijd op dezelfde plaats. Wat hij dacht was heel moeilijk uit te maken. Zijn ogen waren strak op Haldane gericht.

'Om een opdracht uit te voeren, één opdracht.'

Leiser glimlachte, alsof hij het zich allemaal weer herinnerde. Hij maakte een hoofdbeweging naar het raam. 'Daarginds?' Hij doelde op iets dat verder af was dan de regen.

'Ja.'

'En hoe moet het met het teruggaan?'

'De regels zijn niet veranderd. Iedereen vertrekt op eigen risico. Net als in de oorlog.'

Hij stak zijn handen in zijn zakken, ontdekte sigaretten en een aansteker. De vogel in de kooi zong.

'Net als in de oorlog. Rookt u?' Hij nam zelf een sigaret, en terwijl hij die opstak hield hij zijn handen beschuttend om het vlammetje, alsof ze in een harde wind stonden. Daarna liet hij de lucifer op de vloer vallen, waar iemand anders hem zou moeten oprapen.

'Godallemachtig,' herhaalde hij. 'Twintig jaar. Ik was nog een kind in die tijd, niet meer dan een kind.'

Haldane zei: 'Ik neem aan dat je er nooit spijt van hebt gehad. Zullen we een borrel gaan drinken?' Hij overhandigde Leiser een kaartje. Het kwam pas van de drukker: 'Kapitein A. Hawkins.' Eronder stond alleen een telefoonnummer.

Leiser las het en haalde zijn schouders op. 'Ik vind het goed,' zei hij en ging zijn jas halen. Weer een glimlach, ongelovig ditmaal. 'Maar voor u is het tijdverspilling, kapitein.'

'Misschien ken je iemand. Een kennis uit de oorlog, die wel bereid zou zijn.'

'Ik ken niet veel mensen,' antwoordde Leiser. Hij nam een colbertje van een haak en een donkerblauwe nylon regenjas. Voor Haldane uit liep hij naar de deur en opende die met een breed gebaar, alsof hij waardering had voor plichtplegingen. Zijn haar was zorgvuldig gladgestreken als de vleugels van een vogel.

Aan de overkant van de straat was een kroeg. Ze kwamen er over een loopbrug. Onder hen daverde het spitsuurverkeer; de kille, dikke regendruppels schenen erbij te horen. De brug trilde onder het voortrazen van de auto's. De kroeg uit de tijd van de Tudors was verfraaid met nieuwe koperen platen en een bijzonder glimmend gepoetste scheepsbel. Leiser vroeg om een 'White Lady'. Hij dronk nooit iets anders, zei hij. 'Neem altijd hetzelfde, kapitein, dat is mijn advies. Dan krijg je er nooit last van. Proost.'

'Ik moet iemand hebben die het werk kent,' merkte Haldane op. Ze zaten in een hoek, bij de haard. Het gesprek had over zaken kunnen gaan. 'Het is een erg belangrijke opdracht. Ze betalen meer dan in de oorlog.' Hij lachte zuinig. 'Ze betalen goed tegenwoordig.'

'Maar geld is ook niet alles, wel?' Een stijf zinnetje, dat hij van de Engelsen had overgenomen.

'Ze kennen jou nog. Mensen van wie jij de namen bent vergeten, als je ze al ooit hebt gehoord.' Een niet overtuigende glimlach plooide zijn smalle lippen; het had jaren geleden kunnen zijn dat hij voor het laatst had gelogen. 'Je heb bepaald indruk gemaakt, Fred. We hebben er niet veel gehad die zo goed waren als jij. In al die twintig jaar niet.'

'Het oude stel is me dus nog niet vergeten?' Hij scheen dankbaar, maar verlegen, alsof de eer in de herinnering voort te leven hem niet toekwam. 'Ik was nog maar een kind,' herhaalde hij. 'Wie zitten er nog, wie zijn er overgebleven?'

Haldane lachte verlegen. 'Het spijt me, maar we houden ons nog altijd aan dezelfde regels, Fred *"Moet* je het weten?" geldt nog altijd.' Ze hadden strenge regels gehad.

'Godallemachtig,' zei Leiser. 'Nog altijd. Werken er nog altijd even veel lui?'

'Meer.' Haldane liet nog een White Lady komen. 'Interesseer je je nogal voor politiek?'

Leiser hief een schone hand op en liet die weer zakken.

'U weet hoe we hier zijn,' zei hij. 'Engeland, hè?' Zijn toon impliceerde enigszins brutaal dat hij zich Haldanes gelijke voelde.

'Ik bedoel,' drong Haldane aan, 'voor de grote lijn.' Hij hoestte, zijn droge kuch. 'Ten slotte hebben ze jouw land ingepikt, niet?' Leiser zei niets. 'Wat vond je bijvoorbeeld van Cuba?'

Haldane rookte zelf niet, maar hij had aan de bar een pakje sigaretten gekocht van het merk dat Leiser rookte. Hij haalde het cellofaan met zijn tengere, ouder geworden vingers eraf en schoof ze hem over de tafel toe. Zonder het antwoord af te wachten, vervolgde hij: 'Waar het mij om gaat is dat de Amerikanen toen met Cuba *wisten* wat er gebeurde. Ze hadden gegevens. Daarom konden ze ingrijpen. Natuurlijk hebben zij verkenningsvluchten uitgevoerd. Maar dat is niet altijd mogelijk.' Hij lachte weer kort. 'Je vraagt je af wat zij zouden hebben gedaan zonder luchtverkenningen.'

'Ja, dat is zo.' Hij knikte als een automaat. Haldane negeerde hem.

'Dan waren ze de sigaar geweest,' zei Haldane veelbetekenend en hij nam een teugje whisky. 'Tussen haakjes, ben je getrouwd?'

Leiser lachte breed, stak zijn platte hand uit en bewoog die met snelle bewegingen naar links en naar rechts, als iemand die over vliegtuigen praat. 'Min of meer,' zei hij. Zijn geruite das was op zijn overhemd bevestigd met een zware gouden speld in de vorm van een rijzweep met een paardekop erachter. Het was een wonderlijk gezicht.

'U wel, kapitein?'

Haldane schudde ontkennend het hoofd.

'Nee,' merkte Leiser peinzend op, 'nee.'

'Er zijn nog andere gelegenheden geweest,' vervolgde Haldane, 'waarin zeer ernstige fouten zijn gemaakt omdat men niet over de juiste inlichtingen beschikte of niet genoeg wist. Ik bedoel: zelfs wij kunnen niet overal permanent onze mensen hebben.'

'Nee, natuurlijk niet,' zei Leiser beleefd.

Het werd voller in de kroeg.

'Kunnen we ergens anders heengaan, waar we rustig kunnen praten?' vroeg Haldane. 'Samen eten en nog wat kletsen over het oude stel. Of heb je al een afspraak?' De lagere standen eten vroeg.

Leiser keek op zijn horloge. 'Ik ben tot acht uur vrij,' zei hij. 'U zou iets moeten doen aan die hoest van u, kapitein. Zo'n hoest kan gevaarlijk zijn.' Het horloge was van goud, het had een zwarte wijzerplaat en het gaf ook de standen van de maan aan.

De staatssecretaris, zich evenzeer bewust van de tijd, vond het vervelend dat hij zo lang werd opgehouden.

'Ik heb u, geloof ik, al verteld,' zei Leclerc, 'dat Buitenlandse Zaken erg lastig is als het om operationele paspoorten gaat. Die mensen willen altijd eerst het Circus raadplegen. Wij hebben geen status, begrijpt u; ik kan moeilijk krachtig optreden - ze weten daar nauwelijks hoe we werken. Ik heb me afgevraagd of het niet beter zou zijn als alle verzoeken om paspoorten van mijn departement over uw bureau liepen. Dan konden we het Circus erbuiten laten.'

'Wat bedoelt u met lastig?'

'U herinnert zich dat we die arme Taylor onder een andere naam hadden uitgezonden. Enkele uren voor hij uit Londen vertrok had Buitenlandse Zaken zijn operationele paspoort juist ingetrokken. Vermoedelijk een fout in de administratie van het Circus. Het gevolg was dat de douane het lijk eerst niet wilde toelaten toen het in Engeland aankwam, omdat de pas ongeldig was. Het was een heel gezeur voor ons. Ik moest er een van mijn beste mensen op afsturen om de zaak in orde te krijgen,' loog hij. 'Als de minister erop aandringt zal Control beslist geen bezwaar maken tegen een nieuwe regeling.'

De staatssecretaris wees met zijn potlood naar de deur, waarachter zijn staf werkte. 'Ga maar met hen praten. Zoek een oplossing. Het klinkt mij allemaal erg onnozel in de oren. Met wie werkt u samen op Buitenlandse Zaken?'

'Met De Lisle,' zei Leclerc tevreden. 'Van de afdeling Algemene Zaken. Hij is er adjunct-directeur. En bij het Circus met Smiley.'

De staatssecretaris noteerde dit. 'Het Circus is zo'n topzware organisatie dat ik nooit weet naar wie ik moet vragen.'

'Wat de technische voorzieningen betreft zal ik me dan misschien tot het Circus moeten wenden. Een radiozender, dat soort dingen. Uit veiligheidsoverwegingen zal ik zeggen dat ik de dingen voor een oefening nodig heb; dat lijkt me de beste camouflage.'

'Camouflage? Hm, ja, een leugen. Daarover hebt u al gesproken.'

'Het is een voorzorgsmaatregel, meer niet.'

'U moet maar doen wat u het beste lijkt.'

'Ik meende dat u het Circus er liever niet in wilde betrekken. U hebt zelf gezegd: geen monolithische organisatie. Van die veronder-stelling ben ik uitgegaan.'

De staatssecretaris keek naar de klok boven de deur. 'Hij is nogal in een prikkelbare stemming; het was een vervelende dag met dat geval in Yemen. Ik geloof dat hij zich ook zorgen maakt over de verkiezingen in Woodbridge; marginale overwinningen maken hem altijd nerveus. Hoe gaat die zaak van u nu eigenlijk? Daarover tobt hij ook. Het is begrijpelijk. Wat moet hij er nu van geloven?' Hij zweeg even. 'Ik vind die Duitsers angstaanjagend ... U zei dat u iemand had opgespoord die aan de eisen voldeed?' Ze waren naar de gang gelopen.

'We zijn met hem in contact. De zaak is hem voorgelegd. Van-avond zullen we het wel horen.'

De staatssecretaris trok bijna onmerkbaar zijn neus op, terwijl zijn hand al naar de deur van de minister ging. Hij was een gelovig man en had een hekel aan onregelmatigheden.

'Hoe komt iemand op het idee zo'n opdracht aan te nemen? De man die u gaat uitzenden, bedoel ik.'

Leclerc schudde zwijgend het hoofd, alsof zij tweeën elkaar vol-komen begrepen. 'De hemel zal het weten.'

'Wat is het voor een man? Weet u iets van zijn afkomst? Heel in het algemeen, u begrijpt me wel.'

'Intelligent. Iemand die zichzelf heeft ontwikkeld. Van Poolse afkomst.'

'O, juist.' Hij scheen opgelucht. 'Laten we het kalm aan doen, niet? Stel het niet te somber voor. Hij verafschuwt dramatisch gedoe. Ik bedoel maar, iedere idioot begrijpt wel hoe *gevaarlijk* zoiets is.'

Ze gingen naar binnen.

Haldane en Leiser gingen aan een hoektafeltje zitten, als een verliefd stel in een espressobar.

Het was een van die restaurants die hun sfeer hoofdzakelijk aan lege chiantiflessen ontlenen en hun klanten weinig anders te bieden hebben. Het zou morgen of de dag daarop kunnen sluiten zonder dat het iemand zou opvallen, maar nu het nog bestond, nieuw en vol hoop, was het er lang niet slecht. Leiser bestelde een runderlapje, het scheen een gewoonte te zijn, en at keurig rechtop zittend, zijn ellebogen tegen zijn zijden gedrukt.

Haldane negeerde het doel van het onderhoud voorlopig. Hij praatte weinig bezielend over de oorlog en het departement, over operaties die hij bijna vergeten was, tot hij zijn geheugen die middag aan de hand van de dossiers had opgefrist. Hij sprak - dat leek ook wel wenselijk - bijna uitsluitend over degenen die het er levend hadden afgebracht.

Hij herinnerde aan de cursussen die Leiser had gevolgd. Interesseerde hij zich nog voor radiotelegrafie? Nee, eigenlijk niet. En voor ongewapende verdediging? Och, dat kwam tegenwoordig niet meer zo te pas.

'Ik herinner me dat je tijdens de oorlog kritieke situaties hebt meegemaakt. Heb je in Holland geen moeilijkheden gehad?' Zo kwamen ijdelheid en nostalgie naar vroeger weer in het spel.

Een stug knikje. 'Het was even kritiek, ja,' gaf hij toe. 'Ik was toen veel jonger.'

'Wat is er precies gebeurd?'

Leiser keek Haldane verbaasd aan, alsof de ander hem wakker had geschud, en begon toen te vertellen. Het was een van die oorlogsverhalen die sinds het uitbreken van de oorlog met kleine variaties zijn verteld en die even ver afstonden van het kleine nette restaurant als de honger en armoe, ongeloofwaardiger nog omdat het zo gedetail-

327

leerd werd gebracht. Het was alsof hij het uit de tweede hand vertel-de. Het had een verhaal kunnen zijn dat hij door de radio had ge-hoord. Hij was gepakt, hij was ontsnapt, hij was dagenlang zon-der eten geweest, hij had mensen gedood, hij had onderdak gevonden en was teruggesmokkeld naar Engeland. Hij vertelde het vlot, misschien was dit wat de oorlog nu voor hem betekende, mis-schien was het allemaal waar, maar hij sprak zoals een Zuideuropese weduwe de dood van haar echtgenoot beschrijft: met een passie die van zijn hart naar de woorden was gegaan. Het leek alsof hij sprak op bevel. In tegenstelling tot Leclerc was zijn pose er minder op ge-richt anderen te imponeren dan zichzelf te beschermen. Hij maakte de indruk van iemand die heel gesloten was en voor wie spreken een waagstuk in een onbekend gebied betekende, een man die lang alleen was geweest en van de maatschappij niets verwachtte, beheerst maar niet ontspannen. Zijn accent was goed, maar hij sprak als een buiten-lander, zonder de slordigheden en de samentrekkingen die zelfs aan het waarnemingsvermogen van begaafde imitators ontsnappen, een stem die vertrouwd was met haar omgeving maar zich er niet thuis voelde.

Haldane luisterde beleefd. Toen het verhaal uit was, vroeg hij: 'Hoe kwam het eigenlijk dat ze je te pakken hebben gekregen? Weet je dat?'

De afstand tussen hen was nu heel groot.

'Dat hebben ze me nooit verteld,' zei hij ongeïnteresseerd, alsof het niet te pas kwam daarnaar te informeren.

'Jij bent natuurlijk *precies* de man die we nodig hebben,' merkte Haldane ten slotte op. 'Jij kent de Duitsers, als je begrijpt wat ik bedoel. Je weet hoe ze zijn, niet waar? Je hebt toch ervaring met Duitsers.'

'Alleen in de oorlog,' zei Leiser.

Ze praatten over de opleidingsschool. 'Hoe is het met die dikke? George hoe heet-ie ook weer? Een klein ventje met een triest gezicht.'

'O ... hij maakt het goed, dank je.'

'Die is met een knap meisje getrouwd.' Hij lachte obsceen en be-woog zijn rechteronderarm in het Arabische gebaar dat grote seksue-le potentie symboliseert. 'Godallemachtig,' zei hij, weer lachend. 'Kleine ventjes zoals hij en ik! Die doen het toch maar!' Waarom hij zo plotseling uit de toon viel was onbegrijpelijk. Het leek wel alsof Haldane daarop gewacht had.

Haldane observeerde hem een hele tijd. De stilte werd opvallend.

Demonstratief stond hij op. Plotseling scheen hij woedend, zowel om Leisers dwaze grijns als om de hele goedkope, zinloze hengelpartij, de telkens herhaalde grove vloek en de platte wijze waarop hij de spot dreef met een man van standing.

'Ik heb liever niet dat je zoiets zegt. George Smiley is toevallig een vriend van me.'

Hij wenkte de kelner en rekende af, waarna hij het restaurant snel en hautain verliet, zodat Leiser verbijsterd en alleen achterbleef, zijn White Lady nog sierlijk opgeheven, zijn bruine ogen gericht op de deur waardoor Haldane zo plotseling was verdwenen.

Tenslotte ging hij zelf ook weg, weer over de loopbrug, langzaam lopend door de duisternis en de regen, omlaag starend naar de dubbele rij lantarens en het verkeer dat ertussendoor raasde. Hij wierp een blik op zijn garage aan de overkant, op de rij verlichte benzinepompen, op de toren met de hartvormige lichtreclame van zestig-watt-lampjes, die afwisselend groen en rood brandden. Hij betrad het helder verlichte kantoortje, zei iets tegen de jongen en liep toen langzaam naar boven, vanwaar luide muziek hem tegemoet schalde.

Haldane wachtte tot hij uit het gezicht verdwenen was en ging toen het restaurant weer binnen om een taxi te bestellen.

Ze had een grammofoonplaat opgezet. In zijn stoel zittend, een glas in de hand, luisterde ze naar de dansmuziek.

'Tjees, wat ben je laat,' zei ze. 'Ik ben uitgehongerd.'

Hij kuste haar.

'Jij hebt al gegeten,' zei ze. 'Ik ruik het.'

'Alleen maar een hapje, Bett. Ik moest wel. Er is een man bij me geweest. We hebben samen een borrel gedronken.'

'Leugenaar.'

Hij glimlachte. 'Doe niet zo mal, Betty. We zouden toch samen gaan dineren?'

'Wat voor man?'

De flat zag er keurig uit. Gordijnen en vloerkleden waren gebloemd, kanten kleedjes bedekten alle glimmende oppervlakken. Alles was beschermd, voor vazen, lampen en asbakken waren voorzieningen getroffen, alsof Leiser van de natuur slechts hevige schokken verwachtte. Een vleugje antiek scheen hem aan te trekken. Die voorkeur weerspiegelde zich in de krullen van de houten meubels en het smeedijzer van de lampen. Aan de muur hing een spiegel in een vergulde lijst en een schilderij op gips in een lijst die met een figuur-zaag was gemaakt; een nieuwe klok met draaiende gewichten stond onder een glazen stolp.

Toen hij het barmeubel opende klonk het melodietje van een muziekdoos.

Hij mixte voor zichzelf een White Lady met de voorzichtige bewegingen van iemand die een medicijn samenstelt. Ze keek toe terwijl ze haar heupen bewoog op de maat van de grammofoonmuziek, en haar glas van zich afhield alsof het de hand van haar partner en die partner niet Leiser was.

'Wat voor man?' herhaalde ze.

Hij ging bij het raam staan, kaarsrecht als een soldaat. De lichtflitsen van het hart op het dak gleden over de huizen, accentueerden enkele staven van de brug en trilden op het natte plaveisel. Achter de huizen was de kerk, als een bioscoop met een torenspits van gegroefde baksteen, met galmgaten waarin de klokken hingen. Achter de kerk was de hemel. Soms had hij het gevoel dat de kerk het enige was dat overbleef, en de hemel van Londen de rosse gloed had van een brandende stad.

'Tjees, wat ben jij gezellig vanavond.'

Het gebeier van de kerkklokken was krachtig versterkt om het verkeersrumoer te overstemmen. Hij verkocht op zondag altijd veel benzine.

De regen kletterde nu harder neer, hij zag de druppels in het licht van de autolampen, hij zag ze groen en rood dansen op het asfalt.

'Vooruit, Fred, dansen.'

'Een ogenblik, Bett.'

'Allemachtig, wat heb jij toch? Neem nog een borrel en zet je zorgen van je af.'

Hij hoorde haar schuifelende danspassen op het vloerkleed, het onvermoeibare rinkelen van haar bedelarmband.

'Dans dan toch in godsnaam.'

Ze had een slordige manier van articuleren en haalde de laatste lettergreep van een zin altijd onnodig lang uit. Het gaf blijk van dezelfde opzettelijke ontluistering waarmee ze zich aan hem gaf, alsof ze hem geld gaf, alsof mannen alle pretjes hadden en vrouwen alleen de narigheid.

Met een onverschillige ruk aan de arm zette ze de plaat stil. Het krassen van de naald klonk door de luidspreker.

'Zeg, wat heb je nu toch?'

'Er is echt niets. Ik heb vandaag hard gewerkt, dat is alles. En toen kwam die man nog, iemand die ik vroeger heb gekend.'

'Voor de zoveelste maal: wie was het? Zeker een vrouw? Een of andere hoer.'

'Nee, Betty, het was een man.'

Ze liep naar het raam en drukte onverschillig haar gezicht tegen zijn hals. 'Wat zie je toch voor bijzonders aan dat snertuitzicht? Een verzameling rothuizen. Je hebt altijd gezegd dat je er de pest aan had. Maar wie was het nu?'

'Iemand van een van de grote maatschappijen.'

'Willen ze jou daar hebben?'

'Ja ... ze willen me een aanbieding doen.'

'Tjees, wie neemt er nu zo'n rot-Pool?'

Hij bewoog zich nauwelijks. 'Die lui willen me hebben.'

'Er is op de bank ook iemand geweest die naar je vroeg. Ze hebben over je gepraat in de kamer van meneer Dawnay. Zit je in moeilijkheden?'

Hij haalde haar mantel en hielp haar erin, heel correct, zijn ellebogen ver van zijn lichaam.

Ze zei: 'Niet naar die nieuwe tent met die kelners, in godsnaam.'

'Daar is het toch heel aardig? Ik dacht dat het jou daar wel beviel. Je kunt er dansen, daar houd je van. Waar wil je dan heen gaan?'

'Met jou? Allemachtig! Ergens waar een beetje vertier is.'

Hij staarde haar aan. Hij hield de deur open. Plotseling glimlachte hij.

'O.K., Bett. Jij mag het zeggen vanavond. Als jij de auto vast start zal ik een tafeltje reserveren.' Hij gaf haar het contactsleuteltje. 'Ik weet een restaurant, iets geweldigs.'

'Verdorie, wat heb je nu plotseling?'

'Jij mag rijden. We maken er een dolle avond van.' Hij liep naar de telefoon.

Het was even voor elf toen Haldane terugkwam op het departement. Leclerc en Avery wachtten op hem. Carol zat in het privé-kantoor te typen.

'Ik had je al eerder verwacht,' zei Leclerc.

'Het is niet gelukt. Hij voelde er niet voor, zei hij. Ik geloof dat jij de volgende kandidaat maar moet bewerken. Ik kan het niet meer.'

Hij scheen het zich niet aan te trekken. Toen hij ging zitten staarden ze hem ongelovig aan.

'Heb je hem geld aangeboden?' vroeg Leclerc tenslotte. 'We kunnen er vijfduizend pond aan besteden.'

'Natuurlijk heb ik hem geld aangeboden. Maar het interesseerde hem niet, zeg ik toch. Het was een bijzonder onaangenaam mannetje.'

'Het spijt me.' Hij zei niet waarom.

Ze hoorden het tikken van Carols schrijfmachine. Leclerc zei: 'Wat moeten we nu doen?'

'Ik heb geen idee.' Hij keek onrustig op zijn horloge.

'Er moeten toch anderen zijn, het kan niet anders.'

'Niet in onze kartotheek. Niemand die zo geschikt zou zijn als hij. We hebben Belgen, Zweden, Fransen. Maar Leiser was de enige die Duits sprak en technische ervaring had. Op papier is hij de enige.'

'Die nog jong genoeg is. Bedoel je dat?'

'Ik geloof het wel. We moeten iemand met ervaring hebben. Voor het opleiden van een nieuwe kracht hebben we geen tijd en geen faciliteiten. Dan moeten we ons maar tot het Circus wenden. Daar hebben ze wel iemand.'

'Dat kunnen we niet doen,' zei Avery.

'Wat was het voor een type?' drong Leclerc aan. Hij wilde de hoop nog niet opgeven.

'Ordinair, op de Slavische manier. Klein van stuk. Hij hangt de Rittmeister uit. Zeer onaantrekkelijk.' Hij zocht in zijn zakken naar de rekening. 'Hij kleedt zich als een bookmaker, maar dat zullen ze allemaal wel doen. Moet ik dit ding aan jou geven of aan de boekhouding?'

'Geheim?'

'Waarom niet?'

'Heb je hem uiteengezet hoe belangrijk het was? Dat er opnieuw een front moest worden gevormd en zo?'

'Hij vond het oude front aantrekkelijker.' Haldane legde de rekening op tafel.

'En de politiek dan ... sommige emigranten zijn erg ...'

'We hebben over de politiek gesproken. Maar hij is niet zo'n soort emigrant. Hij voelt zich een echte Brit, die hier thuishoort. Wat verwachtte je eigenlijk? Dat hij trouw zou zweren aan het Poolse koningshuis?' Weer keek hij op zijn horloge.

'Je hoopte dat hij nee zou zeggen!' riep Leclerc, plotseling woedend omdat Haldane zo onverschillig deed. 'Je bent blij, Adrian, ik zie het aan je gezicht! Goeie God, en het departement dan! Betekende dat niets meer voor hem? Je gelooft er zelf niet meer in, daarom kan het je niet schelen! Je lacht me uit!'

'Wie van ons heeft nog het ware geloof?' vroeg Haldane minachtend. 'Je hebt het zelf gezegd: we doen ons werk.'

'Ik geloof erin,' verklaarde Avery.

Haldane wilde iets zeggen, toen de groene telefoon ging.

'Dat zal het ministerie zijn,' zei Leclerc. 'Wat moet ik nu zeggen?' Haldane sloeg hem gade.

Hij nam de hoorn, bracht die aan zijn oor en gaf hem over. 'Het is de centrale. Hoe kan die op de groene lijn komen? Iemand vraagt naar kapitein Hawkins. Dat ben jij, he?'

Haldane luisterde, zijn magere gezicht was uitdrukkingsloos. Tenslotte zei hij: 'Ik dacht het wel. We vinden wel iemand. Dat lijkt me geen probleem. Morgen om elf uur. Graag precies op tijd.' Hij verbrak de verbinding. Het licht in Leclercs kamer scheen weg te vloeien naar het met een dun gordijn bedekte raam. Buiten viel de regen nog in stromen neer.

'Dat was Leiser. Hij heeft besloten dat hij het toch doet. Hij wil weten of wij iemand hebben die tijdens zijn afwezigheid voor hem kan waarnemen in zijn garage.'

Leclerc keek hem verbaasd aan. Zijn gezicht begon op een bijna komische manier te stralen. 'Je rekende erop!' riep hij. Hij strekte zijn kleine hand uit. 'Neem me niet kwalijk, Adrian. Ik heb je verkeerd beoordeeld. Hartelijk gefeliciteerd.'

'Waarom heeft hij het aangenomen?' vroeg Avery opgewonden. 'Waardoor is hij van idee veranderd?'

'Waardoor laten agenten zich leiden? Waardoor laten wij ons leiden?'

Haldane ging zitten. Hij leek oud maar onaantastbaar, als een man wiens vrienden al zijn gestorven. 'Waarom stemmen ze toe of wijzen ze af, waarom liegen ze of spreken ze de waarheid? We weten het niet eens van onszelf.' Hij begon weer te hoesten. 'Misschien heeft hij niet genoeg te doen. En dan de Duitsers: die haat hij. Dat zegt hij tenminste. Ik hecht weinig geloof aan zijn uitspraken. Hij zei ook dat hij *ons* niet kon teleurstellen; ik neem aan dat hij daarmee zichzelf bedoelt.'

Tegen Leclerc vervolgde hij: 'Ik heb hem gezegd dat we nog dezelfde regels hadden als in de oorlog, was dat juist?'

Maar Leclerc draaide het nummer van het ministerie al.

Avery liep naar het privé-kantoor. Carol stond op.

'Wat gebeurt er toch?' zei ze snel. 'Waarom waren jullie zo opgewonden?'

'Dat was Leiser.' Avery deed de deur achter zich dicht. 'Hij heeft
zich bereid verklaard te gaan.' Hij strekte zijn armen uit alsof hij
haar wilde omhelzen. Het zou de eerste maal zijn.

'Waarom?'

'Hij haat de Duitsers, zegt hij. Ik vermoed dat hij het om het geld
doet.'

'Is dat gunstig?'

Avery lachte sluw. 'Zolang hij van ons meer krijgt dan van de anderen.'

'Moet jij niet terug naar je vrouw?' vroeg ze streng. 'Het lijkt me
helemaal niet nodig dat je hier slaapt.'

'Ik ben nu operationeel.' Avery ging naar zijn kamer. Ze zei hem
niet goedenacht.

Leiser legde de hoorn op de haak. Het was plotseling heel stil. De
lichtreclame op het dak ging uit, in de kamer was het nu donker. Hij
liep snel naar beneden. Hij fronste het voorhoofd, alsof al zijn geestkracht nog slechts gericht was op het vooruitzicht van een tweede
maaltijd.

11

Ze kozen Oxford, zoals ze in de oorlog ook hadden gedaan. De bonte
mengeling van nationaliteiten en beroepen, het voortdurend komen
en gaan van bezoekende academici en de eruit voortvloeiende anonimiteit, de nabijheid van bos en veld maakten deze plaats bijzonder
geschikt voor hen. Bovendien voelden ze zich er thuis. De ochtend
nadat Leiser had opgebeld vertrok Avery het eerst, om een huis te
zoeken. De volgende dag berichtte hij Haldane telefonisch dat hij
er een in het noorden van de stad voor een maand had gehuurd, een
groot Victoriaans geval, met vier slaapkamers en een tuin. De huur
was erg hoog. In de administratie van het departement werd de villa
het Mayfly-huis genoemden verantwoord onder 'Levensbehoeften'.

Zodra Haldane het wist waarschuwde hij Leiser. Op Leisers voorstel werd overeengekomen dat hij het voorwendsel van een cursus in
de Midlands zou gebruiken om zijn afwezigheid te verklaren.

'Vertel geen bijzonderheden,' had Haldane gezegd. 'Laat je brievan adresseren *poste restante* Coventry. Daar kunnen we ze dan halen.'

Leiser was blij geweest toen hij hoorde dat ze naar Oxford gingen. Leclerc en Woodford hadden wanhopige pogingen gedaan om iemand te vinden die Leisers garage zou kunnen leiden zolang hij er niet was; plotseling dachten ze aan McCulloch. Leiser gaf hem blanco volmacht en ze brachten een ochtend samen door om hem snel wegwijs te maken. 'We zijn bereid je een of andere garantie te geven,' zei Haldane.

'Dat is niet nodig,' antwoordde Leiser, en hij verklaarde dit door volkomen ernstig te zeggen: 'Ik werk voor Engelse heren.'

Leiser had zich op vrijdagavond telefonisch bereid verklaard. De woensdag daarop waren de voorbereidingen voldoende gevorderd om een conferentie van de Speciale Afdeling te beleggen, waarop Leclerc zijn plannen uiteenzette. Avery en Haldane zouden bij Leiser in Oxford blijven. Ze zouden de volgende avond samen vertrekken, tenminste als Haldane, zoals Leclerc aannam, dan klaar was met zijn syllabus. Leiser werd enkele dagen later in Oxford verwacht, als hij klaar was met het afwikkelen van zijn eigen zaken. Haldane zou het toezicht houden op zijn opleiding, Avery zou daarbij als zijn assistent optreden. Woodford bleef voorlopig in Londen. Hij moest onder meer overleg plegen met het ministerie (en met Sandford van de researchafdeling) om het lesmateriaal te verzamelen voor het herkennen van korte- en middelbare-afstandsraketten. Wanneer hij deze gegevens bezat zou hij eveneens naar Oxford gaan.

Leclerc was onvermoeibaar geweest: nu eens op het ministerie om rapport uit te brengen over de vorderingen, dan weer naar Financiën om een pensioen los te krijgen voor Taylors weduwe, of, geholpen door Woodford, op zoek naar voormalige instructeurs die Leiser les konden geven in seinen, in fotografie en in ongewapend verzet.

Ieder ogenblik dat hij vrij had wijdde Leclerc aan Mayfly Zero: het ogenblik waarop Leiser Oost-Duitsland zou worden binnengesmokkeld. Eerst scheen hij niet precies te weten hoe dat moest gebeuren. Hij praatte vaag over een maritieme operatie vanuit Denemarken: een klein vissersvaartuig en een rubberbootje om ontdekking door radar te voorkomen. Hij confereerde lang met Sandford over clandestiene grensoverschrijdingen en telegrafeerde Gorton om gegevens betreffende de situatie aan de grens in de omgeving van Lübeck. In bedekte termen pleegde hij zelfs overleg met het Circus. Control toonde zich opvallend behulpzaam.

Dit alles speelde zich af in de sfeer van vergrote activiteit en herlevend optimisme die Avery bij zijn terugkomst al was opgevallen. Zelfs degenen die theoretisch niets van de operatie wisten werden aangestoken door het besef kritieke dagen mee te maken. De kleine groep die dagelijks aan een hoektafeltje in het Cadena Café lunchte besprak allerlei geruchten en vermoedens. Zo werd er bijvoorbeeld verteld dat een zekere Johnson, die in de oorlog bekend had gestaan als Jack Johnson, een radio-instructeur, aan de staf van het departement was toegevoegd. De boekhoudafdeling wist te vertellen dat hem een voorschot was uitbetaald en - een heel interessante bijzonderheid - dat de afdeling opdracht had gekregen een contract voor drie maanden op te stellen en dit aan Financiën voor te leggen. Wie had ooit gehoord van een contract voor maar drie maanden? Johnson had in de oorlog meegewerkt aan de droppings in Frankrijk. Een meisje met veel dienstjaren kende hem nog wel. Berry, de code-expert, had meneer Woodford gevraagd wat Johnson ging uitvoeren (Berry was altijd zo brutaal) en meneer Woodford had lachend gezegd dat het hem geen fluit aanging, maar dat hij zou worden ingezet bij een zeer geheime operatie die op het Europese continent zou plaatsvinden, Noord-Europa, om precies te zijn, en dat het Berry misschien zou interesseren te horen dat die arme Taylor niet tevergeefs was gestorven.

Er ging nu een voortdurende stroom van auto's en koeriers over de oprit van en naar het ministerie. Pine kreeg van een andere regeringsinstantie op zijn verzoek een jongere assistent, die hij met hooghartige grofheid behandelde. Langs een omweg had hij gehoord dat de operatie tegen Duitsland gericht was en dat besef vormde een aansporing voor hem.

Onder de winkeliers in de buurt ging zelfs het gerucht dat het ministerie het huis wilde verkopen; er werden al namen van particuliere kopers genoemd en iedereen hoopte de klandizie te zullen krijgen. Restaurants bezorgden er nu maaltijden op alle uren van de dag, lichten brandden dag en nacht; de voordeur, die om veiligheidsredenen altijd gesloten was geweest, ging nu open, en Leclerc die met bolhoed en aktentas in de zwarte Humber stapte werd een vertrouwd beeld voor de bewoners van de Blackfriars Road.

En Avery, als een gekwetst man die zijn eigen wond niet wil zien, sliep binnen de muren van zijn kleine bureau, zodat die de grenzen werden van zijn leven. Eenmaal stuurde hij Carol naar een winkel om een cadeautje voor Anthony te kopen. Ze kwam terug met een melkwagen met plastic flessen. Je kon de doppen eraf halen en de flessen met water vullen. Ze deden dat op een avond en stuurden het cadeau toen met de Humber naar de flat.

Toen alles klaar was reisden Haldane en Avery naar Oxford, eerste-klas, op een kaartje van het ministerie. Bij het diner in de trein kregen ze een tafeltje voor hun tweeën. Haldane bestelde een halve fles wijn en dronk die op terwijl hij de laatste hand legde aan het kruiswoord-raadsel van de *Times*. Ze zaten een tijdlang zwijgend bijeen, Haldane druk bezig, Avery bang hem te storen.

Plotseling viel Avery's blik op Haldanes das, en zonder erbij na te denken zei hij: 'Goeie hemel, ik wist helemaal niet dat u cricket speel-de.'

'Dacht je soms dat ik dat jou zou vertellen?' beet Haldane hem toe. 'Het is geen das waarmee ik me op het bureau zou vertonen.'

'Neem me niet kwalijk.'

Haldane bestudeerde hem aandachtig. 'Je moet je niet zo vaak verontschuldigen,' merkte hij op. 'Dat doen jullie allebei.' Hij schonk zichzelf koffie in en bestelde cognac. Kelners zagen Haldane nooit over het hoofd.

'Allebei?'

'Jij en Leiser. Hij zegt het niet maar zijn houding impliceert het.'

'Met Leiser erbij wordt alles anders, niet?' zei Avery snel. 'Dat is een professional.'

'Leiser is geen man zoals wij. Maak die fout nooit. We hebben hem lang geleden gebruikt, dat is alles.'

'Hoe ziet hij eruit? Wat voor type is het?'

'Een gewone agent. Iemand wie je instructies geeft, niet iemand met wie je omgaat.'

Hij verdiepte zich weer in zijn kruiswoordraadsel.

'Hij moet wel loyaal zijn,' zei Avery. 'Waarom zou hij zich anders bereid hebben verklaard?'

'Je hebt gehoord wat de Chef heeft gezegd: de twee geloften. De eerste wordt vaak luchthartig afgelegd.'

'En de tweede?'

'Ach, dat is een heel ander geval. Wij zullen hem bijstaan als hij die moet afleggen.'

'Maar waarom heeft hij zich de eerste maal bereid verklaard?'

'Ik wantrouw redenen. Ik wantrouw woorden zoals loyaliteit. En vóór alles,' verklaarde Haldane, 'wantrouw ik *motieven*. We zenden een agent uit; rekensommen komen daar niet aan te pas. Je kent toch Duits, niet? In het begin was de daad.'

Kort voor ze aankwamen waagde Avery nog één vraag.

'Waarom was die pas ongeldig?'

Haldane boog het hoofd, zoals vaak wanneer hij werd aangesproken.

'Buitenlandse Zaken stelde vroeger altijd een aantal paspoort-nummers beschikbaar die het departement voor operationele doel-einden kon gebruiken. Dat is jaar in jaar uit zo gegaan. Zes maanden geleden kondigden de heren plotseling aan dat ze geen nummers meer beschikbaar zouden stellen zonder het Circus erin te kennen. Het schijnt dat Lecierc te weinig gebruik maakte van deze mogelijk-heid, en zo heeft Control kans gezien hem van de markt te verdrin-gen. Taylors paspoort was er nog een van zo'n oude serie. Drie dagen voor hij vertrok heeft Buitenlandse Zaken het hele stel ongeldig ver-klaard. Er was geen tijd hem een nieuwe pas te bezorgen. De kans dat het iemand zou opvallen was gering. Het Circus had het handig ge-speeld.' Een stilte. 'Ik vraag me nog af wat Control in zijn schild voert.'

Ze reden met een taxi naar Oxford-Noord en stapten op de hoek van hun straat uit. Terwijl ze over het trottoir liepen keek Avery naar de schemerige huizen, waar hij vluchtig mensen met grijs haar zag bewegen achter de verlichte ruiten, en fluwelen stoelen opmerk-te, waarop kanten kleedjes lagen. Ook zag hij in een flits Chinese kamerschermen, muziekstandaards en eenmaal vier bridgers, roer-loos, als betoverde hovelingen in een kasteel. Het was een wereld die hij vroeger min of meer had gekend, een tijdlang had hij zich zelfs verbeeld erbij te horen, maar dat was lang geleden.

Ze brachten de avond door met het inrichten van het huis. Haldane zei dat Leiser de slaapkamer aan de achterkant moest heb-ben, die uitzag op de tuin; zij zouden zelf de kamers aan de straat-kant nemen. Hij had al wat studieboeken vooruitgezonden, een schrijfmachine en enkele indrukwekkende dossiers. Die pakte hij uit en legde ze op de tafel in de eetkamer, waar de huishoudster van de eigenaar, die iedere dag zou komen, ze kon zien. 'We zullen dit de studeerkamer noemen,' zei hij. In de salon installeerde hij een band-recorder.

Hij had er enkele bandjes voor, die hij opborg in een kast waarvan hij de sleutel zorgvuldig aan zijn ring bevestigde. In de hal stond nog meer bagage te wachten: een projector, luchtmachtmodel, een projectiescherm en een secuur afgesloten koffer van groen canvas met leren hoeken.

Het huis was ruim en goed onderhouden. De meubels waren van mahoniehout, met koperen beslag. Aan de wanden hingen portretten van een of andere onbekende familie: sepiaschetsen, miniaturen, van ouderdom verbleekte foto's. Op het dressoir stond een pot met gedroogde kruiden en bloemblaadjes, en aan de spiegel waren gekruiste palmtakjes bevestigd. Aan het plafond hingen kroonluchters, wat lastig maar verder onopvallend. In een van de hoeken stond een tafeltje met een bijbel erop, in een andere een kleine cupido, erg lelijk, met het gezicht naar de donkere wand gekeerd. Het hele huis ademde een voorzichtige sfeer van ouderdom; als wierook verspreidde het een geur van minzame maar hopeloze melancholie.

Tegen middernacht hadden ze al hun bezittingen uitgepakt. Ze gingen in de salon zitten. De marmeren schouw werd door ebbehouten negers geschraagd. Het licht van de gashaard speelde over de vergulde rozenslingers om hun dikke enkels. De schouw stamde uit een periode, misschien de zeventiende eeuw, maar het kon ook de negentiende zijn, waarin de neger kortstondig de barzoi als decoratie had vervangen; ze waren even naakt als een hond en geketend met vergulde rozen. Avery schonk een whisky voor zichzelf in en ging naar bed. Haldane bleef in gedachten verzonken zitten.

Het was een grote, donkere kamer. Boven zijn bed hing een lampekap van blauw porselein; er lagen geborduurde kleedjes op de nachttafeltjes en een geëmailleerd bordje vermeldde: 'Gods zegen ruste op dit huis'. Naast het raam hing een plaat van een kind dat bad terwijl zijn zusje in bed het ontbijt gebruikte.

Hij lag wakker, zich afvragend wat voor man Leiser zou zijn: het was zoiets als wachten op een meisje. Aan de overkant van de gang hoorde hij Haldanes eenzame hoest, steeds opnieuw. Het geluid had nog niet opgehouden toen hij insliep.

Leclerc vond dat Smiley er een wonderlijke club op nahield, helemaal niet wat hij had verwacht. Twee zaaltjes in een souterrain, met een dozijn mensen die ieder aan hun eigen tafeltje voor een geweldig haardvuur zaten te dineren. Sommigen kwamen hem vaag bekend voor. Hij vermoedde dat ze bij het Circus werkten.

'Je zit hier wel gezellig. Hoe word je hier lid?'

'Je wordt hier geen lid,' zei Smiley op verontschuldigende toon en hij vervolgde blozend: 'Ik bedoel, ze nemen hier geen nieuwe leden aan. Maar één generatie ... een aantal heeft de oorlog niet overleefd, sommigen zijn gestorven of naar het buitenland gegaan. Maar wat had je me eigenlijk willen vragen?'

'Je bent zo goed geweest de jonge Avery wat wegwijs te maken.'

'Ja ... ja, natuurlijk. Hoe is dat trouwens afgelopen? Ik heb er niets meer van gehoord.'

'Zijn missie was meer een oefening. Er bleek geen film te zijn.'

'Dat spijt me.' Smiley sprak haastig, alsof hij tactloos was geweest, over een dode had gesproken alsof die nog leefde.

'We verwachtten het ook eigenlijk niet. Het was meer een voorzorgsmaatregel. Ik vraag me af hoeveel Avery je heeft verteld. We zijn begonnen enkele van de ouderen opnieuw te scholen ... en ook een paar nieuwe jongens. Het houdt ons bezig,' legde Leclerc uit. 'Het is nu toch een slappe tijd ... Kerstmis en zo. Veel mensen met verlof.'

'Ja, ja.'

Leclerc merkte op dat de bordeaux erg goed was. Het speet hem dat hij zelf niet bij een kleinere club was gegaan; de zijne werd met de dag slechter. Het was zo moeilijk om aan personeel te komen.

'Je hebt waarschijnlijk wel gehoord,' zei Leclerc, op formele toon, 'dat Control me volledige hulp heeft toegezegd voor opleidingsdoeleinden.'

'Ja, zeker.'

'Mijn minister heeft hiertoe het initiatief genomen. Het komt hem gewenst voor dat we kunnen beschikken over een groep geschoolde agenten. Toen het plan aan de orde kwam heb ik er met Control over gesproken. Later is Control bij mij geweest. Dat wist je misschien al?'

'Ja. Control vroeg zich af ...'

'Hij is erg behulpzaam geweest. Denk vooral niet dat ik daarvoor geen waardering heb. Er is overeengekomen - ik stip dat maar even aan, je eigen dienst zal het bevestigen - dat de training, om succes te hebben, de operationele sfeer zoveel mogelijk moet benaderen. De kleine oorlog, zoals we dat vroeger noemden.' Een toegeeflijke glimlach. 'We hebben een streek in West-Duitsland uitgekozen. Het is afgelegen en onbekend terrein, ideaal voor oefeningen met grensoverschrijdingen en zo. We kunnen indien nodig de hulp van het leger inroepen.'

'Wel, wel. Een uitstekend idee.'

'Uit elementaire veiligheidsoverwegingen menen we jullie bureau alleen op de hoogte te moeten brengen van de aspecten van de oefening waarmee jullie zo vriendelijk zijn ons te helpen.'

'Dat heeft Control me verteld,' zei Smiley. 'Hij wil graag doen wat hij kan. Hij wist niet dat jullie dit soort dingen nog ondernamen. Het deed hem genoegen.'

'Mooi,' zei Leclerc kortaf. Hij schoof zijn ellebogen wat meer naar voren over het tafelblad. 'Ik wil graag wat inlichtingen van je hebben. Officieus, natuurlijk. Zoals jullie wel eens van Adrian Haldanes diensten gebruik hebben gemaakt.'

'Natuurlijk.'

'Het gaat me in de eerste plaats om valse papieren. Ik heb onze vroegere vervalsers opgezocht in de index. Daarbij is me gebleken dat Hyde en Fellowby enkele jaren terug zijn overgegaan naar het Circus.'

'Ja. Een kwestie van accentverschuiving.'

'Ik heb een signalement opgesteld van iemand in onze dienst, die zogenaamd in Maagdenburg woont. Een van de mensen die we opleiden. Wat dacht je: kunnen jullie hem papieren verschaffen, een identiteitsbewijs, een partijlidmaatschap, dat soort dingen? Alles wat hij nodig heeft.'

'Jullie man zou ze moeten ondertekenen,' zei Smiley. 'Wij drukken dan een stempel op de handtekening. We zouden ook foto's moeten hebben natuurlijk. Bovendien heeft hij voorlichting over de documenten nodig. Misschien zou Hyde bij jullie kunnen komen om jullie agent te zeggen wat hij moet weten?'

Een lichte aarzeling. 'Natuurlijk. Ik heb een schuilnaam voor hem gekozen. Een die veel lijkt op zijn eigen naam; we hebben gemerkt dat die methode voordelen biedt.'

'Ik zou nog op één punt de aandacht willen vestigen,' zei Smiley, op bijna komische wijze de wenkbrauwen fronsend. 'Bij zo'n *ingewikkelde* oefening moet er wel aan worden gedacht dat valse papieren maar een zeer *beperkte* waarde hebben. Ik bedoel maar: één telefoontje naar Maagdenburg en ook de knapste falsificaties zijn waardeloos ...'

'Och, dat weten wij ook wel. Het gaat er maar om hun te leren hoe ze een rol moeten spelen, hoe ze zich moeten houden bij een ondervraging ... dat soort dingen, weet je.'

Smiley nam nog een slok bordeaux. 'Ik wilde er alleen even op wijzen. We laten ons zo gemakkelijk hypnotiseren door een bepaalde *techniek*. Maar ik wilde helemaal niet de indruk wekken ... Tussen haakjes, hoe gaat het met Haldane? Hij heeft filosofie gestudeerd, wist je dat? We zijn jaargenoten.'

'Adrian maakt het goed.'

'Die Avery van jullie beviel me wel,' zei Smiley beleefd. Zijn klein, somber gezicht vertrok smartelijk. 'Weet je wel,' zei hij op gewichtige toon, 'dat de barokperiode nog altijd niet is opgenomen in de Duitse syllabus? Een "speciaal onderwerp" noemen ze dat.'

'Dan zitten we nog met het probleem van de clandestiene uitzendingen. Sinds de oorlog hebben wij daar niet veel aan gedaan. Ik heb gehoord dat er inmiddels een enorme vooruitgang is geboekt. Berichten schijnen veel sneller te worden uitgezonden dan vroeger. We willen graag bijblijven.'

'Ja. Ja, ik geloof dat het bericht op een miniatuurbandje wordt opgenomen en dat daardoor uitzenden tegenwoordig een kwestie van seconden is.' Hij zuchtte. 'Maar wij horen er niet veel over. Onze technici laten zich door niemand in de kaart kijken.'

'Is het mogelijk onze mensen in - laten we zeggen - een maand met die nieuwe methode vertrouwd te maken?'

'Zodat ze er onder operationele voorwaarden gebruik van kunnen maken?' vroeg Smiley verbaasd. 'Na een opleiding van een maand, zo maar?'

'Sommigen van hen hebben veel technische aanleg. En daarbij ervaring in het uitzenden van berichten.'

Smiley zat Leclerc met een ongelovig gezicht aan te kijken. 'Neem me niet kwalijk. Zou hij, zouden ze,' informeerde hij, 'in die maand ook nog andere dingen moeten leren?'

'Voor sommigen is dit meer een herhalingscursus.'

'Aha.'

'Wat bedoel je?'

'Niets, niets,' zei Smiley vaag en vervolgde: 'Ik heb de *indruk* dat onze technici dit soort materiaal liever niet beschikbaar stellen, tenzij ...'

'Tenzij het een operationele training van jullie eigen mensen gold?'

'Ja.' Smiley bloosde. 'Ja, dat bedoel ik. Ze zijn erg lastig, weet je, jaloers.'

Leclerc tikte met de voet van zijn wijnglas op het glanzende tafelblad en zweeg een tijdlang. Plotseling glimlachte hij en zei, alsof hij een teleurstelling had verwerkt. 'O, juist. Dan zullen we ons met de conventionele uitrusting moeten behelpen. Is er sinds de oorlog ook

nog verbetering gekomen in de opsporingsmethodes? Het onder-
scheppen van berichten, het peilen van een clandestiene zender?'
'O ja. Ja, zeker.'
'Daarmee zullen we rekening moeten houden. Hoe lang kan
iemand blijven zenden voor hij wordt gepeild?'
'Twee of drie minuten misschien. Het hangt ervan af. Vaak is het
een kwestie van geluk hoe gauw iemand wordt ontdekt. Ze kunnen
hem alleen betrappen als hij uitzendt. Het hangt voor een belangrijk
deel van de frequentie af. Tenminste, dat is mij verteld.'
'In de oorlog,' zei Leclerc nadenkend, 'gaven we een agent verschillende zendkristallen. Ieder ervan vibreerde op een bepaalde
frequentie. Na enkele minuten veranderde hij van kristal, dat was
gewoonlijk een vrij veilige methode. We zouden het weer op die
manier kunnen doen.'
'Ja. Ja, dat herinner ik me. Maar je had het gezanik dat je de zender opnieuw moest instellen ... misschien een andere spoel gebruiken ... je antenne veranderen.'
'Stel dat iemand een conventionele zender gebruikt. Je zegt dat het
opsporingsgevaar sinds de oorlog veel groter is geworden? Maar je
zou twee of drie minuten kunnen zenden?'
'Of minder,' zei Smiley, hem scherp opnemend. 'Het hangt van allerlei factoren af ... geluk, de ontvangst, de dichtheid van het radio-
verkeer, de plaats vanwaar je uitzendt ...'
'Stel dat hij na twee en een halve minuut te hebben uitgezonden
telkens van frequentie veranderde. Dat zou toch wel voldoende
zijn?'
'Het zou enorm vertragend werken.' Zijn ongezond, droefgeestig
gezicht kreeg bezorgde rimpels. 'Je weet toch zeker dat het alleen om
een oefening gaat?'
'Voor zover ik me herinner,' hield Leclerc vol, nog spelend met
zijn eigen idee, 'waren die kristallen ongeveer zo groot als een luci-
ferdoosje. We zouden hun er enkele kunnen meegeven. Enkele uitzendingen is voor ons doel al genoeg, drie of vier misschien. Lijkt die
methode je uitvoerbaar?'
'Ik ben niet bevoegd erover te oordelen.'
'Wat is het alternatief? Ik heb Control ernaar gevraagd; hij zei dat
ik me tot jou moest wenden. Hij zei dat je me kon helpen, me het
materiaal kon bezorgen. Wat voor andere wegen staan me open?
Kan ik eens praten met jullie technici?'
'Het spijt me, maar dat gaat niet. Control en de technici willen wel

zoveel mogelijk hulp bieden maar geen nieuw materiaal in gevaar brengen. Het risico lopen dat het in gevaar komt, bedoel ik. Ten slotte is dit maar een oefening. Als ik me niet vergis gaat hij van het standpunt uit dat een organisatie die zelf niet over voldoende technische outillage beschikt er beter aan doet ...'

'De opdracht over te dragen?'

'Nee, nee,' protesteerde Smiley, maar Leclerc viel hem in de rede.

'Die mensen worden uiteindelijk tegen militaire doelen ingezet,' zei hij heftig. 'Zuiver militaire doelen. Daarmee gaat Control akkoord.'

'O, zeker.' Schijnbaar gaf hij toe. 'En als je een conventionele zender nodig hebt kunnen wij je er wel een bezorgen.'

De kelner kwam aanlopen met een karaf port. Leclerc keek toe terwijl Smiley wat in zijn glas schonk en de karaf daarna voorzichtig over de gladde tafel schoof.

'Hij is heel goed, maar helaas bijna op. Als deze partij op is zullen we het met de jongere port moeten proberen. Ik zal morgenochtend onmiddellijk met Control spreken. Hij zal vast geen bezwaar maken. Tegen het verstrekken van documenten, bedoel ik. En zendkristallen. Over de frequenties zullen we jullie van advies dienen. Dat heeft Control al toegezegd.'

'Control is erg behulpzaam geweest,' gaf Leclerc toe. Hij was een beetje aangeschoten. 'Soms vraag ik me af waarom.'

12

Twee dagen later kwam Leiser in Oxford aan. Ze stonden op het perron gespannen naar hem uit te kijken. Haldane tuurde onderzoekend naar de gezichten van de zich voorbijspoedende reizigers. Merkwaardig genoeg was het Avery die hem het eerst ontdekte: een roerloze gestalte in een kameelharen jas voor het raam van een lege coupé.

'Is hij dat?' vroeg Avery.

'Hij reist eersteklasse. Dan heeft hij het verschil zeker bijbetaald.' Haldane sprak alsof hij dit nogal ongepast vond.

Leiser liet het raampje zakken en gaf twee varkensleren autokoffers aan, waarvan de tint wat te oranje was om niet bijgekleurd te zijn.

Ze begroetten elkaar opgewekt, handen schuddend zodat iedereen het kon zien. Avery wilde de bagage naar de taxi brengen, maar Leiser deed het zelf, in iedere hand een koffer, alsof hij dit als zijn taak beschouwde. Hij liep een eindje van hen af, zijn schouders achteruit, starend naar de voorbijgangers, als verrast over de drukte. Zijn lange haar deinde bij iedere stap mee.

Avery, die naar hem keek, voelde plotseling een vreemde ontroering. Dit was een man, geen schim. Een man met een krachtig lichaam en doelbewuste bewegingen en toch iemand die zich door hen zou laten leiden. Hij scheen bereid overal heen te gaan. Hij had zich laten aanwerven en maakte nu al de indruk van de ijverige, bevelen afwachtende ondergeschikte.

Avery gaf zich er wel rekenschap van dat aan Leisers rekrutering meer dan één factor ten grondslag lag. Ofschoon hij nog niet lang bij het departement werkte, was hij al vertrouwd met het verschijnsel van de organische ontwikkeling, met operaties die geen aanwijsbare oorsprong hadden en geen definitief einde, maar deel uitmaakten van een steeds voortgaande bedrijvigheid, totdat hun identiteit verloren ging - operaties met het karakter van een serie nooit met succes bekroonde vrijages, die in hun totaliteit bezien de indruk maken van een actief liefdeleven. Maar nu hij deze man naast zich zag voortstappen, levend en vol energie, drong het tot hem door dat hij en zijn collega's tot nog toe slechts een incestueus spel met ideeën hadden gespeeld, terwijl ze nu een mens onder handen hadden gekregen, deze man hier.

Ze stapten in de taxi, Leiser het laatst, omdat hij dat wilde. Het was halverwege de middag; achter de platanen welfde zich een loodgrijze hemel. In dikke zuilen steeg rook op van de fabrieksschoorstenen in Oxford Noord, als van een deugdzaam brandoffer.

De huizen hadden hier een bescheiden statigheid, romantische bouwwerken, ieder met hun eigen entourage. Hier de penakels van Avalon, daar het opengewerkte dak van een pagode; ertussenin araucaria's met hun stekelige armen en half zichtbaar wasgoed als vlinders in het verkeerde seizoen. De huizen stonden netjes op hun eigen grond, de gordijnen waren dicht, tule en brokaat, als onderjurken met rokken eroverheen. De stad leek een slechte aquarel, de donkere partijen te zwaar aangezet, de lucht vuilgrijs in de vallende schemering, de tinten troebel.

Op de hoek van de straat stapten ze uit de taxi. Er hing een geur van rottende bladeren in de lucht. Als er al kinderen waren lieten ze zich niet horen. De drie mannen liepen naar het hek. Leiser zette zijn koffers neer terwijl hij naar het huis keek.

'Ziet er goed uit,' zei hij waarderend. Hij wendde zich tot Avery: 'Wie heeft het uitgekozen?'

'Ik.'

'Mooi zo.' Hij klopte hem op de schouder. 'Prima gedaan.' Ze keken elkaar aan. Avery glimlachte gevleid en maakte het hek open. Weer stond Leiser erop de anderen te laten voorgaan. Ze namen hem mee naar boven en lieten hem zijn kamer zien. Hij droeg nog altijd zijn eigen koffers.

'Ik pak straks wel uit,' zei hij. 'Dat doe ik graag op mijn gemak.'

Hij liep kritisch onderzoekend door het huis, nam hier en daar dingen op en bekeek ze, het was alsof hij de villa bezocht om er een bod op te doen.

'Het ziet er goed uit,' herhaalde hij ten slotte. 'Het bevalt me.'

'Mooi,' zei Haldane, alsof het hem geen pest kon schelen.

Avery liep met hem mee naar zijn kamer om te zien of hij hem kon helpen.

'Hoe heet je?' vroeg Leiser. Met Avery voelde hij zich meer op zijn gemak, hij werd een beetje gemeenzaam.

'John.'

Ze drukten elkaar weer de hand.

'Hallo, John, aangenaam. Hoe oud ben je?'

'Vierendertig,' loog hij.

Een knipoogje. 'Jezus, ik wou dat ik vierendertig was. Je hebt dit soort dingen eerder bij de hand gehad, niet?'

'Vorige week ben ik teruggekomen van mijn eigen missie.'

'Hoe ging dat?'

'Best.'

'Fijn, jongen. Waar is jouw kamer?'

Avery liet hem die zien.

'Zeg, hoe gaat het hier eigenlijk?'

'Wat bedoel je?'

'Wie heeft de leiding?'

'Kapitein Hawkins.'

'Verder niemand?'

'Eigenlijk niet. Ik blijf in de buurt.'

'Al die tijd?'

'Ja.'

Hij begon uit te pakken. Avery keek toe. Hij had met leer beklede borstels, haarlotion, een hele serie flesjes met spullen voor mannen, een elektrisch scheerapparaat van het allernieuwste type, en dassen, sommige van wol en geruit, andere van zijde, in de kleur van zijn dure overhemden. Avery ging naar beneden. Haldane wachtte hem op. Hij glimlachte toen Avery binnenkwam. 'En?'

Avery haalde zijn schouders op, het was een wat extravagant gebaar. Hij voelde zich triomfantelijk gestemd en tegelijkertijd ongerust. 'Hoe vindt *u* hem?' vroeg hij.

'Ik ken hem nauwelijks,' zei Haldane droog. Op dat soort vragen ging hij nooit in. 'Je moet hem voortdurend gezelschap houden. Ga met hem wandelen, schieten, drinken als het nodig is. Hij mag niet alleen zijn.'

'En zijn verlof dan halverwege de trainingsperiode?'

'Dat zien we nog wel. Houd je voorlopig aan wat ik zeg. Je zult ontdekken dat hij je gezelschap op hoge prijs stelt. Hij is een heel *eenzame* figuur. En vergeet niet dat hij Brits is: door en door Brits. Nog één ding - iets heel belangrijks - geef hem de indruk dat er bij ons sinds de oorlog niets veranderd is. Het departement is nog precies wat het was: dat is een illusie die je bij hem moet aankweken, zelfs' - voegde hij er zonder glimlachen aan toe - 'zelfs al ben je te jong om dat te beoordelen.'

Ze begonnen de volgende ochtend. Na het ontbijt kwamen ze in de salon bijeen, waar Haldane hen toesprak.

De opleiding zou over twee perioden van veertien dagen worden verdeeld, gescheiden door een kort verlof. De eerste helft zou gewijd zijn aan een herhalingscursus; in de tweede helft zou Leisers opgefriste kennis worden toegepast op de taak die voor hem lag. Pas in de tweede periode zou hij zijn operationele naam vernemen, de rol die hij moest spelen en de aard van zijn opdracht. Zelfs dan zou hij nog niet vernemen in welke streek het doel lag noch de wijze waarop hij zou moeten infiltreren.

Wat de verbindingstechniek betrof zou dezelfde methode worden gevolgd als voor de andere onderdelen: eerst algemene kennis, daarna wat meer gespecialiseerd. Hij zou zich gedurende de eerste periode opnieuw vertrouwd maken met coderen, seinen en zendtabellen. De laatste twee weken zou veel tijd worden gewijd aan het uitzenden van berichten in semi-operationele situaties. In de loop van die week zou zijn instructeur aankomen.

Haldane zette dit alles op enigszins zure schoolmeesterstoon uiteen, terwijl Leiser aandachtig luisterde en af en toe instemmend knikte.

Avery vond het vreemd dat Haldane zo weinig moeite deed om zijn weerzin voor deze man te verbergen.

'Gedurende de eerste periode zullen we zien wat je nog weet. Ik vrees dat je heel wat zult moeten draven. We moeten zorgen dat je volkomen fit bent. Je krijgt les in handwapens, ongewapend verzet, geheugentraining, vakkennis. We zullen ernaar streven dat je iedere middag een wandeling kunt maken.'

'Met wie? Gaat John mee?'

'Ja. John neemt je mee. Bij alle kwesties van ondergeschikt belang moet je John als je adviseur beschouwen. Als je iets wilt bespreken, als je klachten of moeilijkheden hebt, vertrouw ik erop dat je je tot een van ons beiden zult wenden.'

'Goed.'

'Ik moet je wel vragen in het algemeen niet alleen op straat te gaan. Als je naar de bioscoop wilt of winkelen of iets anders, voor zover de tijd dat toestaat, is het beter dat John je vergezelt. Maar ik vrees dat je niet veel tijd voor ontspanning zult krijgen.'

'Dat verwacht ik ook niet,' zei Leiser. 'Het is niet nodig.' Hij scheen overtuigd te zijn dat hij er geen behoefte aan had.

'De radio-instructeur die hier komt kent je naam niet. Dat is een gebruikelijke voorzorgsmaatregel, houd daarmee rekening. De vrouw die hier komt schoonmaken denkt dat wij een academische conferentie bijwonen. Ik kan me nauwelijks voorstellen dat je met haar zou moeten praten, maar mocht het geval zich voordoen, denk daar dan aan. Als je vragen hebt over iets dat je garage betreft, wend je dan alsjeblieft eerst tot mij. Je mag zonder mijn toestemming niet telefoneren. Er zullen hier andere mensen komen: fotografen, medici, technici. De meesten hebben de indruk dat je hier bent in het kader van een meer omvattende oefening. Houd dat voor ogen.'

'O.K.,' zei Leiser. Haldane keek op zijn horloge.

'We hebben onze eerste afspraak om tien uur. Een auto zal ons op de hoek van de straat afhalen. De chauffeur is niet iemand van ons, dus geen gesprekken onderweg, hè? Heb je geen andere kleren?' vroeg hij. 'Dit is niet bepaald een pak voor het schietterrein.'

'Ik heb een sportjasje met een flanellen broek bij me.'

'Ik zou liever willen dat je wat minder opvallend gekleed ging.'

Terwijl ze naar boven gingen om zich te verkleden glimlachte Leiser wrang tegen Avery. 'Dat is nog een echte, hè? Eentje uit de oude school.'

'Maar bekwaam,' zei Avery.

Leiser bleef staan. 'Natuurlijk. Zeg, vertel me eens: hebben jullie dit huis altijd al gehad? Is het al voor veel mensen gebruikt?'

'Jij bent niet de eerste,' zei Avery.

'Luister, ik weet best dat je me niet alles mag vertellen. Maar gaat het nog altijd zoals vroeger ... overal lui die meedoen ... dezelfde tradities?'

'Ik geloof niet dat je veel veranderd zult vinden. Ik geloof wel dat er wat meer mensen zijn.'

'Zijn er veel jongeren zoals jij?'

'Sorry, Fred.'

Leiser legde zijn hand op Avery's rug. Hij gebruikte zijn handen veel.

'Jij bent ook een bekwame vent,' zei hij. 'Trek je van mij maar niets aan. 't Mag niet hinderen, wat zeg jij, John?'

Ze reden naar Abingdon: het ministerie had de afspraak met de parachutistenbasis voor hen gemaakt. De instructeur verwachtte hen.

'Bent u aan een bepaald wapen gewend?'

'Browning automatic, punt drie acht, alstublieft,' zei Leiser op de toon van een kind dat kruidenierswaren bestelt.

'We noemen dat tegenwoordig negen millimeter. U hebt zeker het eerste type gehad.'

Haldane stond achteraan toe te kijken, terwijl Avery hielp met het opstellen van het manshoge doel op tien meter en het bedekken van de oude schietgaten met stukken plakband.

De instructeur, een sergeant, wendde zich tot Avery. 'Wilt u het ook eens proberen, meneer?'

Haldane zei snel: 'Ja, sergeant, laat hen allebei schieten.'

Leiser was de eerste. Avery ging naast Haldane staan, terwijl Leiser, met zijn lange rug naar hen toegewend, wachtend op de lege baan, naar de triplexfiguur van een Duitse soldaat staarde. Het doel stak zwart af tegen gewitte, pokdalige muren; boven buik en lies was met krijt in grove lijnen een hart getekend; binnen de omlijsting ervan waren met plakband een groot aantal reparaties verricht. Terwijl ze naar hem keken experimenteerde Leiser met het gewicht van het pistool dat hij snel ter hoogte van zijn ogen bracht en toen langzaam liet zakken. Hij deed alsof hij een kogel van het lege magazijn overbracht in de kamer, hij haalde het magazijn uit het pistool en deed het er weer in. Over zijn schouder wierp hij een blik naar Avery, toen

349

streek hij met zijn linkerhand een piek bruin haar van zijn voorhoofd die hem in zijn ogen dreigde te vallen. Avery glimlachte hem bemoedigend toe, en zei toen vlug tegen Haldane, op ernstige toon:

'Ik begrijp hem nog steeds niet.'

'Waarom niet? Hij is een doodgewone Pool.'

'Waar komt hij vandaan? Welk deel van Polen?'

'Je hebt het dossier toch gelezen? Uit Danzig.'

'Natuurlijk.'

De instructeur begon. 'We zullen het eerst eens met het ongeladen wapen proberen. Beide ogen open, en kijken in de richting van het doel, voeten enigszins gespreid, goed zo, ja, uitstekend. Nu helemaal ontspannen, ja, lekker zo, we gaan nu niet exerceren, maar schieten, ja, ik zie al dat u het eerder hebt gedaan! Nu brengt u het wapen van links naar rechts, u richt het uit de vrije hand maar u legt niet aan. Ja!' De instructeur haalde diep adem, opende een houten kist en haalde er vier magazijnen uit. 'Een in het wapen en een in de linkerhand,' zei hij en gaf de andere twee aan Avery, die gefascineerd toekeek terwijl Leiser het volle magazijn met een soepele beweging in het pistool schoof en dit met zijn duim verzekerde.

'Ontzeker nu het wapen, terwijl u het op drie meter afstand van u naar de grond richt. Nu neemt u de vuurhouding aan, de arm recht voor u uit. U richt het wapen zonder aan te leggen en schiet één magazijn leeg, telkens twee schoten tegelijk, steeds voor ogen houdend dat het pistool geen precisiewapen is, maar meer geschikt om de vijand van nabij tegen te houden. Ja, nu langzaam ...

Voor hij kon uitspreken vibreerde de schietbaan al onder de echo van Leisers schoten - hij vuurde snel, stram in de houding, zijn linkerhand hield het tweede magazijn alsof het een handgranaat was precies ter hoogte van zijn heup. Hij schoot verbeten, een gesloten man die eindelijk uitdrukking kon geven aan wat er in hem omging. Met stijgende opwinding was Avery zich bewust van de felheid en de doelbewustheid waarmee de ander vuurde: nu twee schoten, dan weer twee, dan drie en daarop een lang salvo, terwijl de kruitdamp hem omhulde en de prikkelende geur van cordiet in Avery's neusgaten drong.

'Elf van de dertien raak,' zei de instructeur. 'Heel aardig, lang niet gek. Een volgende keer moet u eraan denken niet meer dan twee schoten achter elkaar af te vuren en pas te beginnen als ik het bevel heb gegeven.' Hij keek naar Avery. 'Wilt u het nu proberen, meneer?'

Leiser was naar het doel gelopen en zijn slanke handen gleden over de kogelgaten. De stilte werd plotseling drukkend. Hij scheen in gedachten verdiept terwijl hij het triplex betastte en zijn wijsvinger langs de rand van de Duitse helm liet glijden.

'Opschieten, meneer,' zei de instructeur streng. 'We hebben niet de hele dag de tijd.'

Het was nu Avery's beurt om op de ruige mat te gaan staan en het gewicht van het wapen in zijn hand te voelen. Geholpen door de instructeur schoof hij het magazijn in het pistool, terwijl hij het andere krampachtig met zijn linkerhand vasthield. Haldane en Leiser keken toe.

Avery vuurde, het zware pistool dreunde hem in de oren en zijn jonge hart sprong op van vreugde toen het silhouet passief schokte onder zijn kogels.

'Goed zo, John, goed zo!' riep Leiser.

'Uitstekend,' zei de instructeur automatisch. 'Voor een eerste schot heel goed, meneer.' Hij wendde zich tot Leiser. 'Zou u niet zo willen schreeuwen?' Dat de man een buitenlander was had hij onmiddellijk begrepen.

'Hoeveel?' vroeg Avery gretig, toen hij en de sergeant bij het doel stonden en de zwartgeblakerde gaatjes op zijn borst en de buik betastten. 'Hoeveel, sergeant?'

'Kom nu maar, John,' fluisterde Leiser, en hij sloeg zijn arm om Avery's schouders. 'Ik zou je daarginds best kunnen gebruiken.' Eén ogenblik voelde Avery weerzin. Toen lachte hij, sloeg zijn arm om Leisers schouders en voelde de warme, stugge stof van diens sportjasje onder zijn handpalm.

De instructeur liep met hen over een exercitieplein naar een bakstenen barak, als een schouwburg zonder ramen, aan de ene kant hoger dan aan de andere. De ingang was door een muur afgeschermd als bij een openbaar toilet.

'Bewegende doelen,' zei Haldane. 'En vuren in het donker.'

Aan de lunch draaiden ze bandjes af.

Die bandjes waren gedurende de eerste twee weken van zijn opleiding een telkens terugkerend thema. Ze waren van oude grammofoonplaten opgenomen; in één daarvan was een barst die terugkeerde als het tikken van een metronoom. Samen vormden ze de basis voor een uitgebreid geheugenspel, waarbij de dingen die men moest onthouden niet achter elkaar werden opgesomd, maar terloops, vaak in heel ander verband, meestal tegen een achtergrond van verwarrende geluiden werden genoemd. Ze werden soms tegengesproken in een gesprek, ook wel gecorrigeerd of ontkend. Er waren drie stemmen die telkens terugkwamen, een van een vrouw en twee mannenstemmen. Er klonken nog andere stemmen doorheen. De vrouw ging op hun zenuwen werken.

Ze had de volkomen neutrale stem die stewardessen vaak ontwikkelen. Op het eerste bandje las ze voor van lijsten, vlug; eerst een boodschappenlijstje: twee pond van dit, een kilo van dat. Zonder overgang had ze het plotseling over gekleurde kegels: zoveel groene, zoveel okerkleurige; daarna over wapens, kanonnen, torpedo's, munitie van dit kaliber en van dat; toen over een fabriek, met cijfers voor de capaciteit, het rendement en de produktie, over jaarlijkse streefgetallen en maandelijkse prestaties. Op het tweede bandje begon ze weer over deze onderwerpen, maar nu leidden andere stemmen haar af en kwam de dialoog op onverwachte onderwerpen.

Al winkelend kreeg ze ruzie met de vrouw van een kruidenier, die ze wees op de slechte kwaliteit van bepaalde artikelen: eieren die niet vers waren geweest, de schandelijke prijs die voor boter werd gevraagd. Toen de kruidenier probeerde te bemiddelen werd hij van vriendjespolitiek beschuldigd. Het gesprek kwam nu op punten en rantsoenbonnen, op het extra-suikerrantsoen voor het maken van jam. Er werd gezinspeeld op kostbare voorraden die onder de toonbank moesten liggen. De kruidenier schreeuwde woedend, maar zweeg toen een kinderstem over kegels begon. 'Mammie, Mammie, ik heb drie groene kegels omgegooid, maar toen ik ze wilde opzetten zijn er zeven zwarte gevallen; Mammie, waarom staan er nu nog maar acht zwarte?'

De scène verplaatste zich naar een café. Weer klonk de vrouwenstem. Ze somde bewapeningsstatistieken op, andère stemmen vielen in. Cijfers werden in twijfel getrokken, nieuwe doelen uiteengezet, herinneringen aan oude opgehaald. Het vermogen van een wapen - niet genoemd, niet beschreven - werd door een cynische stem in twijfel getrokken en op hartstochtelijke toon verdedigd.

Op gezette tijden riep een stem, als die van een scheidsrechter: 'Stop!', en dan zette Haldane de bandrecorder af. Hij liet Leiser dan iets vertellen over voetballen of over het weer, of hij las een stukje uit de krant voor. Precies vijf minuten later (op zijn horloge, want de klok op de schoorsteenmantel was stuk) werd de bandrecorder weer aangezet en dan hoorden ze een vaag bekend klinkende stem, langzaam als die van een predikant, een jonge stem, verontschuldigend en onzeker, die wel iets had van Avery's stem: 'Hier zijn de vier vragen. Hoeveel eieren heeft ze in de afgelopen drie weken gekocht, als je de bedorven eieren niet meerekent? Hoeveel kegels zijn er in totaal? Hoeveel bedroeg de totale produktie van goedgekeurde, getrokken geweerlopen voor de jaren 1937 en 1938? Laatste opgave: Vermeld in telegramstijl alle gegevens waaruit de lengte van de lopen kan worden afgeleid.'

Leiser rende naar de studeerkamer - hij scheen het spelletje te kennen - om zijn antwoorden op te schrijven. Zodra hij de kamer had verlaten zei Avery op beschuldigende toon: 'Dat was u. Die laatste woorden op het bandje hebt u uitgesproken.'

'O ja?' vroeg Haldane. Alsof hij van niets wist.

Er waren meer bandjes en die ademden een sinistere sfeer: snelle voeten op een houten trap, het dichtslaan van een deur, een klikje, en een meisjesstem, die op een toon alsof ze 'Suiker of melk?' vroeg, informeerde: 'De grendel van een deur of het ontzekeren van een pistool?'

Leiser aarzelde. 'Een deur,' zei hij. 'Alleen maar een deur.'

'Het was een pistool,' repliceerde Haldane. 'Een Browning automatic 9 mm. Het magazijn werd erin geschoven.'

Die middag maakten ze hun eerste wandeling, Leiser en Avery, door Port Meadow naar de weilanden buiten de stad. Haldane had hen weggestuurd. Ze liepen snel, met grote stappen, over het stugge gras, terwijl de wind aan Leisers haren rukte en ze in een woeste pruik veranderde. Het was koud maar het regende niet, een heldere, dag, waarop de lucht boven het vlakke land donkerder leek dan de grond.

'Jij kent hier de weg, hè?' vroeg Leiser. 'Ben je hier op school geweest?'

'Ik heb hier gestudeerd, ja.'

'Wat heb je gestudeerd?'

'Talen. Hoofdzakelijk Duits.'

Ze klommen over een hek en kwamen op een smalle weg uit.

'Ben je getrouwd?' vroeg hij.

'Ja.'

'Kinderen?'

'Een.'

'Vertel me eens iets, John. Toen de kapitein mijn kaart terugvond - hoe ging dat toen?'

'Wat bedoel je?'

'Hoe ziet het eruit, een kaartsysteem voor zoveel mensen? Het moet wel iets geweldigs zijn voor een organisatie als de onze.'

'Het is alfabetisch gerangschikt,' zei Avery hulpeloos. 'Gewone kaarten. Hoezo?'

'Hij zei dat ze me nog kenden, de ouwe jongens. Ik was de beste, zei hij. *Wie* kennen me dan nog?'

'Ze kennen je allemaal. We hebben een speciale index voor onze beste mensen. Ongeveer iedereen op het departement kent Fred Leiser. Zelfs de nieuwelingen. Als je prestaties levert zoals jij wordt je nu eenmaal niet vergeten.' Hij glimlachte. 'Je hoort bij de oude getrouwen, Fred.'

'Vertel me nog iets, John. Ik wil geen last veroorzaken, maar zeg eens eerlijk ... zouden jullie hier in het land wat aan me hebben?'

'In het land?'

'Op het bureau, samenwerken met jullie. Maar daarvoor zijn zeker mensen van een ander slag nodig, hè, mensen als de kapitein?'

'Ik vrees van wel, Fred.'

'Wat voor auto's gebruiken jullie, John?'

'Humbers.'

'De Hawk of de Snipe?'

'De Hawk.'

'De viercilinder maar? De Snipe is beter, weet je dat wel?'

'Ik heb het nu over de niet-operationele wagens,' zei Avery. 'Voor het andere werk hebben we allerlei voertuigen.'

'Zoals die bestelwagen?'

'Precies.'

'Hoe lang duurt het eigenlijk ... om mensen zoals jij op te leiden? Jij hebt pas een missie achter de rug. Hoe lang duurde het voor ze je lieten gaan?'

'Het spijt me, Fred. Ik mag het niet zeggen ... zelfs niet tegen jou.'

'Ach, het geeft niet.'

Ze passeerden een kerk op een heuveltje langs de weg, liepen langs een omgeploegde akker en keerden vermoeid maar in een stralend humeur terug naar het Mayfly-huis, dat hen vriendelijk ontving met het schijnsel van de gashaard over de vergulde rozen.

's Avonds kregen ze filmprojectie om het visuele geheugen te oefenen: ze zaten in een auto die langs een goederenemplacement reed of in een trein die een vliegveld passeerde. Ze wandelden door een stad en beseften plotseling dat een auto of een gezicht opnieuw was verschenen zonder dat ze dat onmiddellijk hadden herkend. Soms gleden er in snelle opeenvolging een serie geheel los van elkaar staande voorwerpen over het projectiescherm terwijl op de achtergrond stemmen klonken, zoals die van de bandrecorder, maar het gesprek had niets te maken met de film, zodat de leerling wat hij hoorde en wat hij zag afzonderlijk moest registreren en waardevolle elementen van beide moest onthouden.

Zo eindigde de eerste dag, die het schema aangaf voor wat zou volgen: zorgeloze, opwindende dagen voor hen allebei, dagen van hard werken en voorzichtige maar groeiende genegenheid, waarin aangeboren talenten tot een wapen in de strijd tegen de vijand werden ontwikkeld.

Voor de lessen in ongewapend verzet huurden ze een klein gymnastieklokaal in de buurt van Headington dat ze in de oorlog ook hadden gebruikt. Per trein verscheen een instructeur. Ze spraken hem aan met 'sergeant'.

'Neemt hij een mes mee? Ik vraag het niet uit nieuwsgierigheid,' informeerde hij beleefd. Hij sprak met het accent van Wales.

Haldane haalde zijn schouders op. 'Dat moet hij zelf uitmaken. We willen hem niet te veel rommel meegeven.'

'Er is veel te zeggen voor een mes, meneer.' Leiser bevond zich nog in de kleedkamer. 'Als hij weet hoe hij het moet gebruiken. En de moffen moeten er niets van hebben, helemaal niets.' Hij had enkele messen in een koffertje meegebracht, die hij met afgewend gezicht uitpakte, als een handelsreiziger zijn monsters. 'Het kille staal, daar kunnen ze niet tegen,' zei hij verklarend. 'Niet te lang, dat is het hele geheim, meneer. Een plat model, aan twee kanten geslepen.' Hij koos er een uit en hield het omhoog. 'Iets beters bestaat er eigenlijk niet.' Het mes was breed en plat, als een laurierblad, het lemmet was niet gepolijst, het heft had de vorm van een zandloper en was voorzien van een dwarspal om te voorkomen dat het uit de hand gleed. Leiser kwam, een kam door zijn haar halend, naar hen toe.

'Hebt u een van deze gebruikt?'

Leiser bekeek het mes en knikte. De sergeant nam hem zorgvuldig op. 'Ik ken u toch niet? Sandy Lowe heet ik. Ik ben die verdomde provinciaal uit Wales.'

'U hebt me in de oorlog les gegeven.'

'Jezus,' zei Lowe zacht, 'dat is zo. U bent niet veel veranderd, wel?'

Ze lachten elkaar verlegen toe, zich afvragend of ze elkaar de hand zouden drukken. 'Kom, dan zullen we eens zien wat u er nog van weet.' Ze liepen naar de kokosmat midden in het lokaal. Lowe gooide het mes voor Leisers voeten neer en die greep het haastig, steunend terwijl hij zich bukte.

Lowe droeg een oud versleten tweedjasje. Hij deed snel een stap naar achteren, trok het uit en wikkelde het met één vloeiende beweging om zijn linkerbenedenarm, als iemand die een gevecht begint met een hond. Nadat hij zijn eigen mes had getrokken begon hij langzaam om Leiser heen te cirkelen, waarbij hij zijn lichaamsgewicht niet van de ene voet op de andere verplaatste maar wel bij iedere stap iets doorveerde. Nu bukte hij zich, de arm met het jasje voor zijn buik, de vingers gespreid, de handpalm naar de grond gericht. Hij maakte zijn lichaam zo klein mogelijk achter de beschermende arm en liet het mes voortdurend ervoor heen en weer bewegen, terwijl Leiser roerloos, zijn ogen op de sergeant gericht, afwachtte. Een tijdlang maakten ze allebei schijnbewegingen. Eenmaal deed Leiser een uitval, waarop Lowe achteruitsprong, zodat het mes alleen door de stof van het jasje sneed dat zijn arm bedekte. Op een gegeven moment liet Lowe zich op zijn knieën vallen, alsof hij het mes onder Leisers dekkende arm door in zijn lichaam wilde steken en nu was het Leisers beurt om achteruit te springen, maar blijkbaar te langzaam, want Lowe schudde het hoofd, riep 'Halt!' en ging rechtop staan.

'Herinnert u zich dat?' Hij wees op zijn eigen buik en lies, terwijl hij zijn armen en ellebogen introk, alsof hij de breedte van zijn lichaam wilde verminderen. 'Het doel zo klein mogelijk houden.' Hij liet Leiser het mes wegleggen en toonde hem grepen, wees hem hoe hij Leiser met zijn linkerarm om diens nek in de nieren of in de buik kon steken. Daarna verzocht hij Avery voor slachtoffer te spelen, terwijl de andere twee om hem heen liepen en Lowe met zijn mes de plaatsen wees waar theoretisch moest worden gestoken. Leiser knikte telkens en glimlachte af en toe als een of andere truc hem weer te binnen schoot.

'U moet het mes nog wat meer een golvende beweging geven. Denk aan de juiste houding: de duim erop, het lemmet evenwijdig met de grond, de benedenarm stijf houden, de pols soepel. Zorg dat de ander het mes nooit goed kan zien, geen moment. En altijd met de linkerhand het eigen doel dekken, of u nu een mes hebt of niet. Nooit royaal je lichaam aanbieden, zeg ik altijd maar tegen mijn dochter.'

Ze lachten allemaal plichtmatig, behalve Haldane.

Daarna was Avery aan de beurt. Leiser scheen dat prettig te vinden. Nadat Avery zijn bril had afgezet hield hij het mes vast zoals

Lowe het hem wees en wachtte onzeker, argwanend af, terwijl Leiser achteruit week, schijnbewegingen maakte, met dansende passen terugkwam, waarbij het zweet van zijn gezicht stroomde en zijn kleine ogen fonkelden van concentratie. Avery was zich voortdurend bewust van de scherpe groeven in het heft van het mes, die in zijn handpalm sneden, en van de spierpijn in zijn kuiten en zijn billen, terwijl hij op zijn tenen manoeuvreerde, en van Leisers fanatieke ogen die de zijne zochten. Toen haakte Leisers voet zich om zijn enkel. Terwijl hij het evenwicht verloor voelde hij dat het mes hem uit de hand werd gerukt. Hij viel achterover en Leiser plofte met zijn volle gewicht op hem neer en rukte met zijn hand aan de boord van zijn overhemd.

Ze hielpen hem lachend overeind, terwijl Leiser het stof van zijn kleren klopte. De messen werden weggeborgen en ze deden gymnastiekoefeningen, Avery ook.

Toen ze klaar waren met de oefeningen zei Lowe: 'Nu nog wat ongewapend verzet en dan houden we ermee op.'

Haldane wierp een blik op Leiser. 'Ben je soms te moe?'

'Het gaat nog best.'

Lowe nam Avery bij de arm en posteerde hem midden op de mat.

'Gaat u maar op de bank zitten,' riep hij tegen Leiser, 'dan zal ik u nog een paar dingen laten zien.'

Hij legde zijn hand op Avery's schouder. 'Met mes of zonder mes, er zijn vijf plaatsen waarop we de aanval kunnen richten. Welke zijn dat?'

'De lies, de nieren, de onderbuik, het hart en de keel,' antwoordde Leiser verveeld.

'Hoe breek je iemand de nek?'

'Dat doe je niet. Je vermorzelt zijn strottehoofd aan de voorzijde.'

'Wat weet je van de nekslag?'

'Nooit met de blote hand. Niet proberen zonder wapen.' Hij had zijn handen voor zijn gezicht geslagen.

'Zeer juist.' Hij bracht zijn geopende hand langzaam naar Avery's keel. 'Hand open, vingers recht, goed?'

'Goed,' zei Leiser.

'Wat herinnert u zich verder nog?'

Een stilte. 'De tijgerklauw. Een aanval op de ogen.'

'Probeer dat nooit,' zei de sergeant kortaf. 'Nooit op die manier aanvallen. Je geeft jezelf veel te veel bloot. Nu de wurggrepen. Altijd van achteren, weet u nog wel? Het hoofd achteroverbuigen, zo, de hand op de keel, zo, en dan *knijpen*.' Lowe keek over zijn schouder.

'Wilt u alstublieft deze kant uit kijken, ik doe dit niet voor mijn eigen plezier ... vooruit, als u alles toch al weet, laat dan eens een paar worpen zien.'

Leiser stond op. Lowe en hij grepen elkaars armen en ze worstelden een poosje, beiden speurend naar een kans. Toen gaf Lowe mee, Leiser wankelde en Lowe sloeg hem tegen zijn achterhoofd, zodat hij voorover op de mat neerplofte.

'U valt schitterend,' zei Lowe met een grijns, en Leiser wierp zich op hem, rukte Lowes arm meedogenloos achteruit en liet hem zo hard vallen dat het tengere lichaam van de instructeur tegen de grond dreunde zoals een vogel tegen de voorruit van een auto smakt.

'Geen vuile trucs!' riep Leiser heftig. 'Of ik zal verdomme eens laten zien wat ik kan!'

'Nooit op de tegenstander leunen,' zei Lowe kortaf. 'En nooit driftig worden bij een oefening.'

Hij riep Avery, die een eind verderop stond. 'Nu u maar weer eens, laat hem hard werken.'

Avery stond op, trok zijn jasje uit en wachtte tot Leiser zou beginnen. Hij voelde de kracht van de handen die zijn armen grepen en was zich plotseling bewust hoe zwak zijn eigen lichaam was nu het zich moest verdedigen tegen dat van een geoefend man. Hij probeerde Leisers onderarmen te grijpen, maar zijn handen konden ze niet omspannen; hij probeerde zich los te rukken, maar de ander hield hem vast. Leisers hoofd was vlak bij het zijne zodat de geur van briljantine hem in de neusgaten drong. Hij voelde de vochtige stoppels op zijn wang en de benauwde scherpe lucht die uit het magere gespierde lijf opsteeg. Zijn handen tegen Leisers borst leggend wrong hij zich achterover en gooide al zijn energie in één wanhopige poging om aan die verstikkende omhelzing te ontsnappen. Terwijl hij achteruitweek wisselden ze een blik, misschien de eerste, boven hun trillende ineengestrengelde armen. Leisers gezicht, dat vertrokken was van inspanning, kreeg een zachtere uitdrukking en begon te glimlachen; zijn greep verslapte.

Lowe was naar Haldane gelopen. 'Dat is een buitenlander, niet?'

'Een Pool. Hoe is hij?'

'Hij moet heel goed zijn geweest, zou ik zeggen. Gevaarlijk. Hij heeft er de lichaamsbouw voor. En nog heel fit.'

'Juist.'

'Hoe gaat het met u tegenwoordig, meneer? Alles nog in orde?'

'Ja, dank u.'

'Mooi zo. Twintig jaar. Het is ongelooflijk. De kinderen al volwassen.'

'Ik heb helaas geen kinderen.'

'Ik dacht aan die van mij.'

'Aha.'

'Ziet u nog weleens iemand van het oude stel, meneer? Hoe is het met meneer Smiley?'

'Ik heb geen contact meer met hem, helaas. Ik doe niet veel aan gezelligheid. Zullen we afrekenen?'

Lowe stond ontspannen in de houding, terwijl Haldane berekende wat hij kreeg: reisgeld, salaris, zevenendertig en een halve shilling voor het mes, plus tweeëntwintig shilling voor de schede, een platte, metalen huls met een veer, zodat het mes gemakkelijk kon worden getrokken. Lowe schreef een kwitantie uit, die hij om veiligheidsredenen alleen met S.L. ondertekende. 'Ik heb het mes tegen inkoopsprijs gekregen,' verklaarde hij. 'Die korting krijgen we via de sportclub.' Hij scheen er trots op te zijn.

Haldane gaf Leiser een regenjas en rubberlaarzen, waarop Avery met hem vertrok om een wandeling te maken. Ze namen de bus naar Headington, een dubbeldekker, ze zaten bovenin.

'Wat was dat toch vanmorgen?' vroeg Avery.

'Ik dacht dat we maar wat stoeiden. En toen smeet hij me plotseling op de grond.'

'Hij kende je van vroeger, is het niet?'

'Ja, natuurlijk, maar waarom deed hij me dan zo gemeen pijn?'

'Het was niet met opzet.'

'Nu ja, ik trek het me niet aan.' Hij was nog uit zijn evenwicht.

Ze stapten bij het eindpunt uit en sjokten door de regen verder. Avery zei: 'Hij heeft er nooit echt bij gehoord, daarom mocht je hem waarschijnlijk niet.'

Leiser lachte en stak zijn arm door die van Avery. De regen, die in trage golven over de verlaten straat spoelde, droop langs hun gezichten en druppelde in de kraag van hun jas. Avery drukte zijn arm tegen zijn zij zodat hij Leisers hand vastklemde en zo liepen ze in volledige harmonie verder, de regen negerend of ermee spelend door in de diepste plassen te trappen, zonder zich om hun kleren te bekommeren.

'Is de kapitein tevreden, John?'

'Bijzonder. Hij zegt dat het uitstekend gaat. Binnenkort beginnen we met seinen, Jack Johnson wordt morgen verwacht.'

'Het staat me allemaal al weer duidelijker voor de geest, John, waaraan je moet denken met schieten en zo. Ik was het nog niet vergeten.' Hij glimlachte. 'Die oude drie acht.'

'Negen millimeter. Je doet het uitstekend, Fred. Uitstekend. De kapitein heeft het zelf gezegd.'

'Werkelijk, John, heeft de kapitein dat gezegd?'

'Natuurlijk. En hij heeft het gerapporteerd aan Londen. Londen is ook blij. Wij zijn alleen maar bang dat je een beetje te ...'

'Te wat?'

'Nu ja - te Engels bent.'

Leiser lachte. 'Ach, het geeft niet, John.'

De binnenkant van Avery's arm, waar hij Leisers hand vastklemde, was droog en warm.

Ze brachten een ochtend door met coderen. Haldane trad als instructeur op. Hij had zijden lapjes meegebracht waarop de cijfercode stond die Leiser zou gebruiken, en een kartonnen kaart waarop stond aangegeven hoe Leiser letters moest omzetten in cijfers. Die kaart zette hij op de schoorsteenmantel, vastgeklemd achter de marmeren klok, en daarna gaf hij een uiteenzetting, ongeveer zoals Leclerc het zou hebben gedaan, maar zonder aanstellerij. Avery en Leiser zaten aan tafel, een potlood in de hand, en ze brachten onder leiding van Haldane de ene passage na de andere in cijferschrift over, waarbij ze gebruik mochten maken van de kaart. Daarna trokken ze hun cijfers af van die op het zijden lapje en brachten de tekst weer over in letters. Het was een bezigheid die meer vlijt dan concentratie vereiste en misschien was dat de reden waarom Leiser, die heel erg zijn best deed, nerveus werd en fouten maakte.

'We zullen nu twintig groepen doen en de tijd controleren,' zei Haldane, en hij dicteerde van een vel papier in zijn hand een telegram van elf woorden, ondertekend Mayfly. 'Vanaf de volgende week moet je je redden zonder de kaart. Ik zal hem in je slaapkamer hangen en je moet wat erop staat van buiten leren. We beginnen. Ja!'

Hij drukte zijn stopwatch in en liep naar het raam, terwijl de twee mannen aan tafel koortsachtig werkten en bijna in hetzelfde tempo halfluid mompelend eenvoudige sommetjes krabbelden op een kladje dat voor hen lag. Avery zag dat Leisers bewegingen gejaagder werden, hij hoorde gesmoorde zuchten en vloeken, zag hem woedend cijfergroepen uitvegen. Met opzet vertraagde hij zijn eigen tempo, en toen hij over de arm van de ander op diens blaadje keek om te zien hoe het ging zag hij dat het stompje potlood in zijn kleine hand glom van het zweet. Zonder een woord te zeggen wisselde hij geruisloos zijn eigen papier tegen dat van Leiser om. Hij hoopte dat Haldane, die net omkeek, het niet had gezien.

Zelfs gedurende die eerste dagen werd al duidelijk dat Leiser naar Haldane opzag als een zieke naar zijn arts. Dat een man al zijn kracht ontleende aan dat broze lichaam had iets griezeligs.

Haldane deed alsof hij hem nauwelijks opmerkte. Hij bleef koppig vasthouden aan de gewoonten van zijn dagelijkse leven. Hij liet nooit na zijn kruiswoordraadsel op te lossen. In de stad werd een kist bourgogne besteld, in halve flessen gebotteld, en daarvan dronk hij er aan iedere maaltijd in zijn eentje een op, terwijl ze naar de bandjes luisterden. Hij hield zich zo volkomen afzijdig dat men zich zou kunnen afvragen of Leisers aanwezigheid hem soms met afschuw vervulde. Maar naarmate Haldane zich meer terugtrok en gereserveerder deed, werd zijn aantrekkingskracht voor Leiser sterker. In Leisers ogen was hij nu eenmaal de aangewezen man voor de rol van de Engelse gentleman, en wat Haldane ook deed of zei, het maakte hem in die rol naar het oordeel van de ander nog overtuigender.

Haldanes houding veranderde erdoor. In Londen bewoog hij zich heel langzaam; als hij door de gangen liep was zijn tempo dat van een alpinist die moeizaam steun zoekt voor zijn voeten. Schrijvers en secretaresses, die het onbeleefd vonden hem te passeren, drentelden ongeduldig achter hem aan. In Oxford gaf hij blijk van een lenigheid die zijn Londense collega's zou hebben verrast. Zijn dorre gestalte was opgeleefd, hij liep weer rechtop. Zelfs zijn vijandige houding werd het kenmerk van de geboren leider. Slechts zijn hoest bleef - dat hopeloze, martelende gieren waartegen zijn smalle borst niet bestand leek, dat vurige plekjes op zijn uitgeteerde wangen bracht. Leiser keek dan naar de bewonderde meester op met de bezorgde blik van een leerling die zijn angst niet durft uit te spreken.

'Is de kapitein ziek?' vroeg hij eens aan Avery, en hij nam een oud nummer van de *Times* op dat Haldane had laten liggen.

'Hij spreekt er nooit over.'

'Nee, dat zal wel tegen zijn principes zijn.' Plotseling viel zijn blik op de krant. Die was nog ongeopend. Alleen het kruiswoordraadsel was ingevuld. In de marges stonden hier en daar varianten voor een

anagram van negen letters. Verbaasd liet hij Avery de krant zien.
'Hij leest hem niet,' zei hij. 'Hij doet alleen het kruiswoordraadsel.'

Toen ze die avond naar bed gingen nam Leiser de krant mee, heimelijk, alsof die een of ander geheim bevatte dat hij met goed zoeken zou kunnen ontsluieren.

Voor zover Avery het kon beoordelen was Haldane tevreden over Leisers vorderingen. Bij de uiteenlopende bezigheden waarin Leiser werd onderricht hadden ze gelegenheid gekregen hem van meer nabij te observeren. Met het verterende inzicht van de zwakken ontdekten ze zijn tekortkomingen en stelden ze zijn geestkracht op de proef. Naarmate hij hen meer vertrouwde toonde hij een ontwapenende openhartigheid. Hij was dol op intieme gesprekken. Hij was hun schepping, hij schonk hun alles wat hij bezat en zij maakten zich ervan meester, begerig als arme mensen. In hun ogen had het departement richting gegeven aan zijn energie. Als een man op zoek naar een vreemd soort seksuele bevrediging had Leiser in zijn nieuwe werk een liefde gevonden, waarvan hij met zijn talenten kon getuigen. Ze zagen dat hij zich graag door hen liet commanderen en hun uit dankbaarheid zijn kracht gaf, een eerbetoon aan degenen die het hem mogelijk hadden gemaakt zichzelf te zijn. Misschien wisten ze zelfs dat zij voor Leiser de twee polen waren van het absolute gezag: de een door zijn verbitterd vasthouden aan maatstaven die buiten Leisers bereik lagen, de ander door zijn jongensachtige vlotheid, door zijn schijnbaar vriendelijke en trouwe aard.

Hij praatte graag met Avery. Hij praatte over zijn vriendinnen of over de oorlog. Hij veronderstelde - en dat irriteerde Avery wel eens, maar meer niet - dat iemand van midden in de dertig, of hij nu getrouwd was of niet, alle mogelijke interessante liefdesaffaires moest hebben. Later op de avond, als ze allebei hun overjas hadden aangetrokken en zich naar het café op de hoek van de straat hadden gehaast, plantte hij zijn ellebogen op het tafeltje tussen hen in, stak zijn levendige gezicht naar voren en vertelde tot in de kleinste bijzonderheden over zijn amoureuze prestaties, waarbij zijn hand naast zijn kin lag en zijn slanke vingers zich openden en sloten in onbewuste imitatie van zijn mond. Het was geen ijdelheid die hem tot deze confidenties dreef, maar vriendschap. Deze onthullingen en bekentenissen, waar of gefantaseerd, vormden de eenvoudige pasmunt van hun vertrouwelijkheid. Over Betty sprak hij nooit.

Avery leerde Leisers gezicht kennen met een nauwkeurigheid die niet meer op herinneringen steunde. Hij ontdekte dat zijn trekken met zijn stemmingen van vorm schenen te veranderen, dat de huid over zijn jukbeenderen aan het einde van een lange dag, als hij moe of gedeprimeerd was, niet omlaag maar juist omhoog trok, waardoor de hoeken van zijn ogen en zijn mond scherpe opwaartse lijnen kregen, zodat zijn gelaatsuitdrukking meer Slavisch, minder vertrouwd werd.

Hij had van mensen bij hem in de buurt of van klanten uitdrukkingen overgenomen, die hem als buitenlander hadden geïmponeerd, ofschoon ze vrijwel zinloos waren. Zo sprak hij bijvoorbeeld graag over 'enige mate van bevrediging' en gebruikte hij passieve constructies die hem gewichtiger voorkwamen. Hij had zich ook een hele verzameling clichés eigen gemaakt. Uitdrukkingen als 'ach, het geeft niet', 'geen last veroorzaken', 'geef hem de ruimte', werden voortdurend door hem gebruikt, alsof ze voor hem een felbegeerde levenswijze symboliseerden waarvan hij slechts een vage voorstelling had en die hij meende hiermee te kunnen verwerven. Avery merkte op dat sommige uitdrukkingen al verouderd waren.

Een enkele maal verdacht Avery Haldane ervan dat die zich ergerde aan zijn vertrouwelijke omgang met Leiser. Bij andere gelegenheden was het alsof Haldane bij Avery emoties probeerde te wekken waartoe hij zelf niet meer in staat was. Op een avond aan het begin van de tweede week, toen Leiser bezig was met het langdurige toilet maken dat bij hem aan bijna ieder uitje voorafging, vroeg Avery aan Haldane of die geen zin had zelf uit te gaan.

'Wat verwacht je van me? Dat ik een pelgrimstocht ga maken naar de heiligdommen van mijn jeugd?'

'Ik dacht dat u hier misschien vrienden had; mensen die u nog kent van vroeger.'

'Als ik die had zou ik de veiligheid in gevaar brengen door hen te bezoeken. Ik woon hier onder een andere naam.'

'Neem me niet kwalijk. Dat is zo.'

'Bovendien' - een zure glimlach - 'heeft niet iedereen jouw enthousiasme in het sluiten van vriendschappen.'

'U heeft zelf gezegd dat ik hem niet alleen mocht laten!' zei Avery verontwaardigd.

'Zeker, en daaraan heb je je gehouden. Het zou al heel lomp van me zijn me daarover te beklagen. Je doet het uitstekend.'

'Wat?'

'Instructies opvolgen.'

Op dat moment ging de bel. Avery liep naar beneden om open te doen. Bij het licht van de straatlantaren zag hij het vertrouwde silhouet van een door het departement gebruikte bestelwagen, die juist wegreed. Op de stoep stond een kleine, eenvoudige man. Hij droeg een bruin pak en een bruine overjas. De neuzen van zijn bruine schoenen glommen als spiegels. Hij had iemand kunnen zijn die de gasmeter kwam controleren.

'Ik ben Jack Johnson,' zei hij onzeker. 'Johnson's Fair Deal heet mijn zaak.'

'Kom binnen,' zei Avery.

'Ben ik hier terecht? Kapitein Hawkins ... en zo?'

Hij had een tas van buigzaam leer bij zich, die hij zo behoedzaam op de grond legde alsof die al zijn aardse bezittingen bevatte. Na zijn paraplu half te hebben gesloten schudde hij de regen er met een handige beweging uit en zette hem toen in de paraplubak, onder zijn overjas.

'Ik ben John.'

Johnson nam zijn hand en drukte die hartelijk.

'Heel blij je te zien. Ik heb de Chef vaak over je horen praten. Je schijnt een lievelingetje van hem te zijn.'

Ze lachten.

Met een snel, vertrouwelijk gebaar nam hij Avery's arm. 'Je gebruikt dus je eigen naam?'

'Ja. Mijn voornaam.'

'En de kapitein?'

'Hawkins.'

'Wat is het voor een vent, Mayfly? Hoe houdt hij zich?'

'Best. Heel goed.'

'Ik hoor dat hij zo'n vrouwenjager moet zijn.'

Terwijl Johnson en Haldane in de salon samen praatten liep Avery naar boven om Leiser te waarschuwen.

'Het gaat niet door, Fred. Jack is er al.'

'Wie is Jack?'

'Jack Johnson, die radiovent.'

'Ik dacht dat we volgende week pas zouden beginnen.'

'Van de week alleen eenvoudige oefeningen om er weer in te komen. Ga mee, dan kun je met hem kennis maken.'

Hij droeg een donker pak en hield een nagelvijl in zijn ene hand.

'Maar gaan we dan niet uit?'

'We kunnen vanavond niet weg, Fred, dat heb ik je al gezegd. Jack is er.'

Leiser ging naar beneden en drukte Johnson vluchtig de hand, zonder plichtplegingen, als iemand die zich niet voor nieuwe figuren interesseerde. Een kwartier lang praatten ze zonder animo, toen ging Leiser, moeheid voorwendend, met een nors gezicht naar bed.

Johnson kwam voor de eerste maal rapport uitbrengen. 'Hij is langzaam,' zei hij. 'Begrijp me goed, hij heeft in geen tijden een seinsleutel aangeraakt. Maar ik durf hem toch niet te laten zenden voordat hij wat zekerder is. Ik weet dat het meer dan twintig jaar geleden is, we kunnen hem er geen verwijt van maken. Maar hij is *wel* langzaam, meneer, erg langzaam.' Hij had een oplettende, nadrukkelijke manier van praten, alsof hij veel in het gezelschap van kleine kinderen was. 'De Chef heeft gezegd dat hij en ik voortdurend zullen samenwerken - ook als hij eenmaal aan zijn opdracht begonnen is. Ik heb gehoord dat we allemaal naar Duitsland gaan, meneer.'
    'Ja.'
    'Dan moeten we zorgen dat we elkaar door en door kennen,' verklaarde hij, 'Mayfly en ik. Dan moeten we veel met elkaar omgaan, meneer, zodra hij zo ver is dat ik hem kan laten zenden. Seinen is zoiets als een handschrift; we moeten wennen aan elkaars handschrift, begrijpt u? En dan moet hij weten wanneer hij kan zenden en hij moet zendtabellen hebben voor zijn frequenties. We moeten veiligheidstrucs afspreken. Hij krijgt wel veel te leren in twee weken.'
    'Veiligheidstrucs?' vroeg Avery.
    'Opzettelijke fouten, meneer, één letter in een bepaalde groep altijd verkeerd spellen, een E in plaats van een A, of zo. Als hij ons wil waarschuwen dat hij gepakt is en onder toezicht seint, gebruikt hij de veiligheidstruc niet.' Hij wendde zich tot Haldane. 'U weet wel hoe we dat deden, kapitein.'
    'Er is in Londen overwogen hem op het moderne bandsysteem te trainen. Weet je ook of daar nog iets van komt?'
    'De Chef heeft er met me over gesproken, meneer. Ik heb gehoord dat daarvoor geen materiaal beschikbaar was. Trouwens, ik heb er ook geen verstand van. Dat gedoe met transistors is pas na mijn tijd gekomen. De Chef zei dat we ons maar aan de oude methode moesten houden maar om de twee en een halve minuut van frequentie veranderen, meneer. Het schijnt dat de moffen tegenwoordig erg slim zijn in het peilen.'
    'Wat hebben ze hierheen gestuurd? Het leek me een erg zwaar geval.'

'Het is hetzelfde type dat Mayfly in de oorlog heeft gebruikt, meneer. Dat is nu juist zo mooi. De oude B 2, in de waterdichte koffer. Als we maar twee weken de tijd hebben zou het onzin zijn nog meer modellen te proberen. Hij kan trouwens nog niet seinen —'

'Wat weegt zo'n ding?'

'In totaal nog geen vijfentwintig kilo, meneer. Het gewone koffer-model. De waterdichte uitvoering maakt het natuurlijk zwaarder, maar die heeft hij wel nodig op ruw terrein. Vooral in deze tijd van het jaar.' Hij aarzelde. 'Maar wat morse betreft is hij wel langzaam, meneer.'

'Juist. Geloof je dat je zijn snelheid in die veertien dagen voldoende kunt opvoeren?'

'Ik durf het nog niet te zeggen, meneer. Niet voor hij een paar maal heeft uitgezonden. Pas in de tweede periode dus, als hij zijn paar dagen verlof achter de rug heeft. Voorlopig laat ik hem alleen met de oefensleutel werken.'

'Dank je,' zei Haldane.

13

Toen de eerste twee weken voorbij waren gaven ze hem achtenveertig uur verlof. Hij had er niet om gevraagd, en toen ze het hem aanboden keek hij verbaasd. Hij mocht in geen geval terugkeren naar de buurt waar hij woonde. Die vrijdagavond mocht hij al naar Londen vertrekken, maar hij zei dat hij liever op zaterdag wilde gaan. Hij mocht op maandagochtend terugkeren, maar hij zei dat het ervan afhing: misschien kwam hij zondagavond laat al terug. Ze waarschuwden hem nadrukkelijk dat hij iedereen die hem kende uit de weg moest gaan, en dat scheen hem om onverklaarbare redenen te troosten.

Avery wendde zich bezorgd tot Haldane.

'Het lijkt me niet verstandig hem zonder bestemming weg te sturen. Je hebt gezegd dat hij niet mag teruggaan naar South Park en geen vrienden mag bezoeken, als hij die al heeft. Ik vraag me af wat hij dan moet doen.'

'Dacht je dat hij zich eenzaam zou voelen?'

Avery bloosde. 'Ik denk dat hij voortdurend de neiging zal hebben hierheen terug te gaan.'

'Daartegen kunnen we moeilijk bezwaar hebben.'

Ze gaven hem zijn onkostenvergoeding in oude bankbiljetten,

briefjes van vijf en één pond. Hij wilde ze afwijzen, maar Haldane drong ze hem op alsof het een principe gold. Ze boden aan een kamer voor hem te reserveren, maar hij zei dat het niet nodig was. Haldane nam aan dat hij naar Londen zou gaan, en daar ging hij ten slotte ook heen, alsof hij het hun verplicht was.

'Hij heeft er natuurlijk een vrouw,' zei Johnson tevreden.

Hij vertrok met de middagtrein, gekleed in zijn kameelharen jas en met één varkensleren koffer. De jas had een enigszins militaire snit en leren knopen zoals de jassen van Britse legerofficieren.

Op het Paddington Station gaf hij zijn koffer op het bagagedepot af en liep de Praed Street in omdat hij niet wist wat hij moest doen. Hij bracht een half uur door met kijken naar etalages en het lezen van advertenties van lichte vrouwen in de glazen vitrines. Het was zaterdagmiddag. Een handjevol oude mannen met gleufhoeden en regenjassen liep heen en weer tussen de winkels met pornografische lectuur en de souteneurs op de hoek. Er was heel weinig verkeer; er hing een sfeer van trieste ontspanning in de straat.

De bioscoopclub berekende hem een pond en gaf hem een geantedateerde lidmaatschapskaart vanwege de voorschriften. Hij ging op een keukenstoel tussen andere schimmen zitten. De film was heel oud; hij had uit Wenen kunnen komen, toen daar de Jodenvervolgingen begonnen. Twee spiernaakte meisjes dronken thee. Het was een stomme film en er werd alleen maar thee gedronken, waarbij de meisjes af en toe wat gingen verzitten om hun kopje aan te nemen. Als ze de oorlog overleefd hadden zouden ze nu zestig zijn; hij stond op omdat het al over half zes was, zodat de cafés open zouden zijn. Toen hij langs het hokje met de kassa liep zei de eigenaar: 'Ik ken een meisje dat graag plezier maakt. Nog heel jong.'

'Nee, dank u.'

'Twee en een half pond. Ze houdt van buitenlanders. Als je wilt doet ze het op de Franse manier. Zoals in Parijs.'

'Donder op.'

'Ik laat me door jou niet zeggen dat ik moet opdonderen.'

'Donder op.' Leiser keerde naar het hokje terug, zijn kleine ogen schoten plotseling vuur. 'Als je me weer eens een meisje aanbiedt, zorg dan dat het een Engelse is, begrepen?'

De lucht was zachter, de wind was gaan liggen, maar er liep bijna niemand meer op straat; je moest nu binnen zijn om je te vermaken.

De vrouw achter de bar zei: 'Daarvoor heb ik nu geen tijd, jongen, pas als het wat minder druk wordt. Je ziet zelf hoe het nu is.'

'Ik drink nooit iets anders.'

'Het spijt me, jongen.'

Hij bestelde toen maar gin met vermouth en kreeg die, ongekoeld, zonder kers. Hij was moe van het rondlopen. Langs de muur was een bank, waarop hij ging zitten kijken naar het pijltjes gooien. De vier mannen spraken niet, ze speelden zwijgend, vol toewijding, alsof ze zich diep bewust waren van een eerbiedwaardige traditie. Het was er als in de filmclub. Maar een van hen had een afspraak en ze riepen Leiser toe: 'Wil je de vierde man zijn?'

'Och, jawel,' zei hij, blij omdat ze hem hadden aangesproken. Op dat moment kwam er echter een vriend van hen binnen, een man die Henry heette, en nu speelde Henry mee. Leiser wilde protesteren, maar het scheen hem zinloos.

Avery was ook alleen uitgegaan. Tegen Haldane had hij gezegd dat hij een wandeling ging maken, tegen Johnson dat hij naar de bioscoop ging. Avery had een manier van liegen die iedere rationele verklaring tartte. Hij voelde zich aangetrokken tot de buurten die hij vroeger had gekend; zijn College aan de Turl, boekwinkels, cafés en bibliotheken. Het liep tegen de vakantie. Oxford had de geur van Kerstmis geroken en zich er preuts en onwillig in geschikt door de etalages op te sieren met de zilveren ballen van het vorig jaar.

Hij sloeg de Banbury Road in tot hij de straat had bereikt waar hij en Sarah gedurende hun eerste huwelijksjaar hadden gewoond. De flat was donker. Terwijl hij ervoor stond probeerde hij in het huis, in zichzelf, iets van het sentiment terug te vinden, genegenheid of liefde, of wat het dan ook was dat de verklaring voor hun huwelijk vormde, maar hij kon niets ontdekken en nam aan dat er nooit iets was geweest. Hij zocht wanhopig speurend naar het motief van zijn jeugd, maar het was er niet. Hij staarde naar een leeg huis. Haastig liep hij terug naar het huis waar Leiser woonde.

'Aardige film?' vroeg Johnson.

'Leuk.'

'Ik dacht dat je een wandeling zou gaan maken,' klaagde Haldane, opkijkend van zijn kruiswoordraadsel.

'Ik ben van idee veranderd.'

'Tussen haakjes,' zei Haldane. 'Leisers pistool. Ik hoor dat hij de voorkeur geeft aan een drie acht.'

'Ja. Wat ze tegenwoordig een negen millimeter noemen.'

'Vanaf het moment dat hij terugkomt moet hij altijd een pistool bij zich hebben, ongeladen natuurlijk.' Een blik op Johnson. 'Vooral wanneer hij over enige afstand begint te zenden. Hij moet het alleen maar altijd bij zich dragen. We willen dat hij zich zonder zijn wapen hulpeloos voelt. Ik heb er een voor hem aangevraagd en dat is gekomen. Het ligt op je kamer, Avery, met holsters van uiteenlopend type. Misschien wil jij hem uitleggen wat hij moet doen?'

'Vertelt u het hem niet liever zelf?'

'Doe jij het maar. Jij kunt zo uitstekend met hem opschieten.'

Hij ging naar boven om Sarah op te bellen. Ze was bij haar moeder gaan logeren. Het werd een heel gereserveerd gesprek.

Leiser draaide Betty's nummer, maar hij kreeg geen antwoord.

Opgelucht ging hij naar een goedkope juwelierszaak dicht bij het station die op zondag open was, en kocht er een gouden koets met paarden voor haar bedelarmband. Hij kostte elf pond, het bedrag dat ze hem als onkostenvergoeding hadden gegeven. Hij verzocht de juwelier het sieraad aangetekend naar haar adres in South Park te zenden. Hij deed er een briefje bij met: 'Over twee weken terug. Goed oppassen', en ondertekende dit in een verstrooid moment met F. Leiser, waarop hij dit doorstreepte en 'Fred' schreef.

Hij ging nog een eindje lopen, overwoog of hij een meisje zou zoeken, maar nam ten slotte een kamer in een hotel dicht bij het station. Hij sliep slecht door het verkeersrumoer. De volgende ochtend draaide hij haar nummer opnieuw, maar ze was er weer niet. Hij legde de hoorn haastig neer; hij had best nog even kunnen wachten. Hij ontbeet, verliet het hotel om de zondagsbladen te kopen en las tot de lunch voetbalverslagen. 's Middags ging hij weer wandelen, het begon een gewoonte te worden, dwars door Londen, in buurten die hij nauwelijks kende. Hij volgde de rivier tot Charing Cross en kwam daar in een leeg park terecht, waar regen neerdruppelde. De geasfalteerde paden waren bezaaid met gele bladeren. Een oude man zat geheel alleen op het podium van de muziektent. Hij droeg een zwarte overjas en een rugzak van groene stof, als die waarvan gasmaskeretuis gemaakt waren. Hij sliep of luisterde naar muziek.

Hij wachtte tot de avond om Avery niet teleur te stellen en ging met de laatste trein terug naar Oxford, naar huis.

Avery kende een kroegje achter Balliol, waar je op zondag mocht biljarten. Johnson biljartte graag. Johnson dronk Guinness, Avery whisky. Ze lachten veel, ze hadden een zware week achter de rug. Johnson stond voor, hij hield het spel systematisch kort, terwijl Avery op spectaculaire stoten uit was.

'Ik zou weleens even in Freds plaats willen zijn,' zei Johnson en hij grinnikte kort. Hij deed een stoot. De witte bal viel netjes in de zak. 'Polen zijn enorm geil, wist je dat? Iedere vrouw is voor een Pool goed genoeg. Vooral Fred, dat is een echte. Je ziet het aan zijn manier van lopen.'

'Ben jij ook zo, Jack?'

'Ik moet ervoor in de stemming zijn. Om je de waarheid te zeggen zou ik het nu best willen.'

Ze deden nog een paar stoten, beiden verzonken in door de drank gekleurde erotische fantasieën.

'Maar toch,' zei Johnson dankbaar, 'heb ik mijn eigen baantje liever dan dat van hem, wat jij?'

'Ik ook.'

'Weet je,' zei Johnson, terwijl hij zijn keu krijtte, 'eigenlijk zou ik zulke dingen tegen jou niet moeten zeggen, wel? Tenslotte heb jij gestudeerd. Je bent van een andere stand, John.'

Ze dronken elkaar toe, hun gedachten nog bij Leiser.

'Goeie God,' zei Avery, 'we vechten toch in dezelfde oorlog?'

'Je hebt gelijk.'

Johnson schonk de rest van zijn Guinness uit het flesje. Hij deed het heel voorzichtig, maar er liep een beetje over het glas heen op het tafeltje.

'Op Fred,' zei Avery.

'Leve Fred. Op zijn thuiskomst. Ik hoop verdomme dat hij het er goed afbrengt.'

'Proost, Fred.'

'Ik weet niet hoe hij zich zal redden met de B2,' zei Johnson half-luid. 'Hij heeft nog heel wat te leren.'

'Op Fred.'

'Fred. Hij is een aardige kerel. Zeg, ken jij Woodford, de vent die mij heeft gehaald?'

'Natuurlijk. Hij komt volgende week hier.'

'Heb je zijn vrouw ooit ontmoet, Babs? Dat was me een type. Ging met iedereen naar bed, Jezus! Ze zal er nu wel overheen zijn. Maar ja, op een oude viool speel je het mooist, zeggen ze wel.'

'Zeker.'

'Wie heeft zal geschonken worden.'

Ze dronken. Het grapje sloeg niet aan.

'Ze hield het vroeger met die vent van de administratie, Jimmy Gorton. Waar is die gebleven?'

'Hij zit in Hamburg. Het gaat hem prima.'

Toen ze thuiskwamen was Haldane al naar bed.

Het was al over twaalven toen Leiser zijn natte kameelharen jas in de hal ophing, op een klerenhanger, want hij had een aangeboren gevoel voor netheid. Op zijn tenen liep hij naar de salon en draaide het licht aan. Zijn ogen gleden vertederd over de zware meubels, de ladenkast met lofwerk en zware koperen handgrepen, de secretaire en het tafeltje met de bijbel. Genietend stond hij weer voor de knappe vrouwen die croquet speelden, de knappe mannen die oorlog voerden, de hooghartige jongens met strohoeden op, de meisjes in Cheltenham. Een lange periode van onbehagen, maar nergens ook maar een spoor van hartstocht. De klok op de schoorsteenmantel leek een paviljoen van blauw marmer. De wijzers waren van goud, zo versierd, zo bewerkt, zo'n grillige collectie bloesems en takjes dat je tweemaal moest kijken om te zien naar welke cijfers ze wezen. Ze hadden zich niet bewogen sinds zijn vertrek, misschien wel niet sinds hij geboren was, en dat was toch wel een hele prestatie voor zo'n oude klok. Hij nam zijn koffer op om naar bed te gaan. Haldane lag te hoesten, maar er brandde geen licht in zijn kamer. Hij tikte op Avery's deur.

'Ben je daar, John?'

Een ogenblik later hoorde hij dat Avery zich oprichtte. 'Was het gezellig, Fred?'

'En of.'

'Geschikte vrouw?'

'Nou en óf! Morgen vertel ik je er alles van.'

'Jack en ik zijn nog uit geweest. Tot morgen. Je had erbij moeten zijn.'

'Zo is het, John.'

Langzaam liep hij door de gang, behaaglijk moe, ging zijn kamer binnen, stak een sigaret op en plofte dankbaar neer in de gemakkelijke stoel. Het was er een met een hoge rug en dikke armleuningen, erg comfortabel. Terwijl hij ging zitten werd zijn aandacht door iets getrokken. Aan de muur hing een kaart van de code en daaronder, op het bed, lag midden op de donsdeken een oude koffer van continentaal model, donkergroen linnen met leren hoeken. Hij stond op.

Er lagen twee kistjes in van grijs metaal. Leiser stond op en staarde er zwijgend naar met een blik van herkenning; zijn hand werd erdoor aangetrokken en hij betastte ze, voorzichtig, alsof ze wel eens heet konden zijn. Hij draaide aan de knoppen, boog zich voorover en las wat er onder de schakelaars stond. Dit had de uitrusting kunnen zijn die hij had ontvangen toen hij naar Nederland ging: zender en ontvanger in één kistje, netvoedingsapparaat, sleutel en koptelefoon in het andere. In een zakje van parachutezijde met een groen touwtje erdoor bevond zich een dozijn zendkristallen. Hij betastte de seinsleutel met zijn ene vinger; die scheen hem veel kleiner toe dan in zijn herinnering.

Hij liep naar zijn stoel terug, terwijl zijn blik op de koffer gericht bleef. Rechtop en klaarwakker staarde hij ernaar, als iemand die de wacht houdt bij een dode.

Hij kwam te laat aan het ontbijt. Haldane zei: 'Je werkt de hele dag met Johnson. Vanmorgen en vanmiddag.'

'Geen wandeling?' Avery was bezig met zijn ei.

'Misschien morgen. Van nu af moet je techniek alle aandacht hebben. Het spijt me, maar daarvoor moeten wandelingen wijken.'

Control bleef 's maandagsavonds vaak in Londen; het was de enige dag, zei hij altijd, waarop er in zijn club wel eens een stoel vrij was. Smiley verdacht hem ervan dat hij het deed om zijn vrouw te ontvluchten.

'Ik heb gehoord dat de zaak aan de Blackfriars Road opbloeit,' zei hij. 'Leclerc rijdt in een Rolls Royce rond.'

'Het is een doodgewone Humber,' repliceerde Smiley. 'Uit de pool van het ministerie.'

'O, komt hij daarvandaan?' vroeg Control met hoog opgetrokken wenkbrauwen. 'Is het niet om te lachen? De Zwarte Monniken hebben de pool gewonnen.'

14

'Je kent deze zender dus?' vroeg Johnson.

'De B 2.'

'Precies. De officiële naam luidt Type drie, Uitvoering twee; hij loopt op wisselstroom of een zesvolts auto-accu, maar jij gebruikt zeker het net? Ze hebben geïnformeerd wat voor stroom daarginds wordt gebruikt en het is wisselstroom. Als je op het net schakelt is je verbruik 57 watt op zenden en 25 watt op ontvangen. Als je dus ergens terechtkomt waar ze alleen gelijkstroom hebben, moet je zien dat je een accu leent, snap je?'

Leiser lachte niet.

'Je netsnoer is voorzien van verloopstekers voor alle continentale stopcontacten.'

'Dat weet ik.'

Leiser keek toe, terwijl Johnson de zender gereedmaakte. Eerst verbond hij zender en ontvanger door middel van zespolige stekertjes met de batterij. Toen hij de stroom eenmaal had ingeschakeld verbond hij de kleine seinsleutel met de zender en de koptelefoon met de ontvanger.

'Dat is een kleinere sleutel dan we in de oorlog hadden,' zei Leiser protesterend. 'Ik heb hem gisteravond geprobeerd. Mijn vingers gleden er telkens af.'

Johnson schudde ontkennend het hoofd.

'Nee, Fred, het spijt me, hij is nog even groot.' Hij knipoogde. 'Misschien is jouw vinger dikker geworden.'

'Goed, we gaan verder.'

Nu haalde hij uit de doos met reserve-onderdelen een spoeltje van geïsoleerd litzedraad, en bevestigde één uiteinde aan de antenneaansluiting. 'De meeste kristallen zullen wel zo rond de drie megahertz zijn, dus misschien hoef je niet van spoeltje te veranderen. Neem een flinke antenne en dan is het wel O.K., Fred, vooral 's nachts. Let nu op het afstemmen. Je hebt je antenne, aarde, seinsleutel, koptelefoon en batterij aangesloten. Kijk op je seinschema en controleer op wat voor frequentie je zit; dan zoek je het bijbehorende kristal uit, snap je?' Hij hield een klein zwart bakelieten hulsje omhoog en stak de pootjes in de dubbele voet – 'Je stopt de pennetjes in de gaatjes, zo. Tot zover duidelijk, Fred?'

'Ik let wel op. Dat hoef je niet steeds te vragen.'

'Zet nu de kristalkiezer op "geschikt voor alle kristallen" en kies het golfgebied waarin je frequentie valt. Als je op drie en een half megahertz zit, moet je golflengteschakelaar op drie tot vier staan, zó. Prik er nu je insteekspoel in, dat kan op twee manieren, Fred, dat zit altijd wel goed.'

Leiser zat met een hand onder zijn hoofd, en probeerde wanhopig zich de reeks handelingen te herinneren die hem vroeger zo vertrouwd was geweest. Johnson werkte met de vanzelfsprekendheid van de geboren technicus. Zijn stem was zacht en ontspannen, heel geduldig, zijn handen gleden instinctief van de ene knop naar de andere, volmaakt vertrouwd met de apparatuur. De monoloog ging steeds door:

'De TSR-knop op de "T" van "tune": afstemmen; zet je anode-afstemming en bijbehorende antenne-afstemming op tien; nu kun je je batterij inschakelen, O.K.?' Hij wees naar de schaal van de meter: 'Hij moet ongeveer driehonderd aangeven, Fred. Nu zal ik het eens proberen: ik zet mijn meter op drie en draai aan de afstemming van de modulator tot de meter maximaal uitslaat; nu zet ik hem op zes -'

'Wat is de modulator?'

'De eindversterker, Fred, wist je dat niet?'

'Ga door.'

'Nu draai ik aan de anode-afstemming tot ik de kleinste waarde krijg - dat is 'm! Hij is honderd met de knop op twee, O.K.? Nu zet je je TSR-knop op de "S" van "send": zenden, Fred, en je kunt je antenne gaan afstemmen. Zo - druk de seinsleutel eens in. O.K., zie je? De meter slaat uit omdat je vermogen op de antenne zet. Snap je?'

Het korte ritueel van het antenne afstemmen verrichtte hij zwijgend, tot de meter gehoorzaam naar de uiteindelijke waarde zakte.

'En hij is voor de bakker!' verklaarde hij triomfantelijk. 'Nu jij, Fred. Wacht even, je handen zweten. Zeker een zwaar weekend gehad? Wacht even, Fred!' Hij verliet de kamer en keerde terug met iets als een grote peperbus, gevuld met krijt, waarmee hij het zwarte blokje op de seinsleutel uitvoerig bestoof.

'Van nu af,' zei Johnson, 'laat je de meisjes met rust, goed begrepen, Fred? Je moet hiermee vertrouwd raken.'

Leiser keek naar zijn geopende hand. In de groeven stond zweet. 'Ik kon niet slapen.'

'Nee, dat neem ik wel aan.' Hij gaf een liefkozende klap op het toestel. 'Van nu af slaap je met *haar*. Dat is nu je liefje, Fred, en niemand anders.' Hij demonteerde de apparatuur en wachtte tot Fred zou beginnen. Moeizaam, met de hulpeloze bewegingen van een kind, zette Leiser het weer in elkaar. Het was allemaal zo lang geleden.

Dag in dag uit zaten Leiser en Johnson samen aan het kleine tafeltje in de slaapkamer te seinen. Soms reed Johnson in de bestelwagen weg. Leiser moest zich dan alleen redden en ze wisselden tot diep in de nacht berichten uit. Het gebeurde ook wel dat Leiser en Avery samen het huis verlieten - Leiser mocht niet alleen weg - en van uit een geleend huis in Fairfield met Johnson seinden, soms in code gebrachte berichten, soms onbeduidende opmerkingen "en clair", die moesten doorgaan voor uitzendingen van amateurs. Leiser veranderde merkbaar. Hij klaagde tegen Haldane dat het zo ingewikkeld was een bericht op een serie frequenties uit te zenden, dat je telkens opnieuw moest afstemmen, dat het teveel tijd kostte. Zijn verhouding met Johnson was nog altijd gespannen. Johnson was er later bijgekomen en om de een of andere reden behandelde Leiser hem nog altijd als een buitenstaander. Hij wilde hem niet toelaten tot de vertrouwelijke groep die Avery, Haldane en hij in zijn ogen vormden.

Aan het ontbijt deed zich op een dag een bijzonder dwaas incident voor. Leiser nam de deksel van de jampot, keek erin en vroeg, zich tot Avery wendend: 'Is dat bijenhoning?'

Johnson boog zich over de tafel.

'Dat zeggen we nooit, Fred. Alleen honing.'

'Dat bedoel ik ook, honing. Bijenhoning.'

'Alleen honing,' herhaalde Johnson. 'In Engeland spreken we alleen van honing.'

Wit van woede legde Leiser het deksel voorzichtig terug op de pot.

'Jij hoeft mij niet te vertellen wat ik moet zeggen.'

Haldane keek snel op van zijn krant. 'Stil toch, Johnson. Bijenhoning is een heel goed woord.'

In Leisers beleefdheid was altijd iets serviels. Zijn conflicten met Johnson deden aan ruzies onder het personeel denken. Ondanks dit soort scènes groeide er tussen de twee mannen, die zich dagelijks samen aan hetzelfde project wijdden, een verstandhouding. Ze deelden al gauw verwachtingen, stemmingen en sombere buien.

Als het goed was gegaan met de les verliep de maaltijd die erop volgde genoeglijk. De twee mannen wisselden esoterische opmerkingen over de ionosfeer, over de dode zone op een bepaalde frequentie of een merkwaardige meterwaarde die ze bij het afstemmen hadden geconstateerd. Als het slecht was gegaan spraken ze weinig of niet en dan haastte iedereen behalve Haldane zich met het eten, omdat de stemming zo geladen was. Soms vroeg Leiser dan of hij een wandeling mocht maken met Avery, maar dan schudde Haldane gewoonlijk het hoofd en zei dat er geen tijd voor was. Als een schuldige minnaar durfde Avery hem niet bij te vallen.

Toen de twee weken ten einde liepen verschenen er specialisten in het Mayflyhuis, die met een of andere opdracht uit Londen waren gekomen. Er was een fotografische expert bij, een lange man met diepliggende ogen, die een uiterst kleine camera met verwisselbare lenzen demonstreerde, en ook een arts, een goedige man, totaal niet nieuwsgierig, die minutenlang naar Leisers hart luisterde. Hij deed dit in opdracht van Financiën, met het oog op eventuele eisen om schadevergoeding later. Leiser verklaarde dat hij niemand had die financieel afhankelijk van hem was, maar hij werd toch onderzocht, want het ministerie wilde het.

Het pistool werd voor Leiser langzamerhand een heerlijk bezit. Avery had het hem na zijn weekendverlof gegeven. Hij droeg het bij voorkeur in een schouderholster (zijn ruimvallende jasjes onttrokken het aan het gezicht) en aan het einde van een lange dag haalde hij het wapen er soms uit, betastte het, keek langs de loop, hief het op en liet het zakken, zoals hij op de schietbaan had gedaan. 'Er bestaat geen beter pistool,' zei hij vaak. 'Van dit kaliber tenminste. Wat er op het vasteland wordt gemaakt is niet half zo goed. Vrouwenprullen zijn dat, net als de auto's daar. Neem een goede raad van mij aan, John, en houd je aan de drie acht.'

'Ze noemen het tegenwoordig negen millimeter.'

Zijn afkeer van vreemden leidde tot een geheel onverwachte uitbarsting, toen Hyde, iemand van het Circus, hem kwam bezoeken. Het was die ochtend slecht gegaan met de les. Leiser had binnen een bepaalde tijd een bericht van veertig groepen in code moeten brengen en uitzenden. Ze hadden een verbinding tussen hun twee slaapkamers tot stand gebracht en seinden heen en weer achter gesloten deuren. Johnson had hem een aantal internationale codetekens geleerd: QRJ: uw seinen komen te zwak door. QRW: sein sneller. QSD: U seint te onregelmatig. QSM: herhaal laatste bericht. QSZ: zend ieder woord tweemaal. QRU: ik heb niets voor u. Leiser, die zich nerveus maakte, seinde steeds slechter en Johnsons cryptische commentaren deden zijn verwarring nog toenemen, tot hij ten slotte met een kreet van ergernis naar beneden rende, naar Avery. Johnson volgde hem. 'Met opgeven kom je niet verder, Fred.'

'Laat me met rust.'

'Luister nu eens, Fred, je hebt het helemaal verkeerd gedaan. Ik heb je al zo vaak gezegd dat je het aantal groepen moest seinen *voor* je aan het bericht zelf begint. Maar jij onthoudt ook niets, jij -'

'Laat me met rust, zeg ik je toch!' Hij wilde er nog iets aan toevoegen toen er gebeld werd. Het was Hyde. Hij had zijn assistent meegebracht, een man die op tabletten zoog tegen het gure weer.

376

Die dag werden er aan de lunch geen bandjes gedraaid. Hun gasten zaten naast elkaar met sombere gezichten te eten, alsof ze iedere dag hetzelfde voedsel gebruikten vanwege de calorieën. Hyde was een schrale man met een zorgelijke gelaatsuitdrukking, iemand zonder een greintje humor, die Avery aan Sutherland herinnerde. Hij was gekomen om Leiser een nieuwe identiteit te verschaffen. Hij had allerlei documenten bij zich die Leiser moest tekenen, een distributie-kaart, een rijbewijs, een vergunning om zich in het grensgebied op te houden, en een oud overhemd, dat hij uit een aktentas haalde. Na de lunch legde hij de hele verzameling op de salontafel, terwijl de fotograaf zijn camera gereedmaakte.

Leiser moest het overhemd aantrekken en ze fotografeerden hem volgens de Duitse voorschriften: en face, beide oren zichtbaar. Daarna moest hij handtekeningen zetten. Hij maakte een nerveuze indruk.

'Je heet van nu af Freiser,' zei Hyde, op een toon die geen tegenspraak duldde.

'Freiser? Dat lijkt veel op mijn eigen naam.'

'Dat is juist de bedoeling. Je superieuren hebben dat speciaal verzocht. Om vergissingen te voorkomen, bij het ondertekenen van stukken en zo. Je moet maar een paar keer oefenen voor je je handtekening zet.'

'Ik wil liever iets anders. Een totaal andere naam.'

'Het lijkt me beter Freiser aan te houden,' zei Hyde. 'Het is op hoog niveau beslist.' Hyde was iemand die graag onpersoonlijke constructies gebruikte om zijn zin door te drijven.

Er viel een onbehaaglijke stilte.

'Ik wil wat anders. Freiser bevalt me niet en ik wil wat anders.' Hyde beviel hem ook niet en als ze zo nog even verder gingen zou hij het zeggen ook.

Haldane kwam tussenbeide. 'Je moet je schikken. Het departement heeft de naam gekozen. We kunnen hem nu niet meer veranderen.'

Leiser was bleek geworden.

'Ik verdom het om me daarin te schikken. Ik wil een andere naam en daarmee uit. Jezus, is dat nog te veel gevergd? Het is het enige wat ik vraag, een andere naam, een echte, geen rare imitatie van de mijne.'

'Ik begrijp er niets van,' zei Hyde. 'Het gaat toch maar om een oefening?'

'U hoeft het niet te begrijpen! Verander die naam nu maar, dan is alles in orde! Wat verbeeldt u zich eigenlijk, dat u hier binnen kunt vallen om mij te commanderen?'

'Ik zal Londen opbellen,' zei Haldane en ging naar boven. Ze wachten gegeneerd tot hij terugkwam.

'Kun je akkoord gaan met Hartbeck?' vroeg Haldane. Zijn stem klonk enigszins sarcastisch.

Leiser glimlachte. 'Hartbeck. Dat is prachtig.' Hij spreidde zijn handen uit in een verontschuldigend gebaar. 'Hartbeck is best.'

Leiser oefende tien minuten op een handtekening en tekende toen de documenten, telkens met een snelle, nerveuze beweging, alsof hij er stof afveegde. Hyde hield een voordracht over de documenten. Het werd een heel verhaal. Er werd in Oost-Duitsland niet meer gewerkt met rantsoenbonnen, vertelde Hyde, maar men moest wel klant zijn bij een bepaalde levensmiddelenwinkel en daarvan kreeg men een bewijs. Hij legde uit wat reisvergunningen waren en onder welke omstandigheden ze werden uitgereikt en hij weidde lang uit over het identiteitsbewijs dat Leiser altijd moest laten zien, ook zonder dat erom werd gevraagd, als hij een spoorkaartje kocht of een hotelkamer reserveerde. Leiser begon een discussie met hem en Haldane deed pogingen een eind te maken aan het onderhoud. Hyde negeerde hem.

Toen hij klaar was knikte hij en vertrok met zijn fotograaf, na het oude overhemd opgevouwen in zijn aktentas te hebben geschoven, alsof het een onderdeel van zijn uitrusting vormde.

Leisers uitbarsting scheen Haldane enigszins te hebben verontrust.

Hij telefoneerde nogmaals met Londen en verzocht Gladstone in Leisers dossier te zoeken naar de naam Freiser. Hij liet ook nakijken of de naam in de kartotheek voorkwam, maar dit had al evenmin succes. Toen Avery liet doorschemeren dat Haldane de belangrijkheid van het incident overdreef, schudde Haldane het hoofd. 'We wachten nog altijd op de tweede gelofte,' zei hij.

Na het bezoek van Hyde kreeg Leiser ook dagelijks onderricht in zijn gefingeerde levensverhaal. Avery en Haldane waren onvermoeibaar in het verzinnen van bijzonderheden uit het leven van de man die Hartbeck heette. Ze kwamen overeen waar hij had gewerkt, ze stelden zijn interesses en liefhebberijen vast, ze bepaalden zijn liefdeleven en kozen zijn vrienden. Samen drongen ze door tot in de meest verborgen hoeken van zijn hypothetisch bestaan en ze dichtten hem vaardigheden en eigenschappen toe die Leiser nauwelijks bezat.

Woodford kwam met nieuws van het departement.

'De Chef houdt zich geweldig goed,' zei hij, alsof Leclerc aan een ernstige ziekte leed. 'We vertrekken vandaag over een week naar Lübeck. Jimmy Gorton is in contact met Duitse douane-ambtenaren - hij zegt dat ze heel betrouwbaar zijn. We weten al precies waar hij naar de overkant moet gaan en we hebben een eindje buiten de stad een boerderij gehuurd. Hij heeft het gerucht verspreid dat we een groep academici zijn, die behoefte hebben aan rust en frisse lucht.'

Woodford keek vertrouwelijk op naar Haldane. 'Het departement slooft zich enorm uit. Als één man. En de *geest*, Adrian! Niemand kijkt meer op de klok om te zien of het nog geen tijd is om naar huis te gaan. En geen wrijving tussen lagere en hogere rangen. Dennison, Sandford ... we vormen één enkel team. Je zou eens moeten zien hoe Clarkie bij het ministerie zijn best doet om een pensioen voor die arme Taylor los te krijgen. Hoe is het nu met Mayfly?' vervolgde hij, zijn stem dempend.

'Best. Hij zit boven te seinen.'

'Nog last van zenuwen? Scènes of zo?'

'Voor zover ik weet niet,' antwoordde Haldane, op een toon alsof hij het toch niet zou merken als het wel zo was.

'Wordt hij onrustig? Sommigen willen als het zover is nog graag eens een meisje hebben.'

Woodford had tekeningen van Russische raketten meegebracht. Ze waren door tekenaars van het ministerie gemaakt naar foto's in de researchafdeling, vergroot tot een meter bij een halve meter, en keurig op karton geplakt. Sommige droegen het stempel 'geheim' of 'zeer geheim'. Bij opvallende kenmerken waren pijlen gezet; de namen deden vreemd kinderlijk aan. Vin, kop, brandstofkamer. Naast iedere raket stond een kwiek figuurtje, iets als een pinguïn met een vliegershelm op, met eronder: 'afmetingen van de gemiddelde man'.

Woodford arrangeerde ze op de meubels in de kamer, trots alsof hij ze zelf had gemaakt. Avery en Haldane keken er zwijgend naar.

'Hij kan ze na de lunch wel bekijken,' zei Haldane. 'Leg ze zolang maar bij elkaar.'

'Ik heb ook een film meegebracht om hem wat algemene indrukken te geven. Het lanceren van raketten, het vervoeren, iets over de vernietingskracht ervan. De Chef vond dat hij enig idee moest hebben van wat je met die dingen kunt doen. Een extra aansporing.'

'Hij heeft geen extra aansporingen nodig,' zei Avery.

Er schoot Woodford iets te binnen. 'O ja - de kleine Gladstone wil je spreken. Hij zei dat het dringend was - maar dat hij je niet te pakken kon krijgen. Ik heb hem gezegd dat je hem wel zou opbellen als je er tijd voor had. Je had hem blijkbaar gevraagd gegevens te verzamelen over Mayfly's sector. Over de industrie, geloof ik, of over de legeroefeningen? Hij zei dat de feiten en cijfers voor je klaar lagen in Londen. Actieve vent, een sergeant van het beste type.' Hij wierp een blik naar het plafond. 'Wanneer komt Fred beneden?'

Haldane zei abrupt: 'Ik wil je niet met hem in contact brengen, Bruce.' Dat Haldane een voornaam gebruikte was heel ongewoon.

'Het spijt me, maar je zult in de stad moeten lunchen. Je kunt het declareren.'

'Wat is dat voor onzin?'

'Veiligheidsoverwegingen. Ik wil hem niet meer van onze mensen laten zien dan strikt noodzakelijk is. De tekeningen zijn duidelijk genoeg; de film, naar ik mag aannemen, ook.'

Woodford voelde zich diep beledigd en ging gepikeerd terug naar Londen. Avery besefte toen dat Haldane vastbesloten was Leiser in de waan te houden dat het departement geen stommelingen in dienst had.

Voor de laatste dag van de cursus had Haldane een alle vakken omvattende oefening opgesteld, die van tien uur 's morgens tot acht uur in de avond zóu duren, waarbij Leiser zou worden getest op visuele waarnemingen in de stad, clandestien fotograferen en naar de bandrecorder luisteren. De gegevens die hij in de loop van de dag verzamelde moest hij samenvatten in een rapport, dat hij in code moest brengen en 's avonds uitzenden naar Johnson. Toen hij zijn instructies kreeg die ochtend was de stemming uitbundig. Johnson zei voor de grap dat hij niet bij vergissing de marechausseekazerne in Oxford moest fotograferen, Leiser lachte smakelijk en zelfs Haldane permitteerde zich een flauwe glimlach. Dit was de laatste schooldag; de jongens gingen met vakantie.

De oefening werd een succes. Johnson was tevreden, Avery enthousiast, Leiser kennelijk verrukt. Hij had tweemaal foutloos uitgezonden, vertelde Johnson. Fred was geen moment zenuwachtig geweest. Om acht uur gingen ze in hun beste pak aan tafel. Er was gezorgd voor een speciaal menu. Haldane stelde de rest van zijn bourgogne beschikbaar. Er werd getoost, en gesproken over een jaarlijkse reünie. Leiser zag er tot in de puntjes verzorgd uit. Hij droeg een donkerblauw pak en een das van lichte moiré-zijde.

Johnson raakte behoorlijk aangeschoten. Hij stond erop Leisers zender naar beneden te halen; hij dronk het toestel enige malen toe en sprak het aan als mevrouw Hartbeck. De prikkelbaarheid van de laatste week was verdwenen.

De dag daarop was het zaterdag. Avery en Haldane keerden naar Londen terug. Leiser zou met Johnson in Oxford blijven tot de hele groep op maandag naar Duitsland ging. Die zondag zou een wagen van de luchtmacht de koffer met de zender halen. Deze zou met Johnsons uitrusting voor het basiskamp afzonderlijk bij Gorton in Hamburg worden afgeleverd en vandaar worden doorgezonden naar de boerderij bij Lübeck, vanwaar Operatie Mayfly zou worden gelanceerd. Voor hij het huis verliet keek Avery nog even rond, gedeeltelijk uit gevoelsoverwegingen maar ook omdat hij het huurcontract had ondertekend en verantwoordelijk was voor de inventaris.

Tijdens de reis naar Londen voelde Haldane zich nerveus. Hij scheen nog altijd te wachten op de een of andere emotionele crisis van Leiser.

15

Diezelfde zaterdagavond. Sarah lag in bed. Haar moeder had haar naar Londen gebracht.

'Als je me ooit nodig hebt,' zei hij, 'dan kom ik naar je toe, waar je ook bent.'

'Je bedoelt, als ik op sterven zou liggen.' Nuchter analyserend voegde ze eraan toe: 'In die zin kun je ook op mij rekenen, John. Mag ik nu mijn vraag herhalen?'

'Maandag. We gaan met een groep.' Het was net dat oude kinderspelletje waarbij iedereen doorpraat over zijn eigen onderwerp.

'Welk deel van Duitsland?'

'Och, gewoon Duitsland, West-Duitsland. Voor een conferentie.'

'Nog meer doden?'

'In 's hemelsnaam, Sarah, dacht je dat ik met alle geweld dingen voor je verborgen wil houden?'

'Ja, John, dat denk ik. Als ze je toestonden me alles te vertellen zou het werk je waarschijnlijk niet meer bevallen. Nu heb jij het recht dingen te doen waaraan ik geen deel kan hebben.'

'Ik kan je alleen zeggen dat het heel belangrijk is ... een groot opgezette operatie. Met agenten. Die ik heb opgeleid.'

'Wie heeft de leiding?'

'Haldane.'

'Is dat de figuur die je vertrouwelijke dingen over zijn vrouw vertelt? Dat is een afschuwelijke man.'

'Nee, jij bedoelt Woodford. Dit is een heel ander type. Haldane is een beetje vreemd. Een soort professor. Heel knap.'

'Ze zijn allemaal erg knap, niet? Woodford ook.'

Haar moeder kwam binnen met de thee.

'Wanneer sta je weer op?'

'Maandag waarschijnlijk. Dat hangt ervan af wat de dokter zegt.'

'Ze heeft rust nodig,' zei haar moeder en liep de kamer uit.

'Als je erin gelooft,' zei Sarah, 'doe het dan, maar als ...' Ze onderbrak zichzelf en schudde haar hoofd als een klein meisje.

'Je bent jaloers. Je bent jaloers op mijn baan en op de geheimhouding. Jij *wilt* niet dat ik in mijn werk geloof.'

'Je gaat je gang maar, als je er werkelijk in kunt geloven.'

Enige tijd keken ze elkaar niet aan. 'Als Anthony er niet was, zou ik bij je weggaan,' verklaarde Sarah tenslotte.

'Waarom?' vroeg Avery mat, en toen zag hij een kans en zei: 'Laat je door Anthony niet weerhouden.'

'Je praat nooit meer met me en met Anthony ook niet. Hij kent je nauwelijks.'

'Waar moet ik dan over praten?'

'Mijn God!'

'Je weet dat ik niet over mijn werk kan praten. Ik vertel je al meer dan ik mag. Daarom doe je altijd zo hatelijk over het departement, is het niet? Je kunt het niet begrijpen en je wilt het niet begrijpen. Je vindt het vervelend dat alles geheim is, maar je veracht me als ik de voorschriften overtreed en je er iets van vertel.'

'Begin nu niet weer opnieuw.'

'Ik heb besloten niet terug te komen,' zei Avery.

'Misschien denk je er dit keer eens aan voor Anthony een cadeautje mee te brengen.'

'Ik heb toch die melkauto voor hem gekocht.'

Ze zaten een tijdlang zwijgend bijeen.

'Je zou eens kennis moeten maken met Leclerc,' zei Avery. 'Ik geloof dat het goed zou zijn als je eens met hem sprak. Hij stelt het telkens weer voor. Een etentje samen ... misschien kan hij je overtuigen.'

'Waarvan?'

Ze had ontdekt dat er een draadje los zat aan de zoom van haar bedjasje. Zuchtend haalde ze een nagelschaartje uit de lade van het nachtkastje en knipte het af.

'Je had het naar de achterkant moeten halen en vastzetten,' zei Avery. 'Zo gaat het natuurlijk nog verder los.'

'Hoe zijn ze?' vroeg ze. 'Die agenten. Waarom doen ze dit soort werk?'

'Uit vaderlandsliefde, en om het geld, denk ik.'

'O. jij koopt ze dus om?'

'Ach, schei toch uit!'

'Zijn het Engelsen?'

'Een van hen is een Engelsman. Maar hou nu op met vragen, Sarah; ik mag je er verder niets van zeggen.' Hij bracht zijn hoofd dichter bij het hare. 'Niet meer vragen, liefje.' Hij nam haar hand. Ze liet hem zijn gang gaan.

'Zijn het allemaal mannen?'

'Ja.'

Plotseling sprak ze op een totaal andere toon, zonder tranen, zonder scherpte, maar vlug en met het gevoel alsof het nu uit was met het geredeneer en dit de keuze was waarvoor ze stonden: 'John, ik wil het weten, ik moet het weten, nu, voor je weggaat. Het is een afschuwelijke, on-Engelse vraag, maar sedert je die functie hebt aanvaard heb je me iets duidelijk willen maken, heb je me aan het verstand willen brengen dat mensen niet ter zake doen, dat ik niet zo belangrijk ben, en Anthony ook niet; zelfs de agenten niet. Je hebt me duidelijk willen maken dat je een roeping hebt gevonden. Nou, wat, wie roept je? Dàt wil ik weten, wat is dit voor soort roeping? Dat is de vraag waarop je nooit antwoord geeft, dàt is het wat je voor me verborgen houdt. Ben je een martelaar, John? Zou ik je moeten bewonderen om wat je doet? Breng je offers?'

Toonloos, ontwijkend, antwoorde Avery: 'Nee, het is heel anders. Ik heb een opdracht. Ik ben een deskundige, een technicus als je wilt. Onderdeel van een machine. Je wilt dat ik er hoogdravend over doe, is het niet? Dan kun je daarna het ontluisteringsspelletje beginnen.'

'Dat is niet waar. Je hebt precies gezegd wat ik je wilde laten zeggen. Je hebt een cirkel getrokken en nu wil je daar niet meer buiten komen. Je denkt niet in hoogdravende termen over jezelf en je werk, je denkt helemaal niet. Dat is voor jouw doen bijzonder nederig. Geloof je werkelijk dat je zo klein bent?'

383

'Jij hebt mij klein gemaakt. Spot er niet mee. Je kleineert me nu.'

'John, ik bezweer je dat dat niet mijn bedoeling is. Toen je gister-avond terugkwam leek het alsof je verliefd was. Alsof je een liefde had gevonden die je troost schonk. Je zag er vrij en vredig uit. Eerst dacht ik dat je een vrouw had gevonden. Heus, daarom heb ik je ge-vraagd of het allemaal mannen waren ... Ik dacht dat je verliefd was. Nu vertel je me dat jij niets bent en je wekt de indruk daar nog trots op te zijn ook.'

Hij wachtte, glimlachte zoals hij tegen Leiser had gedaan en zei: 'Sarah, ik heb je verschrikkelijk gemist. Toen ik in Oxford was ben ik naar het huis gegaan, het huis aan de Chandos Road, herinner je je nog? Daar hebben we veel plezier gehad, is het niet?' Hij drukte haar hand even. 'Echt plezier. Ik heb er daar over nagedacht, over ons huwelijk, over Anthony. Ik houd van je, Sarah. Ik houd van je. Om alles ... de manier waarop je ons jochie opvoedt.' Een lach. 'Jullie zijn allebei zo kwetsbaar, soms lijken jullie me even oud.'

Ze bleef zwijgen, en dus vervolgde hij: 'Ik heb gedacht, als we nu eens een huis kochten en buiten gingen wonen ... ik heb nu een goede positie. Leclerc zou zeker bereid zijn een lening voor me te organise-ren. Buiten zou Anthony meer bewegingsvrijheid hebben. Wij zou-den ook wat meer moeten uitgaan, naar de schouwburg, zoals we dat in Oxford deden.'

Verstrooid vroeg ze: 'O, deden we dat? Maar buiten kun je toch niet naar de schouwburg?'

'Het departement betekent iets voor me, Sarah, begrijp je dat? Dit is een echte baan, dit is belangrijk, Sarah.'

Ze duwde hem zachtjes van zich af. 'Moeder heeft me gevraagd met Kerstmis naar Reigate te komen.'

'O, prachtig. Weet je ... wat het departement betreft ... Ze zijn me wel iets verschuldigd, na alles wat ik gedaan heb. Ze beschouwen me nu als hun gelijke. Als een collega. Ik ben nu een van hen.'

'Dan ben jij er dus niet voor verantwoordelijk, dan ben je gewoon een van dat stel? Geen opofferingen dus.' Ze waren weer terug bij het uitgangspunt.

Avery, die dit niet begreep, vervolgde zachtjes: 'Ik kan het hem zeggen, niet? Ik kan hem zeggen dat je komt dineren?'

'In godsnaam, John,' snauwde ze, 'probeer niet me je wil op te leggen alsof ik een van je rot-agenten ben.'

Haldane zat achter zijn bureau en las het rapport van Gladstone.

Er waren tweemaal manoeuvres geweest in het gebied van Kalk-stadt, in 1952 en in 1960. In dat laatste jaar hadden de Russen een infanterieaanval op Rostock geënsceneerd met steun van zware tanks maar zonder luchtdekking. Over de manoeuvres van 1952 was niet veel bekend, behalve dat een grote afdeling troepen de stad Wolken had bezet. Men meende dat ze rode distinctieven droegen. Het rapport was onbetrouwbaar. Bij beide gelegenheden was het gehele gebied tot verboden terrein verklaard; tot helemaal aan de noordkust toe.

Hierna volgde een lange opsomming van de voornaamste indus-trieën. Er waren aanwijzingen - afkomstig van het Circus, dat wei-gerde de bron te vermelden - dat er een nieuwe raffinaderij werd ge-bouwd op een vlakte ten oosten van Wolken en dat de machines daarvoor uit Leipzig waren gekomen. Het was mogelijk (maar niet waarschijnlijk) dat het vervoer per spoor had plaatsgevonden via Kalkstadt. Er was geen enkele vorm van burgerlijke of industriële onrust in deze streek en er hadden geen incidenten plaatsgevonden die tot het tijdelijk afsluiten van de stad hadden kunnen leiden.

Er lag een briefje van het archief in zijn bakje met inkomende post. Ze hadden de dossiers klaargelegd waarom hij had gevraagd, maar enkele werden niet uit handen gegeven en konden alleen in de bibliotheek worden ingekeken.

Hij ging naar beneden, opende het dubbele slot in de stalen deur van het Algemene Archief en zocht tevergeefs naar de schakelaar van het licht. Tenslotte liep hij maar in het donker naar het kleine, raam-loze vertrek aan de achterkant van het gebouw waar de belangrijke documenten, die van speciale betekenis waren of bijzonder geheim, bewaard werden. Het was er pikdonker. Hij stak een lucifer aan en vond de schakelaar. Op de tafel lagen twee dossiers: 'Mayfly', slechts ter beschikking van speciaal geselecteerde lezers waarvan de naamlijst buitenop was geplakt. Er waren nu drie delen van. De tweede serie dossiers betrof 'Bedrog en misleiding' (Sowjets en Oost-Duitsland) en bevatte een bijzonder goed bijgehouden collectie documenten en foto's in harde kaften.

Na even in de 'Mayfly'-dossiers te hebben gebladerd ging hij over op de documenten en foto's en bladerde in de deprimerende ver-zameling van verslagen over de schurken, dubbelagenten en idioten die in alle denkbare uithoeken van de wereld en onder elk denkbaar voorwendsel - soms met succes - getracht hadden het Westen om de tuin te leiden. De toegepaste techniek was tot vervelens toe dezelfde;

altijd die kern van waarheid, zorgvuldig gekoesterd en opgebouwd uit kranteverslagen en kroegpraatjes. Het vervolg was wat minder zorgvuldig geconstrueerd, omdat de bedrieger zijn slachtoffers niet hoog aansloeg. En dan tenslotte de zuivere fantasie, de artistieke brutaliteit die plotseling een einde maakte aan een band die al niet meer zo sterk was.

Op een van die verslagen zag hij een vlaggetje met Gladstones initialen. Erboven stonden in diens voorzichtige, ronde letters de woorden: 'Misschien van betekenis voor uw onderzoek.'

Het was een rapport ingezonden door een politieke vluchteling betreffende tankmanoeuvres in de buurt van Gustweiler. Er stond op het rapport: 'Niet doorgeven. Verzinsels'. Daarna volgde een lange verklaring waarin passages uit het rapport werden aangehaald, die nagenoeg letterlijk waren overgenomen uit een militair Sowjet-handboek van 1949. Het bleek dat de opsteller van het rapport alle cijfers met een derde had verhoogd en er op handige wijze een persoonlijk tintje aan had gegeven. Er waren zes foto's bijgevoegd, vaag en onduidelijk, die volgens het rapport vanuit een trein waren genomen met een telelens. Achter op de foto's was geschreven in McCullochs precieze handschrift: 'Schrijver beweert Exa-II camera te hebben gebruikt, van Oostduitse makelij. Goedkope uitvoering, maar er passen Exakta-lenzen in. Lage sluitersnelheden. Negatieven zo vaag door trillen van camera in rijdende trein. Ongeloofwaardig.' Veel had hij er niet aan. Niets definitiefs. Alleen hetzelfde fabrikaat camera, dat was alles. Hij sloot het archief af en ging naar huis. Het was niet zijn taak, had Leclerc gezegd, te bewijzen dat Christus op Kerstdag was geboren. Maar, dacht Haldane, het was toch wel zijn taak te bewijzen dat Taylor vermoord was.

Woodfords vrouw deed wat sodawater bij haar whisky, een scheutje maar, eerder een gewoonte dan een kwestie van smaak.

'Op kantoor slapen, ben je gek,' zei ze. 'Krijg je operationele onkostenvergoeding?'

'Ja, natuurlijk.'

'O, dus het is *geen* conferentie, hè? Een conferentie is niet operationeel. Hoogstens als je hem in het Kremlin houdt,' voegde ze er giechelend aan toe.

'Goed, dan geen conferentie. Het is een operatie en daarom krijg ik de speciale onkostenvergoeding.'

Ze keek hem scherp aan. Ze was een magere, kinderloze vrouw.

Haar ogen waren half gesloten door de rook van de sigaret die in haar mondhoek hing.

'Er is helemaal *niets* aan de hand. Je hebt het allemaal maar verzonnen.' Ze lachte hard en gemaakt. 'Jij arme dwaas,' zei ze en lachte weer minachtend. 'Hoe gaat het met Clarkie? Jullie zijn allemaal bang voor hem, hè? Waarom zeg je nooit iets ongunstigs over hem? Jimmy Gorton deed dat wel, *die* had hem door.'

'Kom me niet aan met Jimmy Gorton!'

'Jimmy is *verrukkelijk.*'

'Babs, ik waarschuw je!'

'Arme Clarkie. Herinner je je nog,' zei zijn vrouw peinzend, 'dat gezellige dineetje dat hij ons in zijn club aanbood? Toen hij vond dat wij aan de beurt waren voor een gratis hapje? Biefstuk, niertjes en diepvries doppertjes.' Ze dronk een slokje van haar whisky. 'En de gin was warm.' Plotseling kreeg ze een inval. 'Ik zou wel eens willen weten of hij ooit een vrouw heeft gehad,' zei ze. 'Jezus, dat ik daar nooit eerder aan gedacht heb.'

Woodford keerde terug naar veiliger terrein.

'Goed, dan is er niets aan de hand.' Hij stond op; er lag een dwaze glimlach op zijn gezicht. Hij nam lucifers van het bureau.

'Je gaat me hier niet de atmosfeer verpesten met die rotpijp van je,' zei ze automatisch.

'Er is dus niets aan de hand,' herhaalde hij zelfingenomen, stak zijn pijp op en begon er al te hoorbaar aan te zuigen.

'Mijn God, wat haat ik je.'

Woodford schudde zijn hoofd, nog altijd glimlachend. 'Hindert niet,' zei hij, 'hindert niet, liefje. Jij hebt het gezegd, ik niet. Ik slaap niet op mijn bureau en dus is alles in orde, waar of niet? En ik ben ook niet in Oxford geweest; en ik zit niet op het ministerie en ik word 's avonds niet met een auto thuisgebracht.'

Ze boog zich voorover, haar stem plotseling heel dringend, gevaarlijk.

'Wat houd je voor me verborgen? Ik heb het recht dat te weten! Ik ben je vrouw, vergeet dat niet! Je vertelt het wel aan die hoertjes op het departement, is het niet? Vooruit, vertel het mij dan ook!'

'We gaan een man over de grens brengen,' zei Woodford. Dit was het ogenblik van zijn grote triomf. 'Ik heb de leiding van de zaak hier in Londen. Er is een crisis. Er zou best oorlog van kunnen komen. Heel gevaarlijke zaak.' De lucifer was uitgegaan, maar hij zwaaide er nog steeds mee op en neer met lange bewegingen van zijn arm en keek haar triomfantelijk in de ogen.

'Jij stomme leugenaar,' zei ze, 'dacht je dat ik daar intrapte?'

De kroeg op de hoek was voor driekwart leeg. Ze waren de enigen die aan de bar zaten. Leiser dronk met kleine teugjes zijn White Lady en de radiotelegrafist dronk het duurste bitter op kosten van het departement.

'Je moet het alleen maar rustig aan doen,' zei hij vriendelijk. 'De laatste keer kwam je prachtig door, Fred. We zullen je zeker horen - maak je daar geen zorgen over - je zit maar honderddertig kilometer van de grens. Allemaal kinderwerk als je maar precies volgens het boekje te werk gaat. Maar rustig afstemmen, anders is het waardeloos.'

'Ja, ik zal eraan denken. Ach, het geeft niet, maak je geen zorgen.'

'En wees maar niet bang dat de moffen je direct in de gaten zullen krijgen. Je stuurt geen liefdesbrieven uit, alleen maar een paar cijfergroepen. Daarna een nieuw oproepteken en een andere golflengte. In de tijd dat jij daar bent zullen ze geen kans krijgen je op te sporen, dat verzeker ik je.'

'Misschien kunnen ze het tegenwoordig wel,' zei Leiser. 'Misschien zijn ze sedert de oorlog wel enorm veel beter geworden.'

'Man, ze zitten met ik weet niet hoeveel uitzendingen, scheepsberichten, militaire berichten, luchtverkeersseinen, de hemel weet wat nog meer. Het zijn heus ook maar mensen, Fred. Net als wij. Ze houden van hun gemak. Breek je daar de kop maar niet over.'

'Ik maak me geen zorgen. Ze hebben me in de oorlog ook niet te pakken gekregen. Niet voor lang tenminste.'

'Luister eens, Fred, nog één borrel en dan gaan we naar huis; nog een lekker nummertje met mevrouw Hartbeck. Zonder licht, natuurlijk. In het donker, ze is erg verlegen, weet je. Honderd procent, man, daar gaat het om. Morgen doen we het dan kalmpjes aan. Ten slotte is het morgen zondag, niet?'

'Ik wil slapen. Kan ik nou niet eens rustig slapen, Jack?'

'Morgen, Fred. Morgen kun je het net zo kalm aan doen als je maar wilt.' Hij gaf Leisers elleboog een duwtje. 'Je bent nou getrouwd, Fred. En dan kun je niet altijd zo maar gaan slapen. Je hebt de gelofte afgelegd, zoals wij het vroeger noemden.'

'O.K. O.K. Praat liever eens over wat anders of laat me met rust,' zei Leiser geprikkeld.

'Sorry, Fred.'

'Wanneer gaan we naar Londen?'

'Maandag, Fred.'

'Is John er dan ook?'

'Die ontmoeten we op het vliegveld. En de kapitein ook. Die willen dat we nog wat oefenen ... de routinedingen, zien of het er goed in zit.'

Leiser knikte. Hij trommelde met de tweede en derde vinger van beide handen luchtig op de bar, alsof hij morsetekens uitzond.

'Waarom vertel je me niet eens wat over een van de meisjes die je de laatste keer in Londen hebt gehad?' vroeg Johnson.

Leiser schudde zijn hoofd.

'Vooruit, één borreltje dan nog maar, op mijn rekening, en dan nog een biljartje maken.'

Leiser lachte verlegen en scheen zijn ergernis vergeten te zijn. 'Ik heb heel wat meer geld dan jij, Jack, en White Lady is een duur drankje. Laat mij maar betalen.'

Hij krijtte zijn keu en duwde het kwartje in de gleuf. 'We zullen quitte of dubbel spelen; jij hebt gisteren gewonnen.'

'Luister eens, Fred,' zei Johnson vriendelijk, 'probeer nou niet weer alleen de grote stoten. Je kunt niet altijd de rooie in de honderd krijgen. Neem de twintigjes en de vijftig, dat telt ook lekker aan. En daarmee loop je veel minder risico.'

Plotseling werd Leiser woedend. Hij zette zijn keu weer in het rek en nam zijn jas van de kapstok.

'Wat is er, Fred, wat heb je nou ineens?'

'Man, laat me verdomme met rust! En doe niet alsof je mijn bewaker bent. Ik ga op karwei, zoals we dat in de oorlog allemaal deden. Ik zit niet in de cel met de strop!'

'Rustig aan nou maar,' zei Johnson vriendelijk en hing zijn jas weer op het haakje. 'Wij zeggen trouwens niet "cel met de strop", wij zeggen "dodencel".'

Carol zette de koffie op het bureau voor Leclerc neer. Hij keek vrolijk naar haar op en bedankte haar, vermoeid maar beleefd, als een kind aan het eind van een verjaardagsfeestje.

'Adrian Haldane is naar huis,' merkte Carol op. Leclerc concentreerde zijn aandacht weer op de kaart.

'Ik heb in zijn kamer gekeken. Hij had weleens goedenavond kunnen zeggen.'

'Doet hij nooit,' zei Leclerc trots.

'Kan ik nog iets voor u doen?'

'Ik vergeet altijd weer hoe je yards moet omzetten in meters.'

'Ik ook.'

'Het Circus beweert dat deze kloof tweehonderd meter lang is. Is dat niet ongeveer tweehonderdvijftig yards?'

'Ik geloof het wel, maar ik zal even het tabellenboek halen.'

Ze liep naar haar bureau, greep het boek uit de kast.

'Eén meter staat gelijk met negenendertig punt driezevende inch,' las ze. 'Honderd meter is honderdnegen yards en dertien inch.'

Leclerc schreef het op.

'Ik geloof dat we Gorton een bevestigingstelegram moeten sturen. Drink eerst maar een kopje koffie en kom dan nog even hier met je stenoblok.'

'Ik heb geen trek in koffie.'

'Standaardprioriteit is wel voldoende. We hoeven hiervoor Jimmy niet uit zijn bed te halen.' Hij streek energiek met zijn kleine hand door zijn haar. 'Eén. Voorhoedegroep Haldane, Avery, Johnson en Mayfly arriveren BEA-vlucht zo en zo, zo en zo laat negen december.'

Hij keek op. 'Je kunt de details wel van de administratie krijgen. Twee. Allen reizen onder eigen naam en gaan per trein naar Lübeck. Uit veiligheidsoverwegingen moet je de groep niet - herhaal niet - afhalen van vliegveld, maar je kunt discreet contact opnemen met Avery per telefoon basis Lübeck. We kunnen hem niet de brave Adrian op het dak sturen,' merkte hij even lachend op. 'Die twee kunnen elkaar niet uitstaan ...' Met stemverheffing: 'Drie. Groep twee, alleen bestaande uit Chef, arriveert ochtendvlucht tien december. Kom naar vliegveld voor kort overleg voor doorreis naar Lübeck. Vier. Jouw rol is het discreet verstrekken van advies en het verstrekken van hulp in alle stadia om operatie Mayfly tot een succes te maken.'

Ze stond op.

'Is het nodig dat John Avery meegaat? Zijn arme vrouw heeft hem in geen weken gezien.'

'Dat treft dan slecht,' antwoordde Leclerc zonder haar aan te zien.

'Hoe lang heeft een man nodig om tweehonderdtwintig yards te kruipen?' mompelde hij. 'O, Carol, voeg nog een zinnetje aan dat telegram toe: Vijf. Veel succes. Jimmy houdt ervan een beetje te worden aangemoedigd; hij zit daar helemaal in zijn eentje.'

Hij nam een dossier uit zijn bakje met inkomende post en keek kritisch naar het omslag, zich ervan bewust dat Carols ogen op hem gericht waren.

'Aha.' Een half onderdrukt glimlachje. 'Dat zal het Hongaarse rapport zijn. Heb je Arthur Fielden weleens in Wenen ontmoet?'

'Nee.'

'Aardige vent. Wel jouw type. Een van onze knapste lui. Handige jongen. Bruce heeft me gezegd dat hij een prima rapport heeft uitgebracht over de troepenwisselingen in Boedapest. Ik moet dat Adrian laten lezen. *Druk* op het ogenblik, *druk!*' Hij opende het dossier en begon te lezen.

Control zei: 'Heb je met Hyde gesproken?'

'Ja.'

'Nou, wat zei hij? Wat hebben ze daarginds?'

Smiley reikte hem een whiskysoda aan. Ze bevonden zich in Smileys huis in de Bywater Street. Control zat in zijn lievelingsstoel het dichtst bij het vuur.

'Hij zei dat ze last hadden van plankenkoorts.'

'Zei Hyde dat? Heeft die zo'n uitdrukking gebruikt? Wat gek.'

'Ze hebben een huis genomen in Oxford-Noord. Ze hadden daar alleen die ene agent, een Pool van om en bij de veertig, en ze moesten voor hem documenten hebben op een naam die op Freiser leek; als mecanicien afkomstig van Maagdenburg. Ze wilden reisdocumenten naar Rostock.'

'Wie was er verder?'

'Haldane en die nieuwe, Avery. Weet je wel, die vent die bij me is geweest over de Finse koerier. En een radiotelegrafist, Jack Johnson. Wij hebben hem in de oorlog gebruikt. Verder geen mens. Dat is dan hun grote groep agenten.'

'Wat *willen* die lui toch? Wat voeren ze in hun schild? En wie heeft hun al dat geld gegeven, voor een *oefening?* Wij hebben ze ook materiaal geleend, niet?'

'Ja, een B 2.'

'Wat is dat in godsnaam?'

'We gebruikten ze in de oorlog,' zei Smiley geïrriteerd. 'Jij wou ze niets anders geven. Alleen die B 2 en de kristallen. Waarom heb je hem die kristallen gegeven?'

'Zuiver liefdadigheid. Het was dus een B 2? Nu ja,' zei Control blijkbaar opgelucht, 'daarmee zouden ze niet ver komen, wel?'

'Ga je vanavond naar huis?' vroeg Smiley ongeduldig.

'Ik dacht dat je me hier wel een bed kon aanbieden,' stelde Control voor. 'Zo'n *gesjouw,* dat hele eind naar huis. Al die mensen ... Ze worden steeds ongemanierder.'

Leiser zat aan de tafel en staarde naar de verlichte wijzerplaat van zijn horloge; zijn koffer lag open voor hem. Het was elf uur achttien. De secondewijzer liep rukkerig rond naar het cijfer 12. Hij begon te seinen: JAJ, JAJ - dat kun je wel onthouden, Fred, niet, dat is mijn naam, Jack Johnson, zie je? - hij schakelde over op ontvangst en daar hoorde hij Johnsons antwoord, rustig en onverstoorbaar.

Je neemt er de tijd maar voor, had Johnson gezegd, doe niets overhaast. Wij luisteren de hele nacht, tijd genoeg. Bij de straal van een kleine zaklantaarn telde hij de gecodeerde groepen. Het waren er achtendertig. Hij deed de zaklantaarn uit en tikte een drie en een acht; cijfers waren gemakkelijk, maar lang. Hij hoorde in gedachten Jacks vriendelijke stem, die voortdurend herhaalde: 'Je korten zijn te vlug, Fred, een punt is een derde van een streep, zie je? Dat is langer dan je denkt. En probeer niet de tussenpozen op te vullen of te verkorten, Fred. Vijf punten achter elk woord, drie punten achter elke letter. Onderarm horizontaal, in rechte lijn met de sleutel; elleboog vrij van het lichaam.' Zoiets als een gevecht met messen, dacht hij glimlachend en begon te seinen. Vingers losjes, Fred, ontspannen, pols vrij van de tafel. Hij tikte de eerste twee groepen uit, de tussenpozen iets overdrijvend, maar niet zo sterk als gewoonlijk. Nu kwam de derde groep; veiligheidssein tussenvoegen. Hij tikte een S, herriep die en seinde de tien volgende groepen, waarbij hij zo nu en dan op de wijzerplaat van zijn horloge keek. Na twee en een halve minuut verdween hij uit de ether, tastte naar de kleine capsule die het kristal bevatte, vond met de toppen van zijn vingers de dubbele opening in de huls, bracht het kristal op zijn plaats en volgde daarna stap voor stap het afstelschema, bewoog de wijzers, liet het licht van zijn lantaarn schijnen op het halvemaanvormige raampje om het zwarte tongetje erlangs te zien trillen.

Hij tikte het tweede oproepsignaal uit, PRE, PRE, schakelde snel over op ontvangst en daar was Johnson weer, QRK 4, je sein leesbaar. Voor de tweede keer begon hij uit te zenden, waarbij zijn hand langzaam maar methodisch bewoog terwijl zijn ogen de zinloze letters volgden, totdat hij met een tevreden knikje Johnsons antwoord hoorde: 'Sein ontvangen, QRU: ik heb niets voor je.'

Toen ze klaar waren stond Leiser erop dat ze nog een korte wandeling maakten. Het was bitter koud. Ze liepen de Walton Street af tot aan de grote poort van Worcester, daarna langs de Banbury Road terug naar hun luxueuze toevluchtsoord in Oxford-Noord.

16. Vertrek

Het was dezelfde wind. De wind die rukte aan Taylors bevroren lichaam en die de regen tegen de zwarte muren van Lambeth dreef, de wind die het gras van Port Meadow geselde en die nu hals over kop tegen de luiken van de boerderij aanstormde.

In de boerderij rook het naar katten. Er lagen geen vloerkleden. De vloeren waren van steen, ze waren op geen enkele manier droog te krijgen. Johnson had onmiddellijk na hun aankomst het vuur in de tegeloven in de gang aangemaakt, maar je zag het vocht nog op de stenen liggen; het verzamelde zich in de putjes als een vermoeid leger. Zolang ze er waren kregen ze geen kat te zien, maar ze roken ze in elke kamer. Johnson legde cornedbeef op de stoep. Het was binnen tien minuten verdwenen.

De boerderij bevatte slechts één woonverdieping met een hoge graanzolder. Het huis was van steen en lag tegen struikgewas aan onder een ruime Vlaamse hemel, een lang, rechthoekig gebouw met veeschuren aan de luwzijde. Twee mijl ten noorden van Lübeck. Leclerc had gezegd dat ze niet naar de stad mochten gaan.

Een ladder leidde naar de zolder en daar installeerde Johnson zijn radiozender; de antenne spande hij tussen de balken en vandaar door een dakraam naar een lep die naast de weg stond. Hij droeg bruine militaire schoenen met rubberzolen en een blazer met het embleem van zijn eskadron. Gorton had eten laten brengen uit de NAAFI in Celle. In de keuken stonden dan ook een groot aantal kartonnen dozen met een factuur voor 'Groep Gorton'. Er waren twee flessen gin en drie met whisky. Ze beschikten over twee slaapkamers; Gorton had legerbedden gezonden, twee per kamer, en leeslampen met de standaard groene kappen. Haldane was heel kwaad over die bedden. 'Hij schijnt alle afdelingen in de streek te hebben ingelicht,' klaagde hij. 'Goedkope whisky, NAAFI eten, legerbedden. En hij zal het dichtstbijzijnde huis wel hebben gerequireerd. Verdomme, is dat nou een operatie organiseren!'

Het was laat in de middag toen ze arriveerden. Nadat Johnson zijn installatie had opgesteld ging hij aan het werk in de keuken. Hij was een huiselijk man; hij kookte en deed de afwas zonder zich te beklagen, waarbij hij luchtig over de vochtige stenen liep op zijn rubberzolen. Hij maakte een gerecht klaar van cornedbeef en eieren en schonk cacao met veel suiker. Ze aten in de hal voor de tegeloven. Johnson was gewoonlijk aan het woord. Leiser was stil en raakte zijn eten nauwelijks aan.

'Wat is er, Fred? Geen honger?'

'Het spijt me, Jack.'

'Te veel gesnoept in het vliegtuig, dat is het.' Johnson knipoogde tegen Avery. 'Ik zag dat je die stewardess onder vuur nam. Dat moet je niet doen, Fred, je weet dat je alleen haar hart zou breken.' Hij keek de tafel rond met gespeelde afkeer. 'Hij heeft haar goed bekeken, van onder tot boven. Grondig.'

Avery grijnsde plichtmatig. Haldane deed alsof hij niets had gehoord.

Leiser maakte zich zorgen over de maan, en na het eten stonden ze in een kleine groep huiverend bij elkaar bij de achterdeur en keken naar de lucht.

Het was vreemd licht; de wolken dreven voorbij als zwarte rook en zo laag dat ze in de heen en weer zwaaiende takken van het kreupelhout leken te hangen en de grauwe velden verderop half aan het oog onttrokken.

'Aan de grens is het donkerder, Fred,' zei Avery. 'Het is daar hoger, meer heuvels.'

Haldane zei dat ze vroeg naar bed moesten. Ze dronken nog een whisky en om kwart over tien gingen ze naar bed, Johnson en Leiser in de ene kamer, Avery en Haldane in de andere. Niemand schreef dit voor, ieder wist blijkbaar waar hij thuishoorde.

Het was al na middernacht toen Johnson hun kamer binnenkwam.

Avery werd wakker van het kraken van zijn schoenen.

'John, ben je wakker?'

Haldane ging overeind zitten.

'Het gaat om Fred. Hij zit in zijn eentje in de hal. Ik heb hem gezegd dat hij moest proberen te slapen. Ik heb hem wat tabletjes gegeven, dezelfde die mijn moeder altijd inneemt. Hij wou eerst niet eens in bed en nu zit hij in de hal.'

Haldane zei: 'Laat hem maar met rust. Het komt wel goed. We kunnen geen van allen slapen met die rotwind.'

Johnson ging terug naar zijn kamer. Zeker een uur ging voorbij;

nog altijd geen geluid uit de hal. Haldane zei: 'Ik zou maar eens gaan kijken wat hij eigenlijk uitvoert.'

Avery trok zijn overjas aan en liep de gang door langs wandtapijten met citaten uit de Bijbel en een oude prent van de haven van Lübeck.

Leiser zat op een stoel naast de betegelde oven.

'Hallo, Fred.'

Leiser draaide zich om en keek hem aan. Hij zag er oud en moe uit.

'Het is hier ergens in de buurt, niet, waar ik de grens overga?'

'Zowat vijf kilometer hiervandaan. De Chef zal ons morgenochtend alle inlichtingen en instructies verstrekken. Ze zeggen dat het in deze streek heel gemakkelijk is om de grens over te komen. Hij zal je al je papieren geven en zo. Morgenmiddag zullen we je de grens laten zien. Ze hebben er in Londen heel wat werk aan besteed.'

'In Londen,' herhaalde Leiser langzaam. 'In de oorlog heb ik een karweitje in Holland opgeknapt. Die Hollanders waren beste mensen. We hebben heel wat agenten naar Holland gestuurd. Vrouwen. Die zijn allemaal ingerekend. Jij was toen nog te jong.'

'Ik heb erover gelezen.'

'De Duitsers hadden een radioman te pakken gekregen. Dat wisten onze mensen niet. Ze bleven gewoon doorgaan met het uitsturen van agenten. Ze zeiden dat ze niet anders konden.' Hij begon sneller te spreken. 'Ik was nog een snotaap, toen. Een kleine opdracht, even in en uit, zeiden ze. En ze kwamen radiomensen te kort. Dat ik geen Nederlands kende hinderde niet, zeiden ze, er zouden mensen klaarstaan om me na de dropping op te vangen. Het enige dat ik hoefde te doen was de radiozender bedienen. Er was een veilig huis ter beschikking.' Hij was nu ver van Avery weg. 'We vliegen het doelgebied binnen - niets verdachts te zien, geen schot, geen zoeklicht. Ik spring. Als ik land staan ze al klaar, twee mannen en een vrouw. We wisselen wachtwoorden uit en ze nemen me mee naar de weg om de fietsen te halen. Er is geen tijd om de parachute te begraven - maar daar maken we ons geen zorgen over. We vinden het huis en ze geven me iets te eten. Na het eten gaan we naar boven waar het zendertje staat - geen tijdschema's. Londen luisterde ononderbroken in die tijd. Ze geven me op wat ik moet zenden. Ik stuur een oproepsein uit: 'Meld je TYR, meld je TYR' en daarna het bericht dat ze voor me hebben geplaatst, eenentwintig groepen van vier letters.'

Hij zweeg.

'En?'

'Ze volgden mijn uitzending, snap je. Ze wilden weten waar het veiligheidssein werd geplaatst. Dat was in de negende letter; een cijfer op de verkeerde plaats. Ze lieten me het bericht compleet uitzenden en vlogen toen op me af. Een van hen sloeg me. Het huis zat vol mannen.'

'Wie waren die "ze", Fred?'

'Dat is niet zo gemakkelijk te zeggen, dat weet je nooit.'

'Maar wiens schuld was het dan, verdomme? Wie had het gedaan? Fred!'

'Iedereen die meedeed was schuldig. Onmogelijk er iemand uit te pikken. Dat zul je zelf later nog weleens ontdekken.' Het leek alsof hij het had opgegeven.

'Dit keer ben je alleen. Niemand weet er iets van. Niemand verwacht je.'

'Nee. Dat is waar.' Zijn handen lagen ineengeklemd in zijn schoot. Hij zag er klein en koud uit zoals hij daar voor het vuur zat, voorovergebogen. 'In de oorlog was het gemakkelijker, want hoe beroerd je er ook aan toe was, je dacht altijd, wij winnen het toch. Zelfs als je gevangen werd genomen bleef je denken: ze komen me wel halen, ze zullen een stel kerels sturen om me hier weg te halen of een overval in elkaar te zetten. Je wist natuurlijk heel goed dat het niet zou gebeuren, maar je kon het tenminste dènken. Ze hoefden je alleen maar met rust te laten zodat je de tijd had om daaraan te denken. Maar dit wordt door niemand gewonnen, wel?'

'Dit is heel iets anders. Belangrijker.'

'Wat doen jullie als ze me te pakken krijgen?'

'Dan halen we je terug. Maak je daar maar geen zorgen over, Fred.'

'Mooi, maar hoe denk je dat te doen?'

'We hebben een grote organisatie, Fred. Er gebeurt heel wat waar jij niets van weet. Contacten hier en daar en overal. Jij kunt de hele zaak natuurlijk niet overzien.'

'Jij wel?'

'Ook niet helemaal. Alleen de Chef kent het complete beeld. Zelfs de kapitein weet niet alles.'

'Hoe is de Chef?'

'Hij zit al heel lang in dit werk. Je krijgt hem morgen te zien. Hij is een merkwaardig man.'

'Ziet de kapitein tegen hem op?'

'Natuurlijk.'

'Gek, hij praat nooit over hem,' zei Leiser.

'Dat is ook niet nodig. We praten geen van allen over hem.'

'Ik had een meisje. Op de bank. Ik heb haar gezegd dat ik wegging. Als er iets misgaat, wil ik niet dat er iets van wordt gezegd. Ze is nog zo jong.'

'Hoe heet ze?'

Een vlaag van wantrouwen. 'Doet niet ter zake. Maar als ze bij je komt, maak het dan goed met haar.'

'Wat bedoel je daarmee, Fred?'

'Och, laat maar.'

Daarna praatte Leiser niet meer. Toen de ochtend aanbrak, keerde Avery terug naar zijn kamer.

'Wat was dat nou allemaal?' vroeg Haldane.

'Hij is in de oorlog in Holland in de puree terechtgekomen. Hij werd verraden.'

'Maar hij geeft ons een tweede kans. Aardig. Net zoals ze altijd gezegd hebben.' Even later zei hij: 'Vanmorgen komt Leclerc.'

De taxi arriveerde om elf uur. Leclerc stapte al uit voordat de wagen helemaal stilstond. Hij droeg een duffelse jas, zware bruine schoenen geschikt voor onregelmatig terrein en een slappe pet. Hij zag er uitstekend uit.

'Waar is Mayfly?'

'Bij Johnson,' zei Haldane.

'Hebben jullie een bed voor mij?'

'Je kunt dat van Mayfly krijgen als hij weg is.'

Om half twaalf volgde een korte bijeenkomst waarin Leclerc de laatste instructies verstrekte; 's middags zouden ze een tocht naar de grens maken.

De bijeenkomst werd in de hal gehouden.

Leiser was de laatste. Hij bleef in de deuropening staan en keek naar Leclerc, die hem vriendelijk toelachte, alsof de man hem wel beviel. Ze waren ongeveer even lang.

Avery zei: 'Chef, dit is Mayfly.'

Zijn blik nog steeds op Leiser gericht, antwoordde Leclerc: 'Ik geloof dat ik wel Fred mag zeggen. Hallo, Fred.' Hij deed een paar stappen naar voren en drukte hem de hand. Van beide kanten een formeel gebaar. Twee weermannetjes die uit hun hokjes stapten.

'Hallo,' zei Leiser.

'Ik hoop dat ze je niet al te hard hebben laten werken?'

'Nee, dat gaat wel, meneer.'

'We zijn allemaal onder de indruk,' zei Leclerc. 'Je hebt prachtig werk gedaan.' Het leek alsof hij tot de kiezers van zijn stemdistrict sprak.

'Ik ben nog niet eens begonnen.'

'De Training is driekwart van de strijd, nietwaar, Adrian?'

'Ja.'

Ze gingen zitten. Leclerc stond een klein eindje van hen af. Hij had een kaart aan de muur gehangen. Op de een of andere onnaspeurbare wijze - misschien lag het aan zijn kaarten, aan de nauwkeurig gekozen, met zorg uitgesproken woorden, of aan zijn officiële houding, doelbewust maar terughoudend - wist Leclerc op dat moment dezelfde nostalgische sfeer van kort voor de grote slag op te roepen die de briefing in de Blackfriars Road een maand vroeger had gekenmerkt. Hij wist als een illusionist de indruk te wekken dat hij volkomen vertrouwd was met het onderwerp waarover hij sprak, of dat nu raketten waren, radiotelegrafie of de dekking of het punt van de grens waar Leiser zou oversteken.

'Je doel is Kalkstadt' - een vluchtige glimlach - 'tot nu toe alleen beroemd door zijn bijzonder fraaie veertiende-eeuwse kerk.'

Ze lachten allemaal, Leiser ook. Goeie mop, Leclerc die verstand had van kerken!

Hij had een schets meegebracht van de grenssectie, uitgevoerd in verschillende kleuren, de grens in rood aangegeven. Het was allemaal heel eenvoudig. Aan de westelijke kant was een lage heuvel, begroeid met bomen, varens en brem. Deze heuvel liep evenwijdig aan de grens totdat de zuidelijke uitloper oostelijk afboog en, lager en smaller geworden, eindigde op 200 meter van de grens. Recht daartegenover stond een wachttoren. Die wachttoren stond een flink eind van de demarcatielijn af; aan de voet ervan was een prikkeldraadversperring. Waarnemingen hadden uitgewezen dat de versperring enkelvoudig was en slechts losjes aan de ijzeren staven was bevestigd. Men had Oostduitse bewakers het prikkeldraad zien losmaken om door de versperring te komen als ze in de onverdedigde strook tussen de demarcatielijn en de zichtbare grens wilden patrouilleren. Die middag zou Leclerc de staven in kwestie aanwijzen. Over het feit dat hij zo dicht bij de wachttoren zou oversteken, moest Mayfly zich niet bezorgd maken. De ervaring had uitgewezen dat de aandacht van de bewakers zich concentreerde op de verderaf gelegen secties van de grensstrook. De nacht werd ideaal; er was harde wind voorspeld en

er zou geen maan zijn. Leclerc had het tijdstip voor de grensover-
gang vastgesteld op 0235 uur. De wacht werd om middernacht afge-
lost, elke wacht duurde drie uur. Men mocht aannemen dat de wacht
na twee en een half uur niet meer zo scherp zou opletten als in de
eerste tijd nadat ze hun werk begonnen waren. De aflossing die uit
een barak wat verder naar het noorden moest komen, zou nog niet
onderweg zijn.

Er was bijzondere aandacht besteed aan de mogelijke aanwezigheid van mijnen, zei Leclerc. Hij wees met zijn kleine wijsvinger op
de kaart een lijntje van groene stipjes aan dat vanaf de heuvel tot over
de grens liep - dit was een oud voetpad dat inderdaad geheel de route
volgde die Leiser moest nemen. Men had gezien dat de grenswachten
dit pad vermeden en een eigen pad gebruikten dat tien meter zuidelijk
door hen was gemaakt. Aangenomen werd, zei Leclerc, dat op het
oude pad mijnen waren gelegd en dat men de strook ernaast vrij had
gelaten zodat de Oostduitse patrouilles die konden gebruiken. Leclerc stelde voor dat Leiser dat zelfde pad zou volgen. Waar dat maar
mogelijk was zou Leiser de ruim tweehonderd meter tussen de rand
van de heuvel en de toren kruipen en zijn hoofd onder de varens
houden. Dit deed de kleine kans dat men hem van de wachttoren af
zou kunnen zien geheel teniet. Hij zou het wel prettig vinden te horen
dat er geen patrouille-activiteit aan de westelijke zijde van de prikkeldraadversperring was waargenomen na het vallen van de duisternis, zei Leclerc glimlachend. De Oostduitse bewakers vreesden
klaarblijkelijk dat hun eigen mensen er in het donker ongemerkt
vandoor zouden gaan.

Als hij eenmaal de grens over was, moest Leiser alle gebaande
paden mijden. Het was onregelmatig, moeilijk begaanbaar terrein,
deels bebost. Geen gemakkelijke tocht, maar daardoor des te veiliger; hij moest koers zetten naar het zuiden. De reden hiervoor was
eenvoudig. In zuidelijke richting boog de grens namelijk ongeveer
tien kilometer af in westelijke richting. Als Leiser zich dus naar het
zuiden begaf kwam hij automatisch steeds verder van de grens; na
enige tijd zelfs vijftien kilometer in plaats van twee. Op die wijze zou
hij sneller en gemakkelijker de grenspatrouilles kunnen ontlopen.
Leclerc adviseerde hem dus - en daarbij haalde hij één hand terloops
uit zijn jaszak en stak een sigaret op, zich voortdurend bewust van
het feit dat alle ogen op hem gericht waren - gedurende een half uur in
oostelijke richting te lopen en daarna zuiver zuidelijk verder te gaan,
in de richting van het Meer van Marienhorst. Aan de oostelijke uitlo-

per van het meer stond een oud botenhuis dat niet meer in gebruik was. Daar zou hij zich een uurtje rust kunnen gunnen en wat eten. Misschien dat Leiser tegen die tijd iets zou voelen voor een borrel - opgelucht gelach - nu, in zijn rugzak zat een flesje cognac.

Als hij een grapje maakte ging Leclerc altijd in de houding staan, terwijl hij tegelijkertijd zijn hielen van de grond verhief alsof hij zijn humor de lucht in wilde slingeren.

'Ik kan zeker niet iets krijgen met gin, hè?' vroeg Leiser. 'Ik drink altijd White Lady.'

Er volgde een verwarde stilte.

'Nee, dat gaat niet,' zei Leclerc kortaf. Leisers meester had gesproken.

Na gerust te hebben moest hij naar het dorp Marienhorst lopen en uitzien naar transport in de richting Schwerin. Vanaf dat ogenblik, voegde Leclerc er luchtig aan toe, was hij aan zichzelf overgelaten.

'Je hebt alle papieren bij je die nodig zijn voor een reis van Maagdenburg naar Rostock. Zodra je Schwerin hebt bereikt ben je op de voorgeschreven route. Ik zal niet uitvoerig ingaan op je verhaal als je ter plaatse bent, dat heb je allemaal doorgenomen met de kapitein. Je naam is Fred Hartbeck en je bent een ongetrouwde mecanicien uit Maagdenburg die een aanbieding heeft gekregen om te komen werken bij de Coöperatieve Staatswerven van Rostock.' Leclerc glimlachte. 'Elk detail van deze kant van de zaak is natuurlijk met je besproken. Je liefdeleven, je salaris, je ziektes, je militaire dienst in de oorlog. *Ik* wil hier slechts één ding aan toevoegen. Kom nooit *vrijwillig* met inlichtingen. Mensen *verwachten* nooit dat je je aanwezigheid uit jezelf verklaart. Als je in een hoek wordt gedrukt, improviseer dan. Blijf zo dicht mogelijk bij de waarheid. Je hele nieuwe persoonlijkheid moet zo min mogelijk fantasie bevatten; alles dient hoogstens een wat vrije variatie van de waarheid te zijn. Alleen dan krijg je een natuurlijke tweede persoonlijkheid en is het moeilijk je op fouten te betrappen.' Leiser lachte gereserveerd. Het leek wel alsof hij wenste dat Leclerc groter was.

Johnson kwam met koffie uit de keuken en Leclerc zei energiek: 'Dank je, Jack', alsof alles precies volgens schema verliep.

Leclerc sprak nu over Leisers doel. Hij gaf een kort overzicht van het bewijsmateriaal en wist daarbij de indruk te wekken alsof dat slechts een vermoeden had bevestigd dat hij reeds geruime tijd had gekoesterd. Hij sprak daarbij op een toon die Avery nog nooit van hem had gehoord. Door hele en halve waarheden en het verzwijgen van wat minder vleiend was probeerde hij de indruk te wekken dat hun departement beschikte over enorme kennis en bekwaamheid en grote sommen geld, en nauw samenwerkte met andere diensten, die hoog tegen het departement opzagen en het als een orakel beschouwden. Als Leiser dit letterlijk nam zou hij zich misschien afvragen waarom hij zijn leven moest wagen als het departement toch alles al wist.

'De raketten bevinden zich nu in dat gebied,' zei Leclerc. 'De kapitein heeft je verteld waarnaar je moet uitkijken. We willen weten hoe ze er uitzien, waar ze zich bevinden en vooral wie ze bewaakt.'

'Ja, dat weet ik.'

'Je moet daarbij de gebruikelijke trucjes te baat nemen. Kroegpraatjes, het opsporen van een oude kameraad uit de oorlog, dat soort dingen. Zodra je over deze gegevens beschikt ga je terug.'

Leiser knikte.

'In Kalkstadt is een arbeidersthuis.' Hij ontvouwde een kaart van de stad. 'Hier. Naast de kerk. Daar zou ik logeren als dat mogelijk is. Daar kom je misschien mensen tegen die hebben deelgenomen aan ...'

'Weet ik,' zei Leiser nog eens. Haldane keek hem angstig aan.

'Misschien hoor je daar zelfs iets over een man die op het station werkzaam is geweest, een zekere Fritsche. Die heeft ons een aantal interessante details over de raketten bezorgd en is daarna verdwenen. Als je de kans krijgt ... Je zou op het station naar hem kunnen vragen, zeggen dat je een vriend van hem bent ...'

Korte pauze.

'Gewoon verdwenen,' herhaalde Leclerc, voor hen, niet voor zichzelf.

Hij was met zijn gedachten elders. Avery sloeg hem onrustig gade en wachtte tot hij verder zou gaan. Tenslotte zei Leclerc: 'Ik heb met opzet niet gesproken over de kwestie van de verbindingen,' en gaf door zijn toon aan dat hij bijna klaar was met zijn instructies. 'Ik neem aan dat die kant van de zaak al vele malen met je is doorgenomen.'

'Daar hoeven we ons geen zorgen over te maken,' zei Johnson. 'Alle zendschema's zijn 's nachts gepland, dat vereenvoudigt de keuze van de golflengte en maakt dat hij overdag de handen vrij heeft. We hebben diverse goede proefuitzendingen gehad, is het niet, Fred?'

'O, ja, prima.'

'Wat de terugtocht betreft,' zei Leclerc, 'gebruiken we de voorschriften die in de oorlog golden. Er zijn geen onderzeeërs meer, Fred; niet voor dit soort werk. Als je teruggaat moet je je onmiddellijk melden bij het dichtstbijzijnde Engelse consulaat, eventueel de ambassade. Daar noem je je werkelijke naam en verzoekt om repatriëring. Je zegt dat je een Engels onderdaan bent die in moeilijkheden is geraakt. Mijn instinct zegt me dat je het land het beste kunt verlaten op de plek waar je erin bent gekomen. Als je in moeilijkheden komt is het misschien niet verstandig je rechtstreeks naar het westen te begeven. Houd je enige tijd verborgen. Je hebt tenslotte geld genoeg bij je.'

Avery wist dat hij die ochtend nooit zou vergeten. Zoals ze daar zaten rondom de tafel in die boerderij, hun gezichten vol spanning gericht op Leclerc, die als in de stilte van een kerk de liturgie van hun geloof leidde waarbij zijn kleine hand voortdurend over de kaart bewoog zoals een priester gebaarde met de kaars. Allen in deze ruimte - Avery beter dan wie ook - wisten dat er een fatale kloof gaapte tussen de droom en de werkelijkheid, tussen motief en handeling. Avery had met het kind van Taylor gesproken en zijn halve leugens uitgestotterd tegen Peersen en de consul. Hij had de afgrijselijke voetstappen in het hotel gehoord en was van een nachtmerrieachtige reis teruggekeerd, waarna zijn eigen ervaringen waren omgevormd tot de beelden van Leclercs wereld. En toch luisterde Avery, net als Haldane en Leiser, naar Leclerc met de vroomheid van een agnosticus die voelt dat - misschien - in een eerlijke, magische wereld, de dingen zó behoorden te zijn.

'Een ogenblikje, zei Leiser. Hij keek naar de kaart van Kalkstadt. Hij was helemaal het kleine mannetje op dat ogenblik. Het was alsof hij op een foutje in een machine wees. Het station, het arbeiderstehuis en de kerk waren in groen aangegeven; een inzet in de linkerhoek onderaan gaf een beeld van de spoorwegloodsen en opslagplaatsen. Aan weerszijden waren de windrichtingen aangegeven: Westen - Noorden.

Leiser was opgestaan en bekeek de kaart van dichterbij. 'Is dit de kerk?'

'Ja, Fred.'

'Maar is de noordzijde dan de voorgevel? Kerken worden toch altijd oost-west gebouwd? En hier staat de ingang aan de oostelijke kant getekend, waar anders altijd het altaar is.'

Haldane had zich ver voorovergebogen, met de wijsvinger van zijn rechterhand aan zijn lip.

'Het is maar een schetsje,' zei Leclerc. Leiser zat weer in de houding, zijn rug rechter dan ooit. 'O, juist, ja, neemt u mij niet kwalijk.'

Toen de bijeenkomst voorbij was, nam Leclerc Avery even terzijde.

'Nog één ding, John, hij mag geen revolver meenemen. Dat is absoluut uitgesloten. Op dat punt was de minister niet te vermurwen. Misschien goed als je hem dat nog even zegt.'

'Geen revolver?'

'Ik geloof dat we hem dat mes wel kunnen laten houden. Zo'n ding kan voor normaal gebruik zijn; ik bedoel maar, als er iets misgaat zouden we kunnen zeggen dat het voor normaal gebruik was.'

Na de lunch maakten ze een tocht langs de grens - Gorton had voor een wagen gezorgd. Leclerc had een aantal aantekeningen bij zich die hij overgenomen had uit het grensrapport van het Circus; ze lagen op zijn knie, samen met een opgevouwen kaart.

Het uiterste noorden van de grens die Duitsland in tweeën deelt is een geval van deprimerende inconsequenties. Wie indrukwekkende fortificaties verwacht wordt teleurgesteld. De grens loopt over zeer afwisselend terrein. Ravijnen en kleine heuvels begroeid met varens, laag struikgewas en hier en daar wat verwaarloosd bos. Meestal zijn de verdedigingswerken van Oost-Duitsland zo ver van de demarcatielijn opgetrokken dat ze voor het westelijk oog verborgen blijven - men ziet hoogstens een vooruitgeschoven kazemat, verwaarloosde wegen, een verlaten boerderij en hier en daar een wachttoren.

Een sterk contrast daarmee vormt de westelijke kant, opgesierd met de groteske beelden van politieke onmacht: een triplexmodel van de Brandenburger Tor, waarvan de schroeven in het voetstuk roesten, stijgt potsierlijk omhoog uit een verlaten, braakliggend veld. Grote reclameschuttingen, verweerd door regen en wind, staan vol met de slagzinnen van vijftien jaar geleden. Alleen 's nachts, als de straal van een zoeklicht door de duisternis strijkt en met een bevende vinger over de koude aarde glijdt, wordt het hart beklemd bij de gedachte aan de vluchteling die zich in een greppel tracht te verbergen als een haas die wacht tot hij zijn schuilplaats kan verlaten en in doodschrik tenslotte rent tot hij niet meer rennen kan.

Ze volgden een zandweg langs de top van een heuvel en telkens als de weg dicht bij de grens kwam, stapten ze uit. Leiser was gehuld in regenjas en hoed. Het was een bijzonder koude dag. Leclerc droeg zijn dikke jekker en een jachtstok die ook als zitje kon worden gebruikt. De hemel wist waar hij die vandaan had gehaald. De eerste keer dat ze stopten en de tweede keer en ook de derde, zei Leclerc rustig: 'Dit is het niet.' Toen ze voor de vierde keer in de wagen stapten, zei hij: 'De volgende halte is voor ons.' Het was het soort heroïsche grap die ze in de oorlog hadden gemaakt.

Avery zou de plek niet van Leclercs schetstekening hebben herkend. Zeker, de heuvel was er, boog naar de grens af en daalde scherp omlaag naar de vlakte verderop. Maar het land daarachter was heuvelachtig en bebost en aan de horizon zag je hier en daar bomen, waartegen je, als je een kijker gebruikte, een bruine wachttoren zag afsteken.

'Het zijn de drie staven links,' zei Leclerc. Terwijl ze de grond afzochten, vond Avery hier en daar de uitgesleten plekken van het oude pad.

'Daar liggen mijnen. Het pad ligt over de hele lengte vol mijnen, beginnend aan de voet van de heuvel.' Leclerc wendde zich tot Leiser. 'Hier begin je.' Hij wees met zijn zonderlinge jachtstok. 'Dan ga je naar de top van de heuvel en daar blijf je liggen tot het vastgestelde tijdstip. We zullen zorgen dat je hier tijdig bent, zodat je ogen kunnen wennen aan het licht. Ik geloof dat we nu maar beter kunnen gaan. We moeten vooral niet de aandacht trekken.'

Toen ze terugreden sloeg de regen plotseling met volle kracht tegen de voorruit en kletterde ratelend neer op het dak. Avery, die naast Leiser zat, was in gedachten verzonken. Hij realiseerde zich - naar hij meende volkomen zonder emoties - dat, terwijl zijn eigen missie een komedie was geworden, Leiser dezelfde rol zou spelen in een tragische versie; wat hij meemaakte was een dolzinnige estafetteloop waarbij elke deelnemer sneller en langer liep dan de voorgaande en die toch eindigde in zijn eigen ondergang.

'O, wat ik zeggen wou,' merkte hij plotseling op, zich tot Leiser wendend, 'je moet eigenlijk nog iets aan je haar doen. Ik denk niet dat ze daarginds veel hebben op het gebied van brillantine en zo. Je zou kunnen opvallen met dat haar.'

'Hij hoeft het niet af te knippen,' meende Haldane. 'De Duitsers dragen vaak lang haar. Maar het is beter het te wassen. Dat is zeker voldoende. De brillantine moet eruit. Goede opmerking, John, gefeliciteerd.'

17

Het regende niet meer. Langzaam daalde de nacht neer, worstelend met de wind. Ze zaten aan de tafel in de boerderij te wachten. Leiser zat in zijn slaapkamer. Johnson zette thee en ging zijn installatie controleren. Niemand sprak. Het was geen tijd meer voor komediespelen. Zelfs Leclerc, de erkende meester op het terrein van de gemeenplaats, zweeg. Men kreeg de indruk dat het wachten hem ergerde, dat was alles. Ze waren weggezakt in een toestand van slaperige angst, zoals mannen in een onderzeeër, terwijl de lamp boven hun hoofden langzaam heen en weer zwaaide. Zo nu en dan werd Johnson naar de deur gestuurd om naar de maan te kijken en iedere keer kwam hij terug en meldde dat er geen maan was.

'De weerberichten waren tamelijk gunstig,' merkte Leclerc op, en verdween naar de zolder om Johnson bij zijn apparatuur aan het werk te zien.

Avery, alleen achtergebleven met Haldane, zei vlug. 'Hij zegt dat het ministerie zich heeft uitgesproken tegen een revolver. Hij mag hem niet meenemen.'

'En welke stomme idioot haalt het nu in zijn hoofd daarvoor toestemming te vragen aan een ministerie?' wilde Haldane weten. Hij was buiten zichzelf van woede. 'Nou, dat moet jij hem dan maar zeggen. Dat is jouw taak.'

'Tegen Leclerc?'

'Natuurlijk niet, idioot; tegen Leiser.'

Ze aten iets en daarna brachten Avery en Haldane Leiser naar zijn slaapkamer.

Ze lieten hem alles uittrekken, en namen hem stuk voor stuk zijn dure, warme kleren af, jasje en broek van bij elkaar passend grijs, het crèmekleurige zijden overhemd, de zwarte schoenen zonder harde neuzen, de donkerblauwe sokken. Toen hij de knoop van zijn das losmaakte ontdekten Leisers vingers de gouden speld met de paardekop. Hij haalde hem te voorschijn en stak hem Haldane toe.

'Wat doe ik hiermee?'

Haldane had enveloppen meegebracht voor waardevolle voorwerpen. In een daarvan deed hij de dasspeld, vouwde de enveloppe dicht, verzegelde die, schreef er iets op en wierp hem op het bed.

'Heb je je haar gewassen?'

'Ja.'

'We zijn er niet in geslaagd Oostduitse zeep te bemachtigen. Die zul je daarginds moeten zien te krijgen. Zeep schijnt er schaars te zijn.'

'O.K.'

Hij zat op het bed, naakt op zijn horloge na, voorovergebogen, zijn zware armen ineengevouwen over zijn onbehaarde dijen, zijn witte huid vlekkerig van de kou. Haldane opende een grote koffer en haalde een bundel kleren te voorschijn en zes paar schoenen.

Terwijl Leiser het ene vreemde kledingstuk na het andere aantrok, de goedkope, aan de knieën uitgezakte broek van grof kamgaren met wijde pijpen en smal in het middel, het grijze kale jasje met plooien, de schoenen met een bruine, goedkope glans, was het alsof hij voor hun ogen ineenkromp en terugkeerde naar een vroegere staat, die zij slechts vaag hadden kunnen vermoeden. Zijn bruine haar, nu zonder de brillantine, vertoonde grijze strepen en viel slordig om zijn hoofd. Hij keek hen verlegen aan, alsof hij een geheim over zichzelf had verraden; een boer in het gezelschap van zijn meesters.

'Hoe zie ik eruit?'

'Fijn,' zei Avery, 'je ziet er prima uit, Fred.'

'Geen das?'

'Een das zou het allemaal bederven.'

Hij paste het ene paar schoenen na het andere en kreeg ze met veel moeite over de dikke wollen sokken.

'Ze komen uit Polen,' zei Haldane, die hem een tweede paar toestak. 'Polen exporteert ze naar Oost-Duitsland. Je kunt deze beter ook meenemen. Je weet nooit hoeveel je zult moeten lopen.'

Haldane haalde uit zijn eigen kamer een zware geldkist en ontsloot die. Eerst nam hij er een portefeuille uit, een versleten bruin exemplaar; het middenstuk was van cellofaan en bevatte Leisers persoonsbewijs met vingerafdruk en stempels; hij lag open in zijn vlakke omraming zodat je de foto van Leiser kon zien, een kleine foto, gevangen in een hokje. Daarnaast zag je een reisvergunning en een schriftelijke aanbieding om te komen werken op de Coöperatieve Staatswerf in Rostock. Haldane ledigde één vak van de portefeuille en stak er daarna de documenten weer in, die hij stuk voor stuk beschreef.

'Levensmiddelenkaart - rijbewijs … Lidmaatschapskaart van de partij. Hoe lang ben je al lid van de partij?'

'Sinds negenenveertig.'

Hij deed er een foto van een vrouw bij en drie of vier vuile brieven, sommige nog in hun enveloppen.

'Liefdesbrieven,' zei hij kortaf.

Daarna kwam de lidmaatschapskaart van de vakbond en een knipsel uit een in Maagdenburg verschijnende krant waarin de produktiecijfers van de plaatselijke machinefabriek werden vermeld; een foto van de Brandenburger Tor voor de oorlog, een verfomfaaid getuigschrift van een vroegere werkgever.

'Dat is dan je portefeuille,' zei Haldane. 'Alleen zit er nog geen geld in. De rest van je uitrusting zit in de rugzak. Je voorraden onder andere.'

Hij stak Leiser een bundel bankbiljetten uit het geldkistje toe. Leiser stond in de onderworpen houding van iemand die wordt gefouilleerd, zijn armen iets van zijn lichaam af, zijn voeten wat uit elkaar. Hij aanvaardde wat Haldane hem gaf, borg het zorgvuldig op, nam daarna weer dezelfde houding aan. Hij tekende een ontvangstbewijs voor het geld. Haldane keek naar de handtekening en stopte het document in een zwarte aktentas die hij op een klein tafeltje had gelegd.

Daarna kwamen de kleinigheden die een man als Hartbeek natuurlijk bij zich moest hebben: een bosje sleutels aan een sleutelketting - waaronder de sleutel van de koffer, een kam, een kakikleurige zakdoek met olievlekken, en een paar ons surrogaatkoffie in een opgerolde krant. Eén schroevedraaier, een stukje fijn staaldraad en wat metalen voorwerpen, de zinloze rommel die een arbeider in zijn zakken met zich meesleept.

'Het spijt me, maar dat horloge kun je niet meenemen,' zei Haldane.

Leiser maakte de gouden armband los en liet het horloge in Haldanes geopende hand vallen. Ze gaven hem er een stalen horloge van Oostelijk fabrikaat voor in de plaats en zetten dat nauwkeurig gelijk met Avery's klokje.

Tenslotte stapte Haldane achteruit en knikte. 'Dat is het dan. Blijf daar staan en voel in je zakken. Zit alles waar je het normaal zou opbergen? Raak hier verder niets aan. Begrepen?'

'Ik ken de voorschriften,' zei Leiser. Hij keek naar zijn gouden horloge op de tafel. Hij nam het mes aan en haakte de zwarte schede vast aan de binnenkant van zijn broekband.

'En mijn revolver?'

Haldane liet de stalen klip van zijn aktentas in het slot glijden en knipte het slot dicht.

'Je revolver blijft hier,' zei Avery.

'Krijg ik geen revolver mee?'

'Nee, Fred, dat gaat niet. Ze vinden het te gevaarlijk.'

'Voor wie?'

'Het zou tot gevaarlijke consequenties kunnen leiden. Politiek, bedoel ik. Een gewapend man naar Oost-Duitsland sturen. Dat zou tot incidenten kunnen leiden.'

'Gevaarlijk.'

Lange tijd staarde hij Avery aan - zijn ogen zochten in dat jonge gezicht zonder rimpels naar iets dat er niet was. Hij wendde zich tot Haldane.

'Is dat waar?'

Haldane knikte.

Plotseling stak hij zijn beide handen naar hen uit zodat ze samen een lege kom vormden, een gebaar van schrikwekkende armoede, de vingers gekromd en tegen elkaar gedrukt als wilden ze het laatste water opvangen; zijn schouders beefden in het goedkope jasje, zijn gezicht was vertrokken, half smekend, half woedend.

'John! Je kunt me niet wegsturen zonder revolver! In godsnaam, geef me een revolver mee!'

'Het spijt me, Fred.'

Met nog steeds uitgestoken handen wendde hij zich tot Haldane. 'Jullie weten niet wat je doet!'

Leclerc had iets gehoord en stond in de deuropening. Haldanes gezicht was hard en leeg als een rotswand. Leiser had er met zijn lege vuisten op kunnen slaan, zo weinig medeleven stond erop te lezen. Zijn stem klonk fluisterend toen hij zei: 'Wat doen jullie? Mijn God, wat willen jullie met me doen?' En plotseling riep hij uit: 'Jullie haten me! Wat heb ik jullie gedaan? John, wat heb ik je misdaan? We waren toch vrienden?!'

Toen Leclerc tenslotte sprak was zijn stem heel zuiver, alsof hij opzettelijk de kloof die hen scheidde groter wilde maken.

'Wat zijn hier voor moeilijkheden?'

'Hij maakt zich zorgen omdat hij geen revolver meekrijgt,' antwoordde Haldane.

'Dat is iets waar wij niets aan kunnen doen, helaas. Die beslissing is ons uit handen genomen. Je begrijpt hoe wij daarover denken, Fred, dat moet je begrijpen. Maar het is een bevel, dat is alles. Ben je vergeten hoe het altijd was?' vroeg hij stijf, een man van de plicht, een man van beslissingen. 'Ik moet me bij mijn bevelen neerleggen.

Wat kan ik anders doen?'

Leiser schudde zijn hoofd. Zijn handen vielen langs zijn lichaam. 'Laat maar.' Hij keek Avery aan.

'Een mes is in sommige opzichten beter, Fred,' zei Leclerc. En troostend voegde hij eraan toe: 'Een mes maakt minder lawaai.'

'Ja, dat is waar.'

Haldane nam Leisers extra kleding op. 'Ik moet dit nog in de rugzak doen,' zei hij met een zijdelingse blik op Avery. Daarop verliet hij snel het vertrek, Leclerc met zich meevoerend. Leiser en Avery keken elkaar zwijgend aan. Avery voelde zich verlegen omdat Leiser er zo lelijk uitzag. Ten slotte sprak Leiser.

'We waren met zijn drieën, John, de kapitein, jij en ik. Toen was alles goed. Maak je geen zorgen over de anderen, John. Die doen niet ter zake.'

'Zo is het, Fred.'

Leiser glimlachte. 'Die week was de beste die ik ooit heb gehad, John. Grappig, hè? We zitten steeds maar achter de meisjes aan en het gaat ten slotte om de mannen. Alleen om de mannen.'

'Je bent een van de onzen, Fred. Dat ben je altijd geweest; al die tijd was jouw kaart er, je was een van de onzen. Dat vergeten we niet.'

'Hoe ziet hij eruit?'

'Het zijn er twee, die aan elkaar zijn geniet. Eén voor toen, één voor nu. Hij zit in de bak van de ... actieve agenten. Jouw naam is de eerste. Jij bent de beste man die we hebben.' Hij kon het zich precies voorstellen; het kaartsysteem was iets dat zij samen hadden opgebouwd. Hij kon erin geloven als in de liefde.

'En je hebt gezegd dat ze in alfabetische volgorde stonden,' zei Leiser op scherpe toon. 'Je zei dat er een speciale bak voor de besten was.'

'Maar de grote zaken zitten voorin.'

'En er zijn agenten over de gehele wereld?'

'Overal.'

Leiser fronste zijn wenkbrauwen alsof het om een persoonlijke zaak ging, een beslissing die hij alleen zelf kon nemen. Hij keek langzaam in het kale vertrek om zich heen, toen naar de mouwen van zijn grove jasje, vervolgens naar Avery, eindeloos lang naar Avery, totdat hij hem zachtjes bij de pols nam en fluisterend zei: 'Geef me iets. Geef me iets om mee te nemen. Van jou. Kan niet schelen wat.'

Avery voelde in zijn zakken, haalde een zakdoek te voorschijn, wat kleingeld en een dubbel gevouwen karton, dat hij opende. Daarin zat de foto van Taylors dochtertje.

'Is dat jouw kind?' Leiser keek over de schouder van de ander naar het kleine gezichtje met de bril; zijn hand sloot zich om die van Avery. 'Ja, die foto wil ik graag hebben.' Avery knikte. Leiser stopte hem in zijn portefeuille en nam daarna zijn horloge van het bed. Het was van goud en had een zwarte wijzerplaat voor de schijngestalten van de maan. 'Neem jij dan dit,' zei hij. 'Houd het. Ik heb aan vroeger gedacht,' vervolgde hij, 'aan thuis. En aan school. Een groot binnenplein als bij een kazerne, met niets dan ramen en regenpijpen. Daar trapten we na de lunch tegen een bal. Achter het plein was een poort en het pad naar de kerk en aan de andere kant de rivier ...' Hij gaf de stad aan met zijn handen, plaatste de stenen. ''s Zondags gingen we door de zijdeur, de jongens het laatst, zie je.' Een triomfantelijke glimlach. 'Die kerk stond met de voorgevel naar het noorden,' zei hij, 'helemaal niet naar het oosten.' Plotseling vroeg hij: 'Hoe lang zit jij erin, John?'

'In de organisatie?'

'Ja.'

'Vier jaar.'

'Hoe oud was je toen?'

'Achtentwintig. Jonger nemen ze je niet.'

'En je hebt mij verteld dat je vierendertig was.'

'Ze staan op ons te wachten,' zei Avery.

In de hal stonden de rugzak en de koffer van groen canvas met leren hoeken. Hij hing de rugzak om en verstelde de riemen tot de zak hoog op zijn rug hing. Hij tilde de koffer op en voelde het gewicht van die twee.

'Niet gek,' mompelde hij.

'Dit is het minimum,' zei Leclerc. Ze fluisterden nu allemaal, hoewel niemand hen kon horen. Een voor een stapten ze in de auto.

Een haastige handdruk en hij liep weg in de richting van de heuvel. Geen mooie woorden meer, zelfs niet van Leclerc. Het was alsof ze allemaal al lang geleden afscheid van hem hadden genomen. Het laatste wat ze van hem zagen was de rugzak die zachtjes op en neer danste in de duisternis. Zijn gang had altijd iets ritmisch gehad.

18

Leiser lag tussen de varens op de uitloper van de heuvel en staarde naar de lichtgevende wijzers van zijn horloge. Nog tien minuten. De sleutelketting slingerde aan zijn riem heen en weer. Hij stak de sleutels weer in zijn zak, en terwijl hij zijn hand terugtrok voelde hij de schakels door zijn vingers glijden als de kralen van een rozenkrans. Hij liet ze daar nog even op rusten. Er lag iets troostends in die aanraking; dat was een deel van zijn jeugd. St. Christoffel en al uw engelen, bescherm ons tegen ongelukken op de weg.

Voor hem daalde het terrein steil omlaag en werd daarna vlakker. Hij had het gezien; hij wist het. Maar nu hij omlaag keek kon hij in het donker niets onderscheiden. Stel nu eens dat daar moerassige grond was? Het had geregend. Het water was omlaag gestroomd naar de vallei. Hij zag zich in gedachten al tot aan zijn middel door de modder waden, zijn koffer hoog boven zijn hoofd, kogels spetterend rondom.

Hij trachtte de wachttoren op de tegenoverliggende heuveltop te ontdekken, maar als die er stond ging hij toch verloren tegen de zwarte bomen eromheen.

Nog zeven minuten. Maak je geen zorgen over geluiden, hadden ze gezegd, de wind voert die alleen naar het zuiden. Ze kunnen niets horen bij zo'n wind. Ren langs het pad aan de zuidzijde, rechts dus, houd je aan het nieuwe pad door de varens, dat is smal, maar duidelijk. Als je iemand tegenkomt, gebruik dan je mes, maar in 's hemelsnaam, kom niet in de buurt van het pad. Zijn rugzak was zwaar. Te zwaar. De koffer ook. Hij had het nog tegen Jack gezegd. Hij mocht Jack niet. Houd een veilige marge, Fred, had Jack gezegd. 'Deze kleine toestellen zijn zo gevoelig als maagden, prachtig voor tachtig kilometer, maar ze doen niets meer bij honderd. Blijf aan de veilige kant, Fred, dan weten we waar we aan toe zijn. Dit apparaat is vak werk, het is gemaakt door deskundigen.'

Nog een minuut. Ze hadden zijn horloge gelijkgezet met Avery's klokje.

Hij was bang. Plotseling kon hij dat niet meer ontkennen, moest er voortdurend aan denken. Misschien was hij te oud, te vermoeid, misschien had hij al genoeg gedaan. Misschien had de training hem uitgeput. Hij voelde zijn hart bonzen in zijn borstkas. Zijn lichaam kon er niet meer tegen. Hij had geen kracht genoeg meer. Hij lag daar en sprak tegen Haldane: Verdomme, kapitein, kun je niet zien dat het niet meer gaat? Mijn lichaam is er te oud voor. Dat zou hij hun zeggen. Hij bleef liggen als de minuut voorbij was, hij was te zwaar om zich in beweging te zetten. Het is mijn hart, zou hij tegen hen zeggen. Ik heb een hartaanval gehad, schipper, ik had jullie vergeten te zeggen dat mijn hart niet zo best meer is. Maar toen ik daar onder de varens lag, was het ineens mis.

Hij stond op. De hond rook het spoor.

Ren de heuvel af, hadden ze gezegd. Met deze wind kunnen ze niets horen. Ren de heuvel af, want daar kunnen ze je nog ontdekken, ze kijken naar die helling in de hoop daar een silhouet te ontdekken. Ren zo snel mogelijk door die varens, gebukt, dan ben je veilig. Zodra je vlak terrein bereikt, ga je liggen en wacht tot je weer op adem bent. Dan begin je te kruipen.

Hij rende als een waanzinnige. Hij struikelde, en de rugzak bracht hem ten val. Hij voelde zijn knie tegen zijn kin stoten, en de pijn toen hij zich op zijn tong beet; toen was hij weer overeind en de koffer duwde hem opzij. Hij viel half op het pad en wachtte op de flits van de ontploffende mijn.

Hij rende de helling af, de grond vloog weg onder zijn voeten, de koffer rammelde als een oude auto. Waarom hadden ze hem geen revolver meegegeven? Het heimwee brandde als vuur in zijn borst, verteerde zijn longen. Hij telde elke stap, hij hoorde de plof van elke voetstap en voelde het vertragende gewicht van koffer en rugzak. Avery had gelogen. Had voortdurend gelogen. Ik zou maar iets aan die hoest doen, kapitein, ik zou maar eens naar de dokter gaan, zoiets is als prikkeldraad in je longen. De grond onder zijn voeten werd vlakker, hij viel weer en bleef stil liggen, hijgend als een beest; hij voelde alleen maar angst en het zweet dat in zijn wollen hemd drong.

Hij drukte zijn gezicht tegen de grond. Hij rondde zijn rug en haalde de riem van zijn rugzak onder zijn middel aan.

Hij begon tegen de heuvel op te kruipen, zich voorwaarts werkend met ellebogen en handen, terwijl hij de koffer voor zich uit schoof, zich voortdurend ervan bewust dat de bult van zijn rugzak boven het lage struikgewas uitstak. Het water drong in zijn kleren, al gauw voelde hij het vrij over zijn dijen en knieën lopen. De stank van verrotte bladeren drong in zijn neusgaten, takken trokken aan zijn haar. Het was alsof de hele natuur samenspande om hem tegen te houden. Hij keek langs de helling omhoog en zag plotseling de wachttoren afsteken tegen de rij zwarte bomen aan de horizon. Er brandde geen licht in de toren.

Hij bleef stil liggen. Het was te ver: zo ver kon hij nooit kruipen. Het was kwart voor drie op zijn horloge. De aflossing moest uit het noorden komen. Hij deed zijn rugzak af, stond op en hield hem onder de arm als een kind. Hij nam de koffer in zijn andere hand en begon voorzichtig de helling op te lopen. Het pad hield hij links van zich, zijn ogen waren strak op de vage omtrek van de wachttoren gericht. Plotseling stond die vlak voor hem als het gebeente van een zwart monster.

De wind gierde ratelend over de kruin van de heuvel. Vlak boven zich hoorde hij het oude latwerk rammelen en het langgerekte kreunen van de fundamenten. Het was geen enkele prikkeldraadversperring maar een dubbele. Toen hij eraan trok liet het draad gemakkelijk los van de staven. Hij stapte eroverheen, bevestigde het weer aan de staven en staarde voor zich uit naar het bos. Zelfs op dat ogenblik van onuitsprekelijke angst, terwijl het zweet hem verblindde en het bonzen van zijn slapen sterker was dan het loeien van de wind, had hij een dankbaar gevoel van vertrouwen in Avery en Haldane, alsof hij zich ervan bewust was dat ze hem voor zijn eigen bestwil hadden bedrogen.

Toen zag hij de schildwacht, een silhouet op nog geen tien meter van hem af. Hij stond met de rug naar hem toe op het oude pad, met zijn geweer over de schouder, het forse lichaam van links naar rechts deinend, terwijl hij met zijn voeten op de vochtige grond stampte om ze enigszins warm te houden. Leiser rook de tabak - de geur dreef even langs hem heen - en hij rook de koffie, als een warme deken.

Hij zette de rugzak en de koffer op de grond en begon instinctief in de richting van de grenswacht te sluipen. Net als in de gymnastiekzaal in Headington. Hij voelde het heft in zijn hand. Goed dat er een dwarsstrip aan zat, dan kon het niet wegglijden. De grenswacht bleek een jonge kerel onder zijn zware overjas; het verwonderde Leiser dat hij nog zó jong was. Hij doodde hem haastig, met een enkele stoot, zoals een vluchtende in een menigte schiet, kort; niet om te vernietigen, maar om in leven te blijven, ongeduldig, want hij moest verder. Onverschillig, want het was een obstakel.

Kun je iets zien?' herhaalde Haldane.

'Nee.' Avery overhandigde hem de kijker. 'Hij is in het donker verdwenen.'

'Kun je licht zien op de wachttoren? Ze zouden beslist een zoeklicht gebruiken als ze hem hadden ontdekt.'

'Nee, maar ik heb eigenlijk alleen naar Leiser gekeken,' antwoordde Avery.

'Je had hem Mayfly moeten noemen,' verbeterde Leclerc achter hen. 'Nu weet Johnson zijn naam.'

'Ik vergeet het wel, meneer.'

'Hij is in ieder geval de grens over,' meende Leclerc en liep terug naar de auto.

In stilte reden ze naar huis.

Toen ze de boerderij binnengingen voelde Avery een vriendelijke hand op zijn schouder en draaide zich om, in de verwachting dat het Johnson was. In plaats daarvan keek hij in het holle gezicht van Haldane, maar dat was zó veranderd, zo duidelijk in rust nu, dat het de jeugdige kalmte en sereniteit leek te bezitten van een man die een langdurige ziekte heeft overleefd; de laatste pijn was verdwenen.

'Ik ben geen man van loftuitingen,' zei Haldane.

Gelooft u dat hij veilig over de grens is gekomen?'

'Je hebt prima werk gedaan.' Hij glimlachte.

'We zouden het gehoord hebben, gelooft u ook niet? We zouden schoten hebben gehoord of licht hebben gezien, is het niet?'

'Wij zijn niet verder voor hem verantwoordelijk. Prima gedaan.' Hij geeuwde. 'Ik stel voor dat we vroeg naar bed gaan. Er is voor ons niets meer te doen. Tot morgenavond, natuurlijk.' Bij de deur bleef hij staan, en zonder zijn hoofd om te draaien, merkte hij op: 'Weet je, het lijkt niet echt. In de oorlog was het nooit een vraagstuk. Ze gingen of ze weigerden. Waarom is hij gegaan, Avery? Jane Austen zei dat geld en liefde de enige motieven op de hele wereld waren. En Leiser doet het niet om het geld.'

'U zei dat je het nooit kon weten. Dat heeft u gezegd op de avond dat hij opbelde.'

'Hij zei me dat het haat was. Haat tegen de Duitsers; en ik geloofde hem niet.'

'Nu, hij is in ieder geval gegaan. Ik dacht dat dat het enige was dat er volgens u toe deed. Motieven waren onbetrouwbaar, dat zei u zelf.'

'Hij zou het niet uit haat doen, dat weten we. Maar wat is hij dan?

We hebben hem nooit gekend, wel? Hij staat aan het randje, weet je; hij ligt op zijn doodsbed. Waar denkt hij aan? Als hij nu sterft, vannacht, waar denkt hij dan aan?'

'U moet niet zo praten.'

'O.' Eindelijk keek hij om naar Avery en op zijn gezicht lag nog diezelfde vredige rust. 'Toen wij hem leerden kennen was hij een man zonder liefde. Weet hij wat liefde is? Ik zal het je zeggen: dat is wat je nog kunt verraden. Wij, in ons beroep, leven zonder liefde. Wij dwingen de mensen niet dingen voor ons te doen. We laten hen de liefde ontdekken. En zo is het Leiser natuurlijk ook gegaan, is het niet? Hij is om zo te zeggen om het geld met ons getrouwd en heeft ons uit liefde verlaten. Hij heeft zijn tweede gelofte afgelegd. Ik vraag me af wanneer.'

Avery zei vlug: 'Hoe bedoelt u dat "om het geld"?'

'Ik bedoel daarmee wat het dan ook was dat wij hem gaven. En hij heeft ons zijn liefde gegeven. Ik zie daar dat jij zijn horloge hebt.'

'Ik bewaar het voor hem.'

'Juist, ja. Wel te rusten. Goedenacht. Of liever goedemorgen.' Hij lachte kort. 'Wat raakt een mens toch snel het begrip voor tijd kwijt.'

En toen in zichzelf: 'En het Circus heeft ons overal mee geholpen. Dat is heel vreemd. Ik vraag me af waarom.'

Leiser waste heel zorgvuldig het mes af. Het mes was vuil en moest gewassen worden. In het botenhuis at hij iets en dronk wat cognac uit de fles. 'Daarna,' had Haldane gezegd, 'leef je van wat het land oplevert. Je kunt niet blijven rondlopen met blikjes vlees en Franse cognac.' Hij opende de deur en stapte naar buiten om zijn gezicht en handen te wassen in het meer.

Het water was heel stil in het donker. Het ongerimpelde oppervlak leek een volmaakte huid waarover grijze mistsluiers hingen. Hij kon het riet langs de oevers zien; de wind, die bij de nadering van de ochtend was verzwakt, raakte het riet even aan terwijl hij over het water streek. Achter het meer hingen de schaduwen van lage heuvels. Hij voelde zich uitgerust en vredig. Totdat de gedachte aan de jongen hem als een rilling besloop.

Hij wierp het lege vleesblikje en de cognacfles zo ver mogelijk van zich af het meer in, en toen ze het water raakten steeg een reiger loom op tussen de rietstengels. Hij bukte zich, raapte een platte steen op en zond die dansend over het meer. Driemaal sprong hij op voor hij in het water verdween. Hij wierp er nog een, maar kwam niet verder dan drie. Hij keerde naar het botenhuis terug, nam zijn rugzak en koffer op. Zijn rechterarm deed pijn. Van het sjouwen met de koffer. In de verte loeiden koeien.

Hij begon in oostelijke richting te lopen, langs het pad dat de oever van het meer volgde. Hij wilde zo ver mogelijk zijn voor de dag aanbrak.

Hij was zeker door een half dozijn dorpen gekomen. Alle waren zonder leven, stiller dan de open straatweg, omdat je er even beschut was tegen de wind. Er waren geen richtingwijzers, geen nieuwe gebouwen, ontdekte hij opeens. Daar kwam die vrede vandaan, dit was de vrede van het ontbreken van vernieuwingen - het had vijftig jaar, honderd jaar geleden kunnen zijn. Geen straatlantaarns, geen schreeuwerige reclames voor cafés of winkels. Dit was de duisternis van de onverschilligheid, en die troostte hem. Hij liep erin zoals een vermoeid man die de zee in loopt, het koelde hem af en bracht hem nieuw leven, net als de wind. Totdat hij aan de jongen dacht. Hij passeerde een boerderij. Er was een lange inrit naar de straat. Hij bleef staan.

Halverwege de inrit stond een motorfiets met een oude regenjas over het zadel. Er was niemand in de omgeving te zien.

De tegeloven rookte zachtjes.

'Wanneer is ook weer het tijdstip van de eerste uitzending?' vroeg Avery. Hij had die vraag al eerder gesteld.

'Johnson zei tweeëntwintig uur twintig. We beginnen een uur eerder al in te stellen.'

'Hij zit toch op een vaste golflengte, niet?' vroeg Leclerc zonder veel interesse.

'Hij zou best met het verkeerde kristal kunnen beginnen. Dat soort dingen zijn door de spanning waaronder hij werkt heel goed mogelijk. Het is voor ons het veiligste met diverse kristallen te zoeken.'

'Hij moet nu op weg zijn.'

'Waar is Haldane?'

'Die slaapt.'

'Hoe kan iemand onder deze omstandigheden slapen?'

'Het zal nu snel licht worden.'

'Kun je niet iets aan dat vuur doen?' vroeg Leclerc. 'Het hoort niet zo te roken.' Hij schudde plotseling zijn hoofd, alsof hij water eraf schudde en zei: 'John, er is een heel interessant rapport van Fielden.

Troepenbewegingen in Boedapest. Als je terug bent in Londen zou je misschien ...' Hij raakte de draad kwijt van wat hij wilde zeggen en fronste zijn wenkbrauwen.

'Ja, daar heeft u al over gesproken,' zei Avery zachtjes.

'Goed, je moet het beslist eens inkijken.'

'Graag. Het klinkt heel interessant.'

'Ja, nietwaar?'

'Heel interessant.'

'Weet je ...' zei hij - alsof hij herinneringen zat op te halen - 'weet je, ze willen die ongelukkige vrouw *nog altijd* haar pensioen niet geven.'

Hij zat heel recht op de motorfiets met zijn ellebogen tegen het lichaam gedrukt, net zoals hij aan tafel zat. Het ding maakte een afgrijselijk lawaai. De gehele ochtend leek erdoor van een lawaai vervuld dat over de velden echode en de kippen opschrikte. De regenjas had leren stukken op de schouders; terwijl hij schokkend over de zandweg reed, fladderden de slippen van de jas achter hem aan en tikten tegen de spaken van het achterwiel. Toen kwam het daglicht.

Hij zou nu spoedig iets moeten eten. Hij begreep maar niet waarom hij zo'n honger had. Misschien kwam het van al die beweging. Ja, dat was het. Hij zou iets gaan eten, maar niet in een stad, nog niet. Niet in een café, waar vreemden kwamen.

Hij reed verder. De honger kwelde hem. Hij kon aan niets anders denken. Hij hield zijn hand om het gashandel. Zijn hongerige lichaam zat ver voorovergebogen. Hij reed een pad naar een boerderij op en stopte.

Het huis was oud en sterk verwaarloosd; de oprit was begroeid met gras en zat vol diepe karresporen. De hekken waren kapot. Een heuvelachtig stuk land was gedeeltelijk bewerkt geweest. Nu lag het daar alsof het geen waarde meer had.

Er brandde licht achter een keukenraam. Leiser klopte op de deur. Zijn hand beefde nog van de motorfiets. Er kwam niemand. Hij klopte opnieuw en schrok van het geluid. Hij dacht dat hij een gezicht zag, het had de schaduw kunnen zijn van de jongen, die langs het raam glijdend neerviel, of de weerspiegeling van een tak in de ruit.

Hij keerde snel terug naar zijn motorfiets en realiseerde zich vol schrik dat zijn honger geen honger was, maar een hol gevoel van eenzame verlatenheid. Hij moest ergens gaan liggen uitrusten. Hij

417

dacht: Ik ben vergeten hoe het je aanpakt. Hij reed verder tot hij aan een bos kwam. Zijn gezicht was warm tegen de koele varens.

Het was avond. Op de velden lag nog een spoor van licht, maar in het bos, waar hij zich bevond, was het al donker, waardoor de sparren nu zwarte zuilen leken.

Hij streek de bladeren van zijn jasje en reeg zijn schoenen dicht. Op de wreef knepen ze gemeen. Hij had geen kans gekregen ze in te lopen. Hij dacht, ja, dat zal hun een zorg zijn, en voelde dat niets ooit de kloof kon overbruggen tussen de man die ging en de man die achterbleef, tussen wie bleef leven en wie ging sterven. Hij worstelde zich weer in het draagstel van de rugzak en voelde opnieuw de hete, scherpe pijn in zijn schouders toen de riemen op de oude plaats terechtkwamen. Hij nam de koffer op en liep naar de weg, waar de motorfiets stond te wachten. Vijf kilometer naar Langdorn. Dat zou wel achter de heuvel liggen. De eerste van de drie steden. Hij zou nu wel spoedig op de wegversperring stuiten. En hij zou ergens iets moeten eten.

Hij reed langzaam, met de koffer op zijn knieën, voor zich uit turend over de natte weg, uitkijkend naar een rij rode lichtjes of een groepje mannen en voertuigen. Hij kwam om een bocht en zag links een huis staan met een bierreclame achter het raam. Hij reed erheen. Het lawaai van de motor deed een oude man naar buiten komen. Leiser tilde de motor op de standaard.

'Ik zou graag een biertje drinken,' zei hij. 'En misschien heeft u worstjes?'

De oude man liet hem binnen en liet hem plaats nemen in de voorkamer vanwaar Leiser zijn geparkeerde motor kon zien staan. Hij bracht hem een flesje bier, wat plakjes worst en een stuk zwart brood. Daarna bleef hij bij de tafel staan en keek toe terwijl Leiser at.

'Waar ga je naar toe?' Zijn magere gezicht ging gedeeltelijk verborgen achter een baard.

'Naar het noorden.' Leiser kende dat spelletje.

'Waar kom je vandaan?'

'Hoe heet de stad verderop?'

'Langdorn.'

'Hoe ver van hier?'

'Vijf kilometer.'

'Kun je daar overnachten?'

De oude man haalde zijn schouders op. Het was geen gebaar van onverschilligheid en evenmin een weigering, maar een ontkenning, een afstand doen, alsof hij alles verwierp en alles hem had verworpen.

'Hoe is de weg?' vroeg Leiser.

'Weg is goed.'

'Ik heb gehoord dat de weg hier is omgelegd.'

'Geen sprake van,' zei de oude man, alsof een wegomlegging iets was waarop je kon hopen, een troost, gezelschap, iets dat de vochtige lucht zou verwarmen en de hoeken van het vertrek verlichten.

'Jij komt uit het oosten,' zei de man. 'Dat hoor ik aan je stem.'

'Mijn ouders kwamen er vandaan,' antwoordde hij. 'Heeft u koffie?'

De oude man bracht hem koffie, pikzwart en zurig en smakeloos.

'Jij komt uit Wilmsdorf,' zei de oude man. 'Dat zie ik aan het nummer van de motor.'

'Komen hier veel klanten?' vroeg Leiser en keek naar de deur.

De oude man schudde zijn hoofd.

'Geen drukke weg, hè?' De oude man sprak nog steeds niet. 'Ik heb een meisje in de buurt van Kalkstadt. Is dat hier nog ver vandaan?'

'Niet zo heel ver. Veertig kilometer. Ze hebben in de buurt van Wilmsdorf een jongen gedood.'

'Haar vader heeft een café. Even ten noorden van de stad. De Zwarte Kat. Kent u dat café?'

'Nee.'

Leiser liet zijn stem dalen. 'Ze hebben daar moeilijkheden gehad. Een vechtpartij. Soldaten uit de stad. Russen.'

'Ga weg,' zei de oude man.

Hij wilde betalen, maar hij had niet kleiner dan een biljet van vijftig mark.

'Ga weg,' herhaalde de oude man.

Leiser nam de rugzak en de koffer op. 'Jij oude dwaas,' zei hij ruw. 'Waar zie je me voor aan?'

'Jij bent òf goed òf slecht en dat is allebei gevaarlijk. Ga weg.'

Er was geen wegversperring. Zonder overgang bevond hij zich ineens midden in Langdorn. Het was al donker. Het enige licht in de voornaamste straten kwam van achter gesloten luiken en bereikte nauwelijks de natte hobbelkeien. Er was geen verkeer. Hij schrok van het lawaai van de motor hier; het leek wel trompetgeschal over het verlaten marktplein. In de oorlog, dacht Leiser, gingen ze vroeg naar bed. Misschien doen ze dat nog wel.

Het werd tijd om de motorfiets achter te laten. Hij reed de stad door, vond een verlaten kerk en liet de motor staan naast de deur van de consistoriekamer. Hij trok te voet door de stad naar het station. De ambtenaar was in uniform.

'Enkele reis Kalkstadt.'

De ambtenaar stak zijn hand uit. Leiser haalde een bankbiljet uit zijn portefeuille en overhandigde dat. De ambtenaar schudde ongeduldig zijn hoofd. Een ogenblik wist Leiser niets meer, wat wilde de man? Hij keek stompzinnig naar de vingers die een ongeduldig gebaar maakten en naar het kwade gezicht achter het loket.

Plotseling schreeuwde de beambte: 'Persoonsbewijs!'

Leiser glimlachte verontschuldigend. 'Ja, dat vergeet je wel eens,' zei hij en opende zijn portefeuille om de kaart achter het cellofaantje te laten zien.

'Uit de portefeuille halen,' snauwde de ambtenaar. Leiser keek toe terwijl hij de kaart onder het lamplicht bestudeerde.

'Reisvergunning?'

'Natuurlijk.' Leiser overhandigde hem het document.

'Waarom wil je naar Kalkstadt als je naar Rostock moet?'

'Onze coöperatie in Maagdenburg heeft machinerieën naar Kalkstadt gestuurd. Zware turbines met een compleet stel gereedschap. Dat spul moet nog worden geïnstalleerd.'

'Hoe ben je hier naar toe gekomen?'

'Ik heb een lift gekregen.'

'Dat is verboden.'

'Och, je moet je vandaag de dag zien te redden.'

'Vandaag de dag?' De man drukte zijn gezicht tegen het glas en keek naar Leisers handen.

'Wat is dat waar je daar aan zit te wurmen?' vroeg hij op ruwe toon.

'Een ketting, de ketting van mijn sleutelbos.'

'Zo, dus die machines moeten worden geïnstalleerd. Nou? En verder?'

'Ik kan dat karwei onderweg opknappen. Die lui in Kalkstadt zitten al zes weken te wachten. De aflevering was ook al vertraagd.'

'Zo?'

'We hebben inlichtingen gevraagd ... aan de spoorwegen.'

'En?'

'Geen antwoord gekregen.'

'Je zult een uur moeten wachten. De trein vertrekt om half zeven.' Korte pauze. 'Heb je het laatste nieuws gehoord? Ze hebben in Wilmsdorf een jonge kerel gedood,' zei hij. 'De zwijnen.' Hij stak Leiser het wisselgeld toe.

Waar moest hij naar toe? Hij durfde zijn bagage niet in bewaring te geven. Er zat niets anders op. Hij ging een half uur lopen en keerde toen terug naar het station. De trein was te laat.

'Jullie hebben allebei prachtwerk gedaan,' zei Leclerc. Hij knikte dankbaar in de richting van Haldane en Avery. 'Jij ook, Johnson. Vanaf dit ogenblik kunnen we geen van allen meer iets doen. Het woord is nu aan Mayfly.' Hij had een speciale glimlach voor Avery.

'En jij, John? Je bent erg stil. Geloof je dat deze ervaring van waarde voor je is geweest?' Hij voegde er met een lachje naar de beide anderen aan toe: 'Ik hoop maar dat we hierdoor geen scheiding hebben veroorzaakt. We moeten zorgen dat je naar huis komt, naar je vrouw.'

Hij zat aan de rand van de tafel, zijn kleine handen keurig ineengevouwen op zijn knie. Toen Avery niet antwoordde zei hij opgewekt:

'Carol heeft me op mijn vingers getikt, Adrian. Moeilijkheden veroorzaken in een jong huwelijk.'

Haldane glimlachte alsof dat iets grappigs was. 'Ik geloof niet dat die kans groot is,' zei hij.

'Hij heeft een goede indruk gemaakt op Smiley. We moeten erop toezien dat ze hem ons niet afhandig maken!'

19

Toen de trein Kalkstadt bereikte, wachtte Leiser totdat de andere passagiers het perron hadden verlaten. Een oude ambtenaar nam de kaartjes in ontvangst. Hij leek een vriendelijk man.

'Ik zoek een vriend,' zei Leiser, 'een man die Fritsche heet. Hij heeft hier gewerkt.'

De ambtenaar fronste zijn wenkbrauwen.

'Fritsche?'

'Ja.'

'En zijn voornaam?'

'Die weet ik niet.'

'Hoe oud is hij, ongeveer?'

Hij raadde: 'Veertig.'

'Fritsche? En die zou hier op het station hebben gewerkt?'

'Ja. Hij had een huisje bij de rivier; ongetrouwd.'

'Een héél huis! En hij werkte hier op het station?'

'Ja.'

De ambtenaar schudde het hoofd. 'Nooit van gehoord.' Hij keek Leiser scherp aan. 'Weet u het wel zeker?'

'Nou ja, dat heeft hij me destijds verteld.' Hij scheen zich plotseling iets te herinneren. 'Hij schreef me in november ... Hij klaagde dat de Vopo's het station hadden gesloten.'

'Man, je bent gek,' zei de oude ambtenaar. 'Goedenavond.'

'Goedenavond,' antwoordde Leiser. Terwijl hij wegliep was hij er zich voortdurend van bewust dat de oude man hem nakeek.

In de hoofdstraat zag hij een herberg die 'De Oude Klok' heette. Hij wachtte bij de balie in de hal, maar er verscheen niemand. Hij opende een deur en bevond zich in een groot vertrek, dat aan de andere kant in het donker lag. Een meisje zat aan een tafel waarop een oude grammofoon stond. Ze zat voorovergebogen, het hoofd op de armen en luisterde naar de muziek. Boven haar hoofd brandde één enkele lamp. Toen de plaat afgelopen was zette ze hem opnieuw op, waarbij ze de pickuparm verplaatste zonder het hoofd op te heffen.

'Ik zoek een kamer,' zei Leiser. 'Ik ben net aangekomen uit Langdorf.'

Er stonden opgezette vogels in het vertrek, reigers, fazanten en een ijsvogel. 'Ik zoek een kamer,' herhaalde hij. Het was heel oude dansmuziek.

'Moet u in de hal zijn.'

'Daar is niemand.'

'Ze hebben toch niets. Ze mogen geen gasten nemen. Er is een tehuis bij de kerk. Daar moet u overnachten.'

'Waar is de kerk?'

Met een overdreven zucht zette ze de grammofoon stil, maar Leiser wist dat ze blij was iemand te hebben met wie ze kon praten.

'De kerk is platgebombardeerd,' zei ze. 'We noemen het alleen nog maar zo. Het enige wat ervan staat is de toren.'

Na geruime tijd zei hij: 'Maar ze hebben hier toch wel een bed? Het lijkt me een grote zaak, hier.' Hij zette zijn rugzak in een hoek en ging naast haar zitten. Hij streek met zijn hand door zijn haar.

'U ziet er moe uit,' zei het meisje.

Op zijn blauwe broek zat nog de modder van de grensstreek. 'Ik ben de hele dag onderweg geweest. Dat gaat je niet in je kouwe kleren zitten.'

Ze stond een beetje verlegen op en liep naar de verre hoek van het vertrek, waar een houten trap naar boven leidde en een vaag lichtschijnsel zichtbaar was. Ze riep, maar er verscheen niemand.

'Steinhäger?' vroeg ze in het donker.

'Ja.'

Ze kwam terug met een fles en een glas. Ze droeg een regenjas, een oude bruine van militaire snit, met epauletten en vierkante schouders.

'Waar komt u vandaan?' vroeg ze.

'Maagdenburg. Ik moet naar het noorden. Ik heb een baantje in Rostock.' Hoe vaak zou hij dat nog moeten zeggen. 'Kan ik in dat tehuis een kamer voor mezelf krijgen?'

'Als je dat wilt.'

Het licht was zo slecht dat hij haar in het begin nauwelijks had gezien. Langzamerhand kwam ze echter voor hem tot leven. Ze was ongeveer achttien jaar en zwaar van bouw. Een heel aardig gezicht, maar met een slechte teint. Ze was ongeveer even oud als de jongen; misschien iets ouder.

'Wie bent u?' vroeg hij. Ze zei niets. 'Wat doet u hier?'

Ze nam zijn glas en dronk ervan en keek hem koket over de rand aan alsof ze een grote schoonheid was. Ze zette het glas langzaam neer, hem nog steeds aankijkend; raakte even opzij van het hoofd haar haar aan. Ze scheen te denken dat haar gebaren belangrijk waren. Leiser begon weer.

'Bent u hier al lang?'

'Twee jaar.'

'Wat doet u voor de kost?'

'Wat u maar wilt.' Haar stem klonk heel ernstig.

'Gebeurt hier veel?'

'Niets. Helemaal niets.'

'Geen jongens?'

'Soms.'

'Soldaten?' Pauze.

'Zo nu en dan. Weet u niet dat het verboden is daarnaar te vragen?'

Leiser schonk zichzelf nog een glas Steinhäger in uit de fles.

Ze nam zijn glas, waarbij ze over zijn vingers streek.

'Wat is er aan de hand met deze stad?' vroeg hij. 'Ik wou hier zes weken geleden naar toe. Maar ik kreeg geen toestemming. Kalkstadt, Langdorn, Wolken, allemaal potdicht, zeiden ze. Wat was er aan de hand?'

Haar vingertoppen speelden met zijn hand.

'Wat was er aan de hand?' herhaalde hij.

'Er was niets dicht.'

'Kom nou,' zei Leiser lachend. 'Ik mocht hier niet eens in de buurt komen. Wegversperringen hier en op de weg naar Wolken.' Hij dacht: Het is acht uur twintig. Over twee uur moet ik voor de eerste keer zenden.

'Er was niets afgesloten,' zei ze. En plotseling voegde ze eraan toe: 'Zo, dus jij bent uit het westen gekomen, over de weg. Ze zoeken iemand zoals jij.'

Hij stond op om weg te gaan. 'Ik zal dat tehuis maar eens gaan opzoeken.' Hij legde wat geld op tafel. Het meisje fluisterde: 'Ik heb een eigen kamer. In een nieuwe flat achter de Friedensplatz. Een arbeiderswijk. Die kletsen niet. Ik wil alles doen wat je wilt.'

Leiser schudde zijn hoofd. Hij nam zijn bagage op en liep naar de deur. Ze keek nog steeds naar hem en hij wist dat ze achterdocht koesterde.

'Tot ziens,' zei hij.

'Ik zal niets zeggen. Neem me met je mee.'

'Ik heb een Steinhäger gedronken,' mompelde Leiser. 'We hebben geen woord met elkaar gesproken. U heeft zonder onderbreking die grammofoonplaat gespeeld.' Ze waren nu allebei bang.

Het meisje zei: 'Ja, ja. Als maar die grammofoonplaat.'

'Het is hier nooit afgesloten geweest? Weet u dat zeker? Langdorn, Wolken, Kalkstadt, zes weken geleden.'

'Waarom zouden ze hier de zaak afsluiten?'

'Ook het station is niet dicht geweest?'

Ze zei vlug: 'Van het station weet ik niets. De streek hier is drie dagen dicht geweest in november. Niemand weet waarom. Er zijn hier Russische soldaten geweest. Zowat vijftig. Ze waren in de stad ondergebracht. Midden november.'

'Vijftig. Veel materiaal?'

'Vrachtwagens. Er waren manoeuvres verder naar het noorden, wordt er beweerd. Blijf vannacht bij me. Blijf bij mij! Laat me met je meegaan. Ik wil overal met je naar toe.'

'Wat voor kleur hadden de distinctieven?'

'Weet ik niet meer.'

'Waar kwamen ze vandaan?'

'Het waren nieuwe. Een paar kwamen van leningrad, twee broers.'

'Waar zijn ze naar toe gegaan?'

'Naar het noorden. Luister eens, niemand zal het ooit te weten komen. Ik klets niet, zo ben ik niet. Het kost je niets, alles wat je wilt.'

'In de richting van Rostock?'

'Ze zeiden dat ze naar Rostock gingen. We mochten het niet verder vertellen. De Partij is alle huizen langs gegaan.'

Leiser knikte. Hij transpireerde. 'Tot ziens,' zei hij.

'En morgen? Morgennacht? Ik zal alles doen wat je wilt.'

'Misschien, ja. Maar niets zeggen, tegen niemand, hoor je?'

Ze schudde haar hoofd. 'Ik zal ze niets zeggen,' zei ze. 'Want het kan me niet schelen. Vraag naar het Hochhaus achter de Friedensplatz. Kamer negentien. Het kan me niet schelen hoe laat je komt. Ik doe zelf de deur open. Bel twee keer, dan weten ze dat het voor mij is. Je hoeft niet te betalen. Pas op,' voegde ze eraan toe. 'Overal lopen mensen. Ze hebben een jongen vermoord in Wilmsdorf.'

Hij liep naar het marktplein, zag in gedachten de plattegrond voor zich. Het klopte. Hij ging op zoek naar de kerktoren en het arbeiderstehuis. Vage figuren passeerden in het donker. Sommigen droegen uitrustingsstukken, kwartiermutsen en de lange jassen die ze in de oorlog hadden gedragen. Nu en dan zag hij even een gezicht onder het bleke licht van een lantaarn. Hij zocht in hun blinde, nietszeggende gezichten de dingen die hij haatte. Hij zei zichzelf. Haat hem - hij was oud genoeg. Maar het deed hem niets. Hij wond hem niet op. Ze waren niets. Misschien in een andere stad, op een andere plaats zou hij ze wel terugvinden en ze kunnen haten; maar hier niet. Deze mensen waren oud, waren niets. Arm als hij en alleen. De toren was zwart en leeg. Plotseling moest hij weer denken aan die wachttoren aan de grens en aan de garage na elven, aan het ogenblik waarop hij de jongen had gedood, ja, het was eigenlijk nog maar een jongen geweest, zoals hij zelf in de oorlog; nog jonger dan Avery.

'Nu kan hij er zijn,' zei Avery.

'Dat is waar, John. Hij zou er nu kunnen zijn, is het niet? Nog één uur lopen. Nog één rivier over,' begon hij te zingen. Niemand viel in.

Ze keken elkaar in stilte aan.

'Ken jij de Alias Club?' vroeg Johnson plotseling. 'Voorbij de

Villiers Street? Een heleboel van de ouwe jongens komen daar. Je moest maar eens een avond meegaan. Als we terug zijn.'

'Graag,' zei Avery, 'lijkt me leuk.'

'Vooral met Kerstmis is het gezellig,' zei Johnson. 'Dan ga ik er altijd heen. Een leuk stel. Er komen er zelfs een paar in uniform.'

'Klinkt gezellig.'

'En met Nieuwjaar is er dansen. Dan kun je je vrouw meenemen.'

'Prima.'

Johnson knipoogde. 'Of het meisje van je dromen.'

'Sarah is het meisje van mijn dromen,' zei Avery.

De telefoon rinkelde. Leclerc stond op.

20. Thuiskomst

Hij zette de rugzak en de koffer neer en zocht de wanden af. Naast het raam was een stopcontact. De deur kon niet worden afgesloten en dus zette hij de leunstoel ervoor. Hij trok zijn schoenen uit en ging op het bed liggen. Hij dacht aan de vingers van het meisje op zijn handen en aan de nerveuze bewegingen van haar lippen; hij herinnerde zich haar onbetrouwbare ogen, die hem heimelijk hadden gadegeslagen en hij vroeg zich af hoe lang het zou duren voor ze hem verried. Hij dacht aan Avery: de hartelijke, typisch Engelse manier waarop ze in het begin met elkaar waren omgegaan; hij dacht aan dat jonge gezicht, druipend van de regen, en die schuchtere, weerloze blik als hij zijn bril afdroogde, en hij dacht: hij heeft natuurlijk altijd tweeëndertig gezegd. Ik heb het verkeerd verstaan.

Hij keek op naar het plafond. Over een uur zou hij de antenne spannen. Het was een groot, kaal vertrek, met een marmeren wastafel in de ene hoek. Er liep een enkele buis van de wastafel naar de vloer en hij hoopte vurig dat die zou kunnen dienen als aardleiding. Hij liet wat water in de bak stromen en constateerde opgelucht dat het koud was: Jack had gezegd dat een warme buis gevaarlijk kon zijn. Hij nam zijn mes en krabde de buis aan de ene kant zorgvuldig schoon.

Aarden was belangrijk, dat had Jack ook gezegd. Als je geen andere mogelijkheid hebt, leg je aardleiding dan zigzag onder het vloerkleed; zorg dat die even lang is als je antenne. Maar er lag hier geen vloerkleed. Hij zou zich moeten behelpen met de buis. Geen vloerkleed, geen gordijnen.

Tegenover hem stond een zware kast met gebogen panelen aan de voorkant. Vroeger was dit waarschijnlijk het deftigste hotel geweest. Het rook er naar Turkse tabak en naar een scherp desinfecteermiddel, waaraan geen parfum was toegevoegd. De muren waren grijs gepleisterd; vocht had donkere plekken gevormd, die hier en daar plotseling ophielden, waar mysterieuze krachten in het huis droge paden hadden aangelegd over het plafond. Op sommige plekken was de kalk door het vocht verteerd, zodat zich een grillig gevormd eiland van witte schimmel had gevormd. Op andere plaatsen waren holten ontstaan en daarvoor was de stukadoor teruggekomen; hij had ze gevuld met een of ander pasta die witte rivieren vormde in de hoeken van de kamer. Leisers ogen volgden ze aandachtig terwijl zijn oren ook het geringste geluid buiten probeerden op te vangen.

Er hing een schilderij aan de muur van arbeiders op een akker, die met een paard ploegden. Aan de horizon was een tractor te zien. Hij hoorde Johnsons goedige stem, uitweidend over de antenne: 'Binnen is het altijd lastig en toch zul je het binnen moeten doen. Luister goed: zigzag door de kamer, een kwart van je golflengte en op dertig centimeter van het plafond. Zo ver mogelijk uit elkaar, Fred, en nooit evenwijdig met stalen steunbalken, elektrische leidingen en dat soort dingen. En sla haar niet dubbel, Fred, want dan kun je niets meer met haar beginnen, snap je?' Altijd een aardigheid, een zinspeling op de paring, om het geheugen van primitieve geesten te steunen.

Leiser dacht: Ik zal hem spannen naar de lijst van dat schilderij en dan heen en weer tot die hoek daar. Ik kan wel een spijker in die zachte kalk tikken. Hij keek zoekend om zich heen naar een spijker of een speld en ontdekte een bronzen haak waaraan de kap boven de gordijnen was bevestigd. Hij stond op en schroefde het handvat van zijn scheermes los. Je moest naar rechts draaien om het te openen, wat als een handige truc werd beschouwd, omdat iemand die zijn bagage controleerde automatisch naar links zou draaien en dan tegen de draad in zou gaan. Uit de holte haalde hij het opgerolde zijden lapje dat hij met zijn dikke vingers behoedzaam glad streek op zijn knie. Hij diepte een potlood op uit zijn zak en begon er een punt aan te slijpen, waarbij hij op de rand van het bed bleef zitten omdat het zijden lapje nog op zijn knie lag. Tweemaal brak de punt af; aan zijn voeten vormde zich een hoopje slijpsel. Hij begon in zijn zakboekje te schrijven, met hoofdletters, als een gevangene die aan zijn vrouw schrijft, en telkens wanneer hij een punt zette, maakte hij er een kringetje omheen, zoals hem lang geleden was geleerd.

Toen hij zijn bericht had samengesteld zette hij na elke twee letters een streep en schreef er de cijfercombinatie onder die op de door hem van buiten geleerde kaart had gestaan. Soms moest hij een rijmpje opzeggen dat hij had geleerd om de cijfers te kunnen onthouden; soms vergiste hij zich en dan moest hij de cijfers uitvlakken en opnieuw beginnen. Toen hij klaar was verdeelde hij de rij cijfers in groepen van vier, en trok het totaal van iedere groep af van de groepen op het zijden lapje. Tenslotte zette hij de cijfers weer om in letters en schreef die op, ook weer in groepen van vier.

Weer woelde de vrees als een vertrouwde pijn in zijn buik, zodat hij bij ieder denkbeeldig geluid snel naar de deur keek, waarbij zijn schrijvende hand verstarde. Maar hij hoorde niets, alleen het kraken van een al vrij oud huis, als het kreunen van de wind in het want van een schip.

Hij keek naar het voltooide bericht, beseffend dat het te lang was en dat hij het had kunnen inkorten als hij daarin handiger was geweest, als hij helderder had kunnen denken, maar hij was er op dat moment niet toe in staat, en hij wist, er was hem voorgehouden, dat hij beter een paar woorden te veel kon uitzenden dan een onduidelijk bericht. Het bestond uit tweeënveertig groepen.

Hij schoof de tafel weg van het raam en tilde de koffer op; met het sleuteltje dat aan zijn ketting hing maakte hij hem open, vurig hopend dat er tijdens de tocht niets gebroken zou zijn. Hij opende de doos met reserveonderdelen en zijn trillende vingers vonden het zijden zakje met zendkristallen, dichtgebonden met het groene koordje. Nadat hij het koordje had losgemaakt schudde hij de kristallen uit op de grove deken die het bed bedekte. Ze waren alle voorzien van een etiketje waarop Johnson de frequentie had geschreven en eronder een cijfer, dat de volgorde aanduidde waarin ze volgens het zendschema moesten worden gebruikt. Hij legde ze een voor een klaar, ze in de deken drukkend zodat ze niet konden verschuiven. De kristallen - dat was eenvoudig genoeg. Hij controleerde of de deur met de stoel ervoor kon worden geopend. Zijn hand gleed weg van de kruk. De stoel was zinloos. In de oorlog, herinnerde hij zich, hadden ze stalen wiggen gebruikt om een deur vast te zetten. Hij liep terug naar de koffer, sloot de zender en de ontvanger op het netvoedingsapparaat aan, schakelde de koptelefoon in en schroefde de seinsleutel los, die aan het deksel van de doos met reserve-onderdelen was bevestigd.

Toen zag hij het.

Aan de binnenkant van het kofferdeksel was een papiertje geplakt met een half dozijn lettergroepen en de erbij behorende morsetekens ernaast; het waren de internationale codeletters voor steeds terugkerende uitdrukkingen, die hij maar niet had kunnen onthouden.

Toen hij die letters zag, geschreven in Jacks keurige PTT-schrift, sprongen de tranen van dankbaarheid hem in de ogen. Dat heeft hij me niet gezegd, dacht hij, hij heeft nooit gezegd dat hij dat gedaan had. Jack was toch een beste vent. Jack, de kapitein, en de jonge John; wat een team om mee samen te werken, dacht hij. Je zou oud kunnen worden zonder ooit zulke fijne kerels te ontmoeten. Hij drukte zijn handen stijf tegen het tafelblad om zich tot kalmte te dwingen. Hij beefde licht, misschien van de koude. Zijn vochtige hemd plakte aan zijn schouderbladen, maar hij voelde zich gelukkig. Met een blik op de stoel voor de deur dacht hij: als ik de koptelefoon op heb zal ik hen niet horen aankomen.

Nu verbond hij de antenne- en de aardleiding met het toestel, bracht de aardverbinding naar de afvoerbuis en bevestigde de twee draden met stukjes pleister aan het schoongemaakte oppervlak. Op het bed staande spande hij de antenne over het plafond, achtmaal zigzag, zoals Johnson hem had geleerd, zo goed mogelijk steun zoekend aan gordijnroeden en spijkers in de muur. Toen hij daarmee klaar was ging hij weer achter het toestel zitten en zette de golflengteschakelaar op vier, omdat hij wist dat al zijn frequenties zich in het drie megahertz-gebied bevonden. Hij nam het eerste kristal van het rijtje dat op zijn bed lag, stak het in de meest linkse opening en begon, zacht prevelend bij alles wat hij deed, de zender af te stemmen. Ik zet mijn kristalkiezer op 'geschikt voor alle kristallen', ik heb het spoeltje erin gezet, anode-afstemming en antenne-afstemming staan op tien.

Hij aarzelde, zich afvragend wat er nu ook weer moest gebeuren. Even kon hij helemaal niet denken. 'Een modulator - weet je niet wat een modulator is?' Hij zette de meter op drie en draaide aan de afstemming ... De TSR-knop op de 'T' van tuning - afstemmen. Zijn geheugen begon weer te functioneren. De meter op zes ... draaien aan de anode-afstemming om de kleinste waarde te krijgen.

Nu zette hij de TSR-knop op S van 'send' - zenden, drukte de sleutel even in, controleerde en draaide aan de antenneknop tot de meter een beetje uitsloeg; haastig stelde hij de anode-afstemming bij. Deze procedure herhaalde hij tot hij eindelijk, enorm opgelucht, zag dat de wijzer het witte vlak van de niervormige schaal had bereikt en wist dat hij zender en antenne juist had afgestemd en nu kon praten met John en Jack.

Met een tevreden zucht leunde hij achterover en stak een sigaret op. Het speet hem dat het geen Engelse was: als ze nu binnenkwamen zagen ze toch alles en maakte het geen verschil wat hij rookte.

Hij keek op zijn horloge en wond het zo ver mogelijk op, doodsbang bij de gedachte dat het stil zou kunnen staan; hij had het gelijk gezet met dat van Avery en vond daarin een primitieve troost. Als gescheiden gelieven keken ze naar dezelfde ster.

Hij had die jongen gedood.

Nog drie minuten voor hij moest zenden. Hij had de morsesleutel van het deksel gehaald omdat hij anders niet behoorlijk kon seinen. Jack had gezegd dat het niet hinderde, het maakte geen verschil. Hij moest de voet van de sleutel nu met zijn linkerhand vasthouden om te voorkomen dat die zou wegglijden, maar iedere telegrafist had nu eenmaal zijn eigenaardigheden, zei Jack altijd. Het ding moest kleiner zijn dan de sleutel die hij in de oorlog had gebruikt, hij wist het zeker. Aan de veer kleefden krijtsporen. Hij ging rechtop zitten, zijn ellebogen langs zijn zijden. Ik moet iedere uitzending met JAJ beginnen, dacht hij: Ik heet Johnson, ze noemen me Jack, dat kun je dus gemakkelijk onthouden. JA, John Avery, JJ, Jack Johnson. Nu seinde hij de letters. Een punt en drie strepen, punt streep, een punt en drie strepen, en hij dacht: net als dat huis in Nederland, maar hier ben ik alleen.

Je seint het tweemaal, Fred, en dan sluit je. Hij schakelde over op ontvangen, schoof het velletje papier meer naar het midden van de tafel en bedacht plotseling dat hij niets had om iets op te schrijven als hij Jack hoorde.

Hij stond op, zoekend naar zijn zakboekje en potlood, terwijl het zweet hem op de rug kwam. Ze waren nergens te zien. Haastig liet hij zich voorovervallen en zocht onder het stoffige bed, ontdekte het potlood maar zocht tevergeefs naar zijn zakboekje. Terwijl hij opstond hoorde hij iets kraken in de koptelefoon. Hij rende naar de tafel, drukte de ene schelp tegen zijn oor, terwijl hij het velletje papier probeerde vast te houden, zodat hij op een hoekje, naast zijn eigen bericht zou kunnen neerkrabbelen wat hij hoorde.

'QSA3': wij ontvangen u vrij goed, meer werd er niet gezegd. 'Kalm nu, jongen, kalm nu,' mompelde hij. Nadat hij op de stoel was gaan zitten schakelde hij over op zenden, keek naar zijn gecodeerde bericht en seinde vier-twee, omdat zijn telegram uit tweeënveertig groepen bestond. Zijn hand was met stof en zweet bedekt, zijn rechterarm deed pijn, misschien van het zeulen met de koffer. Of van de worsteling met de jongen.

Je kunt er best je gemak van nemen, had Johnson gezegd, wij luisteren wel; je hoeft geen examen af te leggen. Hij haalde zijn zakdoek voor de dag en veegde zijn vuile handen af. Hij voelde zich doodmoe; zijn uitputting was als een fysieke wanhoop, als het schuldgevoel voordat hij met een meisje naar bed ging. Groepen van vier letters, had Johnson gezegd, steeds maar vierlingen fokken, hè, Fred? Je hoeft je hele bericht niet in één ruk uit te zenden, Fred. Houd middenin gerust even op; en dan twee en een halve minuut op de eerste frequentie, twee en een halve minuut op de tweede, en zo maar door. Mevrouw Hartbeck wacht wel, die kent haar man. Met zijn potlood zette hij een dikke streep onder de negende letter, waar hij de veiligheidstruc moest toepassen. Dat was iets waaraan hij alleen heel vluchtig durfde denken.

Even legde hij zijn gezicht in zijn handen om zich tot het uiterste te concentreren, toen ging zijn hand naar de sleutel en begon hij te seinen. Je hand ontspannen, je wijsvinger en je middelvinger op de sleutel, je duim onder de rand en denk eraan dat je je pols niet op tafel legt, Fred. Regelmatig ademhalen, Fred, je zult merken dat je daar rustig van wordt.

God, waarom bewogen zijn handen zo langzaam? Eenmaal nam hij zijn vingers van de sleutel en keek machteloos naar zijn handpalm; eenmaal veegde hij met zijn linkerhand over zijn voorhoofd om te voorkomen dat het zweet in zijn ogen druppelde, en toen voelde hij dat de sleutel over het tafelblad wegschoof. Zijn pols was te stijf: het was de hand waarmee hij de jongen gedood had. De hele tijd zei hij bij zichzelf: punt, punt, streep, en toen een K, die wist hij altijd goed, een punt tussen twee strepen - zijn lippen prevelden de letters, maar zijn handen volgden het tempo niet; het was zoiets als stotteren, hij kon steeds slechter uit zijn woorden komen, en hij moest maar aldoor aan de jongen denken, alleen aan de jongen. Maar misschien seinde hij sneller dan hij dacht. Hij verloor alle begrip van tijd. Het zweet liep in zijn ogen, hij kon het niet tegenhouden. Hij prevelde nog altijd punten en strepen, en hij wist dat Johnson hierover woedend zou zijn, want je moest helemaal niet in punten en strepen denken, maar muzikaal: ti-taa, taa, zoals beroepstelegrafisten deden, maar Johnson had de jongen niet gedood. Het bonzen van zijn hart was sneller dan het vermoeide indrukken van de sleutel. Zijn hand scheen steeds zwaarder te worden, maar hij seinde door, omdat dit het enige was dat hij nog kon doen, het enige waaraan hij zich kon vastklampen, terwijl zijn lichaam de strijd al had opgegeven. Hij verwachtte hen nu, hij hoopte dat ze zouden komen - neem me maar mee, neem alles mee - hij smachtte naar de voetstappen. Help me, John, help me.

Toen hij eindelijk klaar was, liep hij terug naar het bed. Bijna zonder angst of emotie zag hij het onaangeroerde rijtje kristallen op de deken liggen, van links naar rechts opgesteld, paraat als kleine soldaten.

Avery keek op zijn horloge. Het was kwart over tien. 'Over vijf minuten moet hij beginnen,' zei hij.

Leclerc kondigde plotseling aan: 'Gorton heeft opgebeld. Hij heeft een telegram ontvangen van het ministerie. Daar hebben ze blijkbaar nieuws voor ons. Er is een koerier uitgezonden.'

'Wat zou het kunnen zijn?' vroeg Avery.

'Ik vermoed dat het over Hongarije gaat. Fieldens rapport. Misschien moet ik terug naar Londen.' Een tevreden glimlach. 'Maar ik geloof dat jullie je zonder mij ook wel kunnen redden.'

Johnson had een koptelefoon op, hij zat voorovergebogen op een rechte stoel die hij uit de keuken had gehaald. Uit de donkergroene ontvanger klonk het zachte zoemen van het netvoedingsapparaat; de van binnenuit verlichte wijzerplaat glansde bleek in de schemerige zolderkamer.

Haldane en Avery zaten ongemakkelijk op een houten bank. Johnson had een bloknoot en een potlood voor zich liggen. Hij schoof de koptelefoon even omhoog en zei tegen Leclerc, die naast hem stond: 'Ik zal het zo kort mogelijk maken en mijn best doen u te laten horen hoe het gaat. Voor alle zekerheid heb ik de bandrecorder ook aangezet.'

'Goed zo.'

Ze wachtten zwijgend af. Plotseling - voor hen was dit een moment van opperste voldoening - schoot Johnson recht overeind, knikte kort en schakelde de bandrecorder in. Glimlachend ging hij over op zenden en begon te seinen. 'Begin maar, Fred,' zei hij hardop. 'De ontvangst is uitstekend.'

'Het is gelukt!' fluisterde Leclerc. 'Hij heeft het doel bereikt.' Zijn ogen straalden van enthousiasme. 'Hoor je dat, John? Hoor je het?'

'Zullen we even stil zijn?' stelde Haldane voor.

'Hij begint,' zei Johnson. Zijn stem klonk rustig, beheerst. Tweeënveertig groepen.'

'Tweeënveertig!' herhaalde Leclerc.

Johnsons lichaam was roerloos, met enigszins schuin gehouden hoofd luisterde hij scherp, volkomen geconcentreerd op de koptelefoon; zijn gezicht leek onbewogen in het bleke licht.

'Nu graag even stilte.'

Gedurende een minuut of twee bewoog zijn schrijvende hand snel over de bloknoot. Af en toe mompelde hij iets in zichzelf; hij fluisterde een letter of schudde het hoofd, tot het tempo trager scheen te worden en zijn potlood aarzelde tot het iedere keer met pijnlijke nauwkeurigheid afzonderlijk noteerde. Hij wierp een blik op de klok.

'Vooruit, Fred,' zei hij dringend, 'vooruit, overschakelen, je bent al bijna drie minuten bezig.' Maar het seinen ging nog steeds door, letter voor letter, en Johnsons trouwhartige gezicht kreeg een angstige uitdrukking.

'Wat gebeurt er toch?' vroeg Leclerc. 'Waarom gaat hij niet over op een ander kristal?'

Maar Johnson zei alleen: 'Sluit dan toch, Fred, in godsnaam, sluiten.'

Leclerc tikte hem ongeduldig op de arm. Johnson lichtte één koptelefoon op.

'Waarom is hij niet overgegaan op een andere frequentie? Waarom seint hij nog steeds?'

'Hij is het vergeten! Toen we nog trainden vergat hij het nooit! Ik *weet* dat hij langzaam seint, maar Jezus!' Hij schreef automatisch nog steeds. 'Vijf minuten,' mompelde hij. 'Godallemachtig, vijf minuten! Neem dan toch een ander kristal, idioot!'

'Kun je hem niet waarschuwen?' riep Leclerc.

'Natuurlijk niet. Hoe zou ik dat moeten doen? Hij kan toch niet uitzenden en ontvangen tegelijk!'

Ze zaten of stonden, macaber gefascineerd. Johnson wendde zich nu tot hen, zijn stem had een smekende klank. 'Ik heb het hem gezegd, ik heb het hem wel honderdmaal gezegd. Wat hij nu doet is zelfmoord, verdomme!' Hij keek op zijn horloge. 'Bijna zes minuten. *O God*, wat een idioot!'

'Wat zou er nu gebeuren?' vroeg Haldane.

'Als ze hem horen seinen? Ze waarschuwen een andere luisterpost.

Als hij zo lang seint is het doodeenvoudig een kwestie van een drie-hoeksmeting om hem te vinden.' Hij sloeg met zijn vlakke handen in machteloze woede op het tafelblad en wees naar het toestel, alsof het hem persoonlijk had beledigd. 'Een kind kan het doen. Je hebt er alleen een passer voor nodig. Godnogtoe! Vooruit, Fred, vooruit dan toch!' Hij schreef een aantal letters op en gooide zijn potlood toen van zich af. 'Het staat toch wel op de band,' zei hij.

Leclerc wendde zich tot Haldane. 'Maar we kunnen toch wel iets doen!'

'Stil toch,' zei Haldane.

Het telegram was uit. Johnson seinde het codewoord voor 'Bericht ontvangen', snel, met bijna haatdragende bewegingen. Hij liet de bandrecorder terugdraaien en begon het telegram uit te werken. Telkens het blad papier met de code raadplegend werkte hij mis-schien een kwartier zonder onderbreking, af en toe iets uitrekenend op het kladblaadje dat naast hem lag. Niemand sprak. Toen hij klaar was stond hij op, een bijna vergeten ritueel. 'Bericht luidt: Omge-ving Kalkstadt midden november drie dagen gesloten toen vijftig ongeïdentificeerde Russische soldaten in stad waargenomen. Geen speciale uitrusting. Geruchten over Russische manoeuvres meer noordelijk. Troepen vermoedelijk naar Rostock. Fritsche niet her-haal niet bekend station Kalkstadt. Geen wegcontrole omgeving Kalkstadt.' Hij wierp het blad op het bureau. 'Daarna komen nog vijftien groepen die ik niet kan ontcijferen. Ik geloof dat hij daar in de war is geraakt met de code.'

De Vopo-sergeant in Rostock nam de telefoon op. Hij was een man op leeftijd, met grijzend haar, een gesloten type. Hij luisterde even en draaide toen op een andere lijn een nummer. 'Het moet een kind zijn,' zei hij, nog draaiend. 'Welke frequentie zei je?' Hij bracht de hoorn van het andere toestel aan zijn oor en sprak snel, de frequentie driemaal herhalend. Hij ging de aangrenzende barak binnen. 'Witmar belt zo terug,' zei hij. 'Ze peilen nu. Hoor je hem nog steeds?' De korporaal knikte. De sergeant luisterde op een verklik-ker.

'Dat kan geen amateur zijn,' mompelde hij. 'Het is tegen de voor-schriften. Maar wat dan wel? Geen normale agent seint op die manier. Wat zijn de naastbijliggende golflengten? Militaire of bur-gerlijke?'

'Hij zit dicht bij de militaire. Heel dicht erbij.'

'Dat is vreemd,' zei de sergeant. 'Het zou kunnen, niet? Zo deden ze het in de oorlog.'

De korporaal staarde naar de langzaam ronddraaiende schijven van de bandrecorder. 'Hij zendt nog steeds. Groepen van vier.'

'Vier?' De sergeant zocht in zijn geheugen naar iets dat lang geleden was gebeurd.

'Laat mij nog eens horen. Luister dan toch eens, wat een gek! Hij is zo onhandig als een kind!'

De geluiden wekten een herinnering - de onregelmatige hiaten, de punten, zo kort dat het niet meer dan klikjes waren. Hij had kunnen zweren dat hij die vent kende ... uit de oorlog, in Noorwegen ... maar niet zo langzaam, niemand had ooit zo langzaam geseind als deze man. Nee, niet Noorwegen ... Frankrijk. Misschien was het allemaal verbeelding. Ja, het moest wel verbeelding zijn.

'Of een oude vent,' zei de korporaal.

De telefoon ging. De sergeant luisterde even en rende toen zo snel als hij kon door de barak naar de andere uitgang en over het geasfalteerde pad naar de mess van de officieren.

De Russische kapitein zat bier te drinken; zijn jasje hing over de rug van zijn stoel en hij keek als iemand die zich gruwelijk verveelt.

'Moest je me spreken, sergeant?' Hij had de pose van een man wie alles onverschillig laat.

'Hij heeft zich gemeld. De man tegen wie we gewaarschuwd zijn. Die de jongen heeft vermoord.'

De kapitein zette zijn bierpul snel neer.

'Heb je hem gehoord?'

'We peilen nu. Met Witmar. Groepen van vier. Heel langzaam. Omgeving van Kalkstadt. Dicht bij een van onze frequenties. Sommer heeft zijn bericht opgenomen.'

'Jezus,' zei hij zacht. De sergeant fronste de wenkbrauwen.

'Wat zoekt hij? Waarom hebben ze hem hier naar toe gestuurd?' vroeg de sergeant.

De kapitein knoopte zijn jasje dicht. 'Vraag dat maar aan Leipzig. Misschien weten ze dat daar ook.'

21

Het was al erg laat.

Het vuur in Controls haard brandde goed, maar hij pookte er toch in met het pruilende gebaar van een verwende vrouw. Hij vond het afschuwelijk 's avonds te moeten werken.

'Ze willen je op het ministerie spreken,' zei hij wrevelig. 'Op dit onmogelijke uur. Het is afschuwelijk. Waarom wordt iedereen nu net op een donderdag zo *nerveus*? Het wordt *vast* een bedorven weekend.'

Hij legde de pook neer en keerde naar zijn bureau terug. 'Ze zijn er enorm opgewonden. Natuurlijk een of andere idioot, een storm in een glas water. Het is ongelooflijk zoals mensen zich 's nachts altijd opwinden. Ik *haat* de telefoon.' Er stonden diverse toestellen voor hem. Smiley bood hem een sigaret aan, die hij zonder ernaar te kijken aannam, alsof hij niet verantwoordelijk kon worden geacht voor wat zijn ledematen deden.

'Welk ministerie?' vroeg Smiley.

'Dat van Leclerc. Heb jij enig idee wat er aan de hand is?'

Smiley zei: 'Ja. Jij soms niet?'

'Leclerc is zo'n *vulgaire* man. Ik kan het niet helpen, maar ik vind hem vulgair. Hij denkt dat wij met hem concurreren. Wat zou ik in vredesnaam moeten beginnen met die malle burgerwacht van hem? Een troep die heel Europa afzoekt naar mobiele wasserijen. Hij verbeeldt zich dat ik hem wil verdringen.'

'Is dat dan niet zo? Waarom hebben wij die pas dan geannuleerd?'

'Wat een *onnozele* man. Onnozel en vulgair. Hoe is het mogelijk dat Haldane daar inloopt?'

'Vroeger had hij een geweten. Maar hij is nu als wij allemaal. Hij heeft geleerd ermee te leven.'

'Goeie hemel. Is dat een hatelijkheid aan mijn adres?'

'Wat wil het ministerie?' vroeg Smiley scherp.

Control nam enkele stukken op en zwaaide ermee. 'Heb je dat zaakje uit Berlijn gezien?'

'Het is een uur geleden binnengekomen. De Amerikanen hebben een zender gepeild. Groepen van vier, een eenvoudige lettercode. Ze zeggen dat de agent in de buurt van Kalkstadt moet zitten.'

'Waar ligt dat in vredesnaam?'

'Ten zuiden van Rostock. Er is daar zes minuten op dezelfde frequentie uitgezonden. Het leek hun een amateur die het voor het eerst probeerde. Een van die oude zenders uit de oorlog; ze wilden weten of hij van ons was.'

'En wat heb je geantwoord?' vroeg Control snel.

'Ik heb nee gezegd.'

'Dat zou ik ook denken. Goeie God.'

'Je schijnt het je niet erg aan te trekken,' zei Smiley.

Control scheen zich iets uit een ver verleden te herinneren. 'Ik hoor dat Leclerc in Lübeck zit. *Dat* is een mooie stad. Ik ben gek op Lübeck. Ze willen je dringend spreken op het ministerie. Ik heb gezegd dat je zou komen. Een of andere conferentie.' Hij vervolgde, schijnbaar ernstig: 'Je moet gaan, George. We hebben een ontzettend stomme streek uitgehaald. Alle Oostduitse kranten schrijven er met grote koppen over: ze tieren over vredesconferenties en over sabotage.' Hij wees naar de telefoon. 'En het ministerie is in alle staten. God, wat heb ik toch een hekel aan die ambtenaren.'

Smiley nam hem sceptisch op. 'We hadden dit kunnen voorkomen,' zei hij. 'We wisten genoeg.'

'Natuurlijk hadden we dat kunnen doen,' zei Control rustig. 'En waarom hebben we ervan afgezien? Uit stomme christelijke naastenliefde. We wilden hun dit oorlogsspelletje gunnen. Ga nu maar. En Smiley ...'

'Ja?'

'Wees niet te hard.' En weer, op zijn frivole toon: 'En toch benijd ik hun Lübeck. Er is daar een restaurant, hoe heet het ook weer? Waar Thomas Mann altijd at. Zo interessant.'

'Hij is er nooit geweest,' zei Smiley. 'Het restaurant dat jij bedoelt is weggebombardeerd.'

Smiley bleef nog altijd staan. 'Ik zou één ding graag willen weten,' zei hij. 'Je zult het me nooit vertellen, hè? Maar ik zou het wel willen weten.' Hij keek Control niet aan.

'Beste George, wat heb jij plotseling?'

'Wij hebben hen hiertoe in staat gesteld. De geannuleerde pas ... een koerier die ze niet nodig hadden ... een antiek zendertje ... documenten, gegevens over de grensstreek ... wie heeft Berlijn de tip gegeven om te luisteren of hij zou seinen? Wie heeft hun de frequenties doorgegeven? We hebben Leclerc zelfs de kristallen geleend, niet? Was dat ook christelijke naastenliefde? Stomme christelijke naastenliefde?'

Control was ontzet.

'*Wat* wil je insinueren? Walgelijk, man, walgelijk. Wie zou zoiets ooit doen?'

Smiley trok zijn overjas aan.

'Goedenavond, George,' zei Control, en heftig, alsof hij genoeg had van subtiliteiten: 'Ga maar gauw. En houd het verschil tussen ons goed voor ogen: je land heeft je nodig. Het is *mijn* schuld ook niet dat ze maar niet dood wilden gaan.'

Het begon licht te worden en Leiser had nog niet geslapen. Hij wilde zich wassen maar hij durfde niet naar de gang te gaan. Hij durfde zich niet te verroeren. Als ze hem al zochten moest hij op de normale tijd vertrekken, dat wist hij; niet voor het aanbreken van de ochtend uit het arbeidershuis wegvluchten. Nooit hollen, zeiden ze vroeger, met de massa meelopen. Hij kon om zes uur weggaan, dat was al laat genoeg. Hij wreef zich met de rug van zijn hand over zijn kin; de afdruk van de scherpe, stugge stoppels was op zijn gebruinde huid zichtbaar.

Hij had honger en hij wist niet meer wat hij moest beginnen, maar hij zou niet hollen.

Hij draaide zich half om in bed, haalde zijn mes onder zijn broeksband vandaan en hield het voor zijn ogen. Hij rilde. Opkomende koorts deed zijn voorhoofd gloeien. Hij keek naar het mes en herinnerde zich de zakelijke, vriendschappelijke manier waarop ze hadden gepraat: de duim bovenop, het lemmet evenwijdig met de grond, de onderarm gestrekt. 'Ga weg,' had de oude man gezegd. 'Je bent òf goed òf slecht en dat is allebei gevaarlijk.' Hoe moest hij zijn mes houden als mensen dat soort dingen tegen hem zeiden? Zoals hij het voor de jongen gehouden had?

Het was zes uur. Hij stond op. Zijn benen voelden zwaar en stijf aan. Zijn schouders waren nog pijnlijk van het lopen met de rugzak. Het viel hem op dat zijn kleren naar dennenaalden en dorre bladeren roken. Hij peuterde de half opgedroogde modder van zijn broek en trok zijn andere schoenen aan.

Hij daalde de trap af, zoekend naar iemand aan wie hij zou kunnen betalen. Zijn nieuwe schoenen kraakten bij iedere stap. Een oude vrouw met een wit schort zocht linzen uit en praatte tegen een kat.

'Wat ben ik u schuldig?' vroeg hij.

'Je moet het formulier invullen,' zei ze zuur. 'Dat is het eerste dat je ons schuldig bent. Direct bij aankomst had je het moeten invullen.'

'Neem me niet kwalijk.'

Ze keerde zich naar hem om, nog steeds mopperend, halfluid, omdat ze blijkbaar geen lawaai durfde maken. 'Weet je niet eens dat het verboden is in een stad te logeren zonder de politie ervan in kennis te stellen?' Ze keek naar zijn nieuwe schoenen. 'Of ben jij zo rijk dat je denkt dat je je niets hoeft aan te trekken van de voorschriften?'

'Neem me niet kwalijk,' zei Leiser weer. 'Als u me het formulier geeft zal ik het nu invullen. Ik ben niet rijk.'

De vrouw zweeg, al haar aandacht bij het sorteren van de linzen. 'Waar kom je vandaan?' zei ze.

'Uit het oosten,' zei Leiser. Hij bedoelde het zuiden, uit Maagdenburg, of het westen, uit Wilmsdorf.

'Je had je gisteravond moeten melden. Nu is het te laat.'

'Wat moet ik betalen?'

'Je kunt niet betalen,' antwoordde de vrouw. 'Laat maar. Je hebt het formulier niet ingevuld. Wat ga je zeggen als ze je aanhouden?'

'Ik zal zeggen dat ik bij een meisje heb geslapen.'

'Buiten sneeuwt het,' zei de vrouw. 'Pas maar op met je mooie schoenen.'

Korrels hardbevroren sneeuw dwarrelden mistroostig mee met de wind, ze vielen in de spleten tussen de donkere keien van het plaveisel en plakten tegen de wanden van de gepleisterde huizen. Een grauwe, zinloze sneeuw, wegsmeltend waar ze viel.

Hij stak de Friedensplatz over en zag een nieuw, geel gebouw, zes of zeven verdiepingen hoog, op een leeg terrein, naast een nieuw complex woningen. Op de balkons hing wasgoed met hier en daar plekken sneeuw erop. Op de trap rook het naar eten en Russische benzine. De flat was op de derde verdieping. Hij hoorde een kind huilen en een radio spelen. Een ogenblik overwoog hij zich om te draaien en weg te gaan, omdat hij voor de mensen hier een gevaar betekende. Hij drukte tweemaal op de bel, zoals het meisje had gezegd. Ze deed de deur open, nog half in slaap. Ze had haar regenmantel over haar katoenen nachtjapon geslagen en hield die bij haar hals dicht tegen de ijzige koude. Toen ze hem zag aarzelde ze, alsof ze niet wist wat ze moest doen, alsof hij iemand was die slecht nieuws kwam brengen.

Hij zei niets, bleef alleen voor haar staan met de koffer, die licht heen en weer bewoog. Ze wenkte hem met een hoofdbeweging en hij volgde haar door de gang naar haar kamer, waar hij de koffer en de rugzak in de hoek zette. Aan de muren hingen reclamebiljetten van een reisbureau: afbeeldingen van een woestijn, palmbomen, en de maan boven een tropische zee. Ze stapten in bed en ze bedekte hem met haar forse lichaam, licht bevend omdat ze bang was.

'Ik wil slapen,' zei hij. 'Laat me eerst slapen.'

De Russische kapitein zei: 'Hij heeft in Wilmsdorf een motorfiets gestolen en op het station naar Fritsche gevraagd. Wat gaat hij nu doen?'

'Hij zal opnieuw uitzenden. Vanavond,' antwoordde de sergeant.

'Als hij iets te rapporteren heeft.'

'Op hetzelfde uur?'

'Natuurlijk niet. En ook niet op dezelfde frequentie. Of uit dezelfde stad. Hij kan naar Witmar gaan of Langdorn of Wolken, misschien zelfs naar Rostock. Hij kan ook in de stad blijven en een ander huis zoeken. En misschien zendt hij helemaal niet uit.'

'Een huis? Wie neemt er nu een spion bij zich op?'

De sergeant haalde zijn schouders op, alsof hij het zelf ook zou doen als hij de kans kreeg. Geërgerd vroeg de kapitein: 'Hoe weet je dat hij vanuit een huis zendt? Waarom niet een bos of een weiland? Hoe kun je dat zo zeker weten?'

'Het zijn krachtige signalen. Een sterke zender. Met een draagbare accu kun je dat effect niet bereiken. Hij gebruikt het net.'

'Leg een kordon om de stad,' zei de kapitein. 'Laat overal huiszoeking houden.'

'Hij moet ons levend in handen vallen.' De sergeant keek naar zijn handen. 'U hebt er belang bij dat hij nog leeft.'

'Wat moeten we volgens jou dan doen?' vroeg de kapitein ongeduldig.

'Zorgen dat hij opnieuw uitzendt. Dat in de eerste plaats. En zorgen dat hij hier in de stad blijft. Dat is het tweede punt.'

'En?'

'Het zou heel snel moeten gebeuren,' merkte de sergeant op.

'Hoe dan?'

'Troepen binnen de stad brengen. Wat er maar beschikbaar is. Zo snel mogelijk. Pantsertroepen, infanterie, het kan niet schelen wat. Als er maar beweging is. Hem dwingen er aandacht aan te schenken. Maar snel!'

'Ik ga zo weg,' zei Leiser. 'Haal me niet over om te blijven. Geef me een kop koffie, dan ga ik.'

'Koffie?'

'Ik heb geld,' zei Leiser, alsof dat het enige was dat hij had. 'Hier.'

Hij stapte uit het bed, haalde zijn portefeuille uit zijn zak en hield haar een biljet van honderd mark voor.

'Houd het maar.'

Ze nam zijn portefeuille en wierp de inhoud met een zacht lachje op het bed. Ze had een onhandige, kinderlijke koketterie, die niet helemaal normaal was, en daarbij een zuiver primitief instinct. Hij keek onverschillig toe, terwijl zijn vingers de lijn van haar blote schouder volgden. Ze hield een foto van een vrouw omhoog, een vrouw met blond haar en een rond hoofd.

'Wie is dat? Hoe heet ze?'

'Ze bestaat niet,' zei hij.

Ze vond de brieven en las er een voor, lachend om de liefdesbetuigingen.

'Wie is het?' drong ze plagend aan. 'Wie is ze?'

'Ik zeg je toch dat ze niet bestaat.'

'Mag ik ze dan verscheuren?' Ze hield hem een brief voor, die ze met beide handen vasthield, uitdagend, wachtend tot hij zou protesteren.

Leiser zei niets. Ze maakte er een scheurtje in, nog steeds met haar ogen op hem gericht, scheurde de brief toen helemaal stuk en een tweede en een derde.

Ze ontdekte een foto van een kind, een meisje met een bril op, acht of negen jaar misschien, en weer vroeg ze: 'Wie is dat? Een kind van je? Bestaat zij wel?'

'Niemand. Het kind van niemand. Zo maar een foto.' Ze verscheurde de foto, strooide de stukken met een dramatisch gebaar over het bed, wierp zich toen op hem en zoende zijn gezicht en zijn hals. 'Wie ben jij? Hoe heet je?'

Hij wilde het haar zeggen, maar ze duwde hem van zich af.

'Nee!' riep ze. 'Nee!' Ze dempte haar stem. 'Ik wil je met niets erbij. Los van alles. Jij en ik alleen. We bedenken onze eigen namen en onze eigen regels. Niemand, helemaal niemand, geen vader, geen moeder. We drukken onze eigen kranten en passen en distributiekaarten, we horen nergens bij.' Ze fluisterde en haar ogen straalden.

'Je bent een spion,' zei ze, met haar lippen bij zijn oor. 'Een geheim agent. Je hebt een pistool.'

'Een mes is minder lawaaiig,' zei hij. Ze lachte en bleef schateren tot ze de blauwe plekken op zijn schouders ontdekte. Ze raakte ze nieuwsgierig aan, vol eerbied, zoals een kind iets dat gestorven was zou kunnen aanraken.

Ze ging met een boodschappenmand weg, haar hand weer aan de halsopening van haar regenmantel. Leiser kleedde zich aan, hij schoor zich met koud water en staarde naar zijn gegroefd gezicht in de verweerde spiegel boven de wasbak. Toen ze terugkwam was het bijna twaalf uur in de middag; ze keek bezorgd.

'Er zijn allemaal soldaten in de stad. En legerauto's. Wat moeten die hier?'

'Misschien zoeken ze iemand.'

'Ze zitten in de cafés te drinken.'

'Wat voor soldaten?'

'Dat weet ik niet. Russen. Hoe kan ik dat nu zien?'

Hij liep naar de deur. 'Over een uur ben ik terug.'

Ze zei: 'Je wilt bij me weglopen.' Ze hield zijn arm vast, naar hem opkijkend, ze wilde een scène maken.

'Ik kom terug. Misschien pas later. Misschien vanavond. Maar als ik terug ben ...'

'Ja?'

'Dan is het gevaarlijk. Ik moet iets ... iets doen. Iets gevaarlijks.'

Ze kuste hem, een vluchtige, onnozele kus.

'Ik houd van gevaar,' zei ze.

'Over vier uur,' zei Johnson. 'Als hij nog leeft.'

'Natuurlijk leeft hij nog,' zei Avery woedend. 'Waarom zeg je zulke dingen?'

Haldane interrumpeerde. 'Doe niet zo stom, Avery. Het is een vakterm. Als een agent niet meer kan zenden is hij dood. Dat heeft niets met zijn fysieke toestand te maken.'

Leclerc trommelde zacht met zijn vingers op de tafel.

'Hij redt zich wel,' zei hij. 'Fred is een taaie. Een oude rot.' Het daglicht had hem blijkbaar nieuwe moed gegeven. Hij keek op zijn horloge. 'Verduiveld, waar blijft die koerier toch?'

Knipperend met zijn ogen als iemand die uit het donker komt keek Leiser naar de soldaten. Ze zaten in de cafés, ze keken naar de etalages, ze lonkten naar de meisjes. Op het plein stonden legerwagens geparkeerd, rode modder op de wielen, een dun laagje sneeuw op de motorkap. Hij telde ze en het waren er negen. Sommige hadden aan de achterkant zware haken voor het trekken van aanhangwagens; op de gedeukte portieren van andere stonden woorden in Russische letters of het embleem van een onderdeel met een nummer. Hij bekeek de onderscheidingstekens van de militaire chauffeurs, de kleur van hun schouderpattes; het viel hem op dat ze uit allerlei onderdelen kwamen.

442

Teruglopend naar de hoofdstraat drong hij een van de stampvolle cafés binnen en bestelde een borrel. Aan een tafeltje zat een half dozijn mistroostige soldaten die samen drie flesjes bier deelden. Leiser lachte hen toe; zijn glimlach was de aanmoediging van een vermoeide prostituée. Hij balde zijn vuist in de Sowjetgroet en ze keken hem aan alsof hij gek was. Hij liet zijn borrel staan en liep terug naar het plein. Een groep kinderen verdrong zich om de leger-auto's en de chauffeurs maanden hen telkens door te lopen.

Hij maakte een tocht door de stad, waarbij hij een tiental cafés binnenliep, maar niemand wilde met hem praten omdat hij hier niet woonde. Overal zaten of stonden soldaten in groepjes bijeen, ver-baasd en beledigd alsof men hen zonder reden had gealarmeerd.

Hij at een stuk worst en dronk een Steinhäger en liep toen naar het station om te kijken of daar iets aan de hand was. Dezelfde man keek naar hem, ditmaal zonder argwaan, van achter zijn loket; en Leiser voelde, ofschoon het geen verschil meer maakte, dat die man de politie had gewaarschuwd.

Toen hij van het station terugkeerde kwam hij langs een bioscoop. Een groep meisjes verdrong zich om de foto's en hij deed alsof hij er ook naar keek. Toen naderde het geluid, gerinkel van metaal, sto tend motorgeronk, en even later was de straat vol rammelende, kletterende oorlogsgeluiden. Hij trok zich in de hal van de bioscoop terug en zag dat de meisjes zich omdraaiden en dat de caissière haar hals rekte. Een oude man sloeg een kruis, hij had maar één oog en zijn hoed stond scheef op zijn hoofd. De tanks reden de stad binnen; er zaten soldaten met geweren op. De lopen waren te lang en ze hadden witte sneeuwplekken. Hij zag ze voorbijrijden en stak toen het plein over, snel.

Ze keek op toen hij binnenkwam; hij was buiten adem.

'Wat doen ze?' vroeg ze. Ze zag zijn gezicht. 'Je bent bang,' fluis-terde ze, maar hij schudde ontkennend het hoofd. 'Je bent bang,' herhaalde ze.

'Ik heb de jongen gedood,' zei hij.

Hij liep naar de wasbak en bekeek zijn gezicht met de intense aandacht van een ter dood veroordeelde. Ze volgde hem, sloeg haar armen om zijn borst en drukte haar lichaam tegen zijn rug. Hij draaide zich om en greep haar, heftig, hij hield haar onhandig vast en dwong haar mee te lopen naar de andere kant van de kamer. Ze verzette zich met de woede van een dochter, ze riep een naam, ze haatte iemand, ze vervloekte hem en ze gaf zich aan hem terwijl de wereld in brand stond en zij alleen leefden; ze huilden en lachten samen, ze vielen als onhandige gelieven die stuntelig triomferen, zich bewust van niets dan zichzelf, beiden op dat ogenblik een halfvoltooid leven bekronend, terwijl ze gedurende dat ogenblik de hele vervloekte duisternis vergaten.

Johnson boog zich uit het raam en trok behoedzaam aan de antenne om zich ervan te overtuigen dat die nog vastzat; daarna controleerde hij zijn toestel als een coureur zijn auto voor de start, waarbij zijn hand onnodig over knoppen en schakelaars gleed. Leclerc keek bewonderend toe.

'Johnson, je hebt je de vorige keer kranig geweerd. Kranig, hoor. We zijn je een woord van dank verschuldigd.' Leclercs gezicht glom alsof hij zich pas had geschoren. In het onzekere licht leek zijn gestalte vreemd broos. 'Ik stel voor nog één uitzending te beluisteren en dan terug te gaan naar Londen.' Hij lachte. 'Tenslotte is er nog meer werk te doen. Dit is niet het seizoen voor een vakantie op het Europese continent.'

Johnson reageerde niet. Hij stad zijn hand op. 'Nog dertig minuten,' zei hij. 'Straks zal ik om wat stilte moeten verzoeken, heren.' Hij deed denken aan een goochelaar op een kinderpartijtje. 'Fred is echt een man van de klok,' merkte hij op.

Leclerc wendde zich tot Avery. 'Jij bent een van de weinige gelukkigen, John,' zei hij, 'die in vredestijd een actie hebben meegemaakt.' Hij scheen er behoefte aan te hebben het gesprek gaande te houden.

'Ja. Ik ben heel dankbaar.'

'Dat is niet nodig. Je hebt goed werk gedaan en we weten het. Van dankbaarheid kan geen sprake zijn. Jij hebt iets bereikt dat bij ons werk hoogst zelden voorkomt; ik vraag me af of je zelf eigenlijk weet wat het is.'

Avery verklaarde het niet te weten.

'Je bent erin geslaagd bij een agent persoonlijke sympathie te wekken. Gewoonlijk - dat zal Adrian moeten toegeven - wordt de verhouding tussen de agent en zijn opdrachtgevers vertroebeld door argwaan. Hij neemt hun in de eerste plaats kwalijk dat ze het karwei niet zelf opknappen. Hij verdenkt hen van bijbedoelingen, van onbekwaamheid, van dubbelhartigheid. Maar wij zijn het Circus niet, John, en bij ons gaat het anders.'

Avery knikte. 'Zeker.'

'Jullie hebben nog iets bereikt, jij en Adriaan. Ik zie nu in dat het gewenst zou zijn in de toekomst, als het nodig is, gebruik te kunnen maken van dezelfde techniek, dezelfde faciliteiten, dezelfde vakkennis - om kort te gaan, van de combinatie Avery-Haldane. Wat ik je probeer te zeggen is dit -' Leclerc hief zijn ene hand op en raakte met duim en wijsvinger even de brug van zijn neus aan een in een ongewoon gebaar dat Engelse gereserveerdheid moest uitdrukken - 'de ervaring die jullie hebben opgedaan is in ons aller voordeel. Ik dank jullie.'

Haldane liep naar de kachel en begon zijn handen te warmen, waarbij hij ze behoedzaam tegen elkaar wreef alsof hij tarwekorrels scheidde van kaf.

'Dat bericht uit Boedapest,' vervolgde Leclerc, met enige stemverheffing, zowel uit enthousiasme als omdat de sfeer wat al te vertrouwelijk was geworden, 'betekent een volkomen reorganisatie. Niets minder dan dat. Er worden namelijk pantsertroepen naar de grens gebracht. Het ministerie spreekt over de voorwaarts gerichte strategie. Er is veel belangstelling voor.'

Avery zei: 'Meer belangstelling dan voor wat er in het Mayfly-gebied plaatsvindt?'

'Nee, nee,' protesteerde Leclerc luchtig. 'Het zijn allemaal onderdelen van hetzelfde plan - er wordt daarginds groot gedacht, weet je - ze doen hier een zet, daar een zet - en het is noodzakelijk al die gegevens te coördineren.'

'Natuurlijk,' zei Avery volgzaam. 'Wij kunnen dat zelf niet, is het wel? Wij kunnen het geheel niet overzien.' Hij glimlachte om het voor Leclerc gemakkelijker te maken. 'Het perspectief ontbreekt ons.'

'Als we weer in Londen zijn,' stelde Leclerc voor, 'moet je eens bij me komen dineren, John, met je vrouw, jullie moeten allebei komen. Ik heb het al een hele tijd willen voorstellen. We zullen naar mijn club gaan. Je eet heel goed in de Dameszaal, je vrouw zou het vast wel prettig vinden.'

'U hebt er al eens over gesproken. Ik heb het Sarah gevraagd. We zullen het graag doen. Mijn schoonmoeder logeert juist bij ons. Zij kan op de kleine jongen passen.'

'Prachtig. Vergeet het niet.'

'We verheugen ons erop.'

'Word ik niet uitgenodigd?' vroeg Haldane plagend.

'Maar natuurlijk, Adrian. Dan zijn we met ons vieren. Prachtig.'

Op een andere toon vervolgde hij: 'Tussen haakjes, de eigenaar van het huis in Oxford heeft geklaagd. Hij zegt dat we het huis in slechte staat hebben achtergelaten.'

'In slechte staat?' herhaalde Haldane woedend.

'Het schijnt dat er te veel stroom is gebruikt. Er waren een aantal zekeringen doorgebrand. Ik heb Woodford gezegd dat hij het maar moest regelen.'

'We zouden een eigen huis moeten hebben,' zei Avery. 'Dan hadden we dat gezeur niet.'

'Dat ben ik met je eens. Ik heb er al over gesproken met de minister. We hebben een trainingscentrum nodig. Hij was enthousiast. Hij is er nu erg voor dat dit soort dingen op touw wordt gezet. Ze hebben er op het ministerie al een nieuwe uitdrukking voor, ze spreken van ROA's. Rechtstreekse Ophelderings-Acties. Hij stelt voor dat we een villa zoeken die we voor zes maanden kunnen huren. Dan zal hij met Financiën overleggen of we het voor een aantal jaren kunnen nemen.'

'Dat is geweldig,' zei Avery.

'Het zou erg nuttig kunnen zijn. We mogen dit vertrouwen natuurlijk niet beschamen.'

'Natuurlijk niet.'

Ze voelden plotseling een koude luchtstroom en hoorden toen het geluid van iemand die behoedzaam de trap beklom. In de deuropening van de zolderkamer verscheen een gestalte. Een man met een dure overjas van bruine tweed, de mouwen iets te lang. Het was Smiley.

22

Smiley tuurde om zich heen in de kamer, naar Johnson, die de koptelefoon had opgezet en zich over het toestel boog, naar Avery, die over Haldanes schouders op het zendschema keek, naar Leclerc, die daar stond als een soldaat op wacht, de enige die hem had opgemerkt, maar wiens gezicht, ofschoon het naar hem toe was gewend, leeg en ver weg scheen.

'Wat kom je hier doen?' vroeg Leclerc ten slotte. 'Wat wil je van me?'

'Het spijt me. Ik ben hierheen gestuurd.'

'We zijn allemaal gestuurd,' zei Haldane, zonder zich te bewegen.

Leclercs stem kreeg een waarschuwende klank. 'Dit is mijn operatie, Smiley. We hebben jullie hier niet nodig.'

Smiley's gezicht drukte niets anders uit dan medelijden, in zijn stem klonk slechts het tergende geduld waarmee we het woord richten tot krankzinnigen.

'Ik ben niet door Control gestuurd,' zei hij. 'Ik kom van het ministerie. Ze hebben naar me gevraagd en Control heeft me laten gaan. Ze hebben een vliegtuig voor me gecharterd.'

'Waarom?' vroeg Haldane, bijna geamuseerd.

Een voor een kwamen ze in beweging, ontwakend uit dezelfde droom.

Johnson legde de koptelefoon behoedzaam op de tafel.

'En?' vroeg Leclerc. 'Waarom ben je hierheen gestuurd?'

'Ik ben gisteravond ontboden.' Hij trok een gezicht alsof het hem evenzeer verbaasde als hun. 'Ik moet zeggen dat ik bewondering heb voor de operatie, voor de manier waarop jij en Haldane dit zaakje hebben georganiseerd. Uit niets opgebouwd. Ze hebben me de dossiers laten zien. Alles even consciëntieus gedaan ... referentiekopie, operationele kopie, verzegelde notulen, alles precies als in de oorlog. Ik maak je mijn compliment ... dat meen ik.'

'Hebben ze je de dossiers laten zien? *Onze* dossiers?' herhaalde Leclerc. 'Dat is tegen de voorschriften: organisaties moeten zelfstandig opereren. Je hebt een faux pas gemaakt, Smiley. Hoe kunnen ze zo gek zijn! Adrian, hoor je wat Smiley me daar vertelt?'

Smiley zei: 'Zendt hij vanavond uit, Johnson?'

'Ja, meneer. Om negen uur.'

'Het verbaasde me, Adrian, dat je op die aanwijzingen zo'n grote operatie meende te moeten baseren.'

'Daarvoor is Haldane niet verantwoordelijk,' zei Leclerc kort. 'Het was een collectief besluit, van ons in overleg met het ministerie.' Zijn stem kreeg een andere klank. 'Wanneer de uitzending voorbij is, Smiley, wil ik weten, heb ik het recht je te vragen, hoe jij ertoe bent gekomen onze dossiers in te zien.' Dit was zijn vergadertoon, hij sprak vlot en zelfverzekerd en voor het eerst met een zekere waardigheid.

Smiley liep naar het midden van de kamer. 'Er is iets gebeurd, iets dat jullie niet kunnen weten. Leiser heeft op de grens iemand vermoord. Drie kilometer hiervandaan, vlak bij het punt waar hij over de grens is gegaan, heeft hij iemand met een mes doodgestoken.'

Haldane zei: 'Dit is absurd. Het hoeft Leiser niet geweest te zijn.

Misschien was het iemand die naar het westen wilde vluchten. Iedereen kan het hebben gedaan.'

'Er zijn sporen gevonden die naar het oosten liepen. Bloedvlekken in de hut bij het meer. Het bericht staat in alle Oostduitse kranten. Sinds gistermiddag wordt het over de radio omgeroepen ...'

Leclerc riep: 'Ik geloof het niet. Ik geloof niet dat hij het heeft gedaan. Het is een truc van Control.'

'Nee,' antwoordde Smiley zachtzinnig. 'Je moet me geloven. Het is waar.'

'Zij hebben Taylor vermoord,' zei Leclerc. 'Ben je dat vergeten?'

'Nee, natuurlijk niet. Maar dat zullen we nooit zeker weten, wel? Hoe hij gestorven is, bedoel ik ... of hij inderdaad vermoord is ...' Haastig vervolgde hij: 'Je ministerie heeft Buitenlandse Zaken gistermiddag van het gebeurde in kennis gesteld. De Duitsers krijgen hem natuurlijk te pakken; daarvan moeten we uitgaan. Hij seint langzaam ... heel langzaam. Iedere politieagent, iedere soldaat kijkt naar hem uit. Ze willen hem levend in handen krijgen. We vermoeden dat ze er een showproces van zullen maken, met een bekentenis in het openbaar, waarbij zijn uitrusting wordt getoond. Dat kan erg pijnlijk worden. Je hoeft geen politicus te zijn om met de minister mee te voelen. Het gaat er maar om wat er nu moet gebeuren.'

Leclerc zei: 'Johnson, vergeet de tijd niet.' Johnson zette de koptelefoon weer op, maar zonder animo.

Smiley scheen te verwachten dat een van hen iets zou zeggen, maar toen ze zwegen herhaalde hij gewichtig: 'Het gaat erom wat er nu moet gebeuren. Zoals ik al gezegd heb, wij zijn geen politici, maar we zien de gevaren. Een groepje Engelsen in een boerderij, op drie kilometer van de plek waar het lijk is gevonden, Engelsen die zich voordoen als academici, maar met militaire rantsoenen en een huis vol radiospullen. Begrijpen jullie wat ik bedoel? Berichten uitzenden,' vervolgde hij, 'op één speciale frequentie ... de frequentie waarop Leiser ontvangt ... Het zou een enorm schandaal kunnen worden. Zelfs de Westduitsers zouden ons dat hoogst kwalijk nemen.'

Haldane sprak weer het eerst: 'Wat wil je daarmee zeggen?'

'In Hamburg staat een militair vliegtuig klaar. Jullie vertrekken over twee uur, allemaal. Een legerauto zal de uitrusting komen halen. Er mag hier niets achterblijven, nog geen speld. Dat zijn mijn instructies.'

Leclerc zei: 'Maar het doel van de operatie dan? Weten ze niet meer waarom we hier zitten? Ze vragen wel veel van ons, Smiley.'

'Ja, het doel,' gaf Smiley toe. 'We zullen in Londen een bespreking houden. Misschien kunnen we een gemeenschappelijke operatie organiseren.'

'Het is een militair doel. Mijn ministerie moet erin worden gekend. Geen monolithische organisatie; dat is op hoog niveau vastgesteld.'

'Natuurlijk. En het blijft jullie initiatief.'

'Ik stel voor dat we officieel samenwerken, op voorwaarde dat mijn ministerie zelfstandig mag uitmaken wie recht heeft op de gegevens die we ontdekken. Daarmee zullen de meest voor de hand liggende bezwaren wel uit de weg geruimd zijn. Zouden jullie mensen dat goedvinden?'

'Ja, daarmee zal Control zich wel kunnen verenigen.'

Leclerc vroeg terloops, terwijl iedereen opkeek: 'En de uitzending? Wie luistert daarnaar? We hebben tenslotte een agent uitgezonden.'

Het bleek een kwestie van ondergeschikt belang.

'Hij zal moeten zien dat hij zich redt.'

'De oorlogsregels.' Leclercs stem klonk trots. 'Wij houden ons aan de regels die in de oorlog zijn opgesteld. Dat wist hij. We hebben hem zorgvuldig opgeleid.' Hij scheen zich met de gedachte te hebben verzoend; die zaak was afgedaan.

Avery nam voor het eerst het woord. 'We kunnen hem niet aan zijn lot overlaten.' Zijn stem klonk neutraal.

Leclerc kwam tussenbeide: 'Je kent mijn adjunct, Avery?' Ditmaal schoot niemand hem te hulp. Smiley negeerde hem en vervolgde: 'Die man is waarschijnlijk al gearresteerd. Het is een kwestie van uren.'

'Maar dat kost hem zijn leven!' Avery begon moed te krijgen.

'We desavoueren hem. Dat is nooit een verheffende zaak. Hij is al zo goed als gearresteerd, begrijp je?'

'Maar dat gaat niet!' riep hij. 'Het is gemeen hem uit misselijke diplomatieke overwegingen in de steek te laten!'

Nu viel Haldane Avery woedend aan. 'Jij bent wel de laatste die daarover mag klagen! Jij moest toch een geloof hebben? Een elfde gebod, dat je verfijnde ziel zou bevredigen!' Hij wees naar Smiley en Leclerc. 'Kijk, hier heb je het; dit is de wet die je zocht. Je kunt jezelf gelukwensen, je hebt de waarheid ontdekt. We hebben hem uitgezonden omdat het nodig was; we laten hem in de steek omdat er geen andere mogelijkheid is. Dat is nu de discipline die jij zo bewonderde.'

449

Hij wendde zich tot Smiley: 'En jou veracht ik ook. Je schiet ons eerst neer en dan kom je een preek houden voor de stervenden. Ga weg. Wij zijn technici, geen dichters. Ga weg!'

Smiley zei: 'Ja. Je bent een bekwaam technicus, Adrian. Jij voelt geen pijn meer. Voor jou is de techniek alles geworden ... zoals bij een prostituée ... de techniek moet de liefde vervangen.' Hij aarzelde. 'Vlaggetjes op een kaart ... de oude oorlog die de nieuwe binnenleidt. Het heeft je geboeid, hè? En toen die man ... voor jou bedwelmender dan wijn. Troost je, Adrian, je was ziek.'

Hij richtte zich op, iemand die een verklaring gaat afleggen. 'Een genaturaliseerde Brit van Poolse afkomst, die door de politie werd gezocht, is over de grens naar Oost-Duitsland gevlucht. Met dit land bestaat geen uitleveringsverdrag. De Duitsers zullen beweren dat hij een spion is en zijn uitrusting als bewijs overleggen; wij zullen aanvoeren dat het bewijsmateriaal vervalst is en de aandacht erop vestigen dat het vijfentwintig jaar oud is. Hij zou, meen ik, het gerucht hebben verspreid dat hij in Coventry een cursus heeft gevolgd. De onjuistheid van die bewering kan gemakkelijk worden aangetoond: een dergelijke cursus bestaat niet. De conclusie ligt voor de hand; hij wilde vluchten en we zullen laten doorschemeren dat hij schulden had. Hij had een jong meisje als maîtresse, ze werkte op een bank. Dat komt ons goed van pas. In verband met zijn misdadig verleden, bedoel ik, want daarvoor zullen we nog wat moeten verzinnen...' Hij knikte voor zich heen. 'Zoals gezegd, het is geen verheffende procedure. Maar wij zitten dan allemaal al weer in Londen.'

'En hij zal zenden,' zei Avery zacht, 'zonder dat iemand naar hem luistert.'

'Integendeel,' repliceerde Smiley wrang. 'Ze zullen daarginds heel scherp luisteren.'

Haldane vroeg: 'Control waarschijnlijk ook. Waar of niet?'

'Houd op!' schreeuwde Avery plotseling uit. 'Houd in godsnaam op! Als er nog iets van belang is, als er nog iets echt is, moeten we nu naar hem luisteren! Terwille van ...'

'Van wat?' vroeg Haldane honend.

'Van de vriendschap. Ja, de vriendschap! Jij hebt niet van hem gehouden, Haldane, maar ik wel. Smiley heeft gelijk! Je hebt mij ertoe gedwongen dit voor jou te doen, me gedwongen hem genegenheid te tonen! Zelf was je er niet meer toe in staat! Ik heb hem bij je gebracht, ik heb hem in je huis gezelschap gehouden, ik heb hem laten

450

dansen naar jouw vervloekte pijpen! Maar nu heb ik afgedaan als oorlogstrompetter, ik heb geen adem meer. Hij is het laatste slachtoffer geweest van jouw wens om soldaatje te spelen, Haldane, de vriendschap is dood en de muziek zwijgt.'

Haldane keek naar Smiley. 'Feliciteer Control van me,' zei hij. 'Breng hem mijn dank over, wil je? Voor zijn hulp, zijn *technische* hulp, Smiley; voor zijn aanmoediging, voor de strop waarin wij ons hoofd hebben gestoken. En ook voor zijn vriendelijke woorden, voor het aardige idee jou hierheen te sturen met bloemen voor ons. Charmant gedaan.'

Maar Leclerc scheen geïmponeerd door de handige opzet.

'Laten we Smiley geen verwijten maken, Adrian. Hij handelt in opdracht. We moeten allemaal terug naar Londen. Ook in verband met Fieldens rapport ... Dat wil ik je graag laten zien, Smiley. Troepenverplaatsingen in Hongarije: iets nieuws.'

'Ik zal er graag kennis van nemen,' zei Smiley beleefd.

'Hij heeft gelijk, Avery,' herhaalde Leclerc. Zijn stem klonk bepaald enthousiast. 'Laat zien dat je een goed soldaat kunt zijn. De krijgskansen; de voorschriften! Wij houden ons bij ons werk aan de oorlogsregels. Smiley, mijn excuses. En ik vrees dat ik Control ook verkeerd heb beoordeeld. Ik dacht dat de oude rivaliteit nog altijd bestond. Ik heb me vergist.' Hij boog het hoofd. 'Je moet in Londen eens met me dineren. Mijn club voldoet wel niet helemaal aan jouw maatstaven, maar het is er rustig en de leden komen uit een goed milieu. Heel goed. Haldane moet er ook bij zijn. Adrian, ik nodig je uit!' Avery bedekte zijn gezicht met zijn handen.

'Er is nog iets dat ik met je moet bespreken, Adrian - Smiley, je mag het gerust horen, je weet nu toch alles - de kwestie van de geheime stukken. Het systeem van de referentiekopie is eigenlijk verouderd. Bruce had het er vlak voor ik hierheen ging nog over. De arme juffrouw Courtney raakt overwerkt. Meer kopieën lijkt me de enige oplossing ... één exemplaar voor degene die met de zaak is belast, de anderen allemaal kopieën. Er is een nieuw apparaat aan de markt gekomen, waarmee je heel goedkoop fotokopieën kunt maken, drie en een halve stuiver per kopie, dat is toch niet duur in een tijd als deze ... ik moet er eens over spreken ... de mensen op het ministerie hebben voor zoiets wel begrip. Misschien -' Hij maakte zijn zin niet af. 'Johnson, kun je niet wat minder lawaai maken, we zijn ten slotte nog operationeel.' Hij sprak als iemand die graag een goede indruk wil maken, die zich bewust is van een oude traditie.

Johnson was naar het raam gelopen. Zich over de vensterbank buigend haalde hij de antenne in en begon die met zijn gebruikelijke zorgvuldigheid op te winden. Hij hield een spoel in zijn linkerhand als een haspel. Terwijl hij de draad oprolde deed hij denken aan een oude vrouw met een spinrokken. Avery snikte als een kind. Niemand lette op hem.

23

De groene bestelwagen reed langzaam de weg af en stak het stationsplein over, waar de lege fontein stond. De kleine antenne op het dak van de auto bewoog heen en weer, als een hand die nagaat uit welke richting de wind komt. Twee militaire vrachtauto's volgden op een behoorlijke afstand. Het begon eindelijk menens te worden met de sneeuw. De trucks hadden de bermlampen aan en bewaarden een onderlinge afstand van twintig meter.

De kapitein zat achter in de bestelwagen en gaf de chauffeur door een microfoon aanwijzingen. De sergeant naast hem was verzonken in persoonlijke herinneringen. De korporaal zat over zijn ontvangtoestel gebogen, met zijn hand voortdurend aan de knop, terwijl hij geboeid keek naar het trillende streepje op het kleine scherm.

'Hij zendt niet meer,' zei hij plotseling.

'Hoeveel groepen heb je opgevangen?' vroeg de sergeant.

'Twaalf. Telkens weer de oproep en dan een stuk van een telegram. Ik vermoed dat hij geen antwoord krijgt.'

'Vijf letters of vier?'

'Nog altijd vier.'

'Heeft hij aangekondigd dat hij ging sluiten?'

'Nee.'

'Op welke frequentie zat hij?'

'Drie zes vijf nul.'

'Blijf in dat gebied zoeken. Tweehonderd aan weerskanten.'

'Ik hoor nergens iets.'

'Blijf zoeken,' herhaalde hij streng. 'Het hele golfgebied. Hij heeft een ander kristal genomen. Het duurt een paar minuten voor hij opnieuw heeft afgestemd.'

De korporaal begon langzaam aan de grote knop te draaien, turend naar het groene oog midden op het toestel dat open en dicht ging terwijl hij het ene station na het andere kreeg. 'Ik heb hem. Drie acht zeven nul. Een ander oproepteken maar dezelfde hand van seinen. Sneller dan gisteren, zuiverder.'

De bandrecorder naast hem draaide eentonig verder. 'Hij werkt telkens met een ander kristal,' zei de sergeant. 'Net zoals ze dat in de oorlog deden. Het is dezelfde truc.' Zijn stem klonk gegeneerd, een man of leeftijd, geconfronteerd met zijn verleden.

De korporaal hief langzaam het hoofd op. 'Nu zijn we er,' zei hij. 'Nul. Hij zit vlakbij.'

Rustig stapten de mannen uit de wagen. 'Wacht hier,' zei de sergeant tegen de korporaal. 'Blijf luisteren. Als hij even ophoudt met seinen, al is het maar één moment, zeg de chauffeur dan dat hij knippert met de koplampen, begrepen?'

'Ik zal het hem zeggen.' De korporaal keek angstig.

'Als je helemaal niets meer hoort, blijf dan zoeken en waarschuw me.'

'Let goed op,' vermaande de kapitein terwijl hij uitstapte. De sergeant stond ongeduldig te wachten. Achter hem rees een hoog gebouw op, dat op een leeg terrein stond.

In de verte, half aan het gezicht onttrokken door de vallende sneeuw, lagen rijen en rijen kleine huizen. Het was heel stil.

'Hoe heet dit hier?' vroeg de kapitein.

'Het is een flatgebouw voor arbeiders. Het heeft nog geen naam.'

'Nee, erachter.'

'Niets. Kom mee,' zei de sergeant.

Achter bijna ieder raam scheen bleek licht: zes verdiepingen. Een stenen trap vol herfstbladeren leidde naar de kelder. De sergeant ging voorop en liet het licht van zijn zaklantaren over de broze muren glijden. De kapitein gleed uit en viel bijna. De eerste ruimte was groot en zonder ventilatie, de muren waren van baksteen, ter halver hoogte ruw gepleisterd. Aan het andere eind zagen ze twee stalen deuren. Een enkele lichtpeer brandde aan het plafond achter een draadbescherming. De sergeant had zijn zaklantaren niet uitgeknipt, hij bescheen de hoeken, ofschoon het niet nodig was.

'Wat zoek je toch?' vroeg de kapitein.

De stalen deuren waren gesloten.

'Ga de concierge halen,' beval de sergeant. 'Snel.'

De kapitein holde de trap op en kwam terug met een oude man, ongeschoren en zacht mopperend, die een stel lange sleutels aan een ketting bij zich had. Sommige waren roestig.

'De hoofdschakelaars,' zei de sergeant. 'Waar zitten die?'

De oude man zocht tussen de sleutels. Hij stak er een in het slot, maar die paste niet, hij probeerde een tweede en een derde.

'Vlug dan toch, sukkel,' riep de kapitein.

'Maak hem niet zenuwachtig,' zei de sergeant.

De deur ging open. Ze drongen een gang binnen, het licht van de zaklantarens gleed over de gewitte muren. De concierge hield grijnzend een sleutel omhoog. 'Het is altijd de laatste,' zei hij. De sergeant vond wat hij had gezocht, verborgen tegen de muur achter de deur: een kastje met een ruit aan de voorzijde. De kapitein stak zijn hand al uit om het licht uit te schakelen, maar de ander sloeg die ruw weg.

'Nee! Ga boven aan de trap staan. Waarschuw me als de chauffeur de koplampen laat flikkeren.'

'Wie heeft hier eigenlijk de leiding?' klaagde de kapitein.

'Doe nu maar wat ik vraag.' Hij had de schakelkast geopend en trok zacht aan de eerste stop, zijn ogen achter de goudomrande bril knipperden; hij had een goedhartig gezicht.

Met lenige chirurgenvingers haalde de sergeant de stop eruit, behoedzaam, alsof hij een elektrische schok verwachtte. Onmiddellijk daarop zette hij hem er weer in, zijn ogen gericht op de gestalte boven aan de trap; hij deed hetzelfde met een tweede stop en de kapitein zei nog niets. Buiten staarden roerloze soldaten naar de ramen van het flatgebouw en zagen hoe de lichten op de ene verdieping na de andere doofden en snel weer aanflitsen. De sergeant probeerde het nog eens en bij de vierde maal hoorde hij een opgewonden kreet boven hem: 'De koplampen! De koplampen zijn uit geweest.'

'Niet schreeuwen! Ga de chauffeur vragen op welke verdieping het was. Maar *zachtjes.*'

'Met zo'n wind hoort niemand ons,' zei de kapitein wrevelig, en een ogenblik later: 'De chauffeur zegt dat het op de derde verdieping was. Toen de lichten op de derde etage uitgingen hield het zenden onmiddellijk op. Het is nu weer begonnen.'

'Leg een kordon om het flatgebouw,' zei de sergeant. 'En kies vijf man uit die met ons meegaan. Hij zit op de derde verdieping.'

Geluidloos als sluipende dieren verlieten de Vopo's de twee legerwagens, hun geweren losjes in de hand, zich verspreidend over het terrein, de dunne sneeuwlaag omploegend die onder hun voeten wegsmolt. Sommigen posteerden zich bij de uitgangen van het gebouw, sommigen op enige afstand, starend naar de ramen. Enkelen droegen helmen; hun gedrongen silhouet wekte herinneringen aan de oorlog. Hier en daar klonk een klik, waar de eerste kogel werd overgebracht naar de kamer; het geluid zwol aan tot een licht hagelbuitje en stierf weg.

Leiser maakte de antenne los en wond hem weer op; hij schroefde de seinsleutel weer op het deksel, legde de koptelefoon in de onderdelendoos en verborg het zijden lapje in het handvat van het scheermes.

'Twintig jaar,' klaagde hij, het scheermes omhoog houdend, 'en ze hebben nog geen betere bergplaats gevonden.'

'Waarom doe je het?'

Ze zat tevreden op haar bed in haar nachtjapon, de regenjas om zich heen geslagen, alsof ze zich daardoor minder eenzaam voelde.

'Met wie praat je?' vroeg ze weer.

'Met niemand. Niemand heeft me gehoord.'

'Maar waarom doe je het dan?'

Hij moest wel iets zeggen en daarom zei hij: 'Voor de vrede.'

Hij trok zijn jasje aan, liep naar het raam en tuurde naar buiten. Op de huizen lag sneeuw. De wind blies er nijdig overheen. Hij wierp een blik op de binnenplaats beneden hem.

'Vrede, voor wie?' vroeg ze.

'Het licht ging uit, hè, terwijl ik met het toestel bezig was?'

'O ja?'

'Was het niet een ogenblik donker, een of twee seconden, alsof de stroom even werd onderbroken?'

'Ja.'

'Draai het weer uit.' Hij stond heel stil. 'Draai het licht uit.'

'Waarom?'

'Ik kijk graag naar de sneeuw.'

Ze draaide het licht uit en hij schoof de versleten gordijnen opzij. Buiten wierp de sneeuw een bleke lichtvlek op de lucht. In de kamer was het bijna donker.

'Je zei dat we nu naar bed zouden gaan,' klaagde ze.

'Luister eens, hoe heet je?'

Hij hoorde het ritselen van haar regenmantel, toen ze zich bewoog.

'Hoe heet je?' Zijn stem klonk schor.

'Anna.'

'Luister, Anna.' Hij liep naar het bed. 'Ik wil met je trouwen,' zei hij. 'Toen ik je ontmoet heb, in dat café, toen ik je daar zag zitten, luisterend naar de grammofoonplaten, toen ben ik verliefd op je geworden, begrijp je? Ik ben een ingenieur uit Maagdenburg, heb ik je verteld. Luister je?'

Hij greep haar bij de armen en schudde haar door elkaar. Zijn stem klonk dringend.

'Neem me mee,' zei ze.

'Juist! Ik zei dat ik altijd van je zou houden, dat ik je zou meenemen naar alle plaatsen waarvan je ooit had gedroomd. Begrijp je?'

Hij wees naar de biljetten aan de muur. 'Naar eilanden, naar zonnige streken -'

'Waarom?' fluisterde ze.

'Ik ben hierheen gegaan met je. Jij dacht dat ik met je wilde vrijen, maar ik trok mijn mes en bedreigde je. Ik zei dat ik je zou doodsteken als je ook maar een kik gaf, zoals ik - zoals ik die jongen heb doodgestoken, je weet wel.'

'Waarom?'

'Omdat ik wilde zenden. Ik had een huis nodig, begrijp je? Ergens waar ik met mijn radio kon werken. Ik wist geen ander adres. Daarom heb ik met jou aangepapt en je misbruikt. Luister: als ze je ondervragen moet je dat vertellen.'

Ze lachte. Ze was bang. Ze leunde onzeker achterover op het bed, hem lokkend haar te nemen, alsof hij dat nu wilde.

'Als ze je wat vragen, vergeet dan niet wat ik heb gezegd.'

'Maak me gelukkig. Ik houd van je.'

Ze strekte haar armen uit en trok zijn hoofd naar zich toe. Haar lippen waren kil en vochtig, te smal tegen haar scherpe tanden. Hij week achteruit, maar ze bleef hem vasthouden. Hij luisterde scherp om boven het huilen van de wind uit geluiden te horen, maar het bleef stil.

'Laten we nog even praten,' zei hij. 'Voel je je eenzaam, Anna? Wie heb je?'

'Wat bedoel je?'

'Ouders, een vriend. Mensen.'

In het donker schudde ze ontkennend het hoofd. 'Alleen jou.'

'Luister; kom, laten we je mantel dichtknopen. Je wilt vast wel horen hoe het in Londen is. Ik heb er eens een heel eind gewandeld, het regende en bij de rivier was een man, die in de regen schilderijen maakte op het trottoir. Stel je voor! Hij tekende met krijt op de stenen en de regen spoelde alles weg.'

'Kom nu. Kom.'

'En weet je wat hij tekende? Alleen maar honden en huisjes en zo. En de mensen - Anna, luister nu toch! - de mensen stonden in de regen naar hem te kijken.'

456

'Ik verlang naar je. Houd me vast. Ik ben bang.'

'Luister! Weet je waarom ik een wandeling maakte: ze wilden dat ik naar bed zou gaan met een meisje. Daarvoor hadden ze me naar Londen gestuurd en in plaats daarvan ben ik gaan wandelen.'

Hij kon haar vaag onderscheiden en zag dat ze hem gadesloeg, hem oordeelde op grond van een instinct dat hij niet begreep.

'Ben jij ook alleen?'

'Ja.'

'Waarom ben je gekomen?'

'De Engelsen zijn stapelgek! Die oude vent bij de rivier: ze verbeelden zich dat de Theems de grootste rivier ter wereld is, wist je dat? En het is een rivier van niets! Een bruin stroompje, op sommige plaatsen kun je er bijna overheen springen.'

'Wat was dat voor een geluid?' zei ze plotseling. 'Dat geluid ken ik! Het ontzekeren van een pistool!'

Hij hield haar stevig vast omdat ze zo beefde.

'Het was alleen maar een deur,' zei hij. 'Het slot van een deur. De wanden zijn hier zo dun als karton. Hoe zou je iets kunnen horen met zo'n storm?'

Er klonk een voetstap in de gang. Ze sloeg naar hem in haar doodsangst, de regenmantel wapperde om haar heen. Toen ze binnenkwamen stond hij een eindje van haar af, het mes op haar keel gericht, zijn duim erbovenop, het lemmet evenwijdig met de grond. Zijn houding was kaarsrecht en zijn kleine naar haar opgeheven gezicht was uitdrukkingsloos, beheerst door een persoonlijke discipline, want hij was nu weer een man die graag een goede indruk wilde maken, die zich bewust was van een oude traditie.

De boerderij lag in het donker, blind en zonder te luisteren, roerloos tegen de heen en weer zwiepende lariksen en de snel voortdrijvende wolkenvelden.

Ze hadden een luik opengelaten en nu sloeg het langzaam, onregelmatig, heen en weer onder de kracht van de storm. Sneeuwplekken vormden zich als as van een houtvuur en werden weer opgejaagd. Ze waren weg en ze hadden niets achtergelaten dan sporen van autobanden in de bevriezende modder, een eindje draad en de rusteloze geluiden van de noordenwind.

MARIE-LOUISE

In mijn jonge jaren heb ik nooit veel geluk gehad bij vrouwen. Laat ik mij wat nader verklaren. Ze vonden mij óf ongeïnteresseerd en op een afstand óf te slaafs. Ik had het gevoel dat ik in de ogen van de meesten het midden hield tussen kardinaal Richelieu en een Italiaanse ober.

Vanwege die vreemde mengeling van koelheid en serviliteit werd ik nogal eens aangezien voor een homo. Dat was zeker niet juist; vrouwen trokken mij aan, alle vrouwen, daar maak ik geen geheim van. Ik genoot van hun omhelzingen. Jammer genoeg viel er voor mij op dat punt weinig te genieten, hoewel ik er toch goed uitzie, niet ongeestig ben en een heel redelijk karakter heb. Als kind heb ik vrij veel op mijn kop gehad van vrouwen, misschien dat ik daardoor een enigszins onderdanige indruk maak. Toen ik groter werd, kostte het me bepaald moeite tegenover vrouwen iets van mannelijke superioriteit te tonen. Een psychiater zou mij spoedig doorzien hebben, zo duidelijk was de situatie. Ik verlangde naar vrouwen en kreeg ze zelden. (Later ben ik erachter gekomen dat ik niet de enige was; er bleken meer mannen van mijn generatie aan dat euvel mank te gaan.)

Mijn gefrustreerdheid bereikte een pijnlijke climax, toen ik in 1954 in het kleine Provençaalse stadje Etrouille-sur-mer verbleef. Voor de inwoners van Etrouille-sur-mer was 1954 een onvergetelijk jaar; sterker: het was voor hen 'het jaar der jaren'. Tot dan toe hadden de armzalige wijnstokken op de zuidelijke hellingen slechts een zure, onaangename rode wijn opgeleverd, in heel de Provence bekend als 'le pipi d'Etrouille'. In slechte jaren kon hij zelfs niet als rode wijn worden verkocht, dan moest hij worden gesleten als een magere rosé. Maar in dat wonderbaarlijke jaar 1954 was er plotseling iets gebeurd met de 'pipi': opeens was het een grote wijn geworden. De vroeger zo slappe en bleke druiven waren vol en stevig. De onooglijke wijnstokken die altijd een povere oogst hadden voortgebracht, droegen zware, rijpe trossen. Het dorre Etrouille-sur-mer had Bacchus omhelsd en een verrukkelijk kind gebaard. De inwoners, van voet tot kruin bevangen door hun nieuwe wijn, gedroegen zich alsof de drankgod met ieder van hen persoonlijk had geslapen. Althans het vrouwelijke deel van de bevolking. Hun huid ging glanzen en blozen als het velletje van hun druiven. En bij niemand was dat meer verleidelijk dan bij mijn eigen Marie-Louise, serveerster en voornaamste trekpleister van de 'Auberge de la Domaine' waar ik, in afwachting van mijn toelating in Oxford, een baantje had aangenomen als – moet ik het nog zeggen? – als kelner.

Ik wil niet beweren dat ik van haar hield; ik begeerde haar. Ik begeerde haar zó hevig dat het lichamelijk pijn deed, een pijn welbekend aan mannen die gewend zijn aan falen in de liefde. Ik was haar slaaf. Wat ik aan veroverings- en andere technieken had geleerd van de Engelse meisjes die vroeger bij me in de buurt woonden, verschrompelde tegenover haar seksuele wapenrusting tot de vuurkracht van een kinderpistooltje. In slapeloze nachten lag ik welgebouwde zinnen te bedenken en situaties waarin ik haar zou kunnen verleiden. In een koortsachtig visioen droomde ik van haar weelderige heupen en volle dijen, van haar zwoele mond en haar wippende borsten. Ik ontkleedde haar, ik kuste haar, ik streelde haar, ik bezat haar; helaas, louter in mijn koortsige verbeelding. Overdag was ik even onhandig, onpraktisch en inwendig trillend van de zenuwen als in mijn eerste puberteit. Ik keek naar haar terwijl ik de lege glazen weghaalde die ze zo uitdagend keer op keer had volgeschonken; ik observeerde haar als ze met haar blik de gebruinde wijnboeren bespeelde; ik zag de begeerte in hun ogen, zoals ze gretig naar haar staarden, met een natuurlijke bronst waarom ik hen benijdde; en ik haatte haar, met een jaloerse, hongerige haatliefde als ze me kleine gunsten toestond. Een kus, een dansje, een terloopse streling of een speelse klap op mijn achterste: voor mij waren het de snoepjes waarmee je een klein kind afscheept terwijl je jezelf als oudere tegoed doet aan een overdadig maal.

Zelfs de karaf wijn of de schaal met appels die ze soms op mijn kamer bracht als ze terugkeerde uit de stad, waar ze door de boeren naar de 'coopérative' was gereden, waren slechts zout in mijn wonden. Bij tijd en wijle overviel haar een zekere moederlijke bezorgdheid voor mij, die zielige Engelse jongen die zo stuntelig deed in het bijzijn van haar en al die vrolijke Provençaalse levensgenieters. Maar ik had geen moeder nodig, maar een maîtresse. Voor mijn ar-

me, jaloerse hart waren die kleine gestes hetzelfde als de routine-te-
derheden die een prostituee heeft overgehouden uit haar voormalige
ambacht. Ik was ervan overtuigd dat iedere man in Etrouille, behalve ik, ooit haar gunsten deelachtig was geworden. O, wat kwelde ze
me! Ik moet er nog steeds aan denken hoe zij 's avonds laat, nadat
we de tafels hadden opgeruimd, het geld geteld, de stoelen bovenop
de tafels gezet en de houten vloer met nat zaagsel hadden bestrooid,
mij bij de hand nam en me naar boven, naar mijn kamer leidde, heel
voorzichtig om niemand wakker te maken, en hoe ze dan met een
verlangende zucht op bed ging zitten, alsmaar mijn hand strelend en
haar hoofd schuddend, zodat haar prachtige lange zwarte lokken
haar gezicht omfladderden als zijden gordijnen.

'Arme ziel' scheen ze te willen zeggen, 'arme jongen, je wilt me
toch zo graag.' Alsof ze medelijden had met me, met de wilde begeerte van iemand die zo ver buiten haar losse, primitieve wereldje
stond. En dan kon ze onverhoeds opspringen, met een woest gebaar
haar hoofd achterover gooien en in mijn boeken en papieren gaan
grasduinen.

'Is dat interessant?' vroeg ze dan, in het Engels. En ik antwoordde, ook in het Engels: 'Heb je daar belangstelling voor?' Ik kon tegen iedereen Frans spreken, uitgezonderd tegen haar. 'Toe, vertel
me eens wat over je studie.' Ik weet niet meer wat ik heb geantwoord, maar van binnen barstte ik bijna. 'Marie-Louise, Marie-
Louise,' riep mijn geteisterde hart, 'wat voor zin hebben de dingen
van de geest, wanneer ze niet zijn geworteld in het vlees!'

Ik had zelfs op mijn beurt medelijden. Ik stelde me de leegte voor
die haar wachtte wanneer al dat rijpe vlees zou zijn uitgebloeid, als
ze de leeftijd bereikt zou hebben waarop de mannen geen begerig
oog meer op haar zouden werpen. Toen ze mijn kamer had verlaten,
schonk ik een glas vol uit de karaf die ze had meegebracht en nog
een glas en nog één, tot ik tenslotte, beneveld door de rijkdom van
de laatste wonderoogst, in slaap viel. Vóór ik insliep zwoer ik dat ik
eens zou terugkeren naar Etrouille-sur-mer, later, als de wilde jeugd
van Marie-Louise zou zijn uitgewoed en de 'pipi' weer gewoon de
'pipi' zou zijn van voorheen. Ik zou een wijs, welvarend en verge-
vensgezind man zijn en ik zou voor haar zorgen in de schemer van
haar levensavond, al had ze dan ook de dageraad van mijn bestaan
grondig vergald.

Hij bezat een hoogst ongewoon bouquet en een unieke smaak, deze grote wijn, zelfs als hij jong was. Nu ik dit neerschrijf, proef ik

hem nog steeds. Ik ben geen wijnkenner, integendeel; de cultus rond het wijndrinken heb ik altijd wat belachelijk gevonden. Ik heb nimmer een groot jaar van een slecht kunnen onderscheiden. Het is een ritueel dat voor mij een gesloten boek is gebleven, tot op de dag van vandaag, naar ik eerlijk moet bekennen.

Maar die wijn van Etrouille die in 1953 werd geoogst en in 1954 (te vroeg) werd genoten, is als die ene melodie die een doof geworden man zich uit zijn jeugd herinnert. Hij was een vrucht van de liefde, zo leek het mij. Bij de eerste dronk openbaarde hij zijn volte nog niet, al beloofde hij reeds veel; hij aarzelde op de tong en scheen deemoedig te vragen om een minzaam verhemelte. Had hij dat gevonden, dan gaf hij zich, als een vrouw in de liefde, en opeens ontplooide hij zijn volledige rijkdom: zijn briljante bouquet vulde de neusvleugels en streelde het verhemelte; zijn exquise smaak overrompelde de zinnen; en langzaam vlijde hij zich, slok na slok, in de geest van de proever, waarin hij lang en loom nagloeide. Ik mag niet eens zeggen dat ik er ten volle van genoot: wij tonen ons niet altijd dankbaar gestemd jegens hen die ons losrukken uit onze apathie en onze begeerten versluieren. Maar voor mij is hij onvergetelijk, omdat hij mijn eerste waarlijke verovering met zijn geur en smaak heeft begeleid.

Ze noemden hem 'la Cuvée Marie-Louise', naar het meisje dat de dromen van de wijnboeren had vervuld. Buiten het stadje raakte hij weinig bekend. Slechts enkele flessen vonden hun weg naar de kelder van een fijnproever; het leeuwenaandeel van de oogst bleef in Etrouille en was door de gulzige inheemsen al verzwolgen vóór hij tijd had gevonden om te rijpen. Wanneer u op het ogenblik ter plaatse vraagt naar een 'Cuvée '53', zal men u vol eerbied een bestofte fles brengen met een gebleekt etiket. De jaargang klopt, het ritueel is onberispelijk en de prijs buitensporig hoog. Er hangt zelfs een kaartje aan de hals waarop in het Frans en in het Engels het verhaal wordt verteld van dat wonderbaarlijke jaar, toen God zijn nectar aan het dal schonk. Maar het vocht in die fles is niet te drinken; het is gewoon de oude 'pipi' in een misleidende vermomming.

In maart verliet ik Etrouille, een paar honderd francs rijker. Hoewel ik toegelaten was in Oxford, had ik niet meteen hoeven te vertrekken, want het nieuwe studiejaar zou pas later beginnen. Maar ik kon het niet verdragen in de nabijheid van Marie-Louise te zijn als het voorjaar opnieuw zou uitbotten in het dal. Ik nam een baantje aan bij het postkantoor in St. Albans en werkte daarna in een grote zaak in Watford. Ik bleef met Marie-Louise corresponderen. Zij schreef me nu en dan en stuurde me op mijn verjaardag een nogal aandoenlijk pakje.

Voor verjaardagen had ze eén zwak; geen wijnboer in Etrouille zou zijn geboortedag vieren zonder een gratis fles 'Cuvée'. Ze zond me een doosje zelfgebakken koekjes, zoute dingen die ze de trouwe bezoekers placht voor te zetten. De zending had de reis slecht doorstaan; er bevond zich in het pakje niet meer dan een berg kruimels die ik aan de zwanen voerde. Een week na Kerstmis kreeg ik een briefje van de douane waarin werd meegedeeld dat er twee flessen 'accijnsplichtige wijn' voor mij waren aangekomen uit Etrouille-sur-mer (Frankrijk). Helaas waren de flessen net als de koekjes, onderweg gebroken. Ik schreef haar een bedankje, maar haar moeder stuurde de brief ongeopend terug. Marie-Louise was er vandoor.

Ze had langer dan een jaar op me gewacht, schreef haar moeder, was dat niet lang genoeg voor een meisje? Ze was er tussenuit gegaan met een onderwijzer uit Lyon, een man zonder geld en zonder vooruitzichten die haar onmogelijk gelukkig zou kunnen maken. Haar vader was woedend geweest, schreef haar moeder, en wilde niets meer met haar te maken hebben. De onderwijzer – hij was trouwens maar hulponderwijzer – was een verwaande kwast, een godsdienstmaniak, en wat het ergste was: hij dronk niet. Hij stamde uit een familie van notoire geheelonthouders. Volgens haar vader had Marie-Louise zich aan die vent vergooid. Ze zou altijd terug mogen komen, maar dan zónder die vervloekte schoolmeester. Als ze dan toch, met alle geweld iemand buiten de streek wilde, waarom dan die Engelsman niet? Die dronk tenminste...

Haar moeder putte zich uit in verontschuldigingen, maar, schreef ze, ik moest begrijpen dat een jong meisje niet eeuwig kan blijven wachten. Marie-Louise was me trouw gebleven, ze was echter op een leeftijd waarop ze een man nodig had. Ze had altijd gedroomd van een bestudeerd man als echtgenoot, een schoolmeester of een academicus, ze las graag en veel en was op school steeds de eerste van de klas geweest. Al was ze dan op en top vrouw, de dingen van de geest hadden haar toch het meest geboeid...

Ik kon niet verder lezen. Ik scheurde de brief aan snippers en ging als een bezetene aan het werk. Ik was een gebroken man. Hoe feller de herinnering aan Marie-Louise mij doorpriemde, des te fanatieker bedwong ik met rigoureuze zelfdiscipline alle gedachten aan zaken buiten de studie. Ik veroorloofde mij slechts eenmaal een concessie aan het vlees. Onder sterke aandrang van mijn jaargenoten nam ik een uitnodiging aan voor een diner van de faculteit. Het menu vermeldde een dure rode wijn (22 shilling per fles) die werd verkocht als 'Merveille d'Etrouille', maar die de zure smaak had van een slechte rosé. Zelfs mijn studiegenoten vonden hem ondrinkbaar. De tafelheer weigerde zijn excuses aan te bieden, de idioot. Hij voerde aan dat hij in geschriften van experts niets dan loftuitingen had gelezen over de wijngaarden van Etrouille; in 1953 zou daar op de zuidelijke heuvelhellingen een wijntje zijn gegroeid... De man werd uitgefloten en vervolgens in de vijver gegooid. Na ijverig aan deze afstraffing te hebben meegeholpen, zette ik mij weer aan de studie.

Nochtans geloof ik het aan mijn arme Marie-Louise te danken te hebben dat ik zo glansrijk door mijn examens kwam. De gedachte aan haar droevig lot dreef mij naar de boeken. Ik zag haar voortdurend in de armen van haar verachtelijke hulponderwijzer. Het was nu niet de 'Cuvée Marie-Louise' die mij slaapdronken maakte, maar de doffe verveling van de Kantiaanse dialectiek, de 'Kritik der reinen Vernunft', de studie van het puur-geestelijke. In wezen trok mij deze strenge wijsbegeerte wel aan, maar ik was nu eenmaal niet geschapen voor een geestelijk leven waar het vlees niet aan te pas kwam. Niettemin verdiepte ik mij in de verbale abstracties van de Duitse filosofen. Mijn studieresultaten waren zo goed dat men mij een beurs toekende. Ofschoon ik door een innerlijke kracht naar de universiteit werd gedreven, zat ik voor mijn gevoel als een gevangene in de collegebanken. Niet als een boeteling. Ik was overigens weinig trots op mezelf. De enige die trots op mij zou zijn geweest, als ze van mijn studiesuccessen had geweten, was Marie-Louise.

De universiteit van Félon bezat toentertijd, de hemel mag weten waarom, geen al te beste reputatie. Félon is een ommuurd stadje, niet ver van Avignon. Vijf eeuwen geleden besloot een groepje monniken achter die hoge muren hun aardse bestaan te wijden aan het geven van onderricht aan koopmanszonen. Men zegt dat er sindsdien in Félon weinig is veranderd: noch de vredige rust van het stadje noch de kwaliteit van het onderricht. Maar talenten bloeien soms op de vreemdste plaatsen. Het slaperige Félon bracht een du Chêne voort. Opeens was hij in de mode bij de intellectuelen. Geen germanist, van Uppsala tot Berkeley, zou een letter publiceren over de negentiende-eeuwse filosofen zonder ernstig rekening te houden met de opvattingen van du Chêne. Wie zich ook maar de geringste speculatie veroorloofde die niet stoelde op wetenschappelijke fundamenten, kon er staat op maken dat de vernietigende pen van du Chêne hem onbarmhartig terechtwees in de vakliteratuur. Du Chêne was niet slechts ons lichtend voorbeeld, hij was onze geestelijke leidsman, onze vader-abt, de gestrenge bewaker tegen onzindelijk denken. Zonderling genoeg had hij juist Félon uitgekozen om zich te vestigen. Hoewel ik al het een en ander had geschreven dat niet onopgemerkt was gebleven – ook de grote du Chêne had zich verwaardigd belangstelling te tonen voor mijn werk – vervulde het mij toch met meer dan normale trots toen ik een uitnodiging van hem kreeg. Hij verzocht mij zijn gast te willen zijn (de universiteit van Félon stond bekend om zijn gastvrijheid) en een lezing te willen houden voor de faculteit.

Du Chêne en ik waardeerden elkaar zeer. Hij had zich in lovende termen uitgelaten over mijn herwaardering van Schiller's visie op de ongekunsteldheid. Zijn beschouwingen over de inductie in de logica van Kant hadden diepe indruk op me gemaakt. Maar deze uitnodiging die mede namens zijn confraters tot mij werd gericht, overrompelde mij. 'De volharding waarmee u zich wijdt aan het edel streven naar verruiming van ons intellectueel inzicht...' las ik in zijn brief.

Ik antwoordde onmiddellijk: ik beschouwde het als een hoge eer het woord te mogen richten tot de leden van de faculteit en ik zou met het grootste genoegen aanzitten aan het diner dat te mijner ere zou worden gegeven. Diezelfde middag kocht ik bij Low in Hatton Garden een achttiende-eeuwse bonbonnière voor de vrouw van de professor. Du Chêne diende te weten dat ik zijn invitatie naar waarde schatte.

De professor zou mij aan het station komen afhalen. Ik herinner me nog duidelijk welke voorstelling ik me van hem had gemaakt: een massieve gestalte, robuust als een eik, met het uiterlijk van een aristocraat, een strenge man die er uitzag als zijn geschriften. In mijn verbeelding droeg hij een donkergrijs pak, netjes maar wat glimmend op de ellebogen vanwege het leunen op de teakhouten lessenaar. Hij zou resoluut zij het hartelijk op mij toestappen (hij bewonderde immers mijn werk); de chauffeur zou zijn grote, logge auto op een gereserveerde plek hebben geparkeerd en achter het stuur op ons zitten wachten. Toen er dan ook een sproetige kantoorfiguur in een Engelse blazer bij de uitgang stond, met in zijn linkerhand een groezelige, goedkope boodschappentas die hij achteloos liet bungelen, nam ik direct aan dat du Chêne uit protocollaire overwegingen een assistent had gestuurd.

'Du Chêne', zei hij sissend, terwijl hij zijn bovenlip optrok alsof het noemen van namen een verachtelijke bezigheid was. Aanvankelijk drong het niet tot me door dat hij zichzelf voorstelde. Ik meende dat hij de afwezigheid van zijn chef verontschuldigde en dat het uitspreken van de naam een zin inleidde die niet werd afgemaakt. Maar hij had inmiddels mijn hand gegrepen en onmiddellijk teruggetrokken, kennelijk uit afkeer van zo'n intiem contact. Vóór de lezing zou beginnen, hadden we nog een paar uur de tijd, zei hij. Had ik in de trein al wat gegeten of wilde ik een sandwich?

Tegen de tijd dat ik mijn voordracht zou aanvangen, was mijn geestdrift tot het nulpunt gedaald. Ik had mijn manuscript voorzien van een inleiding waarin ik hulde betuigde aan mijn grote mentor, maar toen ik achter de katheder plaatsnam, kwam het mij voor dat ik zwaar had overdreven. Terwijl ik in het onaanzienlijke cafeetje waar we koffie hadden gedronken, naar zijn eindeloze monoloog had zitten luisteren, was ik tot de bevinding gekomen dat de ideeën van du Chêne helemaal geen ideeën waren, maar de bitter-sarcastische invallen van een dorre, hoewel venijnige geest. Ik had gemeend dat hij een baanbreker was; inplaats daarvan bleek hij louter platgetreden paden te bewandelen en serieuze problemen te schuwen. Ik trachtte me voor de geest te halen waarom hij mijn werk had geprezen en besefte opeens dat hij mij slechts op die plaatsen was bijgevallen waar ik anderen had geciteerd of besproken. Verbaasd vroeg ik mij af wat ik had gezien in die wauwelende man op zijn wankele caféstoel die zat te kletsen als een onzekere tweedejaars en hoe zijn confraters – die zich nu onder mijn gehoor bevonden – zich hadden kunnen onderwerpen aan de leiding van zo'n pover en bitter intellect. Ik zou het antwoord spoedig weten.

Du Chêne zou mij inleiden. Uit ervaring weet ik dat men een gastspreker op twee manieren aan zijn auditorium kan voorstellen. Ik noem ze de Engelse en de Duitse manier. Bij de Engelse manier heeft men een pijp nodig, aangezien de woorden nagenoeg onverstaanbaar moeten zijn; de inleider staat niet achter de katheder, maar zit op de eerste of tweede rij in de zaal. Is die voor driekwart vol (het merendeel van de aanwezigen heeft zijn plaats dan nog niet bezet), dan verheft hij zich, hoewel hij niet echt rechtop gaat staan. Met zijn rug naar de gast gekeerd en de hand aan de pijp, mummelt hij enkele vlakke zinnen waarvan de betekenis verloren gaat door het geschuifel van voeten en stoelen die verschoven worden. Als de gastspreker zich inspant, kan hij nog net zijn naam opvangen die verkeerd wordt uitgesproken. Dat is alles. Het raadzaamst is dan ook de hele inleiding te negéren en gewoon te beginnen alsof men niet aan zijn gehoor is voorgesteld.

De andere manier, die ik de Duitse noem, is in de literatuur toegepast door Bernard Shaw. Aangezien de inleider geen enkel vertrouwen heeft in wat er gaat komen, corrigeert hij bij voorbaat de fouten die de spreker zal maken. Hij trekt conclusies uit beweringen die nog niet zijn uitgesproken. Hij behandelt stellingen die niemand heeft geformuleerd, zeker de gast niet, en neemt afstand van bepaalde gevolgtrekkingen waardoor de objectiviteit van de spreker in een dubieus licht komt te staan.

Die tweede manier had, uiteraard, du Chêne gekozen. Alle aanwezigen, zo begon hij, zouden er wel van op de hoogte zijn welk een belangrijke bijdrage de spreker aan zijn studierichting had geleverd. Du Chêne zelf had – hij wilde er met dankbaarheid van gewagen – verscheidene malen inspirerende gedachten in het werk van de gast aangetroffen. Hij verwees in het bijzonder naar mijn verhandeling over Schiller's onderscheid tussen ongekunsteldheid en vals gevoel. Persoonlijk, zei du Chêne met opgetrokken en trillende bovenlip, was hij er niet zo zeker van dat Schiller wel iets had bijgedragen tot de wijsbegeerte. Het Duitse woord 'Dichter' dekte allerlei betekenissen. Hij had opgemerkt dat de literatuurvorsers ertoe neigden Schiller te zien als filosoof, terwijl de filosofen hem voor een dichter hielden...

Toen hij deze flauwe opmerking plaatste die kennelijk als grap was bedoeld, viel mijn blik op het gehoor. Ik bespeurde er duidelijk weerzin in. Het volgde zijn woorden als renbaanbezoekers met hun blik een weinig geliefde favoriet volgen, in de stille hoop dat hij zal struikelen, hoewel ze beseffen dat er weinig hoop is. Sommigen hadden hun hoofd laten zakken en zaten somber naar hun handen te staren; anderen keken naar de hoge, bestofte ramen, maar de Heer liet zich niet zien. Hij hield zich vandaag schuil achter een inktzwarte stormlucht en kon niet als vertrooster optreden. Er waren er een paar – de jongeren die sterkere zenuwen hadden en in wie nog niet alle eerzucht was gedood – die hem met brandende blikken doorboorden, ongeveer zoals Cassius naar zijn machtswellustige Caesar moet hebben gekeken. Ze haatten hem. En ze haatten mij, omdat ik zijn beschermeling was.

Du Chêne moest bijna uitgesproken zijn, want hij sprak nu over mijn persoon. Men zag verlangend uit, zei hij, naar de gelegenheid nader met mij kennis te maken tijdens het diner van de faculteit. Het gebeurde niet vaak dat ze in Félon een echte 'gentleman uit Oxford' in hun midden hadden. Zelf had hij altijd een warme genegenheid voor Oxford gekoesterd, zei du Chêne; als student had hij enige tijd college gelopen in St. Peter's Hall. Het devies voor Oxford luidde, zo zei hij: 'in vino veritas', een welkome gedachte voor diegenen in de zaal die de geneugten van een goed maal konden waarderen (daar behoorde hij niét toe, getuige de misprijzend opgetrokken bovenlip).

Oxford zou zorgen voor de waarheid en Félon voor de wijn.

Mijn voordracht was een verschrikking. Ik week af van mijn tekst. Ik liet grote stukken weg uit mijn lofrede op du Chêne en het hele bouwsel van mijn fraai in elkaar gezette lezing stortte ineen. Ik begon te improviseren en kon de juiste woorden niet vinden. Ik bezondigde me aan zouteloze grappen waarom niemand lachte. Ik verontschuldigde me, maar geen sterveling had mededogen met me. Ik sprak over de beroemde Franse universiteiten en over twee landen die elkaar de hand reikten over het Kanaal; maar de enige reactie was de smeulende haat van het vijandig gezinde auditorium. En al die tijd zag ik, als door een nevelgordijn, de ogen van du Chêne op mij gericht, de schijnwerpers van een gevangenis waaruit ontsnappen onmogelijk was.

Misschien groeide er toch iets van sympathie onder mijn gehoor naarmate ik verder met mijn toespraak vorderde. Tenslotte werd ik beschouwd als een pupil van du Chêne. Du Chêne had hen opgeroepen naar mij te komen luisteren. Ze hadden mij beschouwd als een robot uit de negatieve du Chêne-school. Maar nu zagen ze mij jammerlijk mislukken. De leerling had zijn meester oneer aangedaan. De vijand had terrein moeten prijsgeven.

Na afloop schudden verscheidene aanwezigen me vriendelijk de hand.

Een oudere heer die ik tijdens mijn lezing de Heer had zien aanroepen, klopte me bemoedigend op de arm. Hij had veel opgestoken uit mijn voordracht, zei hij; het was een zeer menselijke lezing geweest. Menselijkheid was helaas een schaars artikel in Félon – zijwaartse blik in de richting van du Chêne – vooral onder de jongeren. En de jeugd had het tegenwoordig voor het zeggen. Vanavond, zei hij glimlachend, terwijl hij afscheid nam, zouden ze mijn menselijkheid belonen. 'We nemen onze vrouwen mee,' zei hij en haalde een woord aan van John Gay: 'Vrouwen maken de geest losser.' Later hoorde ik dat hij een anglicist was die altijd een geschikt citaat bij de hand had.

Het diner zou plaatsvinden in de eetzaal van het hotel waar ik logeerde.

De ramen boden uitzicht op een binnenplaats met bomen. Hun takken omstrengelden een pergola; lamplicht bescheen de bladeren. Een herinnering stemde me melancholiek. Ik moest aan Etrouille denken.

Ik was alleen in de eetzaal en wachtte op de komst van mijn gastheren.

Du Chêne was naar huis gegaan om zijn vrouw te halen. Ik zag dat ik recht tegenover hem zou zitten, want op zijn plaats had men een waterglas neergezet (een smerig glas, waarschijnlijk een blijk van diepe afkeuring van de zijde van de maître d'hôtel), terwijl bij alle overige borden wijnglazen stonden. Somber gestemd wachtte ik op het voorrijden van de eerste auto, toen een ober de zaal binnenkwam. Een vrij jonge man, wellicht een student die zijn tijd produktief wilde maken, in afwachting van de aanvang van het studiejaar. Hij begroette me vriendelijk en bood me een aperitief aan. Vond ik het prettig in Félon?

Ik antwoordde dat ik het er inderdaad heel plezierig vond; de mensen waren erg gastvrij en het stadje heel charmant. Misschien zou ik erbij hebben gezegd dat ik heel graag met hem had willen ruilen, dat ik veel liever kelner was gebleven in plaats van loze triomfen te vieren aan de universiteit, als ik niet juist op dat ogenblik een auto de binnenplaats had horen oprijden. Ik stelde mij tactisch op, gereed om de deur te openen. Een mens gedraagt zich soms vreemd op zulke momenten. Moet men het eerst de hand uitsteken of wachten tot de ander het doet? Moet men klaar staan bij de deur of zich door de binnenkomende laten verrassen? Het waren de du Chênes. Ik ving een paar woorden op die hij met de taxichauffeur wisselde; een maand geleden, zei hij, had hij voor dezelfde rit vier francs zestig moeten betalen en nu kostte het vier francs tachtig. 'We zijn opge-houden door de verkeerslichten,' zei de chauffeur landerig, 'de meter is afgesteld op tijd en op afstand en ik ga af op de meterstand.' Ik hoorde een japon ruisen, ik hoorde lichte vrouwenstappen, en zag in gedachten de magere, vale mevrouw du Chêne met een goedkoop handtasje en een verschoten regenjas over haar jurk van zwarte crêpe. Ik dankte de hemel dat ik de zilveren bonbonnière op mijn kamer had gelaten. Toen trad Marie-Louise binnen aan de arm van du Chêne. Haar zwarte haar golfde over haar bekoorlijke schouders en ze had haar oogleden neergeslagen, waardoor ik meteen begreep dat ze mij daar verwachtte.

Du Chêne stelde ons aan elkaar voor. Ik raakte haar hand aan; het wanhopige gebaar waarmee een blinde reikt naar de reddende gordel als hij te water is geraakt. Ze greep de mijne, alsof ze een drenkelinge was.

'Pierre heeft mij vaak over u verteld, monsieur,' zei ze zacht. 'Ik heb het wel niet allemaal begrepen, maar ik bewonder u zeer.'

'Wat wij doen gaat haar begrip te boven,' zei du Chêne zonder veel interesse. 'Zonderling genoeg leest zij altijd alles wat u schrijft. U hebt een heldere stijl.' Hij keerde haar de rug toe teneinde een zojuist binnengekomen gast aan mij voor te stellen. In gedachten zegende ik de nieuwkomer. Ze arriveerden nu de één na de ander, met stralende gezichten in het vooruitzicht van gastronomische genoegens. Parfumgeur omwolkte de vrouwen.

Ik werd vriendelijk begroet, waarschijnlijk vanwege de 'menselijkheid' van mijn toespraak en de kleur die mijn wangen verfde en mijn trekken verzachtte. Ergens op de achtergrond hoorde ik muziek, hoewel Marie-Louise mij later met stelligheid heeft verzekerd dat er geen strijkje was. Maar een man die op het punt staat het paradijs te betreden, hoort zijn eigen muziek. Dat mag niemand hem betwisten, zelfs Marie-Louise niet.

We zaten met z'n achttienen aan tafel; Marie-Louise zat links van mij. Ze deed zeer ingetogen en onderhield zich meestentijds met de oude anglicist, wiens geest ze ongetwijfeld losser maakte. Maar mijn geest lichtte ze compleet uit zijn voegen. Haar been rustte tegen mijn enkel en onder het smetteloze tafellaken waren onze handen ineengestrengeld. Ze was mooier dan ooit, maar zekerder van zichzelf. Net als vroeger kon ik mijn ogen niet van haar afhouden. Toch zag ik haar nu anders; mijn blik was gescherpt door de liefde, de jaren van smartelijke hunkering hadden mijn gevoelens jegens haar nog verinnigd. Ze had een slag verloren, maar haar kansen niet verspeeld; ze was teleurgesteld, maar niet wanhopig; ze had een fout begaan en daar de gevolgen van ondervonden. Ze wachtte op de eerste de beste gelegenheid die fout te herstellen. Haar lichaam, dat prachtige lichaam, zou niet worden verspild aan du Chêne, dat stond voor mij vast. Ze had vele minnaars gehad en ik twijfelde er niet aan of ook onder de disgenoten bevonden zich mannen aan wie zij haar gunsten had geschonken (ik proefde het uit de sfeer aan tafel), maar die minnaars hadden slechts gediend om haar vergissing van zes jaar geleden te bemantelen. Ze voer nu in open zee en ze was vastbesloten haar eigen koers te volgen. We flirtten niet; bij de eerste handdruk hadden we een stilzwijgend verbond gesloten. Onze verstandhouding werd voortgezet op het punt waar zij indertijd was afgebroken, maar de ervaringen van de tussenliggende jaren maakten haar rijper. Wij waren al een liefdespaar vóór de daad. Zodra zich een gelegenheid zou voordoen, zouden wij de liefde metterdaad bedrijven. Onze heimelijke liefkozingen waren er het voorspel van.

De Fransen worden verondersteld meesters te zijn in de keuken en in de slaapkamer; hun taal wemelt van de gemeenplaatsen over de kook- en de liefdeskunst. Ik houd niet zo van die cliché's en ik ben van mening dat de Fransen het slachtoffer zijn van hun reputatie. Er zullen er onder de dinergasten zijn die tot de dag van vandaag alle exquise schotels die we kregen voorgezet, stuk voor stuk gloedvol kunnen beschrijven. Marie-Louise in ieder geval, want zij had het menu samengesteld. We aten, we praatten en we dronken, vrijmoediger naarmate de avond vorderde. Ik was nooit zo onderhoudend geweest. Ik maakte grappen en het waren geestige grappen. Ik vertelde amusante roddelverhalen uit mijn Oxfordse milieu en ze lachten er hartelijk om. Mijn openhartigheid verwekte hilariteit. Op een gegeven moment leverde ik zelfs kritiek op mijn lezing van die middag. Ik zei dat ik er te lang op had zitten zwoegen; de eer voor dit illustere gezelschap het woord te mogen voeren had mij geïntimideerd. Maar ze wilden geen kwaad van me horen. Ze brachten een toost op me uit en verzekerden me om strijd dat ieder woord van mijn voordracht een parel van wijsheid was geweest. Aan de andere kant van de tafel nipte du Chêne somber van zijn vuile glas. Iedereen negeerde hem.

Wie roerde het eerst het thema wijn aan? Marie-Louise houdt nog steeds vol dat het de oude anglicist was, maar als dat zo is, dan heeft zij hem op die gedachte gebracht. Elders aan tafel stak men de koppen bij elkaar, opgewonden fluisterend zodat ik het niet kon horen. Na een korte discussie die blijkbaar tot algehele overeenstemming leidde, werd de jonge kelner ontboden. Nieuwe debatten. De één zei dat de wijn waarom het ging moest worden gedecanteerd; de flessen moesten eerst worden ontkurkt en gelegenheid hebben tot rust te komen. Nee, zei een ander, ze mochten pas later worden ontkurkt. Tenslotte mengde Marie-Louise zich in het debat. Deze wijn, zei ze kalm, moest zó uit de fles in het glas en mocht pas op het laatste moment worden ontkurkt.

De kelner kwam terug met een collega. Ze droegen flessen die in linnen servetten waren gewikkeld. Aan tafel zweeg men eerbiedig. De enige die zijn stem verhief, was du Chêne. Zijn randloze brilleglazen spiegelden onaangenaam in het schijnsel van de kaarsevlammen.

'Mag ik vragen welk ritueel vanavond wordt gevolgd?'

Niemand reageerde. Tenslotte zei de oude anglicist: 'We gaan een brug maken.' (Ik vermoed dat hij Marie-Louise's andere hand vasthield, want ik bespeurde plotseling een intens warm gevoel voor de oude heer, een soort elektrische lading.) 'We gaan een brug slaan tussen het gevoel en het verstand, tussen geest en lichaam.'

'Het lijkt meer op een rivier,' zei du Chêne vinnig. Hij keek misprijzend naar de rij in het wit geklede flessen die zedig stonden te wachten, als jonge maagden voor hun eerste communie. Maar dit was zijn dag niet. Dit was de dag van de oude professor.

'Daar uw gast, ónze gast,' hernam de professor, 'ons heeft voorgehouden dat het leven niet slechts dient te worden overpeinsd, maar dat het met vreugde moet worden gelééfd, willen wij hem verzoeken' – hij wierp een zijdelingse blik op Marie-Louise alsof hij van haar kant bijval verwachtte – 'willen wij onze gast verzoeken de wijn te keuren die wij te zijner eer hebben gekozen en ons zijn gewaardeerd oordeel als kenner en Oxfordiaan te laten horen.'

Ik protesteerde zwakjes. Ik was allerminst een kenner, zei ik, maar hun heftig verweer belette me verder te spreken. Het succes maakte me overmoedig. Ik ben geen musicus, maar als ze op dat moment een vleugel voor me hadden neergezet, zou ik zonder enig aarzelen een sonate van Beethoven hebben gespeeld en nog goed ook.

De hand van de jonge ober beefde een beetje toen hij mij inschonk. Hij had een schoon glas meegebracht, een klassiek, bolrond model, en alle aanwezigen keken in zwijgende extase toe hoe het rode vocht zich als een vlek uitspreidde over de bodem van het glas.

Nog vóór ik de eerste slok had genomen, werd ik bestormd door herinneringen: ik hoorde weer de wijnboeren luidkeels discussiëren in de bistro onder mijn slaapkamer; ik rook de vochtige, zoete geur van de wijnstokken op de zuidelijke hellingen en luisterde naar het klappen van de kleine kerkklok die de verhitte Galliërs opriep voor een andere eredienst dan die aan god Bacchus. Ik zag Marie-Louise achteroverleunen in haar stoel; zo had ze ook op mijn bed gezeten, toen. Eindelijk bracht ik het glas aan mijn lippen en dronk. De wijn bedwelmde mijn tong, zijn bouquet drong in mijn neusgaten, steeg me naar het hoofd...

Even vreesde ik dat ik mijn spraakvermogen had verloren. Zelfs deze grote 'Cuvée' vermocht niet het brok in mijn keel weg te spoelen en de tranen terug te dringen die opwelden in mijn brandende ogen. Ik vermoed dat mijn eerste zinnen alleen te verstaan waren door degenen die vlakbij mij zaten:

'Deze wijn is de mooiste die Frankrijk ooit heeft voortgebracht... Ik dacht dat hij voor immer voor ons verloren was... een wijn, even zeldzaam en rijk als het geluk zelf... een wijn die stof en geest in zich verenigt... met een karakter dat niet in woorden is te vatten, zo veelzijdig, zo mysterieus... een dergelijke wijn wordt slechts éénmaal...' – mijn stem herwon zijn kracht – 'U en ik, waarde tafelgenoten, zullen het niet meer meemaken dat zo'n godsgeschenk ons deelachtig wordt... een geschenk van de Heer aan een dorre vallei...'

Ik wachtte even vóór de naam te noemen. Mijn blik viel op du Chêne.

Zelfs in dit gelukzalige ogenblik, met de koele kleine hand van Marie-Louise op mijn dij, wilde ik zo lang mogelijk genieten van mijn triomf en de zege listig voorbereiden.

Toen zei ik: 'De jaargang is '53. Hij werd het eerst genoten in '54, te vroeg. Deze wijn is afkomstig uit een afgelegen dal. Zelfs hoogst ervaren kenners van de Provence-wijnen hebben deze nectar versmaad...'

De rest van mijn woorden gingen verloren in het applaus. Men klopte mij op de schouder, men omhelsde mij, maar ik zag alleen Marie-Louise. Tranen stroomden over haar wangen...

Du Chêne was gewoon om elf uur naar bed te gaan. Hij hield van vroeg opstaan, zei hij. Dan kon hij op zijn gemak wat brieven schrijven.

Ik bedankte hem voor zijn edelmoedige gastvrijheid. Nee, hij behoefde me niet naar het station te brengen, zei ik, hij had al genoeg voor mij gedaan. De anglicist beloofde Marie-Louise thuis te zullen brengen – zij was als gastvrouwe wel verplicht te blijven tot het eind van de avond – en toen du Chêne was vertrokken, kuste ze de oude heer op de wang. Hij scheen het te begrijpen.

We namen de laatste trein naar Etrouille (overstappen in Avignon). Ik heb de naam van het stadje veranderd, want wij zijn niet gebrand op toeristen. In de kelder van de 'Auberge de la Domaine' liggen nog wat flessen; we maken er alleen bij uitzonderlijke gelegenheden een open. De bonbonnière staat te glanzen in onze eetkamer. Nu en dan vult Marie-Louise hem met heerlijke eigengebakken koekjes of met andere smakelijke zoetigheden van eigen maaksel. De kwaliteit van de 'Cuvée Marie-Louise' is nog verbeterd; zelfs zijn vurigste bewonderaars hadden niet durven hopen dat hij door rijping zó aan karakter zou winnen. Vooral de afdronk is een onvergetelijke ervaring.

SCENARIO

INTERIEUR wasserij annex stomerij aan de King's Road, Chelsea, OVERDAG.

Een wazig beeld neemt langzaam vaste vormen aan, terwijl de gestadige, bijna uitdrukkingsloze monoloog van een volkse werkende vrouw zich voortsleept. Het is de stem van LILLEY, de winkelcheffin, een kleine, gezette, manke vrouw met een jasje van konijnebont aan. Ze praat, praktisch in zichzelf, en voorziet aldus haar eigen handelingen van achtergrondmuziek terwijl ze reçuutjes van de klanten aanneemt, naar het een of andere rek hompelt, op een krukje gaat staan of een stalen grijphaak gebruikt om een bruin papieren pakket of een kleerhanger met gestoomd goed naar beneden te halen.

Almaar pratend neemt ze het geld aan, slaat ze het bedrag aan, geeft ze geld terug, wendt ze zich tot de volgende klant en neemt ze een nieuwe voorraad vuile kleren in ontvangst. Het is druk in de winkel, en ze gaat vaardig om met de wisselende groep klanten. Onder hen bevindt zich George SMILEY, en er zit een onnadrukkelijk komisch element in de manier waarop hij zich, hoewel al vlak bij de balie, voortdurend door minder bedeesde klanten laat passeren. Hij houdt zijn reçuutje naar voren uitgestoken, slaagt er bijna in het door LILLEY te laten aannemen – maar ziet zich dan op het laatste moment door een ander verdrongen.
SMILEY is eind vijftig, brildragend, dik, en ziet er schuchter uit. Hij heeft een donker pak aan.

LILLEY
(de hele tijd bezig)
…Ik heb het niet zo op de jeugd. Ik zeg niks van jon-

gelui, hoor – (haalt een pakket naar beneden) – we zijn allemaal jong geweest – was- of stoomgoed, mop? – We hebben denk ik allemaal wel kansen gemist, of ze gebruikt en er later spijt van gekregen – (tegen een andere klant) – Klaar met je lijst? Dan in de mand; zo, ja – Ze *doen* niks, ze willen niet werken, ze zijn half dood, net als m'n neefje. Ik zeg tegen z'n moeder – (pakt een reçuutje aan) – hoe was de naam, mop?

JONGE MANNELIJKE KLANT

Eldridge.

LILLEY

(trekt een pakket naar beneden)

– 'geef hem alles wat ie wil hebben,' zeg ik, 'maar *verwen* hem niet. Als je hem verwent, gaat ie de misdaad in, en wat zal er *dan* van hem terechtkomen?' Geeft ze hem met Kerst een elektrische gitaar, al haar spaargeld en de helft van dat van het volgende jaar. Maar ja, dat wil ze nou eenmaal, je kunt ze niet tegenhouden. Hoe was de naam, mop?

SMILEY

(terwijl LILLEY zijn reçuutje aanpakt)

Smiley. George Smiley.

LILLEY

(bestudeert het reçu)

Je moet voor jezelf leren opkomen, hè, schat. 'George' vind ik een mooie naam. Ik heb altijd gezegd dat ik zeker een George zou hebben gehad, als ik er een gekregen had. Wat is het, mop?

SMILEY

Pardon?

LILLEY

Was- of stoomgoed, mop.

NIEUWE OPNAMEHOEK, SMILEY'S GEZICHTSPUNT.
Bywater Street is een doodlopende straat. We volgen SMILEY langs
de geparkeerde auto's.
NIEUWE OPNAMEHOEK, die de deur van Bywater Street nummer negen laat zien. Eén volle melkfles voor de deur. SMILEY heeft
het pak nog onder zijn arm terwijl hij de treden naar zijn eigen
voordeur oploopt. Wanneer hij bovenaan is:
CLOSE-UP van SMILEY. Niets dramatisch, bijna helemaal niets. Alleen even een verharding van zijn uitdrukking.
CLOSE-UP van het benedenraam. Hebben we een schim gezien?
Heeft SMILEY er een gezien? Beweegt de vitrage een heel klein beetje?
CLOSE-UP van SMILEY. Hij heeft de sleutel van zijn eigen voordeur
in zijn hand. Hij verplaatst zijn blik van het raam naar beneden,
naar zijn voeten.
NIEUWE OPNAMEHOEK, SMILEY'S GEZICHTSPUNT. Aan
SMILEY's voeten ligt een heel klein houten wiggetje op de stoep,
waar het is neergevallen van zijn plaats boven in het deurkozijn.
NIEUWE OPNAMEHOEK. De deur in CLOSE-UP, waarbij de
twee stevige Banham-sloten worden getoond. SMILEY steekt zijn
hand omhoog, strijkt er heel snel mee langs het bovenstuk van het
deurkozijn, en bevestigt zo zijn vermoeden dat de wig niet meer op
zijn plaats zit.
CLOSE-UP van SMILEY terwijl hij de deursleutel bedachtzaam weer
in zijn zak stopt. Dan drukt hij zonder verder te aarzelen op zijn eigen voordeurbel.
SMILEY VASTHOUDEN terwijl hij met het pak onder zijn arm onverstoorbaar staat te wachten. Binnen in het huis komen voetstappen naderbij.
We HOREN het geluid van een ketting die wordt losgemaakt.
ANDERE OPNAMEHOEK, over SMILEY's schouder heen, om te
laten zien hoe het leven op straat zijn doodgewone gangetje gaat.
Een moeder loopt achter haar kinderwagen, een eenzame zonderling laat zijn hond uit, de melkboer doet zijn ronde.
ANDERE OPNAMEHOEK wanneer de deur vrolijk openzwaait,
en we te zien krijgen:
> Een lange, blonde, knappe, vijfendertigjarige man,
> gekleed in een lichtgrijs kostuum met een zilverkleuri-
> ge das. Scandinavisch of Duits. Zou diplomaat kun-
> nen zijn. Zijn linkerhand nonchalant in de zak van
> zijn colbert.

VREEMDELING
(Duits accent)
Goedemorgen.

SMILEY
O. Goedemorgen. Neemt u me niet kwalijk dat ik u stoor.

VREEMDELING
Helemaal niet. Wat kan ik voor u doen?

SMILEY
Is meneer Smiley ook thuis? George Smiley? Mijn naam is Mackie; ik woon om de hoek. Hij kent me wel.

VREEMDELING
George is op het ogenblik boven. Ik ben een vriend van hem, zomaar op bezoek. Wilt u niet binnenkomen?

SMILEY
Nee, nee, dat is niet nodig. Als u dit aan hem zou willen geven. (Hij pakt het pakket en reikt het over.) Mackie, Bill Mackie; dit is zijn wasgoed. Hij heeft me gevraagd het voor hem op te halen.
De VREEMDELING negeert het pak en doet de deur nog verder open.

VREEMDELING
Maar ik weet zeker dat hij u wel even wil spreken!
(Hij roept het huis in)
George! Bill Mackie is hier. Kom eens beneden! Hij voelt zich de laatste tijd niet zo lekker, ziet u. Hij vindt het heerlijk om bezoek te krijgen. Maar vandaag is hij eindelijk op; erg fijn.
(Rug naar SMILEY)
Aha, ik hoor hem al komen. Maar komt u toch binnen; u weet hoe hij op kou reageert.

(stopt het pak in de ene vrije arm van de VREEMDE-
LING)

Dank u, maar ik moet ervandoor.

BUITEN, BYWATER STREET. SMILEY loopt energiek over het
trottoir van zijn huis vandaan naar de King's Road. Terwijl hij
loopt, snelle CLOSE-UPS van successieve autonummers, antennes,
buitenspiegels enz. SMILEY's uitdrukking onverstoorbaar, zakelijk;
hij kijkt niet om. Volg hem de hoek om, de King's Road op, over
het trottoir naar een rij telefoons, waarvan de meeste zijn vernield.
INT. smerige telefooncel. SMILEY praat in de hoorn.

SMILEY

...lengte een meter tachtig, kleur ogen blauw, kleur
haar lichtbruin, jeugdige haarvorm, forsgebouwd,
gladgeschoren, Duits accent, waarschijnlijk uit het
noorden, misschien linkshandig. Twee onbekende auto's op straat geparkeerd, GRK 117F, zwarte Ford-
bestel, geen achterruiten, twee antennes, twee buitenspiegels, ziet eruit als een oude patrouillewagen. OAR
289G, groene Datsun saloon met krassen op het rechter achterspatbord, misschien gehuurd. Allebei leeg,
maar op de bestuurdersplaats van de Datsun lag de
Evening Standard van vandaag, de late editie. Ze
moeten wachten tot hij weggaat en hem dan volgen,
meer niet. Twee teams, en de posities de hele tijd
doorbellen. Heel voorzichtig te werk gaan. Geen andere afdelingen erbij betrekken en de prooi geen
schrik aanjagen. Zeg dat tegen Toby.

(Tot dusver heeft hij een uitgestreken gezicht. Nu is zijn gedrag verdeeld tussen vrees voor zijn vrouw, liefde voor haar, en gewone
boosheid.)

En verder, Peter... bel Ann voor me, wil je. Zeg tegen
haar, voor het geval ze misschien van plan was in de
komende paar dagen naar het huis terug te gaan – *niet
doen*.